外国文学名家精选书系
编委会

主　　编 柳鸣九
副 主 编 钱海骅　张立升　国祯明
编　　委（以姓氏笔划为序）
　　　　　王守仁　吕同六　朱　虹　沈石岩
　　　　　张　黎　张立升　国祯明　罗新璋
　　　　　金志平　柳鸣九　钱海骅　高　莽
　　　　　高中甫　高慧勤　陶　洁
主编助理 张晓强

谭立德　编选

福楼拜精选集

山东文艺出版社
2003

编选者简介

谭立德,1965年毕业于上海外国语学院德法语系。现为中国社会科学院外国文学研究所编审,《二十世纪欧美文论丛书》(国家重点项目)副主编,《世界文论》副主编,中国法国文学研究会理事。

主要编著有《法国作家、理论家论左拉》、《花的智慧——梅特林克作品选》、《法国中篇小说选》等,并翻译了《克伦威尔》(雨果著)、《广岛之恋》(杜拉著)、《某种微笑》(萨冈著)、《花的智慧》(梅特林克著)、《屠格涅夫传》(莫洛亚著)、《黛莱丝·拉甘》(左拉著)等数十种。

出 版 说 明

外国文学的译介进行到一定阶段,精选集的出版便成为迫切的社会需要。精选集是社会文化积累的最佳而又最简便有效的一种形式。为了同时满足阅读欣赏、文化教育以至学术研究等广泛的社会需要,为了便于广大读者全面收集与珍藏外国文学名家名著,本社隆重推出"外国文学名家精选书系"。

每卷以一位著名作家为对象,务求展示该作家的文学精华,成为该作家的一个全貌缩影。

书系以"名家、名著、名译、名编选"为目标,分批出版。

对译者、编选者以及有关出版社的合作与支持,我们表示深切的谢意。

目　录

编选者序　完美的福楼拜 …………………… 谭立德（ 1 ）

中短篇小说

狂人回忆 ……………………………… 郎维忠译（ 3 ）
秋之韵 ………………………………… 胡宗泰译（ 59 ）
一颗简单的心 ………………………… 李健吾译（150）

长篇小说

圣安东尼受试探 …………… 李平沤　李白萍译（187）
包法利夫人 …………………………… 李健吾译（403）

附录　福楼拜生平及创作年表 …………… 谭立德编（775）

编选者序

完美的福楼拜

谭立德

1789年，法国资产阶级革命震撼了整个欧洲。到了十九世纪，革命力量和反革命力量之间的较量反复、持续地进行着，政治事件层见迭出，法国处于动荡不安的局势。在这动荡的年代，法国的思想文化和意识形态领域中，各种思潮、学说、流派、主义应运而生。在占有主导地位的自由主义思潮的影响下，法国文学空前活跃和繁荣，开始了它历史上的第二个黄金时代。在这星光璀灿的文坛里，福楼拜无疑是其中最为光彩夺目的星星之一。

1821年12月13日，居斯塔夫·福楼拜出生于鲁昂的一个医生世家。祖父是名兽医，父亲是鲁昂市立医院院长兼外科医生，母亲也是一位医生的女儿。他的童年虽然可以说无拘无束，但医院的环境养成了他严肃、冷峻的性格。父亲指定长子习医，以继承自己的事业，安排次子居斯塔夫学习法律。可是，居斯塔夫·福楼拜自幼喜爱文学，还常常和小同学一起玩演戏的游戏。1832年进入鲁昂中学，两年后，十三岁的福楼拜便开始编辑一份手抄的报纸《艺术和进步》，并撰写了他的第一篇短篇小说《玛格丽特·勃艮第之死》。到他1840年通过中学会考之前,他已经写下十多篇小说,显露了这位少年作者出众的文学才华。在中学时代写作的小说中,《狂人回忆》(1838)是一篇自传体小说,既回忆了美好的童年生活,也记叙了他十六岁时对一位二十八的少妇所萌生的恋情。这一奇妙而纯真的恋情,在他稚嫩的心灵激起了不小的波澜,甚至永生不能忘怀,后来在长篇小说《情感教育》一书中又作了描写。

1841年,按照父亲的意愿,福楼拜到巴黎大学注册学法律。不过,他对于法学并没有什么兴趣,而是念念不忘他钟情的文学,第二年就写出了中篇小说《秋之韵》(又译《十一月》),并开始创作《情感教育》。不久,因神经系统疾病的发作,父亲只得让他放弃法律学业。从此,他全身心地投入文学创作。1846年,父亲病故后,他同母亲一道住在鲁昂郊区的克罗瓦塞。在这风景明媚的小村镇,福楼拜勤于笔耕,一直到他生命的最后一天。

还在中学上学时,福楼拜就爱好旅行,并写下大量的旅行笔记。旅行为他带来灵感,并为日后的文学创作积累了丰富的素材。在他妹妹结婚那一年,福楼拜全家与新婚夫妇一起外出旅行,在意大利的热那亚,勃鲁盖尔的同名绘画使他萌发了写作《圣安东尼受试探》(又译《圣安东尼的诱惑》)的激情。1847年,福楼拜偕好友杜冈到布列塔尼和诺曼底地区游览,使他对当时法国社会的现实状况,获得了深切的感性认识。

1848年2月,震惊法国朝野的资产阶级革命爆发。福楼拜闻讯,立即同另一位好友布耶一起赶往巴黎,亲眼目睹当时发生的种种情景,留下了难忘的印象。因此,在他后来再次撰写《情感教育》时,有关1848年革命的描述,尤其显得真实、生动。由于对社会现实深为不满和失望,翌年,福楼拜写完《圣安东尼受试探》后,便同杜冈一起离开法国,到近东旅行。

他们经马耳他,到埃及、叙利亚、巴勒斯坦、土耳其、希腊、意大利等地进行了将近两年的旅行。这次旅行开阔了他的视野,异国悠久的文明和别具一格的风光,使福楼拜激赏不已。

回国后,福楼拜开始投入第一部长篇小说《包法利夫人》的创作。这期间,他同路易丝·高莱持续八年的恋情,终因双方志趣相异,宣告中断。福楼拜终身未婚。1856 年 4 月,凝聚了作家的心血和理念的代表作《包法利夫人》完成。同年 10 月开始,经大量删改后在《巴黎评论》上连载。但小说显示出来的锋芒,激怒了当局,福楼拜因此受到官方的指控,罪名是有伤风化。经过两个月的诉讼,法庭宣告此书不是诲淫作品。翌年,全书面世。《包法利夫人》的出版使福楼拜声名大振,奠定了他在法国文学史上的重要地位。

不过,这场获胜的官司和小说取得的巨大成就,并未减轻福楼拜经受的心理压力。以后几年,他放下现实题材,转向创作古代题材的小说,着手撰写小说《萨朗波》(1862)。这部小说当时的题名为《迦太基》,为了把书写好,福楼拜特地奔赴北非,在古代迦太基的遗址实地考察了四天。小说面世后,获得广泛好评。1863 年起,福楼拜又回到依然深深吸引他的现实题材上来,致力于写作他第二部长篇小说《情感教育》,对年轻时撰写的《情感教育》作了彻底的改写。六年后,《情感教育》面世,但并没有获得预期的成功。于是,福楼拜着手修改《圣安东尼受试探》(1874),并撰写了一部不甚成功的剧本《候选人》(1874),同时,构思第三部现实题材的长篇小说《布瓦尔和佩居榭》。1875 年至 1876 年间,福楼拜同乔治·桑发生文学论争。这场论争使得福楼拜写出了《三故事》(1877)中的《一颗简单的心》。

晚年,福楼拜的心情愈加忧闷、孤僻,健康状况愈益恶化，他过着孤苦伶仃的生活，但始终执著于小说创作。1880年5月8日，福楼拜走完了他不寻常的文学创作旅程，逝世于克罗瓦塞。他的未完成小说《布瓦尔和佩居榭》在他身后第二年面世。

　　福楼拜生活在法国浪漫主义盛行的时期。童年时，他最崇拜的作家是维克多·雨果，因而，在他早期创作的小说里，常常闪现出浪漫主义色彩。1836年，福楼拜跟随父母到特鲁维尔度暑假。一天，在海滨散步，他遇见了一位神秘而忧郁的女人，便狂热地爱上了她。两年后，这个默默单恋的少年，怀着浪漫的情感，真实地叙述了这份痴迷的激情和忧郁的情怀，写成了一篇自传体小说《狂人回忆》。1842年撰写的《秋之韵》可以说是他早期创作的终结。这部小说讲述了一个孤独、苦闷的年轻人急切地渴望领略爱情的滋味，然而，他邂逅相遇的却是个妓女，分手以后，年轻人对妓女依然无法忘怀，最终忧郁而死。整篇小说充溢着苦涩、悒郁的氛围，抒发了福楼拜的忧思愁怀。

　　由于自小生活环境的影响，福楼拜对于科学有着特殊的偏爱，因而，在他的小说中，也不乏惊人的真实描写。他的甥女，高芒维勒夫人在她的《回忆录》里曾这样谈到他："从他的父亲那儿，他接受实验主义的倾向，对事物观察缜密，为了了解最小的细节而花费许多的时间，他具有认识一切的爱好。他的母亲给他留下了易于感受的心性，几乎女性的温情，洋溢于他伟大的胸臆………"作为一名作家，不妨说，福楼拜既具有敏锐的感觉、丰富的感情，又有如同医生一般的冷静、理智的性格。1850年，福楼拜在出国旅行途中，阅读了奥古斯特·康德的《实证哲学》一书。实证哲学的学说对福楼拜的文学创作产生了决定性的影响。第二年，归国后，他着手第一部以现实生活为题材的长篇小说的创作，那就是《包法利夫人》。这时，他改变了创作路子。

实证主义融入了福楼拜的创作观念。浪漫主义色彩从他的作品中淡出，以艺术和科学的融合为基础的写实主义，成为他的创作的主潮。1852年，福楼拜在给路易丝·高莱的信中这样写道："……越往前，艺术越要科学化，同时科学也要艺术化。二者从底部分手，又在顶尖结合。"他认为，小说是生活的科学形式，因此，他要运用科学的方法来观察事物，描绘一切，剖析人生。1857年，始于1851年的《包法利夫人》面世。这部写实主义杰作分三卷。上卷共九章，中卷有十五章，下卷十一章。小说的副标题是"外省风俗"。女主人公爱玛是外省富裕农家的女儿，从小被送到修道院接受贵族化的教育。长大成人后，嫁给市镇医生包法利。然而，修道院里的教育使爱玛成为一个爱慕虚荣、游手好闲的女子，她向往所谓高雅奢华的生活，而浪漫主义文学的熏陶则使她满脑子充斥着诗情画意、风花雪月。爱玛对小镇的平淡无奇的生活和平庸无能的丈夫心生厌倦，憧憬着虚幻的爱情。她先后有两个情人，第一个情人是个品质卑劣的乡绅，第二个情人是个自私怯懦的见习生。两个情人都弃她而去，爱情的幻影破灭了，而爱玛则因为糜费的生活而债台高筑，最终，她走投无路，服毒自尽。

《包法利夫人》的出版，犹如一石激起千层浪，在法国社会引起不小的风波。这部小说通过一个女子的悲剧，鞭挞了腐化堕落的资产者社会。爱玛本是个普通的农家姑娘，修道院的教育毁坏了她的品格，她一心向往贵族社会的"高雅"，浪漫主义文学使她对爱情产生了不切实际的幻想。在她居住、生活的城镇里，周围的人都是那么庸庸碌碌。对这种平淡、沉闷的生活的厌倦，更促使她要寻求"幸福的爱情"。于是，渐渐地，她的灵魂堕落了。然而，她遇人不淑，先后两个情人都抛弃了她。更可悲的是，高利贷者敲诈她，她求助的律师更要趁火打劫，现实生活一步步把她逼到绝境。如果说，爱玛的堕落是因为贵族教育和消极浪漫主义文学熏陶的结果，那么，她的毁灭则是冷酷的社会造成的。福楼拜并不是简单地把爱玛描写成一个堕落淫荡的女子；这是一个幻想过多的弱女子，但是，在她的身上却表现出强烈的反抗意识，她不甘心在这平庸狭小的城镇里度过平庸的一生一世，不甘心与自己碌碌无为、感情贫乏的丈夫厮守终身，而她的悲剧也正出于此；她周围的人并不比她高明多少，正是这一个个道貌岸然的伪君子逼她走上死路。福楼拜以冷峻、客观的笔触，勾画出一个个鄙俗、自私的"正人君子"，把批判的锋芒直指法国当时所处的社会现实。小说对社会的深刻揭露激怒了第二帝国当局，因此，作者受到指控，作品被斥为诲淫诲盗。然而，福楼拜对小说创作的革新却赢得文坛的一片赞扬。声望卓著的资深批评家圣勃夫，读了《包法利夫人》后，立刻发表书评，高度评价这部"处处打着它出现的那个时代的标记"的作品，他写道："我相信看出一些新的文学的标志：科学、观察的精神、成熟、力量和一点严酷。"文坛名宿波德莱尔在《艺术家》杂志发表文章，给予小说热情的称赞，说"这本书本质上是一本富于启发性的书，可以使人写出一大本评论的著作"。在他看来，爱玛"的确是崇高的，她尤其值得怜悯"。马克思的女儿爱琳娜·马克思－埃威林认为，这是一本"完美无缺"的书，"在文坛上产生了类似革命的效果"。左拉更是给予了高度的评价，他说："新的艺术法典写出来了。《包法利夫人》的清澈与完美，让这部小说变成同类的标准、确实的典范。"批评家布吕纳介在福楼拜身后，对他的创作进行全面评价时，强调指出："在法国小说史里，《包法利夫人》具有划时代的意义。它说明某些东西的结束和某些东西的开始。"

福楼拜开始创作《包法利夫人》的时候，巴尔扎克刚刚去世，他写信给好友布耶表示沉痛的哀悼之余，也表示了对当时小说的批判现实主义手法的不满足。福楼拜认为，巴尔扎克"是个了不起的人，曾经透彻了解他的时代。他曾经对妇女有过深刻的研究，不料一结婚，就故世了。而他熟悉的社会，也开始瓦解。路易－菲利普一去，有些东西跟着一去而不复返。如今该唱唱别的歌了。"诚然，福楼拜同其他现实主义作家一样，视文学为反映现实生活的一面镜子。他追求表现真实的艺术，在他看来，"一件东西只要真，就是好的"，"艺术应当真实才是"，"丧失了真实性，也就丧失了艺术性"。但是，他并不墨守成规，步人后尘。福楼拜以独创的艺术手段写下了这部传世之作。

福楼拜写作《包法利夫人》的灵感源自一个真实的故事。作者父亲的医院里，有一个名叫德拉马尔的学生，他的续弦夫人嗜好小说，生活奢华；她先后遭到两个情夫的遗弃，深受刺激，而且，由于借债供自己挥霍，结果债台高筑，不得不服毒自杀，遗下一个女儿。过了不久，德拉马尔也自杀了。这是发生在1848年的事，当时的报纸曾作过报道。应该说，这个故事并无什么新奇独特之处，女主角也只是一名平庸的女子。正如福楼拜在1853年7月给他的女友高莱夫人的信中所说的那样，"同时遥望着那么多庸凡的事物，全要好好地写出来……"其实，故事本身并不重要，重要的是作家如何运用、调度和布局。福楼拜是怎样把这些"庸凡的事物"造就成有价值的艺术的呢？

福楼拜在艺术创作中遵循透彻理解现实，忠实反映生活的原则。他把故事背景放在七月王朝，但他着力刻画的是1848年资产阶级革命后的社会风貌。小说展示了十九世纪中叶一幅幅法国外省的风俗的画面，描绘了形形色色的资产阶级人物。福楼拜对于事物的观察力极其敏锐精细，善于在琐碎的日常生活中刻画人物的个性，各种类型的人物在他的生花妙笔下，栩栩如生，惟妙惟肖，即使一个不起眼的渺小人物，他也能用三言两语抓住特点，使其跃然于纸上。不过，福楼拜从不承认《包法利夫人》是根据某件真实的事件而写的，因为，在他看来，这部作品不是一般的写实小说，尽管故事是真实的。他在回答卡耶多的信中这样写道："《包法利夫人》是纯粹的虚构。这本书的所有人物全是凭空想出来的。……呈现在我眼前的只是些个人，可是我所要写的，却是些典型人物。"他笔下的爱玛不只是一个失足的女子，更是受尽资产阶级社会凌辱和摧残的女性，她一生的梦想、追求、痛苦和遭遇都有着时代的烙印；她周围的人物，郝麦、罗道尔弗、赖昂、包法利等等，无一不是某一方面的典型人物。

福楼拜毫不隐讳他"为了故事更加易于了解和有趣起见，而创造了一个接近人性的女主人公，一个通常所见的女人"。为了塑造这个"通常所见的女人"，作家十分注重环境的铺陈。但是，他绝不孤立地描写环境，而是把环境描写和人物塑造糅和在一起，常常通过人物的视线所摄取的景物来映衬人物的精神变化，让人和景同样处于动态中，互为因果。

然而，《包法利夫人》之所以成为一部"具有划时代意义"的巨著，在于它的纯客观的艺术表现。福楼拜认为，小说家的态度，应该同科学家一样，是客观的。在他看来，"艺术不是用来描写例外的事物"，应该还事物以本来的面目。他在给乔治·桑的信中写道:"说到我对于艺术的理想,我以为就不该暴露自己,艺术家不该在他的作品里露面,就像上帝不该在大自然里露面一样。"在《包法利夫人》中,福楼拜始终置身于作品之外,笔触客观而冷峻,绝不流露自己的感情,更不会发表议论或介入主人公的生活。这是他与以往的现实主义作家最大的区别。为此,法国当代文学评论界把福楼拜奉为现代小说的先驱。他这种"纯客观"的艺术手法,对十九世纪后期的唯美主义和自然主义的生成具有极大影响。当代文学批评家、巴黎大学教授布吕奈尔在他的《十九世纪法国文学史》中这样评论福楼拜:"与他的同代人正好相反,他并不从他自身中找到作品,而在作品中找回自己。"这是再恰当不过的评价了。

《情感教育》是福楼拜第二部现实题材的长篇小说。福楼拜在1843年至1845年间,撰写了《情感教育》。到1867年,他重新改写,无论内容和结构都作了彻底修改。小说的副标题是《一个青年的故事》。故事以四十年代的巴黎为背景。作者叙述了主人公弗雷德利克·莫罗从青年到中年的际遇。出身于外省一个中等资产阶级家庭的莫罗,是个好幻想、惰性重、碌碌无为的人。他来到巴黎上大学。一天,他偶遇画商阿尔努夫妇,对阿尔努夫人一见倾心。后来,又结识了交际花罗莎奈特,但是,他又眷恋着阿尔努夫人。为了跻身于上流社会,他又追求党布罗斯夫人,当党布罗斯夫人觉察到他心怀二意,同他绝交后,他又想返回家乡,去找曾迷恋过自己的姑娘路易莎,可是,路易莎已经成了别人的妻子。他只得孤单单地独自一人生活。

这部小说描写了1840年到1867年长达二十多年的法国社会生活。这期间经过了1848年的革命、临时政府、1851年的政变,可谓风起云涌,跌宕起伏。《包法利夫人》写的是简单的环境里的简单的故事,《情感教育》则是展现了发生在大都市里的种种错综复杂、瑰丽壮观的社会景观。作者通过历史事件的叙述,塑造了各个阶层、各种类型的典型人物,因此,这部小说并不仅仅是莫罗个人的遭遇,而是整个时代的写照,对于了解 1851 年以前的法国历史,具有极大参照价值。

早在青年时代,福楼拜就酝酿要写一部关于两个抄写员的故事的小说,然而,这个计划一直拖到晚年才开始实施。遗憾的是,小说尚未完成,作者却因劳累过度,突然离去了。这部小说就是遗著《布瓦尔和佩居榭》,它堪称是《情感教育》的姐妹篇。主要描写 1848 年革命在外省引起的反响。

小说叙述两名抄写员布瓦尔和佩居榭退休后在乡下的隐居生活。他们研究文学、历史、化学、史学、考古学,以作消遣。但是,他们天性愚拙,根本无法理解这些高深的学问,遂一一放弃。1848 年,二月革命消息传来,引起剧烈的反应。后来,他们又想从事别的学科的研究,结果还是一事无成。最后,他们还是重操旧业,终其余生。

福楼拜在这部小说里,着重揭示保守、闭塞和落后的外省生活。同《情感教育》一样,通过对政治事件的真实描摹,刻画人物性格,针砭社会现实。

在现实题材方面,福楼拜还有一篇短篇小说写得极其成功,那就是短篇小说集《三故事》中的《一颗简单的心》。故事叙述了女仆全福的一生。失去双亲的全福,自小给人打工谋生。长大后,经历了一场痛苦的爱情,离开主家,到欧班太太家当厨娘。她勤俭能干,日夜操劳,对欧班家倾注了全部的爱心。由于她的机智勇敢,使险遇疯牛的主妇一家安然生还。孩子们长大后都离家去学校住宿。全福便把感情转移到外甥身上,可是,外甥随船去了美洲,并在那儿染病死去。几年后,她得到一只鹦鹉,于是,她的感情落到鸟儿身上。鹦鹉死后,制成标本,伴随着她。

《一颗简单的心》里充满了作者童年的回忆。福楼拜的甥女在《回忆录》里写道:"这个简单的故事里,所有的细节是如此真实,如此明晰,具有一种惊人的正确。"这是一部洋溢着浓郁的生活气息的作品,它描写一名女仆平凡而感人的一生,她的一颗简单而纯洁的心。小说的结构非常紧凑。虽然福楼拜在撰写这篇小说时,带着对母亲的温情的回忆,但是,同其他作品一样,作者深藏起来,并不介入小说,根本不流露他个人的情感。他让读者自己去感受,去体验。作者娴熟地运用冷峻的白描手法,用抓住特征的三言两语,再现环境以及这环境造就的人物。种种看似平淡无奇,但却具有典型意义的、传神的细节描写,使人物形象不是停留于平面,而是向着精神世界的纵深掘进。

除了反映现实生活的题材,福楼拜的创作中还包括古代历史传说题材。

1862年7月,福楼拜在给桑多夫人的信中写道:"为了消遣《包法利》给我引起的厌恶,我选了一个古代题材。"那就是《萨朗波》。

福楼拜截取了公元前三世纪迦太基和罗马争斗的一段历史,作为《萨朗波》的情节主线。迦太基的雇佣兵在马铎的带领下,举行哗变,并夺走了代表迦太基命运的神器。保管神器的是迦太基统帅的女儿萨朗波。为了忠于迦太基,萨朗波来到起义军中见马铎,牺牲色相,趁乱获得神器。最终,起义被镇压了,马铎被俘处死,而萨朗波也倒地死去。因为,她早已深深爱上了马铎。作者非常真实地再现了古代的历史场景,给人一种荷马史诗式的片段的感觉。

另一部历史传说题材的小说是《圣安东尼受试探》。这部小说被罗曼·罗兰誉为"法国的《浮士德》"。

十六世纪佛来米大画家勃鲁盖尔的绘画给予福楼拜创作的灵感,他从1846年起开始写作《圣安东尼受试探》,三易其稿,历时二十七载,直到1874年,才得以同读者见面。这是一部具有戏剧形态的小说,叙述了中世纪隐修士圣安东尼经受魔鬼试探的传奇故事。全书共分七个场景。从安东尼回忆开始,作者逐一描摹了食物、知识、金钱、权力、美色等各种欲望对安东尼的诱惑。最后,魔鬼亦即科学的化身挟着安东尼,让他阅遍大千世界的众生相,从而认识宇宙,认识自然,返回自然。

福楼拜运用同样写实的手法,一丝不苟地叙写圣安东尼的梦境,让主人公的意念驰骋于广阔的想象空间,七个场景蔚为壮观。然而,这部小说与他以往的小说相比,具有更加"现代性"的特色。如怪诞的梦境,神秘的暗示,非理性的潜意识活动,尤其是人物的自我异化,更是诡谲颖异。书中写到安东尼梦见自己变成了尼布甲尼撒,"心血来潮想干一番卑鄙事",想到"世间再也没有什么东西比野兽更卑贱的了",于是,他开始"在桌上像野兽那样爬行,像一头公牛那样哞哞直叫"。这种表现人的异化的手法,对日后现代派作家产生了极大影响。无怪乎卡夫卡称自己是福楼拜"精神的儿子","新小说"派作家们称福楼拜为他们的"保护神"。此外,我们在这部小说中,可以看出无神论者斯宾诺莎对福楼拜思想的影响。

短篇小说集《三故事》的另外两篇小说《希罗迪亚》和《修道士圣朱利安的传说》,也是古代历史传说的题材。

编选者序

　　福楼拜是位高超的艺术家,他以独特的艺术风格发展了十九世纪的批判现实主义。崇尚写实,但他不是摄影师,而是画家。他通过观察和体验,赋予他的画笔以灵性和风格。在他的心目中,艺术犹如高洁的女神,容不得丝毫的亵渎。他曾给他母亲写信说:"用艺术来挣钱,谄媚读者,售歌卖笑来弄名声或者弄几文钱,是最卑贱的职业。"为了艺术上的追求,他放弃了对一切欲望的企求,甚至爱情。艺术是他的生命,是他永生的情人。

　　艺术的目的在于美,要实现这个目的,需要形式和内容的和谐与统一。1876 年 3 月,福楼拜在给乔治·桑的信中曾写道:"我相信形式和内容是两种细致的东西,两种实体,活在一起,谁也离不开谁。"在他看来,形式和内容"仿佛灵魂与肉体",是不可分割的一个整体。因此,他在创作中,不仅讲究严密的结构和准确的一字一句,他还孜孜追求理想的散文风格,他要把诗的韵律注入散文,为作品的内容服务。他认为,"表现方式越切近思想,用词越贴切,并融合于思想,就越美。"为了达到艺术的完美,福楼拜在遣词造句方面,对自己的要求达到了近于苛刻的地步,对每一个字、每一句话都要经过苦心的锤炼。文笔对于他,好比是音乐。他常常高声朗读自己写下的文字,听听它们的音韵和顿挫。稍不合意,就重新修改,甚至把已经完稿的作品整篇整篇地删改掉。他给自己规定,在同一页里,不得重复同一个形容词,在一个句子里,不容许用两个 que 和 de 来连系三个名词。他对乔治·桑说:"我在我的句子里头发现一个拙劣的同声字或者重复的时候,我就确信自己陷入错误了。"可以说,福楼拜的小说在意境、词句、结构等方面都达到了美的极致。因此,我们说,福楼拜不仅是出类拔萃的小说家,而且也是一位杰出的文体家。他的小说被视为法语的典范。

　　福楼拜一生勤于笔耕，但是，他并不以数量见长。然而，正如法国评论家古尔蒙（1858—1915）在他的《文学漫步》中所说的那样，"福楼拜写的书，无一不是一流的杰作，典型的杰作，一种特殊的文学种类的典范，是开始从事创作的年轻作家的榜样"。尤其值得一提的是，福楼拜的成功，并不是依靠他的天才和聪颖，是以他的勤奋不辍和笃行不倦而达到完美的境界。

　　本书编选的旨趣，在于让读者认识福楼拜这位杰出作家的丰满、完整和多侧面的形象。为此，几经斟酌，精选了福楼拜各个时期、不同篇幅和风格各异的作品。三篇短篇小说中，《狂人回忆》和《秋之韵》是他的早期作品，具有很深的浪漫主义影响的烙印；而《一颗简单的心》则是他的晚期作品，艺术造诣已达到炉火纯青。长篇小说《包法利夫人》是他的代表作，最体现他的艺术特色。《圣安东尼受试探》则是一部独具特色的中篇小说。

　　李健吾先生是我国法国文学界的前辈，此次我们有幸获得李维永女士同意我们采用《包法利夫人》和《一颗简单的心》的译文。选收这两部上佳的译作，表示着我们对李先生深深的敬意和难忘的纪念。同时，我们也借此机会，向李先生的家属表示诚挚的谢意。

　　我们还要感谢李平沤先生、胡宗泰先生和郎维忠先生的大力鼎助，帮助我们完成了本书的编选。选本如有不当之处，敬请专家、读者不吝指正。

1998年5月　西坝河

中短篇小说

狂 人 回 忆

献给亲爱的阿尔弗雷德[①]

郎维忠译

这些书页里包含着一个完整的灵魂。那是我的灵魂吗？抑或是别人的？起初我想写一部记录隐私的小说，怀疑论在小说中达到最绝望的程度，但是在写作中，个人印象渐渐地穿透寓言，灵魂摇动笔杆，并把笔杆弄碎。

因此，我更喜欢把这一切留在神秘的推测之中；而你呢，你不用推测。

只是你也许将相信，在许多地方，表达是生硬做作的，阴暗的画面是随便描绘的；你要记得，这些书页是一个狂人写的，如果常常显得言过其辞，超出了他所表达的感情，那是因为他屈服于自己的心声。

再见，想念我吧，并替我着想。

[①] 本篇写于1838年，是自传体小说，发表于《布朗什杂志》1900年11月号、1901年1月号和2月号上；1901年由弗卢里出版社出版。题献给好友阿尔弗雷德·勒普瓦特万。

一

　　为什么要写这些书页？它们有什么用处？——我自己又知道些什么？按我的意见，去问人家行动与写作的动机，那是相当愚蠢的。——你自己知道为什么翻开狂人就要在上面书写的那些微不足道的篇页吗？

　　一个狂人，使人害怕！读者，你是谁呀？你是属于哪个范畴的？属于傻瓜，还是属于狂人？——如果有人让你选择，你的虚荣心宁愿选择后一种情况。是的，我的确又一次提问，一本书既无教益也无趣味，不涉及化学、哲学、农学或悲歌，一本书提不出养羊或者杀灭跳蚤的任何好办法，既不谈论铁路、证券交易所、人们内心深处的隐私、中世纪的服装，也不谈论上帝与魔鬼，但是它提到一个狂人，也就是说，这个大傻瓜，多少世纪以来就在空中旋转而没有迈出一步，它吼叫，流涎，自己撕裂自己，那么，这本书究竟有什么用处？

　　我跟你一样，不知道你对此会讲些什么，因为这根本不是按规定好了的提纲写成的一部小说或者一个剧本，也不是一种唯一的事先考虑过的想法，有步骤地使思想在笔直的小径上弯弯曲曲地延伸。

　　我将要写在纸上的，只是我头脑里所想到的一切，我的想法与回忆、印象、梦想、一时的爱好，一切在想象与心灵中经过的东西；欢笑与眼泪，白色与黑色，首先从心里发出的呜咽，在发出声音的时候好像面团一样伸展开来，眼泪搅和在浪漫的隐喻里，想到我将要写坏一大把鹅毛笔的笔嘴，用完一瓶墨水，使我的读者感到厌烦，我自己也感到烦恼，心情十分沉重；我那么爱嘲笑，那么爱怀疑，已成为习惯，以致人们在我所写的东西里从头至尾，都找得到无休止的玩笑，而喜欢笑的人最后将会笑作者，也笑他们自己。

人们将从中看到，应该怎样相信宇宙的计划，人的道德责任、德行与博爱——我有了这种品德，渴望让人家把这个词写在我的皮靴上，以便大家读到这个词，并且牢记在心间，连那些目光最低的、身体最小的、最惯于爬行的与最靠近溪水边的都不例外。

这篇回忆只不过是一个可怜的狂人的消遣而已，如果你还想从中看到别的什么，那就错了！一个狂人呀！

而读者呢，你大概刚刚结婚，或者还清了债吧？

二

我因此要写自传。——什么样的生活！我曾经生活过吗？——我年轻，脸上没有皱纹，心中没有情欲——噢！我的生活是多么平静，它显得多么幸福愉快，宁静单纯！啊！它安定又沉默，好像一座坟墓，活人简直像死人。

我几乎没有生活过；我根本不熟悉社会，也就是说，没有情妇，没有奉承者，没有仆人，没有车马；（就像人们所说的）我没有进入社会，因为我总觉得社会是虚假和浮夸的，充满了罪犯，使人厌倦，很不自然。

然而，我的生活，不是发生的事件；我的生活，就是我的思想。

究竟是什么思想把我带到现在这个年纪？大家都在微笑，过着幸福生活，结婚，相爱，那么多人沉醉在各种爱和各种光荣里；宴会上，那么多灯光闪耀，酒杯都斟得满满的，而我却茕茕孑立，赤身裸体，对任何灵感与诗意表示冷淡，感到自己在死去，痛苦难忍地嘲笑我缓慢的临终，——好似这个享乐主义者，割开静脉血管，在芳香的澡盆里沐浴，笑着死去，就像一个人参加狂饮乱舞疲倦地出来，酩酊大醉。

噢！这个思想是多么长！它好像七头蛇一样从所有的方面来吃我。悲伤痛苦的思想，哭泣的小丑的思想，沉思的哲学家的思想……

噢！对！在我的一生中度过了多少漫长单调、用来思考与怀疑的时光！多少个冬季的白天，我低头面对没有烧尽的木柴，在夕阳淡淡的反光里呈现白色，多少个夏季的傍晚，我在田野里观看云彩消逝与展开，小麦在微风吹拂下弯曲，倾听树叶飒飒作响与大自然夜晚的叹息！

噢！我童年时是多么爱幻想！我是个多么可怜的狂人，没有固定的观念，没有确实的见解！我注视水在树丛里流动，挂满树叶的枝条弯曲着，落英缤纷；我从摇篮里凝视蓝天中的月亮，月亮照亮我的房间，在墙上画出奇异的形状；我面对美丽的太阳，或白雾笼罩、繁华满树、雏菊开放的春晨，就心醉神迷。

我也曾喜欢观看大海，——这是我最温馨美妙的回忆之一——海浪一个接一个地翻涌，碎成沫子，在沙滩上铺开，叫喊着在碎石与贝壳上退去。

我在悬崖上奔跑；我抓起一把海沙，让海沙从我的手指缝里漏下去，随风飘撒；我把漂流物往水里按下去；我深呼吸海边带咸味的新鲜空气，顿感心旷神怡，充满力量和诗意，思想宽阔起来；我注视着广阔无垠的空间和无限，我的心灵面对这无边无际的地平线而损坏。

噢！那里不只是地平线无边无际，还有巨大的深渊，噢！不，一个更宽更深的深渊在我面前张开。这个深渊没有风暴；

如果起了风暴，它就会变得满满的——然而它是空的！

我心情愉快，爱笑，爱生活，爱我的母亲。可怜的母亲！

我还记得，当我看见马儿在大路上奔驰，喘着热气，汗水湿透了鞍辔，就感到高兴；我喜欢马车单调有节奏的小跑，支撑车厢的宽皮带不停地晃动；后来，马车停下来，田野里一片寂静。可以看到从马的鼻孔里喷出热气，摇摇晃晃的马车在支承弹簧上更加稳固，风吹在窗玻璃上；这一切……

噢！我也睁大眼睛望着身穿节日盛装的人群，他们兴高彩烈，乱哄哄的，大声喊叫，那是动荡不安的人海，比暴风雨更加愤怒，比暴风雨的狂怒更加愚蠢。

我曾喜欢战车、战马、军队、作战服、激昂的鼓声、冲锋陷阵的呐喊、炸药、在城内街上滚滚向前的大炮。

孩童时，我曾喜欢自己所看见的东西；少年时，我曾喜欢自己所感觉到的东西；长大成人后，我什么也不再喜欢了。

然而，有多少事深藏在我的内心！又有多少内在的力量，多少愤怒与爱情的波涛，在这个如此软弱、如此脆弱、如此下垂、如此疲乏、如此衰竭的心脏里，相互碰撞，变得粉碎！

有人要求我重新开始生活，把自己混入人群！……被折断的树枝怎么能结出果实？被风刮走的树叶又卷在尘土里，怎么能返青？为什么这么年轻，却有那么多辛酸苦楚？我知道什么？也许我命中注定要这样生活，没有挑起重担之前就疲倦了，没有跑步之前就气喘吁吁……

我热情饱满地读书，工作，我写作。噢！我那时多么幸福！我的思想是怎样在谵妄之中高飞！飞在那不为人知的地区，那里没有人，没有行星，没有太阳！如果可能的话，比上帝的无限更广阔的无限，在那里，诗歌在一种爱情与心醉神迷的气氛里得到安慰并且展开翅膀；然后，应该从这些高尚境界再下降到词语——怎样通过话语在诗人心中升起和谐？怎样使巨人妙语如珠、得心应手，就像一只有力的大手膨胀起来，撑破了戴在手上的手套？

在那里还有失望；因为我们接触地球，接触这个冰冷的地球，一切火都要熄灭，一切力量都要变得软弱！诗歌通过什么阶梯从无限下降到实际，诗歌是怎样渐变、下降而不至于粉碎？怎样使这个拥抱无限的巨人缩小？

于是，我忧愁而又绝望，感到我的力量使我极度疲乏，也感到这个弱点使我羞愧，因为话语只不过是思想遥远的变弱了的回声；我诅咒我最珍贵的梦想，诅咒我在创造的极限上默默花去的时间；我觉得某种空虚和难以满足使我焦虑不安。

我被诗歌弄疲乏了，就冲入沉思的田野。

起初我热衷于以人为对象的令人肃然起敬的研究，要弄明白人究竟是什么，直至剖析一切假设，就最抽象的假定进行讨论，精确严格地推敲最空洞的词。

人，就像被一只陌生的手抛向无限的沙粒，就像腿部无力的可怜的昆虫，想在深渊的边沿站住，努力使自己在树枝上不跌倒，他喜爱道德、爱情、自私自利、野心，他把这一切都变成美德，以便站得更稳，他紧紧抓住上帝，但他总是缺乏力气，松了手，就往下掉……

人希望理解不存在的东西，从虚无中创立一门学问；人是按照上帝的模样做成的，他卓越的天才停留在一根草上，不能跨越尘埃那样的问题！

我感到疲倦，于是，我怀疑一切。尽管我年轻，却已经衰老；我的心上有皱纹，看到一些老人依然生气勃勃、充满热情与信仰，我便苦涩地笑自己，这么年轻，却对生活、爱情、荣誉、上帝、所有存在的东西与可能存在的东西，这么不抱幻想。

然而，在领会虚无的信仰之前，我自然地感到害怕；在深渊边沿，我闭起眼睛；——我跌了进去。

我感到高兴，不再需要坠落。我冷静安宁得像一块墓碑。我认为在怀疑中找到了幸福；我是多么荒谬！我在不可估量的空虚里打滚，这巨大的空虚，当人们靠近它的边缘，令人毛骨悚然。

我从怀疑上帝，发展到怀疑道德。这脆弱的思想，虽然每个世纪它都能够在法律这个脚手架上竖立起来，却更加摇摆不定。

我以后会把这阴郁沉思的生活的全部情况告诉你，这种生活是坐在炉火边度过的；我双臂交叉，总是厌烦地打哈欠，整天孤零零的，不时转动眼睛观看邻居屋顶上的积雪，观看淡淡的夕阳残照，观看我房间的地面，观看一个变黄了的缺牙的死人头在我的壁炉上做怪相，——这是生活的象征，像生活一样冷酷和爱嘲讽。

不久，你也许会读到那颗备受打击、痛苦悲伤的心所经历的焦虑不安。你将会知道这个如此宁静、如此普通、如此充满感情、如此没有行动的生活中的奇遇。

而你然后会对我说，一切是否不是嘲笑和嘲弄，所有在学校里歌颂的，所有在书本里长篇大论陈述的，所有被看见的、被感觉到的、被谈论的、所有存在的，是否……

我要说的痛苦太多了，而又说不完。好吧！但愿这一切不是出自怜悯、烟雾与虚无！

三

我十岁上中学,我在那里很早就对人类表示强烈的反感。这个儿童的社会跟别的小社会、人类社会一样,对于受害者来说是残酷无情的。

人群同样不公正,偏见与强权同样肆虐,同样自私自利,尽管人们提到年轻人无私与忠诚。年轻人!处在疯狂与梦想、诗意与蠢钝的年纪,那是"正确地"评价社会的人们嘴边经常挂着的同义词。在那里,我的一切兴趣全被压抑了;上课时,我不能有自己的想法;课外活动的时候,我得放弃孤僻的习性。从此,我就成了狂人。

因此,我在学校里孤独苦恼,被老师们骚扰,被同学们讥笑。我性喜独立与开玩笑。我厚颜无耻、尖酸刻薄的嘲笑,抵挡不住一个同学的恣意妄为,也不能避免众人一致的暴虐。

我还看见我自己坐在教室里的凳子上,沉浸在对未来的梦想里,尽一个孩子所能做出的最美妙的想象去思想。这时老师却讥笑我写的拉丁文诗歌,同学们冷笑地望着我。那些蠢货,他们竟然讥笑我!他们是那么能力薄弱、那么一般,头脑那么狭窄;而我呢,我的精神沉溺于创作的边缘,陷入诗歌的各种境界,我觉得自己比他们任何人都强,我得到了无穷的快乐,面对灵魂的内在顿悟,我如神仙般心醉神迷!

我觉得自己像宇宙那样伟大,然而只要我的一个想法像雷电一样是来自烈火,它就能够把我缩小为尘埃。可怜的狂人!

我看见自己年纪轻轻,才二十岁就声名大噪;我梦想到南方的国家远游;我见到了东方及其浩瀚的沙漠,挂着铜铃铛的骆驼走进的宫殿；我看见良种牝马冲向被太阳染红的地平线；我看见蓝色的波浪，明净的天空，银色的沙滩；我闻到南方温暖的海洋的香气；然后，在我旁边的一顶帐篷下，一株宽叶芦荟的近旁，一个褐色皮肤、目光炽热的女人，用双臂环抱着我，对我讲着天堂仙女用的语言。

阳光照耀在沙漠里，雌骆驼和母马睡着了，昆虫在它们的乳房周围嗡嗡乱叫，晚风阵阵，从我们身边吹过。

夜晚来临了，银色的月亮把淡淡的月光投向沙漠，星星在蓝色的天空里闪烁，炎热而又散发着香气的夜晚，十分寂静；我梦想着无穷的快乐，梦想着来自天国的官感享受。

这里还有荣誉，伴随着掌声、桂冠、响彻云霄的号声和抛洒的金粉；这是辉煌的剧场，有盛装打扮的女人，熠熠生辉的钻石，沉重的气氛，喘着粗气的胸部；然后有一阵宗教式的沉思，像火灾一样凶残的话语，哭泣，欢笑，抽噎，对光荣的陶醉，热情的叫喊，人群的跺脚声，怎么！虚荣心，噪音，虚无。

孩童时，我梦想爱情；年轻时，我梦想荣誉；成人后，我梦想坟墓，——那些不再有这种爱情的人的最后恋情。

我也看穿了古时候许多不复返的世纪，看穿了睡在草边的种族；我看见朝圣者和战士的队伍朝着骷髅地走去，在沙漠里停下来，就要饿死了，哀求他们要去寻找的上帝，厌倦了辱骂，总是朝着无边无际的地平线走去，疲倦不堪，气喘吁吁，终于到达这次旅行的目的地，他们感到失望，自己已经衰老了，只是吻了吻灼热的石头，那是整个宇宙的赠品。

我看见，骑士骑着跟他们一样披着铁甲的战马奔驰；比武中长矛刺杀，木桥下降以迎接凯旋的君主老爷，他举着被血染红的宝剑，马屁股上绑着战俘；夜晚，在阴暗的大教堂里，整个殿堂装饰着百姓做的灯彩，百姓一直站到拱穹和走廊里，他们唱着歌；灯光在玻璃窗上闪耀，在圣诞之夜，全城及其盖满白雪的尖屋顶都在闪闪发光和唱歌。

但是，我喜欢的是罗马，帝国时代的古罗马，这个美丽的皇后在狂饮乱舞里打滚，放荡的酒弄脏了她高贵的衣裳，为自己的堕落比为自己的道德更感自豪。尼禄！尼禄乘着钻石宝车在竞技场飞驰，他拥有千辆马车，喜欢老虎，并且举办豪华的宴会。

我没有想起经典课文，却回想起尼禄，你广泛的淫乐，你血腥的灯饰，你纵火取乐，焚毁罗马。

我在这模糊的梦想里，充满对未来的遐想，任由这冒险的想法犹如脱缰的牝马，越过溪流，登上高山，在空中飞翔，我整整几个小时，双手扶住头，盯着自修室的地板，或者观看一只在老师的讲台上编织蛛网的蜘蛛。当我清醒过来，睁大眼睛时，大家都在笑我这个全班最懒惰的人，从来没有过确实的想法，对任何职业都没有任何兴趣，在这个世界上大概毫无用处，然而，在世上每个人都应该去取自己的那份糕点。总之，我是个一无是处的人——顶多适宜做个小丑、驯兽师或者写书匠。

（尽管我身体很好，我的精神长期被我自己所过的生活、被同其他人的接触所压抑，给我造成神经上的刺激，使我性情暴烈易怒，好像被昆虫叮咬生病的公牛。我常做梦，做可怕的恶梦。）

啊！……忧郁乏味的时期。我仍然看见自己孤独地在中学白色的长走廊里闲逛，观看着猫头鹰和小嘴乌鸦在小教堂的屋顶架飞来飞去，或者躺在灯光照亮的沉闷的寝室里，灯油都结了冰。夜晚，我长时间地听见风在空空的长房间里阴森可怕地吹着，风透过锁孔，使窗玻璃在窗框里颤动；我听着巡夜的人提着灯慢慢走动的脚步声，当他快来到我跟前时，我假装睡着了，而我也确实入睡了，半在梦中，半在哭泣。

四

  这是些可怕的景象，使人害怕得要发狂。

  我睡在父亲的房子里；所有的家具都保留下来了，然而我周围的家具全都漆成黑色。冬天的一个晚上，雪给我的房间投进一束白光。雪突然融化了，草木都变成红棕色和黄褐色，好像一片红光照亮了我的窗子；我听见脚步声，有人上楼来，一股热空气，一阵恶臭气味，一直传播到我这里。我的房门自动打开了，有人进来，来的人很多，大概有七八个人，我没有时间去数。他们有高有矮，蓄着又黑又硬的胡子，没有带武器，但是，每个人牙齿间咬着一把钢刀，他们围着我的摇篮，向我靠拢，牙齿格格作响，令人害怕。

  他们拉开我的白色窗帘，每个手指都留下血痕；他们张大眼睛盯着我看，没有眼皮；我也注视他们，我不能做任何动作，我很想叫喊。

  那时，我觉得房子从地基往上升，好像有根杠杆把它举了起来似的。

  他们就这样长时间地看着我，后来他们走开了，我看见他们一边脸上没有皮肤，慢慢地在流血。他们提起我所有的衣服，衣服上有血。他们开始吃东西，掰开面包，面包里流出血来，一滴一滴往下掉；他们开始笑，笑声好像死人断气前的喘息。

  后来，他们走了，凡是他们接触过的东西，护壁板，楼梯，地板，全都被他们染红了。

我觉得心里发苦，好像吃过生肉一样，我听见拖长音的叫声，又尖锐又吵哑，所有的门和窗都慢慢地打开了，风吹得门窗摇撞，发出声音，好像一首古怪的歌曲，每声呼啸都像一把短剑割裂我的胸膛。

此外，这是在一条江边的绿色田野，上面点缀着五彩缤纷的花；——我同妈妈一起在江岸边走着；她跌进江里。我看见江水起泡沫，水面圆圈形的波纹逐渐扩展，突然消失。——江水又继续往前流动，我只听见江水在灯心草间流过，使芦苇弯曲，发出响声。

忽然，妈妈呼唤我："救命！救命！啊！我可怜的孩子，来救我呀！"

我匍匐在青草上，以便看得清楚些，我什么也没看见；喊声仍在继续。

一股不可克服的力量把我拴在地上，我听见喊声："我就要淹死了！我就要淹死了！快来救我！"

清澈的江水流着，流着，我听到从江心传来的那个声音折磨着我，使我失望，使我疯狂……

五

我就是这样无忧无虑地梦想，带着独立与讥讽的情绪，替自己设想了一种命运，满怀诗意地梦想一种充满爱情的生活，而且也在回忆中生活，尽一个十六岁孩子的所能去回忆往事。

中学引起我的反感。对高贵、有教养的人深深厌恶，连续表现在同人接触与冒犯人上面，这大概是一种值得研究的奇怪现象。我从来不喜欢有规律的生活，固定的时间，像时钟一样准时的生活，思想要由钟点来确定，一切都要事先安排，按几个世纪与几代人的惯例去做。这种规律性对大多数人可能是合适的，但是对于头脑里充满诗歌、梦幻和空想的可怜的孩子来说，对于想着爱情和一切无聊的事情的可怜的孩子来说，那就是不断把他从这崇高的梦幻中唤醒，不让他有片刻休息，使他返回到我们物质主义与常理的环境中来，而他对这种环境又害怕又讨厌。

我偏离正道，带着一本诗集、一本小说，作些诗，做些使童贞的年轻人的心发抖的事，他缺乏感觉，而又那么渴望有感觉。

我记得，我那时读拜伦[①]的作品和《少年维特之烦恼》[②]，感到多么快乐；读《哈姆雷特》、《罗蜜欧与朱利叶》，以及我们时代最热情洋溢、扣人心弦的优秀作品，总之那些使人快乐或者振奋的各种书籍，我是多么激动不已。

我因此从拜伦的作品中汲取丰富的营养，这些北方辛辣的诗篇如海涛一样回荡。我初读佳作，往往能够记住整章整段的内容，并且背诵出来，犹如背诵十分迷人的歌，它的旋律永远存在人的心中。

《异教徒》[③] 开头的诗句："没有一丝风"，或者《恰尔德·

[①] 拜伦（1788—1824），英国浪漫主义诗人。

[②] 《少年维特之烦恼》是著名德国诗人、剧作家歌德（1749—1832）的书信体小说。

[③] 《异教徒》，拜伦写于1813年的诗歌，是"东方叙事诗"中的一首。

哈罗尔德游记》① 中的诗句："从前在古老的阿尔比恩②"，和"啊，大海！我始终爱你"，我不知说过多少遍。平淡无奇的法文译本，在那些独一无二的思想面前消逝了，好像那些思想有自己独特的文笔而不需要用词语表达似的。

这种炽热的激情的特点，加上如此深刻的讽刺，势必对热情而又完整无损的本性产生强烈的影响。这些回声不同于古典文学的奢华的尊严，对于我来说，是新生事物的芳香，是不断把我吸引到这气势磅礴的诗歌的诱惑力，它使人眩晕，掉进无限这个无底深渊。

因此，我像我的老师所指责的那样，兴趣与心思都误入歧途，在那么多倾向于卑鄙下流的人中间，我思想的独立性使我被看作是所有学生之中最反常的；我由于卓尔不群反而被贬低到最底层。人们几乎不让我想象，也就是说，按照他们的看法，思想的激奋就接近发疯。

这就是我怎样进入社会的情形，以及我在社会中所得到的评价。

六

如果有人诬蔑我的思想和原则的话，他们并不攻击我的心肠，因为我那时心地善良，别人的苦难使得我伤心落泪。

我记得，还是小孩时，我喜欢掏空我的口袋，把钱放进穷

---

① 《恰尔德·哈罗尔德游记》是拜伦于1821年出版的讽刺诗，只发表了第一和第二章，后来又发表了第三和第四两章。它结合了游记和抒情诗两者之长，记录了拜伦在1809年游历西班牙、葡萄牙、阿尔巴尼亚、希腊、土耳其诸国的印象，充满异国风光。

② 阿尔比恩，是古时对英国的一种称呼。

人的口袋。我经过他们面前,他们是怎样笑盈盈地欢迎我,我为他们做好事,心中是多么快乐!

这种快乐的感觉,很久以来对于我来说已经陌生了,因为现在我已是硬心肠,眼泪已经干涸。该那些使我堕落与变坏的人倒霉!我以前是那么善良纯洁!这冷漠无情的文明真该死!它使在诗歌与爱情的阳光下生长的一切变得枯萎与孱弱。这个腐败的旧社会,引诱并毁灭一切;这贪婪的老犹太人,因为消瘦与极端疲惫将要死在他称作财富的粪堆上,没有诗人给他唱挽歌,没有教士替他合上眼睛,没有金子修坟墓,因为他为了自己的罪孽把一切财产全花光了。

七

这个社会由于放荡,由于精神上、肉体上和灵魂上的腐化堕落而变质,它什么时候才会结束呢?

于是,当被人称作文明的那个撒谎的虚伪的吸血鬼一旦死亡,人间大概会一片欢腾;人们将离开国王的御服、权杖、钻石、倒塌的宫殿、陷落的城市,以便跟牝马和母狼重聚。

人在宫殿里生活,在大城市的石板路上走坏了脚,然后将在树林里死去。

火灾焚烧大地,将使大地变得干旱;战争的烟尘将使平原干裂。从人群中吹过的破坏之风,将吹过大地,大地将只出产苦涩的果实和带刺的玫瑰,子孙将死在摇篮里,就像被风刮倒的植物,没有开花就死了。

因为,一切都应该结束,大地应该被践踏而损坏;因为,无限应该最终厌倦尘埃,尘埃发出那么多噪音,扰乱庄严的虚无。金子应该由于在人们手里传来传去和腐蚀而耗尽;尽管热血的蒸气已经平静，宫殿应该在它藏匿的财富的重压下倒塌，狂饮乱舞应该结束，人们应该觉醒。

于是，当人们将看到这空间的时候，当由于永远的饥饿和要填饱肚子而极度痛苦，不得不抛弃生命的时候，就会有绝望的大笑。一切都将爆裂，却崩塌在虚无之中，有德行的人将诅咒自己的德行，邪恶却拍手称快。

还在干旱的土地上游逛的一些人，互相打招呼，一部分人朝另一部分人走去，然而又害怕他们自己，怕得往后退，他们将要死去。那么人会怎么样呢？人曾经比猛兽还要凶残，比爬行动物还要卑贱。永别了，光彩夺目的战车、军乐和名誉；永别了，这个世界、宫殿、陵墓、犯罪的快感和堕落的喜悦！石头会突然落下，自己砸碎自己，青草将在上面生长。宫殿、寺庙、金字塔、圆柱、国王的陵墓、穷人的棺材、狗的腐尸，这一切都将处于同一水平，都在大地的草坪之下。

于是，没有堤坝的大海平静地拍打海岸，海浪将淹没城市里仍在冒烟的灰烬；树木将生长、变绿，没有一只手来折断与破坏树木；鲜花盛开的草原上江河奔流不息，自然界将是自由的，没有人来强迫它，而人将灭绝，因为他一出世就受诅咒。

…………

我们的时代多么忧伤古怪！这不公平的激流流向什么海洋？在黑沉沉的夜里，我们到哪里去？那些想替这生病的世界作触诊的人，很快退缩了，因为害怕在世界的腹中骚动的腐化。

当罗马感觉到自己已进入临终，它至少还有一线希望，在裹尸布后面，它隐约看见光芒四射的十字架，在来世闪耀。这个宗教持续了两千年，现在已经精疲力竭，已经不够了，人们嘲笑它；现在它的教堂倒塌了，墓地已尸满为患，拥挤不堪。

我们将有什么宗教？我们是那样苍老，仍然在沙漠旷野行走，像希伯来人逃离埃及一样。

希望之乡将在哪里？

我们什么都试过，我们不得不绝望地一一放弃；然后，一种奇怪的贪婪占住人类和我们的心灵，巨大的焦虑折磨我们，空虚在我们中间游荡；我们觉得自己周围阴冷如坟墓。

人类动手转动机器，看见金子从机器里涌出来，便叫喊道："这是上帝！"人类却把这个上帝吃了下去。因为一切都完了，再见！再见！临死之前，还有酒喝呢！每个人都冲向本能驱使他去的地方。人们乱挤乱爬，就像死尸上的蛆虫，诗人们来不及雕琢自己的思想，勉强把思想抛到稿纸上，稿子飞了起来；假面舞会统治了一天，用硬纸做的权杖来指挥，一切都在假面舞会上闪光与回荡；金子滚动着，葡萄酒淌淌而来；冷酷的荒淫放荡地撩起了它的连衣裙，摇晃着……真可怕！真可怕！

然后，在所有这一切上面有一块罩布，每个人都取走自己的一份，尽可能隐藏起来。

滑稽可笑！真可怕！真可怕！

八

有些日子，我感到非常疲倦，我走到哪里都有烦闷如裹尸布般笼罩着我；烦闷的皱褶使我窘迫，妨碍着我的言行，生活像内疚一样重压着我。我这么年轻，这么厌倦一切，而有的人虽然年纪大了，仍然有饱满的热情！我呢，我跌得这么低，这么不走运！怎么办？夜晚，我注视月亮，月光照射在我的护壁板上，它颤抖的光芒好像宽宽的叶丛；白天，阳光给邻居的屋顶镀上了一层金色吗？在这里就是生活吗？不，这是死亡，起码也是在坟墓中歇息。

我独自一人，自得其乐。我处在孤独中，又被童年的回忆所温暖，仿佛监狱里铁窗栏杆被夕阳所照射；一件毫不足道的事，狭窄的生活环境，一个多雨的日子，出大太阳，一枝花，一件旧家具，这些都勾起我一连串的回忆。这些混乱不堪的回忆出现了，又像影子似的消失了。

在草坪上的雏菊中间，在草场，在开花的篱笆后面，沿着金黄色的葡萄串，在褐色和绿色的苔藓上，在宽阔的树叶下，清凉的树阴里，到处举行儿童游戏；平静愉快的回忆，如同童年的回忆，你从我身边经过，有如凋谢的玫瑰。

青春，它沸腾的激情，它对社会和对爱情的模糊的本能，它爱情的心跳，它的眼泪和叫喊！年轻人的爱情，是对成年人的嘲笑。噢！你们经常同你们深暗或浅淡的颜色一起回来，你推我挤地逃开，好像冬天夜里在墙上奔跑着经过的影子。我经常陷入回忆中，想起很久以前美好的日子，那是快乐得发疯的日子，大声欢笑仍在我耳畔震响，心房依然愉快地跳动，使我痛苦地微笑。那是骑马飞奔，马儿蹦蹦跳跳，浑身冒汗；那是在绿阴如盖的林间小道上，一边梦想，一边散步，观看溪水在砾石上流过；或者凝视美丽壮观的太阳射出万丈光芒，太阳周围有红色的光轮。我还听见马儿奔跑，马鼻孔冒热气的声音，我听见溪水流淌，树叶落下，风吹弯如海洋一般的小麦的声音。

其余的回忆是忧郁冰冷的，好像下雨的日子；痛苦残酷的回忆回到我的脑海里；我失望得连续几小时痛哭流涕，然后勉强地破涕为笑，驱走遮盖眼睛的泪水与泣不成声的呜咽。

我好多天、好几年坐着，什么也不想，或者什么都想，我想拥抱无限，无限却吞食我，我在无限之中被损坏！

我听见雨水在檐槽里落下，钟声敲响宛如哭泣；我看着太阳慢慢西下，夜晚来到，睡眠的夜晚使人平静，然后白天又露面了，总是同样的白天，同烦恼一起来，经过同样多钟点的生活，我高兴地看着白天消失。

我梦想见到大海，到远方旅行，得到爱情，取得胜利，然而所有的事情都在我的存在中夭折——我尚未经历生活，已成为死尸。

可惜！难道这一切都不是为我所做的吗？我不羡慕别人，因为每个人都抱怨命运强加给自己的重负；有的人在尚未结束人生时就扔掉那个包袱，有的人则一背到底。我还要背着包袱吗？

我勉强见过生活是什么样子，我内心十分反感那种生活；我把所有的水果送到嘴里，我觉得水果是苦的，便推开水果，我因此饿得要死。这么年轻就死去，毫无希望进了坟墓，没有把握在坟墓里安眠，也不知道这种和平是否不可侵犯！投入虚无的怀抱，怀疑虚无是否肯接受！

是的，我正在死去，因为活着就是看过去如奔向大海的水流，看现在如樊笼，视将来如裹尸布吗？

九

有些琐事给我的印象很深，留下了永久的烙印，尽管是些平常的小事。

我总记得离我住的城市不远的一座城堡①，我们经常去参

---

① 鲁昂附近的莫尼城堡。

观。一个上个世纪出生的老妇人住在那里。那座城堡的一切,保留着对田园生活的回忆;我还看到盖满灰尘的肖像画,天蓝色的男人服装,玫瑰花和石竹,以及牧羊女和羊群等内容的画,都挂在护壁板上。一切都显得陈旧阴沉;家具几乎全都蒙上丝质刺绣罩面,宽阔舒适;房子古老;有旧式的壕沟环绕,那时沟边种着苹果树,从古老的雉堞剥落的石头,时不时滚下来,直到沟底。

不远处,园子里种着高大的树木,有阴暗的小径;覆盖着青苔的石凳,半已破裂,布置在树枝堆和荆棘之间。一只山羊在吃草,有人打开铁栅栏,它就逃到树叶丛中。

在晴朗的日子,阳光透过枝叶,把这里那里的苔藓染成金黄色。

风钻进那些砖砌的大烟筒,使我害怕,尤其是晚上猫头鹰在宽敞的阁楼里鸣叫,好不令人忧伤。

我们的访问时常延迟到晚上,我们在铺着白色石板的大厅,面对大理石砌的大壁炉,围坐在年迈的女主人周围。我现在还能看见她那装满上等西班牙烟草的金质鼻烟盒,白色长毛哈巴狗,和她穿着绣了黑玫瑰的漂亮高跟鞋的小巧玲珑的脚。

…………

这一切已是很久以前的事了!女主人去世了,她的哈巴狗也死了,她的鼻烟盒在公证人的口袋里;城堡已变成了厂房,而可怜的高跟鞋则被扔进河里。

…………

(停写三个星期以后。)

……我是那么疲倦,以致我讨厌继续写下去,因为我重读了前面所写的东西。

一个心烦意乱的人写的东西,能够使读者感到高兴吗?

然而，我要努力使大家更加开心。

真正的"回忆"从这里开始……

这是我最亲切，也是最痛苦的回忆，我以十分虔敬的心情开始写作。这些回忆在我的脑海中依然栩栩如生，记忆犹新。这种激情使我的心灵流了多少鲜血呀。这是心灵上的大创伤，伤疤将永远保留，但是在叙述我生活中这一页的时候，我的心像发掘珍爱的遗址一样怦怦跳动。

这遗址年深月久；在生活中行进时，地平线向后面移动，从那时起，该发生了多少事件！日子从早到晚，一个接一个，显得是多么漫长。但是过去似乎已迅速离去，遗忘把包容过去的框子缩得多么狭小。

对于我来说，一切似乎都还存在。我听着而且看着树叶颤动，我仔细观察她，一直到看出她连衣裙最细小的褶子；我听出她声音的音色，好像一位天使在我身旁唱歌，——甜美纯正的嗓音，令人陶醉，使人愿为爱情而死，这嗓音发自一个漂亮诱人的身体，好似她的话有无穷的魅力。

……

告诉你确切的年份，对于我来说，恐怕不可能；但是，那时我很年轻，大概十五岁吧，这一年我们到庇卡底① 一个村庄的某海滨浴场去，那村子里的房屋挤在一起，既不成行，也不对称，黑色的、灰色的、红色的、白色的房子朝向四面八方，好似被海浪推到岸边的一堆贝壳和碎石。

---

① 暗示特鲁维尔附近的村子。

几年前,没有人来这里,尽管村子的地理位置很诱人,海滩长达两公里;但是,不久前,情况不同了。上次我到那里去的时候,看见许多戴黄手套和穿仆役制服的人;有人甚至建议在那里修建剧场。

　　那时,一切都简朴原始;几乎只有一些艺术家和当地居民。海滩上空荡荡的,退潮后,巨大的海滩上,可以看见灰色和银色的沙子在太阳底下闪闪发光,仍然如海水浸泡时那样潮湿。左边的悬崖峭壁被褐藻染黑,海水懒洋洋地拍打岸边,那是大海处在休息的日子;远处,蓝色的大洋在炽热的太阳照耀下,沉闷地吼叫着,宛如巨人在哭泣。

　　当人们回到村子里,那是最别致最热烈的景象。一张张被海水损蚀变黑的鱼网张挂在各家的大门前面,到处是赤裸着上身的孩子,他们走在灰色卵石铺面的路上,当地只有这样的路;水手们穿着红蓝两色的衣服;这一切在简朴之中见雅致,天真而又健壮,这一切都打上了精力充沛和坚强有力的印记。

　　我经常独自到沙滩散步。一天,我偶然来到洗海水浴的地方。那里距离村口不远,专门用来做海滨浴场:男人和女人在一起游泳,人们在海滩上或者在家里换衣服,把大衣留在沙地上。

　　这一天,一件红色带黑条纹的漂亮的皮大衣放在海滩上。涨潮了,海浪夹着泡沫涌上沙滩,好似给沙滩镶了垂花饰一样;已经有一个较大的浪打湿了这件大衣的丝质流苏,我拿起大衣把它放到远一些的地方;衣料又轻又软,是女人的大衣。

　　显然,有人看见我做这件事,因为当天午餐时,正当大家都在我们下榻的旅馆吃东西的时候,我听见有人对我说道:

　　"先生,我谢谢您的一片好心。"

　　我转过身来,一位少妇跟她的丈夫坐在邻近的一张桌子旁。

"什么事呀?"我问她道,有点困惑。

"拾起我的大衣,难道不是您吗?"

"是我,夫人,"我又说道,十分窘迫。

她注视着我。

我垂下眼睛,脸都红了。的确,那是怎样的眼神呀!这个女人,多么漂亮!我再次看那炽热的眼珠,在黑眉毛下面盯着我看,有如温暖的太阳。

她身材高大,黄褐色皮肤,秀美的黑发编成辫子,垂到肩膀上;她长着希腊式的直鼻梁,热情洋溢的眼睛,眉毛高而且优美地弯曲;她的皮肤光闪闪的,就像金色天鹅绒,又薄又细,可以看到天蓝色的静脉在黄褐色与绯红色的胸脯上蜿蜒。上嘴唇上面有纤细的褐色寒毛,使她的脸庞具有阳刚之气,令漂亮的金发女郎暗淡无光。人们可能责备她长得太丰满了,或者更准确地说,对保持苗条的身材掉以轻心,因此,女人们大都认为她举止谈吐不合礼仪;她讲话慢条斯理,声音高低起伏,悦耳动听。

她穿着白色平纹细布做的连衣裙,显现出手臂柔美的轮廓。

当她起身要走时,戴上一顶白色系玫瑰色带结的帽子,她用细腻丰满的手系好帽带结。她的手是人们梦想已久、渴望热吻的手。

每天早上,我都去看她洗海水浴,我远远地凝视她,她在水下,我羡慕柔软平静的波浪可以拍打她的两胁,把泡沫覆盖她娇喘的胸脯,我看到了她湿淋淋的衣服遮盖的四肢的轮廓,我看到她的心在跳动,胸脯鼓了起来;我不由自主地注视她把脚放在沙地上,目光一直盯着她的脚印,当看到波浪慢慢把脚印抹去时，我差点要哭。

接着，当她走回来，经过我身旁，我听见水从她的衣服滴下来的声音，以及她走路时发出的沙沙声，我的心剧烈地跳动着；我低下眼睛，血涌上我的头，我感到气闷。我觉得这个半裸的女人身体，带着海浪的芬芳，从我旁边走过。我如果耳聋眼盲的话，我大概也能猜测到她的存在，因为在我的内心，已经有了某种亲切与温柔的东西，当她这样走过时，就令我心醉神迷，产生美好的想法。

我相信现在还看到我在海滩上呆着不动的地方；我看见海浪从四面八方滚滚而来，碎裂，消失；我看见海滩上泛起泡沫有如垂下的弓形花彩，我听见沐浴者交谈的嘈杂声，当她从我身旁走过，我听见她的脚步声，她的喘息。

我惊愕得一动不动，好像看见维纳斯从底座下来，开始行走一样。因为我第一次感到春心荡漾，感到有某种神秘奇怪的东西，就像有了新的感觉。我沉浸在无限的柔情里，用空泛朦胧的图景哄骗自己，变得更加高大又更加自豪。

我恋爱了。

恋爱，使人感到自己年轻、充满爱情，感到大自然及其和谐在人的心中突突地跳，需要这种梦想，这种感情的行动，因而感到幸福！噢！男人春心初次跳动，爱情初次怦跳！情窦初开是多么甜蜜与奇异呀！不久，这爱情的初次怦跳又显得多么幼稚无知，多么愚蠢可笑！古怪的事件！在失眠中，经历了全部痛苦与快乐。这仍然是由于虚荣心作怪吗？啊！爱情难道只是骄傲吗？应该否定最不信宗教的人所尊重的东西吗？也许应该嘲笑爱情吗？——哎呀！哎呀！波浪抹去了马丽亚的脚印。

这起初是吃惊与赞赏的特殊状态，是某种完全神秘的感觉，与众不同的快感的想法。只是在以后我才感觉到这种肉体与灵魂的狂热而忧郁的热情，而这种热情消耗肉体与灵魂。

我的爱情感觉到它的初次冲动，令我惊讶。我像亚当那样知道了自己的全部本领。

我究竟梦想些什么，很难说出来；我觉得变成了新人，跟我本人完全不一样；一个声音来到我的心灵。一个微不足道的东西，她的一个裙褶，一丝微笑，她的脚，最没有意义的一个字，我都觉得那是超自然的事情，我用一整天的时间来梦想。我跟踪她来到一面长墙壁的拐角处，她衣裙的窸窸窣窣的声音使我的心高兴得直跳。当我听见她的脚步声，那些她在走路的夜晚，或者她向我走过来的夜晚……不，我不能对你讲，恋爱中有多少温柔的感觉，多少心醉，多少幸福与多少疯狂。

现在，我那么嘲笑一切，那么痛苦地相信生存是滑稽的，可我还是感受到了爱情，这爱情像我在中学时候所经历的那样，只是梦想而没有得到，过后才感觉到，这使我流了那么多的眼泪，我为之笑了那么多次，我还是多么相信，那完全是最崇高的事情，或者是最可笑的蠢事！

两个人被抛到人间，完全是出于偶然。他们相遇了，相爱了，因为一个是女人，一个是男人！他们就这样彼此渴望，夜晚一起散步，身体沾满了露水，观看明亮的月光，觉得月光是苍白的，欣赏繁星，用各种声调说道："我爱你，你爱我，他爱我，我们相爱"，重复这些话，并发出叹息，热烈地亲吻；然后，他们回家去，两个人被独一无二的热情所推动，因为这两个人的器官在狂热地发烧，他们不久就怪诞地交媾了，发出吼叫与叹息，两人都担心人间再多繁殖一个傻瓜，一个将要仿效他们的不幸的人！请看看他们，这时比狗和苍蝇还要愚笨，失去知觉，谨慎地不让别人看见他们单独享乐，——也许想到幸福是罪过，感官快乐是耻辱。

我想，人家将会原谅我没有谈论柏拉图式的精神恋爱，这种恋爱被赞扬为对一座雕像或一座大教堂的爱，它排斥一切享乐与占有的想法，应该存在于人们相互之间，但是我很少有机会领会它。崇高的爱情如果存在的话，那只是梦想，就像这个世界上一切美好的东西一样。

　　我到这里停笔，因为老人的嘲笑不应该败坏年轻人感情的天真无邪；读者呀，如果有人对我讲如此残酷的话，我也会跟你一样表示愤慨。我相信一个女人就是一个天使……噢！莫里哀把女人比喻为可以喝的鲜美的汤，是多么有道理！

十一

　　马丽亚有一个孩子，一个小女孩；大家都喜欢她，拥抱她，大家的爱抚与接吻使她厌烦。这个襁褓中的婴儿的头上，接受了许多如珍珠般的吻，我要是能够得到这样的一吻该有多好啊！

　　马丽亚亲自给她喂奶，有一天我看见马丽亚露出胸脯给她喂奶。

　　她的乳房肥大滚圆，由黄褐色的皮肤包裹着那灼热的肉，可以见到皮下的青筋。我还从来没有见过这样裸露的女人。噢！我看到这乳房，顿生奇怪的狂喜；我多么贪婪地看呀，多么想摸一摸这个胸脯呀！我觉得如果我能够把嘴巴放上去，我的牙齿恐怕会发狂地咬；想到这一吻给我的快感，我就会心花怒放。

　　噢！她把小女孩放在膝头上，喂奶，缓慢地摇晃，哼着一首意大利歌曲。她颤动的胸脯、优美的长颈、低下来向着正在吃奶的小女孩的头，以及用卷发纸包着的黑色秀发，我是多么念念不舍，看了又看，看了那么长时间！

十二

  我们不久就更加熟识；我说"我们"，是因为就我个人来说，如果她的目光看出我的心思，我跟她讲话就很冒险。

  她的丈夫的职业介乎艺术家与旅行推销员之间；他蓄着小胡子；他放肆地吸烟，是个活跃、友善、脾气好的青年人；他一点也不鄙视大吃大喝，我看见他有一次步行十二公里到最近的城市去买一个甜瓜；他乘坐驿站快车，带着他的狗、妻子、女儿和二十五瓶莱茵葡萄酒，来到这里。

  在海滨浴场，在田野或者在旅行中，人们更容易交谈，人们都希望互相了解；一件微不足道的小事足以展开交谈，谈论天气，下雨和晴天，尤其是最佳的话题；人们大声议论，抱怨住得不舒服，旅馆的伙食糟透了。最后这个话题议论得特别热烈，"噢！台布、餐巾太脏了！菜太辣了！胡椒加得太多了！啊！太可怕了！亲爱的。"

  一起去散步，可以更好地欣赏美丽的风景，为之着迷。真是美极了！大海多么壮观！你发表富有诗意与夸张的几句评论，提出两三个哲学的思考，夹杂着叹息与或强或弱的鼻息吧！如果你会画画，打开你的摩洛哥皮封面的速写本作画吧，或者作最妙的选择，把鸭舌帽拉下来遮住眼睛，双臂交抱地睡觉，佯装在思考问题。

  有些女人，我从一公里远处就可以嗅出她们是"自命不凡的人"，仅从她们观看海浪的方式就可以判断。

  应该可怜你们这些人，吃得少，醉心于悬崖，欣赏着草地，爱大海爱得要命。啊！那时你将令人快乐，人们会说：

"迷人的小伙子！他穿着一件多么漂亮的罩衫！他的皮靴多么精美！多么潇洒！多么英俊！"这是说话的需要，合群的本能，最大胆的人走在人群的前头，这本能从根本上创造了社会，在今天则造成聚会。

大概是同样的动机促成我们第一次交谈。那是在一天下午，天气炎热，尽管有窗上披檐，太阳仍然照进大厅。几位画家，马丽亚和她的丈夫，还有我，留下来了，躺在椅子上抽烟，喝掺热糖水的烈酒。

马丽亚抽烟，即使某种愚蠢的女人之见阻止她抽烟，她也会喜欢烟草的气味（真可怕！）；她甚至递香烟给我！我们谈论文学，文学是跟女人谈话时取之不尽的话题，我讲了我的看法，充满激情，讲了很长时间；马丽亚和我在艺术上有完全相同的感受。我还没有听到有什么人以最天真与最谦逊的态度去感受的；她说话言简意赅，十分生动，重点突出，特别随便而又优雅，那么从容而又懒散，简直可以说她是在唱歌。

一天晚上，她丈夫向我们提议，到海边泛舟，那时天气特别好，我们就同意了。

十 三

怎样才能把心中的印象，连灵魂自己也不知道的秘密，即那些难以言状的事情用词语来表达呢？怎样才能对你讲，那天晚上我所有的感受，所有的想法，所有我享受到的快乐呢？

这是一个美好的夏夜，将近九点钟，我们登上一条小艇，套好了桨，出发了。海面上风平浪静，月亮倒映在水面上，小艇的航迹弄碎了它在波浪上的影子。开始涨潮了，我们感到第一排海浪缓慢地摇晃着小艇。大家默不作声，马丽亚开始讲话。我不晓得她讲些什么，我任由她讲话的声音使我狂喜，就像我任由大海摇晃一样。她在我的旁边，我感觉到她肩膀的轮廓，接触到她的连衣裙；她抬眼望着纯净的布满星星的天空，手指上戴着的钻石闪闪发光，俏丽的身影映在蓝色的波浪里。这是一位天使，看着她抬头仰望，睁大着天蓝色的眼睛，便有这种感觉。

我因为恋爱而陶醉，我听见两支桨有节奏地抬起来，波浪拍打着小艇的两个侧面，我被这一切所感动，我倾听马丽亚温柔颤抖的声音。

我有一天可以对你讲她所有优美动听的话语，她所有妩媚动人的微笑，以及她所有美丽的顾盼吗？我有一天将告诉你，什么是使人爱得要命的事情吗？那是充满大海芬芳的这个夜晚，透明的波浪，被月亮照亮的银白色的沙子，美丽平静的海水，闪耀着光辉的天空，还有在我身旁的这个女人！人间的一切快乐与快感，最温柔与最醉人的事情。那是梦想的全部魅力与真实的一切乐趣。我任由所有这些感情激动，带着难以满足的喜悦，往前走得更远了；我高兴地沉醉在这充满快感的平静里，沉醉在这个女人的目光和声音里；我沉浸在我的恋情里，在那里得到无穷的快乐与满足。我是多么幸福啊！黄昏降落至夜晚的幸福，如消失的波浪经过海岸的幸福……

…………

大家回来了，下了小艇，我陪着马丽亚一直到她的家门前，我没有对她讲一句话，因为我害羞；我跟着她走，一心想着她和她走路的脚步声。等到她进了屋，我还久久地望着她家的墙，月光正照在墙上；我看见她房间里的灯光，透过窗玻璃照射出来；我经过沙滩回旅馆去，还不时回头看她，等到那灯光熄灭了，我心里想，她睡觉了。然后，一个念头突然向我袭来，那是狂怒与嫉妒的想法："啊！不，她没有睡。"我在内心里倍受折磨，犹如一个下地狱的罪人那样痛苦。

我想到她的丈夫，这个庸俗而快活的男人，最丑陋不堪的形象出现在我的面前。我就像那些被关在笼子里就要饿死的人，笼子外面摆满了美味佳肴，可望不可及。

我独自一人在沙滩上。我独自一人。她不思念我。眼观我面前这无边无际的孤独，和另一个更可怕的孤独，我开始像小孩一样哭了，因为在我附近几步远的地方，她就在那里，就在我贪婪地盯着看的墙壁后面；她就在那里，美丽动人，一丝不挂，带着夜晚的全部快感、爱情的全部优雅和婚姻的全部贞洁。那个男人只要张开双臂，她就软弱无力地来到，不必等待，她就来到他身边，然后他们欢爱，如胶似漆。所有的愉快属于他，所有的快乐属于他；我心爱的人在他的脚下，这个女人的头、胸脯、乳房、身体、灵魂、微笑、搂抱着他的双臂、爱情的话语、总之她的一切都属于他；一切都属于他，而我却一无所有。

我开始笑了，因为嫉妒使我产生猥亵可笑的想法；于是我就污辱他们两个人，用最尖刻的咒骂嘲笑他们，极力悲天悯人地嘲笑那使我嫉妒得要哭泣的情景。

开始退潮了，随处可以看见一些积满水的大坑，在月光的照射下，积水变成了银白色；沙滩上的沙还是潮湿的，上面布满了褐藻，这里那里有些岩礁跟水面相齐，另一些岩石则高出水面，呈黑白两色！撒下的网被海水撕破，咿呀咿呀地收上来。

天气炎热，我感到气闷。我回到旅馆的房间，想睡觉。我始终听见小艇两侧的波浪声，我听见桨叶落水的声音，我听见马丽亚讲话的声音；我的血管里像在着火，那一切重新出现在我面前,傍晚的散步,晚上的海边泛舟;我看见马丽亚躺着,我不再往下想了,因为其余的事使我战栗。我内心在渴望。我被这一切弄得疲乏不堪。我仰躺着,看着蜡烛燃烧,烛光的圆圈在天花板上抖动;我愚笨地看着蜡油在铜烛台周围流动,黑色的火星在火焰里变长。

白天终于来临,我入睡了。

十 四

应该离开度假地了,大家各奔前程,我却不能跟她告别。她跟我们同一天离开海滨浴场。那是一个星期天。她是早上走的,我们是晚上离开。

她走了,我再也没有见到她。永别了!她走了,像她脚步后面扬起的大路上的尘土。从此我是多么思念她呀!有多少时间,我迷迷糊糊地回忆起她的目光,或者听见她讲话的声音!

坐在马车里面,我把自己的心思倒退到我们已经走过的大路,我又置身于那一去不复返的过去,我想起大海,海中的波浪,海滩,我刚才看到的一切,我曾经感受到的一切;讲过的话,做过的动作,采取过的行动,最细小的琐事,这一切在跳动,都在活动。我的心中一片混乱,响起巨大的嗡嗡声,发疯了。

一切像梦一样过去了。永别了,青春这美丽的花朵!它们如此迅速地凋谢,人们以后会不时回想起青春,满怀痛苦与快乐!我终于看见我的城市的房屋,回到自己的家。我觉得那里的一切荒凉而又令人悲伤不已,空空洞洞而又令人茫然若失;我开始生活,吃喝与睡觉。

冬天来临,我又回到中学里。

十 五

　　如果我告诉你,我爱过别的女人,我就像个无耻的人那样撒谎。然而我曾那样认为,我被迫把自己的心跟其他的激情联系起来,我的心在那些激情上滑行,就像在冰上滑行一样。

　　当一个人还是小孩时,读了那么多关于爱情的书,他觉得"爱情"这个词悦耳动听,作了那么多的梦想,那么强烈地希望有这个感情,爱情使人在阅读小说和剧本时心怦怦地跳,每看见一个女人都会自问:这不就是爱情吗? 人们努力去爱,为了使自己成为真正的男人。

　　我跟其他任何一个男人一样,都难免有这孩子式的缺点,我像哀歌诗人那样如怨如诉地吟咏,作了许多努力之后,我吃惊地发现自己半个月没有想那个我选择要梦想的女人。所有这种孩子式的虚荣心在马丽亚面前消失了。

　　但是,我应该回溯更远的往事:那是我要和盘托出的誓言;读者将要读到的片断,其中一部分是去年十二月写的,在我想到要写《狂人回忆》之前。因为那片断应该独立成篇,我把它放在本篇的后续部分里。

　　那片断是这样的:

　　在我过去的所有梦想之中,从前的回忆,青年时代的模糊回忆,我只保留了很少,在感到厌烦的时候,就拿来自我消遣。回想起一个人的名字,所有其他人的名字就都记起来了,他们的服装、言谈也记起来了,他们扮演自己的角色,就像他们在我的生活所起的作用一样,我看见他们在我面前行动,就像一个神祇乐于观看它创造的世界。特别是初恋之神,从来都不是强烈的与多情的,自从被别的欲念擦去以后,它还是留在我的心底里，就像一条罗马古道，人们可以乘坐非常难看的铁路的车厢经过一样；这里叙述的是爱情最初的跳动，模糊不定的快感的开端，是一个男孩看见一个女人的乳房和眼睛，听见她唱歌和讲话，在内心所产生的朦胧的印象；这是感情与梦想的大杂烩，我应该像具死尸一样将其展示在一班朋友面前。他们有一天，在冬季十二月，来我这里取暖，并且要我在壁炉边平静地聊天，抽着烟斗，为了增加刺激性，人们喝某种饮料。

大家都来到之后，每个人都坐下，往烟斗里填满烟丝，往酒杯里倒满酒，我们围坐在壁炉边，有的人手拿火钳，有的人吹气，有的人用手杖翻动炉灰，每个人都有事做，我就开始讲了：

"我亲爱的朋友们，"我对他们讲道，"在这个故事里，有些事情，有些虚荣的词句，请你们多多包涵。"

（他们意见一致，完全同意，促使我开始讲故事。）

"我记得那是一个星期四，在两年以前，将近十一月的时候，——我想，我那时读五年级。我第一次见到她，她在我母亲家吃午饭，当我急匆匆地走进屋，像整个星期都盼望着星期四午餐的学生那样迫不及待。她转过头来，我几乎没有跟她打招呼，因为我那时十分幼稚无知，十分孩子气，以致我见到一个女人，尤其是那些不能像太太一样叫我做孩子的女人，或不能像小姑娘一样称呼我为朋友的女人，我不能不脸红，或者更确切地说，我不知所措，什么事也不能做、什么话也说不出来。

但是，感谢上帝，我从此变得虚荣无耻，得到了我在天真无邪时失去的一切。

她们是两个小姑娘，我妹妹的同学，可怜的英国两姐妹，有人让她们从寄宿学校出来，领她们到广阔的田野呼吸新鲜空气,坐马车散步,叫她们在花园里奔跑,总之使她们有机会消遣,没有女学监的监督,女学监往往使儿童们的嬉戏变得温和与有节制。大女孩有十五岁,小的刚刚十二岁;妹妹矮小瘦弱,眼睛却比姐姐的更加大,更加漂亮,更加炯炯有神。姐姐的脑袋是那么圆,那么好看,皮肤是那么白嫩红润,玫瑰色嘴唇里的小牙齿是那么洁白,这一切是那么完美无缺地被美丽的栗色头发围住,人们不禁更加偏爱她。她个子不高,略为肥胖,这正是她最明显的缺点;但是这对我更加有吸引力,这是少女不装模作样的优雅,使她周围充满香气的青春芬芳。她是那么天真无邪,最大逆不道的人也不禁表示赞赏。

　　透过我房间的窗户,我好像仍旧看见她同伙伴们一起在花园里奔跑;我仍旧看见她们的丝裙飘动,在鞋后跟上发出响声,她们的脚抬起来要到花园铺沙的小径上跑步,然后气喘吁吁地停下来,彼此搂着腰,一本正经地边散步边交谈,大概谈的是节日、跳舞、玩乐与爱情——可怜的姑娘们!

　　我们不久就亲密起来;四个月以后,我像吻我妹妹一样吻她,我同她彼此都以你相称。我是多么喜欢跟她闲谈!她的外国腔调有某种微妙精细之处,使她的声音如她的脸一样清纯。

　　此外,在英国人的道德习俗中,衣着随便与懒散都会被视作过分讲究的卖弄风骚,尽管在我们这里并不算不合礼仪,但那只不过是一种魅力,像闪烁不定的磷火那样吸引人。我们经常全家去散步。我记得有一天,那是在冬季,我们去看望一位老太太,她居住在高踞于城市的山坡上。

　　为了到老太太的家,要穿过种满苹果树的果园,那里野草又高又湿,薄雾浓罩着全城,我们从山丘顶上眺望鳞次栉比的屋顶,屋顶上积着白雪,观看寂静的乡村,听见一匹马或一头牛的蹄声渐渐远去,蹄子陷进车辙里。

在通过一道漆成白色的栅栏时,她的大衣被篱笆上的刺钩住了;我去把她的大衣移开,她对我说:谢谢。充满魅力,大方自如,使我整整想了一天。

后来,姐妹俩开始跑步,她们的大衣被风从后面掀起,飘来飘去,宛如退潮时的海浪那样起伏;她们气喘吁吁地停下来。我还记得她们的喘息在我的耳畔震响,从她们洁白的牙齿中间喷了出来,成为模糊的蒸气。

可怜的姑娘!她是那么善良,那么天真地吻我!

复活节假期到了,我们到乡下去度假。我记得有一天……天气炎热,她的腰带一时丢失,连衣裙显不出腰身;我们一起散步,脚踏着四月花草上的露水。她手里拿着一本书;我想,那是一本诗集;她让那本书掉到地上。我们继续散步。

她跑着,我吻她的颈脖,我的嘴唇紧贴在这被香汗湿润、光滑无瑕的皮肤上。

我不知道我们谈了些什么,是随便地聊天吧。

"你这样就要成为笨蛋的,"听我们谈话的一个人打断我的话,说道。

"同意,亲爱的,爱情是愚蠢的。"

下午,我的心里充满了温柔而模糊的快乐;我做着美梦,想着她活泼的眼睛周围的包在卷发纸里的头发,想到她已经形成的胸脯,我总是从上到下地吻,直到她这个"循规蹈矩的人"所允许的地方。我到田里去,到树林里,坐在一个坑里,我思念着她。

我匍匐在地,拔些野草和四月里的雏菊,当我抬起头,天空显出白色、蓝色和灰色,在我的上方形成天蓝色的拱穹,隐没于地平线,在青青的草地后面;我偶尔带着纸和铅笔,我就作诗……

（大家开始笑了。）

……我一生中只写了这些诗，大概有三十首，不用半个小时就写好了，我始终有即兴做任何蠢事的本领，令人赞叹。这些诗大部分有如爱情的保证，是虚假的，也好比财产，是不稳定的。

我记得有如下的诗句：

"她累了，游戏与跷跷板。
……当夜晚"

我白费力气，无法描绘我在书里从来没有见过的热情；然后，关于虚无，我转入安东尼式的忧郁，尽管我的灵魂实际上充满了天真，夹杂着愚蠢的柔情、美妙的回忆和情感的芬芳关于虚无，我写道：

"我的痛苦是苦涩的，我的忧郁是深沉的，
我被裹在那里，就像一个人关在坟墓里。"

这些诗甚至不是诗，不过我觉得要烧毁它们，这大概是折磨大部分诗人的怪癖。

我回到家里，又发现她在圆形草坪上玩耍。姐妹们的卧室挨着我的卧室；我听见她们笑呀，长时间讲话，而我呢……我像她们一样，尽管我千方百计要尽可能熬夜，不久还是睡着了。因为，你大概跟我一样，在十五岁的时候，做同样的事，你曾经认为，你是以灼热疯狂的激情在恋爱，就像你在书里读过的那样，然而你在心的表皮上只有一道轻微的抓痕，那是被人称作情欲的那只铁爪抓的，你竭尽全力想象，吹旺勉强燃烧的小火。

男人的一生中，有那么多的爱情！他四岁的时候，爱马匹、太阳、鲜花、闪闪发光的武器与士兵制服；十岁的时候，爱那个跟自己一起玩耍的小姑娘。十三岁的时候，爱一位胸脯鼓起的贵妇，因为我回想起，少年人喜欢得发狂的东西，就是女人白皙而无光泽的胸脯，正如马罗① 所说的那样：

"重做过的乳房比蛋更白净，
崭新的乳房既光滑又白净。"

我第一次看见一个女人赤裸的双乳，差点晕过去。十四岁或十五岁的时候，你终于爱上一个到你家来的姑娘，比妹妹要亲密，又不如情妇那么亲昵；然后，十六岁时，爱上另一个女人直至二十五岁；后来，爱上一个女人，将来要跟她结婚。

五年以后，爱上一个舞女，她把遮盖丰满的大腿的薄纱裙子给跳掉了；三十六岁时，爱当国会议员，爱投机，爱追逐荣誉；五十岁时，爱部长或市长的晚餐；六十岁时，爱隔着窗户打招呼的妓女，向她投以无能的目光，对过去表示惋惜。这一切难道不是真的吗？因为我经历了这些爱情，但不是全部的爱情，因为我还没有活够我的全部年龄。每年，在许多人的生活中，标志着一个新的迷恋，迷恋女人、赌博、马匹、精美的皮靴、手杖、马车、地位。在一个人身上有多少疯狂呀！噢！无可辩驳，小丑的服装在色调上充满变化，人的思想在疯狂方面同样充满变化，而且两者的结果一样：受到磨损，而且在一段时间里让人发笑；观众因为付了钱，哲学家因为自己的科学研

---

① 马罗（1496—1544），法国诗人。

究。

"讲故事吧!"一位听众要求道,他直到那时都无动于衷,嘴里叼着烟斗,他拿开烟斗只是为了唾沫四溅地指责我走了题。

我几乎不知道怎样讲后来的情形,因为在历史上有一段空白,哀歌中缺少一个诗句。好多时间都是这样过去的。至少在五月份,两位姑娘的母亲送她们的弟弟来法国。这个可爱的男孩,跟她们一样长着金黄色头发,表现出淘气和英国式的自负。

他们的母亲脸色苍白,瘦弱,没精打彩。她穿着黑色衣服。她的言谈举止与穿着打扮,都显得漫不经心,有点萎靡不振,这是真的,但跟意大利式的"闲逸"相似。这一切都散发着情趣高雅的芬芳,闪耀着一层贵族的光泽。她在法国住了一个月。

后来,他们的母亲回去了,我们就像一家人一样生活,总是一起去散步、度假。我们像亲兄弟姐妹一样。

在我们朝夕相处中,有那么多的好感,吐露了那么多的衷情,那么亲密与那么无拘无束,也许在她那方面就产生了爱情,我得到明显的证明。

至于我呢,扮演一个有德行的男人的角色;因为我根本没有情欲,我倒是很想有情欲的。

她时常向我走来。搂住我的腰;她看着我,跟我聊天。可爱的小姑娘!她向我借书,借剧本,但是很少归还;她上楼到我的房间,我相当局促不安。我可以假设一个女人如此大胆如此天真吗?一天,她躺在我的长沙发上,姿势很暧昧;我坐在她身边,默默无语。

当然,那是关键时刻,我没有加以利用,我让她走了。

她有时候吻着我就哭了。我不能相信她真的爱我。欧内斯特却相信那是真的,他向我指出来,并把我称作傻瓜,——我的的确确既腼腆又懒散。

这是某种温柔稚气的东西,任何占有的想法都不能使其失去光泽;但是,它正是由于本身的原因而缺乏毅力;然而要搞柏拉图式的精神恋爱,实在太幼稚无知。

一年以后,他们的母亲来法国居住,一个月以后,又返回英国。女儿们离开了寄宿学校,同母亲一起住在一条荒凉的小街一所房子的三楼。

当母亲去旅行时,我时常在窗口看见姐妹俩。一天我经过她们住的房子前面,卡罗琳喊我,我就上楼去。她独自一人在家,她扑到我的怀抱里,频频吻我;这是最后一次,因为她从此结了婚。

她的图画老师经常来访问她,他们准备结婚。她结婚又离婚,再结婚,再离婚,反反复复好多次。她的母亲没有同她的丈夫一起从英国回来,从来没有听见提起他;卡罗琳在一月份结婚。一天,我碰见她和她的丈夫。她几乎没有跟我打招呼。

她的母亲搬了家,也改变了生活方式,她现在在家里接待裁缝店的伙计和大学生,她去化妆舞会,并带她的小女儿去。

已经有一年半,我没有见到她们。

这段交往就这样结束了,它也许随着岁月的流逝而有可能变为情欲,然而它已自行结束了。

有必要说,这段交往跟爱情相比,就像黄昏跟白天相比吗?马丽亚的目光,使我对那个脸色苍白的姑娘的回忆消失了吗?

这微小的情火,只不过是冷了的灰烬。

十 六

这一页并不长,我希望它更短。事情是这样的:

虚荣心把我推向爱情,不对,是推向感官享乐;还不是这样,而是推向肉欲满足。

人们讥笑我的贞洁,我为此感到脸红。贞洁使我蒙羞受辱,它就像腐朽的东西一样重压着我。

一个女人出现在我面前,我占有她,然后满怀厌恶与痛苦从她的怀抱里出来。但是,那时我可以做一名小咖啡馆里的浪子,像别人一样在一碗潘趣酒旁边讲那么多污言秽语;那时我是一个男子汉,以前我把甘心堕落当作尽义务;后来便引以为自豪。我十五岁了,就谈论女人和情妇。

那个女人,我憎恨她;她来到我身旁,我不理会她;她却主动地微笑接近我,那微笑如同丑陋不堪的怪相,令我讨厌。

对马丽亚的爱,曾经是我一心追求的目标,现在似乎被我亵渎了,我深感内疚。

十 七

我扪心自问:我梦想的快乐,我纯洁温柔的童心里所想象的爱情的激动,是否就在那里?

一切都在那里吗?在这冰凉的享乐之后,不应该有另一种更高尚更广阔的享受吗?那是某种神圣的东西,使人陷入心醉神迷。噢!不,一切都完了,我把自己灵魂的圣火放在泥泞里弄熄灭了。噢!马丽亚,我把你目光创造的爱情往烂泥里拖,任意糟蹋,给了随便遇到的任何女人,没有爱情,没有欲望,被孩童的虚荣心，被傲慢的念头所驱使，为了不再因生活放荡而脸红，为了在狂饮乱舞中泰然自若。可怜的马丽亚！

我疲劳不堪，心中深感厌恶，我可怜那暂时的欢乐与肌肉的痉挛。我应该遭到不幸，我曾经为如此高尚的爱情与如此崇高的激情而那么自豪，我曾经把自己的心看得比其他人的心更加宽阔与更加美好；我却跟他们一样行事！……噢！不，恐怕他们中间没有一个人不是为了相同的理由行事；几乎所有的人是受到肉欲的驱使，他们像狗一样屈从于自然的本能；但是，要看到有更多的堕落，它们会激发腐化，使人投入女人的怀抱，抚弄她的肉体，在浊流中打滚，再站起来，把自己的污迹给人家看。

然后，我感到羞愧，因为我卑怯地亵渎圣物；我真想不让我的眼睛看见我曾自吹自擂过的丑行。

我回想起过去的时间，那时我认为肉欲根本不是卑鄙的，欲望的前景向我展示模糊的形式，我的爱情给我创造了感官享受。不，人们将永远不会说出童贞的灵魂的一切秘密，它所感受到的一切东西和它所孕育的一切世界。他的梦想是多么美妙！他的思想是多么朦胧和感动人呀！他的失望是多么痛苦与严酷！……曾经爱过，梦想过天空，见过灵魂中最纯洁、最崇高的东西，后来却把自己束缚在肉欲的沉重锁链之中，束缚在疲惫的身体里！曾经梦想过高空，却跌进泥巴里！

是的，现在谁将把我所有失去的东西：贞操、梦想、幻想，所有枯萎的东西——尚未盛开就被严寒冻死的可怜的花儿，都归还给我呢？

十八

　　如果我曾体验过热情的时候，这全多亏了艺术；然而，艺术是怎样的一种虚荣呢！希望在一整块石头描绘一个人，或者在词语中描绘一个灵魂，用声音来表达感情，在有光泽的画布上写生……

　　我不知道是什么强大的魔力支配音乐；我整整几星期梦想一个曲子的节奏，或者一个庄严雄壮的合唱；乐音进入我的内心，人们的说话声音使我心醉神迷。我喜欢听乐队的隆隆声，那里有起伏的和声，响亮的振动，这巨大的活力仿佛是从健壮的肌肉发出的，然后消失在琴弓的末端；我的内心跟随着旋律展开翅膀飞向无限，成螺旋形上升，纯粹而缓慢，像一股清香升向天空。我喜欢嘈杂的声音，在光亮中闪烁的钻石，戴着手套、拿着鲜花鼓掌的女人的双手；我观看跳跃的芭蕾舞，飘动的玫瑰色舞裙；我倾听有节奏的脚步，我观看两膝从容不迫地分开，身体前俯后仰。

　　有时候，我在天才创作的作品面前冥想，被天才拴住人们的锁链控制，听着人们说话的声音，讨人喜欢的禽兽尖声急叫，充满魅力的嗡嗡声，我渴望能有那些有本领的能人的命运，他们摆弄人群就像摆弄铅制玩具兵，使人群哭泣、呻吟、兴奋得跺脚。他们的心胸该是多么宽广，能容纳世界！然而由于我的性格，一切都失败了！我确信自己患了阳萎和不育症，便因嫉妒而产生仇恨；我心里想，这没有什么关系，完全是偶然在起决定作用。我羡慕最上等的东西，就极力说坏话，对这些东西横加指责。

　　我嘲笑上帝，我也讥笑人们。

然而，这种阴郁的情绪只是暂时的。在艺术之家观赏灿烂的天才的佳作，我真的感到高兴，那些佳作犹如夏天阳光照耀下盛开的香花。

艺术！艺术！这虚荣是多么美好的东西！

如果在人间，在所有的虚无当中，有人们中意的信仰，如果有某种神圣纯洁的高尚事物，它走向无限与空间的过分欲望，即我们称作"灵魂"的东西，那就是艺术。一块石头、一个单词、一个声音，是多么渺小！我们把对这一切的安排，却称为"卓越"。我希望有某种不需要表现与形式的某种东西，它纯净得如芳香，坚硬得如石头，难以理解得如一首歌，既是这一切的集中，又不是其中任何一个。我觉得一切都是有限的、缩小了的，会在自然中夭折。

人，连同他的天才和艺术，只不过是某种更加有教养的可悲的猴子。

我想得到存在于无限之中的美，然而我在那里找到的只是怀疑。

十九

噢！无限！无限！巨大的深渊，从深渊升向未知的最高区域的螺旋，我们大家的旧思想在里面旋转，转得昏头转向，每个人心中的深渊，无法估量的无底深渊！在许多白天，许多黑夜，我们徒劳地在焦虑中自问："上帝、来世、无限，这些词是什么意思？"我们被一股死亡的风卷进那里面，像树叶被暴风卷起，旋转不停。简直可以说，我们在这巨大的怀疑中欺骗自己，无限就从中得到快乐。

然而，我们总是在想："许多世纪以后，几千年以后，当一切都已消耗，还是应该竖个界标在那里。"——哎呀！来世屹立在我们面前，我们感到害怕，——害怕这个要延续那么长久的事物，而我们的生命却那么短暂。

那么长久！

无疑，当世界不复存在，——那时我希望活下去，没有自然，没有人类，那个空间多么大呀！——那时无疑将有黑暗，地球燃烧后剩下的一点灰烬，也许还有几滴水，是大海的残余。——天哪！不再有什么，空荡荡的……只有虚无像裹尸布一样摊开在无限之中。

来世！来世！它永远延续吗？永远延续，无穷无尽吗？

然而，将要留下的是世界最小的一块碎片，将要消失的造物的最后气息，空间本身由于存在而感到疲乏；一切都在呼唤彻底毁灭。这种没完没了的想法，使我们脸色变得苍白，唉！我们将要在那里面，我们现在活着的人将被那个无限全部卷走。我们将会怎么样？变得微不足道，甚至不如一口气。

我常常想起那些在棺材里的死人，想到他们在地底下度过的漫长世纪，地面上充满各种嘈杂的声音，而他们在腐烂的棺木中是那么宁静，那阴郁的安静，有时被一根头发脱落，或者一条蛆虫滑行在肌肤上的声音所打断。他们在那开满花的草坪下面，在地下，默不作声地躺着，睡得多么安适！

可是，在冬季，他们在雪的下面，大概会发冷。

噢！如果他们醒过来，如果万一他们醒了，看见人们在孝幔上装饰的泪滴，孝幔覆盖着干枯的尸体，看见人们泣不成声，还看见装模作样的哀悼已经结束，他们就会讨厌那个自己哭泣着离开的人生，很快回到虚无里，那里如此安静，如此实在。

当然，人们可以活着，甚至死去，一次也不用自问什么是生和什么是死;但是有人看见风吹得树叶颤动,河流在草地上蜿蜒流去,生活动荡不安,在许多琐事里旋转,人们生活着,做善事与做恶事,大海翻滚着波浪,天空放射着光芒,他自问道:"为什么这些树叶会动?为什么水要流动?生活为什么是一条如此险恶可怕的激流,要流到死亡这无边无际的海洋里?人们为什么像蚂蚁一样工作?为什么会有暴风雨?天空为什么这么纯净,而大地这么卑贱?"——这些问题会把人引向不能自拔的黑暗之中。

怀疑随后来到;这是某种不能言传,只能意会的东西。于是,人就像在沙漠里迷路的旅行者,到处寻找通向绿洲的道路,而看到的只是茫茫的沙漠。怀疑,就是生活。行动、言谈、本性和死亡当中,都有怀疑。

怀疑,就是为了灵魂而死亡,是侵袭衰退了的种族的麻风,是来自科学并且通向疯狂的疾病。疯狂就是怀疑理智;疯狂也许就是理智本身!理智证明怀疑。

二 十

一部分诗人拥有充满花香的灵魂,把生活看成是天空中的曙光;另一部分诗人拥有的只是阴暗、痛苦和愤怒;有的画家把一切都看成蓝色,有的画家则把一切看成黄色和黑色。我们每个人都戴着有色眼镜看世界,从眼镜里看到愉快的颜色和高兴的事情的人是幸福的。有的人在这个世界里看到的只是爵位、女人、银行、名誉、命运;真荒唐!我认识的人中,有的人在世界上只看到铁路、市场或牲畜;有的人从中发现一个美好的计划,有的人发现的则是猥亵诲淫的闹剧。

那些人问你什么是"猥亵"?作为问题来说,这是令人困惑、难以解决的问题。

　　我大概同样喜欢给一对漂亮的靴子或一个美女下精确严格的定义，那是两个重要的事情。人们把我们的地球看成或大或小的泥巴堆，那是些非凡的人或者难以欺骗的人。

　　你刚才跟一个卑鄙的人讲话，他不以慈善家自居，不怕别人称之为卡洛斯派①，不投票赞成拆毁大教堂；但是，你不久便会突然沉默不语，或者承认失败，因为那些人没有原则，把道德看成空话，把世界看成滑稽可笑的地方。他们从那里出发，以便以无耻的观点去看待一切；他们讥笑最美好的东西，当你对他们讲慈善，他们就耸耸肩膀，并对你说慈善表现于捐助穷人。把捐助者的名单登载在报上，是件多美的事呀！

　　这种在主张、制度、信仰和癖好上的多样性是多么奇怪的事！当你对某些人说话，他们立即害怕地停下来，问你道："怎么！你否认它？你怀疑它？人们可以废除宇宙的计划和人的责任吗？"如果你的眼神不幸地使人猜测到心灵的梦想，他们立即停下来，结束他们合乎逻辑的胜利，就像这些被想象的幽灵吓坏了的孩子，闭上眼睛而不敢再看一眼。

　　睁开你的眼睛，软弱而充满骄傲的人，艰难地爬行在你的尘粒上的可怜的蚂蚁，你对自己说是自由和伟大的，你尊重自己，可你在生活中是那么卑贱，大概你是嘲弄地对待你自己腐朽的身体。然后，你想一个如此美好的人生，就这样在你称作伟大的骄傲与作为你的社会本质的卑下利益之间动荡，并以不朽作圆满结束。对于你来说，不朽就是比猴子更好色，比老虎更凶恶，比蛇更阿谀奉承吗？哪里会！替我为了猴子、老虎和蛇建造一个天堂，一个为了奢华、残酷和卑鄙的天堂，一个利

---

　　① 卡洛斯派，是十九世纪西班牙支持卡洛斯为国王的反动教权派专制集团。

己主义的天堂，为了这灰尘的来世，也为了这虚无的不朽。你自称是自由的，能够做你称作善与恶的行为吗？大概是为了人家更迅速地判决你吧，你会做出些什么善事呢？在你的一切举动之中，有一个举动是唯一不被骄傲所推动或者不从利益出发去考虑的吗？

你是自由的！你一出生就顺从父亲的一切弱点；你日益接受你一切邪恶甚至愚蠢的种子，使你评判社会、你本人、你周围的一切的种子，即用你自己的尺度去进行比较和评判的种子。你伴随着很狭隘的成见诞生，人家使你对善与恶有固定的看法。人家对你说应该爱自己的父亲，在他年老时要照顾他；你两件事都照办了，你不需要人家教你，不是吗？这跟需要吃饭一样，是天生的美德；而在你出世的山后面，人家教导你的兄弟去杀死年迈的父亲，他便把父亲杀了，因为他想这是自然的，这也不必人家教他。人家抚养你长大，对你说，千万不要以肉欲的爱去爱你的姐妹或者母亲，如果你像其他的人一样出身于乱伦，因为第一个男人和第一个女人是亲兄妹，他俩的孩子也乱交；而太阳落下，照耀着别的民族，他们把乱伦看成德行，把杀害兄弟或姐妹当作义务。你是否不被支配自己行为的原则所束缚？是你决定自己受教育的情况吗？是你愿意怎样出生就怎样出生，性格开朗或者忧郁，温柔或者凶恶，有德行或者腐化堕落，身体健壮或者患肺结核？

但是，首先，你为什么出生？是你愿意出生吗？有人在这方面给你提了建议吗？因此你不可避免地要出生，因为你的父亲有一天狂饮乱舞后回来，因为喝了酒，听了下流放荡的话而浑身发热，你的母亲趁机加以利用，在肉欲与兽性本能的驱使下，她使出女人的全部狡猾手段，那本能是造化在创造人的时候赋予她的，她终于能够使这个从青少年时代因公共节日而疲乏的男人活跃起来。不管你是多么高大，你首先是跟唾液一样肮脏，比尿还要更恶臭的某种东西；你然后像蠕虫一样经历种种变化，终于出世了，几乎没有生命，哭着，喊着，紧闭着双眼，好像憎恨那个自己呼唤了那么多次的太阳。人家给你东西吃，你长大了，像树叶一样生长；如果风没有过早地把你卷走，那实属偶然，你要顺从多少东西？顺从空气、烈火、阳光、白天、黑夜、寒冷、炎热，顺从围绕着你的一切，与存在着的一切。这一切都支配你，使你激动；你喜爱青翠的草木、花卉，当它们枯萎凋谢，你就感到悲伤；你爱你的狗，当它死了，你就哭泣；一只蜘蛛向你爬过来，你害怕得往后倒退；有时，你看见自己的影子就发抖，当你的思想陷入虚无的神秘里，你吓坏了，害怕怀疑。

你自称是自由的，每天却被许许多多事情推动着行动。你看见一个女人，爱上了她，爱得要命；你有使跳动的血液平静下来的自由吗？你有使发烫的头脑冷静，抑制激动的心情，平息那折磨你的强烈欲望的自由吗？你能摆脱你思想的支配吗？千条锁链约束你，千根刺棒驱赶你，千条绊绳阻挡你。你初次见到一个男人，他相貌中的某一点使你不舒服，你就一生中都厌恶那个人；如果他的鼻子没有那么大，你也许会喜欢他的。你的胃时常痛，你粗暴地对待本来应该大方地接待的人。从这些事件中注定要引出或者连接上别的一连串的事件，从中又派生出别的事件。是你创造了你的体格与情操吗？不，你只能在按照你的意图随便制作与塑造它的情况下，完全控制它。因为你有灵魂，你就自称是自由的吗？首先，是你发现了这个现象，却不会下定义。内心的一个声音对你说那是对的；首先，你说谎，一个声音对你说你是软弱的，你觉得在自己身上有一个巨大的空洞，你想用你扔进去的东西填满，甚至连你都相信那是对的，你能肯定吗？是谁对你说的呢？你长期受到两种对立感情的打击，在犹豫不定以后，抱着怀疑的态度，便倾向一种感情，相信自己是作出决定的主宰；但是，要当主宰，应该没有任何倾向，如果你偏好根深蒂固的恶，如果你生来就养成坏习性，并被所受的教育加以发展，你有做善事的自由吗？如果你有德行，如果你讨厌罪恶，你可能犯罪吗？你有行善或者作恶的自由吗？既然是向善的感情始终指引着你，你不可能作恶。

两种倾向在斗争与角逐，如果你作恶，那是因为你更倾向于堕落而缺乏德行，最猛烈的狂热占了上风。两个人打架，最虚弱、最不机智、最不灵巧的人，肯定被最强壮、最机智、最灵巧的人打败；两相争斗不管可以持续多久，始终有一个是失败者。同样，在你的内心之中，你仍然认为善的那方面要占上风，正义是否总是胜利呢？你判断是善的，它是否是绝对的、不变的与永恒的善呢？

因此，在人的周围只是黑暗；一切都是空的，而且人希望某种固定的东西，他自己在这无边无际的空间里打滚，他愿意停留在那里，他想牢牢地抓住一切，可是什么也没抓住；他抓着祖国、自由、信仰、上帝和道德，然而这一切都从他的手里掉下来；他像一个狂人，让水晶杯跌落在地，却大笑他所造成的碎片。

但是，人有一个不朽的灵魂，那是按照上帝的形象造出来的；他对两个他不理解的观念坚信不移，并为之抛洒热血：灵魂与上帝。

这个灵魂是一种本质，我们的身体围绕着它转，就像地球环绕太阳转一样；这个灵魂是高尚的，因为它作为一种精神本原，根本不是属于尘世的，绝对不是卑贱低等的。然而，难道不是思想控制我们的身体吗？难道不是它在我们想杀人的时候，使我们的手臂上扬吗？难道不是它使我们的肌肉具有活力？精神大概是恶的本原，而肉体是恶的因素吗？

让我们看看，这个灵魂，这个良心多么有伸缩性，又多么顺从，多么软弱无力，又多么随和，它在压在它身上的物体的压迫下，多么容易弯曲，多么容易倚靠在对它弯腰的物体上！这个灵魂多么唯利是图与卑劣，它是怎样卑躬屈膝、阿谀奉承、撒谎与骗人！是它出卖手、脑袋、舌头，乃至整个身体；是它想要鲜血，需要金子，总是贪得无厌，难以满足；它在我们中间好比一种渴望、某种强烈的欲望，使我们焦虑不安的欲火，要我们追随着它旋转的枢轴。

人啊，你是伟大的！无疑不是从身体方面来说的，而是从精神方面来说的，那精神据说使你成为自然的主人；你是伟大的，是强有力的主宰。

每天，你确实震撼地球，你开凿运河，建造宫殿，把江河关闭在石坝之间，采集草本植物，把它们捣碎，然后吃下去；你用船只的龙骨搅动海洋，你认为这一切都是美好的；你自认为比你食用的畜生要优越，比被风卷走的树叶更自由，比在塔楼上方飞翔的老鹰更伟大，比你从中获得面包和钻石的土地更有力，比你在上面驶过的海洋更厉害。但是，唉！被你翻动的土地，自己复活了，运河被毁坏了，江河侵袭你的田野和城市，你宫殿的砌石剥落坠地，蚂蚁在你的王冠和宝座上跑来跑去，你的所有舰队在它们经过的洋面上只留下一滴水珠或者飞鸟的拍翼声。而你本人在年龄的海洋上经过，留下的只是你的船在波涛上留下的航迹。你相信自己是伟大的，因为你不停顿地工作，但这工作恰恰是你虚弱的证明。你因此被迫学习，以你的汗水为代价学习所有无用的东西；你出生之前是奴隶，活着之前就不幸。你带着骄傲的微笑观看星星,因为你给它们命名,计算它们的距离,好像你需要无限,把空间围在你思想的界标圈内,但是,你弄错了!谁对你说,在这些光明的世界后面,还有别的世界,而且无穷无尽,永远如此?也许你的计算停留在只有几尺的高度,一把事实上的梯子正从那里开始吗?你本人明白你使用的词,例如范围、广延性、空间等的价值吗?它们比你,比整个地球还要广阔。

你伟大,你跟狗和蚂蚁一样要死的,但比它们带着更多的遗憾去死;然后,你腐烂;我要问问你,当蠕虫来咬你,你的身体在坟墓里的湿气中分解,你的粉末不复存在,人啊,你在哪里?你的灵魂在哪里?这个灵魂是你行动的动力,它把你的心交给仇恨、嫉妒和所有的激情,这个灵魂,出卖你,让你做了许多无耻的行为,它在哪里?有一个相当神圣的地方用来接待它吗?你尊重自己,你获得光荣,就像一个神,你生出有关人的尊严的想法,自然界中没有任何东西面对你而有这种想法;你希望大家尊重你,你使自己受尊敬,你甚至想让这个身体,尽管在活着时它是那样卑劣,在死去以后获得光荣。你想要人家在你的尸体前脱帽致敬,但你的尸体变质腐败,尽管它在你活着时比你还要更纯洁。这就是你的伟大吗?——灰尘的伟大!虚无的尊严!

二十一

两年以后,我又回到那里;你当然能想到是哪里……可她不在那里。

她的丈夫独自同另一个女人来了,在我到达的前两天,他就走了。

我又回到海滩；海滩多么空荡荡！从那里我可以看到马丽亚的房子的灰墙；多么孤独离群呀！

　　我因此又来到我曾对你提到的那个大厅，大厅里满是人，熟识的面孔一个也不在那里，桌子边坐的人我从来没有见过。马丽亚坐过的桌子旁，坐着一位老妇人，倚靠在相同的位子上，常常把手肘放在桌子上。

　　我就这样在那里过了半个月；有几天天气不好，下着雨，我是在房间里度过的，我在房间里听见雨点落在石板瓦上，听见远处的海浪声，不时还听见码头上水手的几声叫喊；我又想起所有那些往事，旧地重游，触景生情，感慨万千。

　　我又看见同样的海洋，同样的波浪，海洋总是那样宽广、忧郁，咆哮着拍打悬崖，又看见同样的村庄及其泥巴堆，人们脚下踩着贝壳，房屋层层叠叠。但是，穿过挡雨披檐、把马丽亚的皮肤染成金黄色的美丽的阳光，环绕着她的空气，在她身旁走过的人们，所有我曾经喜爱过的一切，所有围绕她的一切，全都已经一去不复返了。啊！我多么想重新过那空前绝后的美好日子，哪怕只有一天也好！重新回到那一天，什么都原封不动！

　　怎么！这一切就完全一去不复返了吗？我觉得我的心是多么空虚，因为所有我周围的人，形成了一个荒漠，我会在那荒漠里死去。我回忆起那些炎热漫长的夏季的下午，我跟她谈话，她没有料到我爱她，她那漠不关心的目光如爱情的光芒直接射进我的心底里。她怎么能确实看出我爱她呢？因为那时我还不爱她，在我对你所说的一切当中，我撒了谎；现在我才爱她，我才渴望得到她；我独自待在海滩、树林和田野，设想她就在那里，在我身旁行走，跟我说话，注视着我。我躺在草地上，看着风把草吹弯了，海浪拍打着沙子，我情不自禁地思念她，又在心中重新构想她过去所做的动作与说话的全部情景。这样的回忆是一种狂热的激情。

如果我在回忆中，看见她在一个地方行走，那我也就在那里行走；我希望重新听到她悦耳的语音，为的是使我自己高兴，但这是不可能的。有多少次我经过她的房屋前面，在窗户前张望！

我就这样充满爱意地沉思，梦想着她，度过了两个星期。我回想起一些令人悲伤的事。一天，将近黄昏，我又来到海边，我穿过牛儿遍地的牧场，我走得很快，只听见我的脚在青草上面摩擦的声音；我低着头，看着地面。这有规律的动作使我入睡，可以这么说，我以为听见马丽亚在我身旁走路的声音；她扶着我的手臂，转过头来看我，是她在草地上面行走，我很清楚这是幻觉使我兴奋，但是我不能不让自己发笑，我感到幸福。我抬起头，天色阴沉；在我前方的地平线上，光芒四射的夕阳落到海浪下面，人们看见一束火像网子一样升起，消失在大团大团的乌云下面，乌云艰难地滚动，然后夕阳的反射光又出现在我后面不远的地方；在明亮的蓝天的一角。

当我又发现海洋，它又几乎消失了，日轮的一半已浸泡在水里，一抹浅玫瑰色总在扩展，向天空散去。

另一次，我骑马沿着沙滩走，机械地观看波浪，泡沫打湿了我的马蹄，我看着马行走时溅起的小石子，马蹄陷进沙里；太阳刚刚突然消失，在波浪上有一种深暗的颜色，有某种黑东西掠过波浪。在我的右边，是高耸的悬崖，其间风吹得浪花飞滚、泡沫四溅，宛如雪海，海鸥从我的头上飞过，我看见它们白色的翅膀几乎贴近深灰暗淡的水面。这美景真是无法形容：浩瀚的海洋，海边布满贝壳的沙滩，悬崖上覆盖着褐藻，褐藻被水弄湿，白色泡沫在微风的吹拂下在悬崖上摇晃不已。

我要是能够把我对爱情、狂喜、遗憾的所有感受都说出来，那么我就会讲出许多别的更美好、更温柔的事情。你能够通过词语来表达心脏的跳动吗？你能够说出爱情的忧郁使眼眶充满眼泪，并画出那晶莹的泪水吗？你能够说出你在一天内的所有感受吗？

可怜的虚弱的人啊！你用你的言辞、语言和声音来说话，说得结结巴巴；你给上帝、天和地、化学和哲学下定义，你不能用你的语言表达一个裸体女人……或者一块葡萄干布丁引起的一切快乐！

二 十 二

马丽亚啊！马丽亚，我青年时代亲爱的天使，再见了！我看见你在我感情纯真的记忆里，我多么温情地爱你，那爱情充满几多芬芳与亲切的梦想。

再见了！别的激情将会来到，我可能会忘记你，但是你将永远留在我的内心深处，因为心是一片土地，在心田里，每种激情引起动荡，在别的激情的废墟上翻耕。再见了！

再见了！然而，我多么想把你紧紧搂在怀里，多么想拥抱你，我多么爱你啊！啊！我的爱情设想了许多疯狂的计划，我心花怒放。再见了！

再见了！然而，我永远思念你；我就要投身于世界的漩涡，也许会死在那里，被众人的脚踩扁，被撕成碎块。我到哪里去？我会变得怎么样？我希望成为老人，满头白发；不，我希望自己美丽得像天使，有才华，声名显赫，把一切荣华富贵放在你的脚边，让你从那上面走过；而我却一无所有，你就冷漠地看着我，就像看一个仆人或者乞丐。

而我呢，每天每夜，无时无刻不思念你，总是看见你又从波浪底下浮现出来，黑发披肩，褐色的皮肤上挂着咸水珠，衣裳流淌着水，白皙的脚和染成玫瑰色的脚趾甲陷进沙子里。这个幻像始终出现在我的眼前，这一切都在我的心中喃喃低语，你知道吗？啊！不，一切都是空幻。

再见了！然而，如果我看见你时，要是年长四五岁的话，更加大胆些就好了……也许？……啊！不，你每看我一下，我都面红耳赤。再见了！

二十三

我听见教堂的钟声响了，丧钟呻吟般地敲响了，我内心里有种茫然愁闷的感觉，某种难以确定的梦想，如垂死震颤般出现。一连串的思绪在阴森可怖的丧钟声里敞开；我似乎看见人们处在最盛大与最欢乐的节日里，发出胜利的喊叫，车子隆隆向前，到处是花环，在这一切之中，是永久的宁静与永久的庄严。

我的灵魂飞向来世与无限，在宣告死亡的声音中，翱翔在怀疑的海洋上。

那声音冷漠而有规律，宛如坟墓一样，然而在所有的节日都会响起，为所有的丧事哭泣，我喜欢被那压倒城里一切喧嚣的和谐的声音弄得惊愕；我喜欢在田野里，盖满成熟的金黄色小麦的山丘上，听村里大钟柔弱的声音，在田野中间传响，而昆虫在青草上面尖叫，鸟儿在枝头树叶丛中啁啾。

冬季，在缺少阳光的日子里，只有微弱苍凉的亮光，我长时间地倾听一切宣告做弥撒的钟声。钟声从四面八方响起，有如一个和谐的网，升向天空。我把自己的思想集中到这巨大的乐器上。它大得无边无际，我内心里感觉到另一个世界的乐声、旋律与回声，也感觉到正在消亡的一些巨大的东西。

大钟啊！你们将会为我的去世敲响，一分钟以后又会为另一个人的洗礼敲响；你们因此像其余的人一样嘲笑，像生活一样撒谎，你们宣告生活的一切阶段：洗礼、结婚、死亡。可怜的钟啊，在空间隐蔽与消失，既能在战场上像炽热的熔岩那样逞威，也可以用来钉马掌！

秋 之 韵

> 闲得无聊，痴人说梦。
> ——蒙田

胡宗泰译

我爱秋天，这个季节虽然忧郁，却极其宜于回忆。当树木凋零之际，当黄昏时残留的红霞将枯草染成金黄之际，注视着不久以前还在您心中熊熊燃烧着的那一切，渐渐熄灭下去，真是其味无穷啊。

我沿着沟渠散步，又回到空旷的草地。沟水冰凉，倒映着垂柳的倩影。风儿吹拂，掉光了叶子的柳枝咝咝作响。有时，风停了，随后，又突然吹了起来。于是，残留在树枝上的那些小叶子便再度颤抖不已，野草也颤抖着向大地垂下去。天地万物好像都变得更加苍白，更加冰冷。地平线上，一轮夕阳消失在青白色的天空中，给四周平添了几分垂亡的气氛。我感到寒意阵阵，几乎有些害怕了。

我躲在草堆后面，风已经停息了。我待在那儿，席地而坐，什么也不想，只是望着远处茅舍上袅袅升起的炊烟。我不知道怎么搞的，往日生活的情景都在我眼前浮现出来，像幽灵似的，逝去岁月的苦涩的芳香带着干草和枯木的气息飘到我身边。我往昔那些可怜的岁月在我眼前一一掠过，如同被冬天凄惨的暴风雨卷走似的。一种可怕的东西将它们在我的记忆中滚动着，比狂风赶着幽静小径上的落叶还要猛烈。一种奇怪的讽刺贴着那些岁月而过，将它们掀翻过来，让我仔细观看；然后，它们就一起飞去，消失在阴沉的天空中。

我们所处的这个季节一片肃杀：生命好像将随着阳光而消失，您的心里就像您的皮肉一样在寒颤不已，天地间万籁俱寂，天色暗淡，万物都将入睡或者死去。我看到一群晚归的母牛，它们朝着西下的夕阳不时地叫上几声。牧童走在牛群后面，手里拿着荆条在赶着它们，他那穿着布衣的身体，冷得直抖。牛群踏着烂泥，走下山坡，踩烂了草地上的几只苹果。夕阳余晖落在苍茫的山岗后面，山谷里家家户户都点起了灯。月亮，这颗露水之星，这颗泪之星，开始在云层中间显现出来，露出它苍白的脸。

我久久回味着我虚度的光阴。我暗自庆幸着我的青春岁月终究已经过去了，我感到高兴是因为我的心已经变冷，是因为我能说：当我用手去摸我的心时，它就好像是一座火炉，虽然还在冒烟，但不再燃烧了。我缓缓地回首往事，昔日的一切：念头、情感、欣喜的日子、悲痛的日子、满怀希望时的激动、焦虑不安时的心碎。我将往事毫无遗漏地回顾了一遍，如同一个参观地下墓穴的人，慢步轻移，看着排列成行的尸体，看完这边又看那边。然而，我生活过的年头并不多，可是，压在我心头的回忆却不计其数，就像那些饱经沧桑的垂垂老者。有时，我甚至觉得自己好像活了几个世纪似的，我的体内容纳了已逝千载生涯的种种雪泥鸿爪。怎么会有这样的感觉呢？我是否爱过？我是否恨过？我是否追求过什么？对于这些，我至今依然抱着怀疑的态度。生活中，我的活动没有方向，我的行为没有目的，我不会不懈地努力去追求功名，去寻欢作乐，去吸取知识,去积蓄钱财。

  我将要叙述的事情谁都不知道,就是与我朝夕相处的人也全然无知。就我而言,他们如同一张床,我每晚睡在它上面,但它并不知道我在做什么梦。况且,人心不就是任何他人到不了的无边的荒村僻野吗?进入其中的情感,就像进入撒哈拉沙漠里的旅客,它们会在那里窒息而死,呼声喊声一点儿都传不到外面。

  进入中学时代起,我就郁郁寡欢,心情惆怅,满怀着炽烈的愿望,热烈地渴望一种奇异而不平静的生活,憧憬着爱情,最好将它们全都拥为己有。二十岁以后,我觉得整个世界充满阳光,芳香四溢;生活在远方向我招手,一片流光溢彩,阵阵欢歌笑语,宛如神话故事中的连绵不断的长廊,在金碧辉煌的分支吊灯下,一堆堆的宝石闪闪发光。说出一个咒语,那些魔门便自动打开;随着缓步深入,目光越来越痴迷,那神奇美景闪亮的光芒固然使人满面春风,却又眩目得令人无奈地闭上双眼。

  朦朦胧胧地,我总在希冀着某种美妙的东西,既不知道用什么语言将它表达出来,脑海中也没有什么明确的概念;尽管如此,我依然在真诚地渴望着它,不停地期待着它。我一直喜爱那些光彩夺目的东西。孩提时代,我喜欢挤在江湖郎中门前的人群里,为的是看他们仆人衣服上的红饰带,为的是看他们马匹上的络头饰带;我会久久地待在江湖艺人的帐篷外,看着他们的灯笼裤和绣花的打褶颈圈。啊!我是多么喜欢那个走钢丝的姑娘,多么喜欢在她头部晃来晃去的那副大耳环,在她胸前跳来跳去的那串石珠大项链哟!当她荡到与挂在树间的灯一般高的时候,她便在绳索上跳跃起来,缀着金色闪光片的长裙在空中响个不停,鼓胀舒展;每逢这时,我都悬着一颗心目不转睛地注视着她。这类女人就是我最初爱恋着的姑娘。想着如此紧束在玫瑰红长裤中那些妙不可言的大腿,想着那些戴着环饰的柔软的手臂——当她们身朝后仰,头巾上的羽饰着地的时候,这些环饰就在她们的背部叮当作响,我不禁心潮澎湃起来。我已经开始尽力猜想女人的风情(稚童时还不是作如此猜想的年龄:当大姑娘拥抱我们,把我们紧紧搂在她们的怀里时,我们只是怀着一种天真无邪的快乐触摸着她们的胸脯;十岁时只是梦想着爱情,十五岁时有了爱情,六十岁时还保持着爱情;如果说长眠在坟墓里的人还有什么欲望的话,那就是走到邻近的坟墓里去,揭开异性亡故者的裹尸布,与她在地下一同进入梦乡);不过,那时对我来说,女人是个极富魅力的谜,搅得我那颗可怜的少年心思绪纷纷。当一个女人凝视着我的时候,我所感觉到的,就是已经意识到在这种撩人遐思的目光中,有着某种难以抵御的诱人的东西,会使人类的意志荡然无存;这种目光使我既心驰神往,又忧心忡忡。

　　求学时代的那些漫长夜晚,当我支肘于课桌,呆望着油灯的芯子在燃烧中渐渐变长,每滴油都落入油罐①,而我的同学们都在挥笔疾书,一片沙沙声;还时时响起翻着和闭上书本的声音;此时此刻,我在想些什么呢?我匆匆忙忙地做完作业,为的是能尽快地在这些愉快的思想里任意驰骋。因为,我事先就感到这种思想是确实令人愉快的,极具魅力;我开始迫使自己去想这些事,如同一位想写一些东西的诗人在追寻灵感似的。我尽可能地深入我的思想,反复思考它的方方面面,甚至深入到它里面,一遍又一遍地审视着。不多久,想象便似脱缰的野马奔驰起来,不可思议地越过现实世界向前冲去;我设想

---

① 这种油灯旁边装有油罐。

着种种奇遇，编造着种种故事，给自己造就了许多宫殿，俨如帝王一般起居其中，我开采着所有的钻石矿，把一桶一桶的钻石倒在我要走过的道路上。

　　夜晚来临，当我和同学们全都躺在白色的木床上，放下白色的床帏，只有舍监一人在宿舍走来走去查铺的时候，我就更加紧密地自我锁闭在我的内心世界里，把那只拍着翅膀、热乎乎的小鸟藏在怀里，欣喜之情真是难以形容！我总是久久不能成眠，我一直在听着钟声敲响，钟声越是悠长，我就越是高兴；我觉得唱着歌的时辰赶着我奔向人生，欢呼着我生命中的每一时刻，对我在说：到下一时辰去！到下一时辰去！去吧！再见！再见！当钟声最后的余音停息，当我耳中不再听到它的嗡嗡声响，我便想到："明天，到了同一时辰，钟声依旧会敲响；不过，到了明天，活着的日子就要少了一天，使我离黄泉路又近了一天，使我离那光辉的目标、离我美好的未来、离那以其光芒沐浴着我的太阳又近了一天；到了那时我将能用双手抚摸着太阳。"但我又想到未来还极其遥远呢，于是我几乎是流着泪入睡的。

　　有些字眼，比如说"女人"，特别是"情妇"，搅得我心里烦乱不安；我在书本里、在雕刻中、在图画上寻找女人的释义，我真想把她的衣服统统剥光，看看那里究竟有什么东西。终于，有一天我全都猜出来了，那是一种极其赏心悦目的和谐，使得我先是惊喜得飘飘若仙，但不久我就平静了下来，从那以后我就生活得更加快乐，我感到有种自豪的感情在对我说：我是一个男人，是一个有机体，有朝一日将会拥有一个属于我的女人。我认识了生命这个字眼的含义，这就是说我几乎体会到女人是什么了，并已经领略到她的某些滋味了；我的欲望没有走得更远，知道了我所要知道的秘密，我就心满意足了。至于"情妇",对我来说,这是个魔鬼般的人物,单是这个不可思议的称呼,就使得我久久神思恍惚:国王们正是为了他们的情妇,才攻城掠地,弄得生灵涂炭、鸡犬不宁的;正是为了她们,世人才编织印度地毯,打制金银饰物,精雕细刻大理石,搅得人间动荡不安的。一个情妇,当她躺在锦缎沙发床上睡觉时,就有许多奴隶摇着羽毛扇为她驱赶蚊子,还有许多大象驮着礼物等待她醒来,轿夫会轻手轻脚地把她抬到喷泉旁边。她坐在宝座上,周围满是阳光,芳香四溢。她离得人群远远的,既是他们诅咒的对象,又是他们崇拜的偶像。

　　婚姻之外的女人的这种神秘性,唯其如此更具女性味的这种神秘性,以爱情和财富的双重诱饵,激励着我,吸引着我。我最最喜欢上剧场,我甚至连幕间休息时的嗡嗡声也都非常喜欢,甚至连为找座位而心情激动地走过的那些通道也都非常喜欢。当演出已经开始,我就奔着登上楼梯,听着乐器的演奏声,演员的歌唱,观众的喝彩声;当我走进剧场,坐定下来,才发觉空气里洋溢着盛装女人气息的浓郁芳香,那是紫罗兰花束、洁白的手套和绣花手帕散发出来的某种香味。楼座里座无虚席。观众们宛如一顶顶缀着鲜花和钻石的冠冕,好像悬在半空听着歌唱;女演员独自站在前台,她的胸脯时起时伏,急剧地跳动着,发出飞快的音符,节奏催着她迅速地唱着,使她的歌声以悦耳的旋律飞扬着,华彩经过句使她摆动着鼛粗了的脖子,好似天鹅的长颈,还使劲地抛出无数的飞吻;她玉臂尽伸,叫着,哭着,两眼炯炯发光,以一种难以想象的爱情在呼唤着什么;而当她重新唱起歌来的时候,我觉得她的歌声将我的心俘走了,将我的心和她的心在一种爱情的颤动中合二为一了。

　　观众狂热地鼓掌,向她不住地抛掷鲜花,激动之中,我细细品味着观众对她的敬慕之情，所有这些男人对她的爱恋，他们中间每一个人对她的欲念。我想得到的爱，正是这种女人的爱，我想被这样一种吞噬一切、叫人害怕的爱深深地爱着；公主或者女演员的这种爱，会使我们心里充满骄傲感，会让您觉得立即就与富豪和权贵地位相等了。这个博得全体观众阵阵掌声的女人，这个惹得全体观众垂涎三尺的女人，这个使得人们在每一夜的睡梦中淫念非非的女人，这个从来只在灯烛辉煌的舞台上露面、容光焕发、歌喉婉转的女人，这个在诗人的理想中如同在她特定的生活中款款而行的女人，是多么的美丽啊！对她心爱的人，她必定有着另一种爱，比她倾注给所有的人张开大嘴痛饮着的爱，要更加甜蜜；对她心爱的人，她必定有着更加美妙的歌声，更加低回、更加柔情、更加扣人心弦的音色！我要是能亲近她那唱出如此纯洁歌声的芳唇，抚摸她那珠饰下闪闪发光的秀发，该是多么幸福啊！可是，舞台的成排脚灯阻断了我的幻想，在脚灯那一边，对我来说，就是爱情和诗意的世界，情感在那里更为美妙，更为激越，林苑和宫殿在那里都像烟雾般消散，窈窕仙女们自天而降，全都唱着歌，全都怀着爱。

　　夜晚，当风在走廊里呼啸而过，或者白天，课间休息时，当同学们在打球或玩捉人游戏，我沿着院墙散步，走在飘落的椴树叶上，听着我的脚步翻起和推开落叶的响声，在这样独自排遣寂寞的时候，我心中所想的，就是这些事情。

　　我不久就被爱的欲望攫住了，我如饥似渴地祈望着爱情，我想象着爱情的种种烦恼和痛苦，我时刻都在等待着先让我满怀欣喜后使我悲痛欲绝的爱情。曾经有好多次，我以为自己爱上了，我在思想里把我觉得长得颇美的第一个相遇的女人当成了所爱之人，我暗自思忖："这就是我所爱的那个女人。"可是，我原想保存着的回忆却渐渐黯淡起来，不是增强而是悄然消失了；况且，我觉得我强迫自己去爱，恰似面对着心灵在演一出喜剧，这是一点儿都瞒不过它的，这次失败使我闷闷不乐了好长时间；我几乎惋惜我没有得到的爱，随后，我就渴求着别的什么爱，我盼望新的爱能够填补我心中的空白。

每次度过两三天的假期回校后，参加一次舞会或者看过一场戏的第二天，我就特别渴望着爱情。我的眼前就浮现我选中的那个女人来，我见到她时就是这副模样：穿着洁白的长裙，靠在舞伴的臂上跳着华尔兹舞，那舞伴搂着她，朝她笑着；或者倚在包厢的丝绒包裹的栏杆上，泰然自若地现出她那美丽的侧面；四组舞曲的乐声还在我耳边回响，明亮的灯光还使我眼花缭乱，不多一会儿，这一切就全都在我那单调乏味的忧愁梦境里消失殆尽。我就是这样拥有过千百次短暂的爱情，它们有的为时一周，有的持续一月，而我原希望它们天长地久的；我不知道我是怎样构成它们的，也不明白这些朦胧的欲望会聚在一起是什么目的。我想，这是一种新感情的需要，如同是对某种我望不到其顶端的高耸物体的一种憧憬之情。

心灵的青春期先于身体的青春期而来；因此，我更需要的是爱情而不是游玩，我更渴望的是爱情而不是肉欲。青春初期的这种爱情观，究竟怎么样，我现在甚至全然忘却了，不过那里丝毫没有肉欲，只有无限，却是肯定的；它是少年期和青春期相交时的一种感情，是这种过渡时期的一种感情，转瞬即逝，人们也就忘掉了它。

我在诗人那里读到过许多次爱情这一字眼，在温柔的夜晚，对着碧海青天中每一颗闪烁的星星，在河岸上，对着波涛的每一声低语，在露珠前，对着其中的每一道阳光，我都常常念诵这个字眼，以使自己沉醉在它的温馨之中；我对自己说：

"我爱！啊！我爱！"我为此感到幸福，我为此感到骄傲，我已经准备就绪要作出最大的牺牲；尤其是，当一个女人与我擦肩而过，或者正面瞧着我的时候，我便愿千倍百倍地去爱她，为她更加长久地受苦受难，我的心儿砰砰直跳，好像都要把我的胸膛崩裂了。

　　读者诸君一定还记得，有一段年龄期，我们会常常莫名其妙地微笑着，好像空间满是亲吻似的；心里充满芳香的微风，血液在脉管里热乎乎地跳动着，如同葡萄酒在水晶杯里那样冒着细泡。你一觉醒来，会感到比昨夜更加幸福，更加富有，更加激动，更加兴奋；阵阵暖流在你体内上下奔流，搅得你全身暖和和的，筋酥骨软；微风吹拂，树枝柔软地弯曲下来，树叶簌簌地摇曳着，相碰在一起，好像在互相低语着什么；几片云彩飘过，露出万里晴空，一轮明月浮在中天，笑着，将它的倩影倒映在河水里。当你在皎洁的月夜里漫步，呼吸着刈下的牧草的气味，倾听着树林里杜鹃的咕咕声，凝望着闪烁流逝的繁星，此时此刻，你的心不是比那悄然无声的地平线——天和地正在那里静静地相吻——更为纯净，充满更多的空气、光芒和天空吗。哦！女人的头发散放出的气息是多么芳香！她们的玉手，皮肤是多么柔嫩，她们的眼神，一直钻到我们的内心深处！

　　可是，这些都已经不是少年时期的最初的赞赏了，不是对已逝夜晚那些绮梦的兴奋不已的回忆了；恰恰相反，我进入了现实生活，我在那里有着自己的位置，我进入了无边的和声，我的心在那里唱着赞歌，自豪地颤动着；我满心欣喜地品尝着这种迷人的乐趣，骄傲之情，又添加上觉醒了的肉欲。如同上帝创造出的第一个男人，我终于从漫长的酣睡中醒来，我看到身边躺着一个同类，但与我又有着差异，这种种差异使我们俩彼此强烈地吸引对方，同时，对这个新形体，我感到有一种使自己为之骄傲的新感情；此时，太阳的光辉更加明亮，花儿的香气比任何时候都更加馥郁，阴影也更加凉爽，更加可爱。

与此同时，我感到我的智力每天都在发展，和我的心灵过着同样的生活。我不知道我的思想是否就是感情，因为它们有着感情所具有的全部的火热，我内心深处蕴藏着的欢乐发散到世界上，使世界充满鸟语花香，也增添了我的幸福，我就要去领略那妙不可言的肉欲了，于是，像一个到了情妇家门前的男人，我久久地待在那里，特意让自己产生焦急的情绪，为的是细细品味那必定会实现的希望，思忖道：再过一会儿，我就要将她搂在怀里了，她将是属于我的，完全是属于我的，这不是一场春梦！

人真是一个奇怪的矛盾混合体！我躲避女人，可是在她们面前，我却又感到十分快乐；我嘴里硬说一点都不爱她们，可是心里却总是想着她们，恨不得深入每个女人的肌体，将自己融进她的美丽之中。她们的芳唇已经使我想到母吻之外的种种亲吻了，我想象着她们的秀发将我盖住，把我的头埋在她们的乳间，让我就在那里美妙的窒息中离开人世；我愿是一条项链，日夜亲吻着她们的粉颈，我愿是一个搭扣，时时啮咬着她们的玉肩，我愿是一件衣服，一直包裹着她们的胴体。隔着衣裳，我什么春色都看不见，但在它下面，藏着无限令人魂销的东西，想到这些，我就神思恍惚了。

我想拥有的这种种感情，都是我从书本中读到的。依我看来，人类生活是在两三种想法、两三个字眼上滚动的，其余的一切都是环绕着它们旋转的，正如卫星围着它们的行星转动一样。于是，我就把为数众多的金色太阳安置在我那无垠的天空里，在我的头脑里，爱情故事就处在轰轰烈烈的革命旁边，美好的情感则与滔天的罪恶相对;我同时想起温暖国度的星夜和火灾城市的骚乱,原始森林的藤科植物和腐败王朝的奢华排场,坟墓和摇篮;灯心草下流水的低语,鸽棚上斑鸠的咕咕叫声,香桃树木、芦荟的香味,长剑撞击护胸甲的铿锵声,正在踢蹬的群马,闪光的金子,生活的火花,绝望者的烦闷;我以同样惊愕的目光注视周围的一切,如同注视着在我脚下的一群熙熙攘攘的蚂蚁。可是,在这种表面如此变幻不停的、如此回响着许多种呼喊声的生活之上,突然出现一种巨大的痛苦,它是对这种生活的概括和嘲讽。

　　冬夜里,我往往驻足在里面跳着舞的灯火通明的房子前,看着红窗帘后面闪过的人影,听着玻璃杯碰撞托盘、银餐具碰撞餐盘的那些尽显奢华的嘈杂声,我想,参不参加这个人们在尽情狂欢的晚会,出不出席这个人们在大吃大喝的宴席,关键全都取决于我自己;一种野性的骄傲使我离开了那里,因为我觉得孤寂于我最为相宜,远离给众人捎来快乐的一切,我的心更能保持静谧的境界。于是,我穿过空寂的大街小巷,继续走我的路;路灯惨淡,摇晃着,使得灯柱上的滑轮吱嘎吱嘎地响个不停。

　　我想象着那些诗人的痛苦,和他们一同恸哭,流下最为真诚的眼泪,我感到他们就在我心灵深处,他们理解我,同情我,有时我觉得他们给予我的热情,将我拔高到他们的水平,使我与他们处于相同的地位了。有些诗句,别人读了不为所动,但我读了却会心荡神驰,会使我像女占卜师那样大发狂兴,高兴得忘乎所以,几近发疯,我会跑到海边反复咏哦这些诗句,或者,脑袋低垂,在草地上久久徘徊,不断吟诵着它们,声音显得无比温柔,无比深情。

　　那些不去领略悲剧愤懑之情的人们,那些在皎洁的月光下吟诵不出爱情诗章的人们，是多么的不幸啊！如此生活在永恒的美中，像国王一样摆出威势，拥有他们以最为高雅的言辞表达出来的种种感情，爱着天才使之不朽的那些美好的东西，又是多么的幸福啊！

自此以后，我就生活在广垠无际的理想之境，我在那儿优哉游哉，任意飞翔，宛如一只蜜蜂，我从万物中采集花蜜，维持我的生命；在林涛和波浪的声音里，我竭力要发现一些字眼的意义，别人是丝毫没有想到它们会有什么含义的；我倾耳谛听，想听出它们的和声在启示着什么；我用云絮和太阳组成一幅巨画，那是任何语言都无法描绘的。同样，在人类的一切行为中，我突然察觉它们也有着种种和谐和对比，其明晰的精确性令我自己赞叹不已。有时，艺术和诗歌仿佛敞开了它们的无垠境域，让它们各自的光芒照亮对方。我用红铜筑成宫殿，从用比鸭绒还要柔软的云絮制成的云梯上，一步一步不停地在光辉灿烂的天空中往上走。

鹰是一种勇猛无畏的鸟，它栖息在高耸入云的顶峰；它看着脚下：云絮在山谷里飘浮，带走了雨燕；雨水滴落在冷杉上；大理石块在激流中翻滚；牧人吹哨呼唤着羊群；岩羚羊在悬崖峭壁间跳跃。尽管大雨倾盆而下，暴风折断了树木，急流滚滚奔驰，瀑布飞溅，水雾阵阵，惊雷劈裂山峰，全都奈何它不得；它依然若无其事地在高空里振翅翱翔；山崩地裂的响声反而使它高兴，它快乐地呼叫着，搏击长空，和迅跑着的雷雨云抗击着，在它广阔的天空飞得更高。

我也是这样，我喜欢听暴风骤雨的响声，我喜欢听传到我耳边的听不清楚的蜩螗沸羹的人声；我生活在高高的空间，在那里我的胸间装满纯净的空气，在那里我发出胜利的呐喊，以排遣我的寂寞感。

对于红尘中的一切事物，我不久就感到厌恶，而且是一种无法消除的厌恶。有一天早晨，我感到自己成了个饱经沧桑的老者，对千万种并未感受过的事物也都充满了经验；最富诱惑力的东西，我也会漠然置之；最为美好的东西，我也会不屑一顾；别人梦寐以求的一切东西，却使我感到可悲，毫无价值。我甚至看不到有什么东西值得去希冀，去追求；也许正是我的虚荣心使得我凌驾于一般人的虚荣心之上，也许我的冷淡只不过是一种极度的贪婪，永远不会得到满足。我好像是那种新的建筑物：还没有完全竣工，就已经长出了苔藓。同学们吵吵闹闹的那些快活劲使我厌烦；对于他们所干的滥用情感的无聊事，比如说，有些人整年珍藏着一只旧的白手套，或者一朵枯萎的茶花，为的是时时能吻它，时时能对它叹息；又有些人经常给制帽女工写情书，与厨娘幽会；我觉得前一类人其蠢如牛，后一类人极其可笑；对于这种种无聊事，我只是耸耸肩膀而已。况且，上流社会也好，下流社会也好，同样都使我厌恶。在虔诚者眼里，我是一个犬儒主义者；在浪荡子眼里，我是一个神秘主义者；因此，两方面都不欢迎我。

在我还是童男之身的时期，我就以观察烟花女子为赏心乐事。我在她们居住的仄街小巷里徘徊，在她们招徕嫖客的场所出入；有时我还和她们搭讪几句，为的是考验考验自己；我跟踪在她们身后，碰碰她们，感受着她们营造的氛围；由于我有着一副厚脸皮，我相信自己还是镇静沉着的；我觉得自己内心是空虚的，但是，这种空虚是一道深渊，声色是填不满的。

我喜欢混迹于街头如潮的人群中，每逢这时，我就经常作一些无聊的消遣，例如，盯着每个行人，要在他的脸上看出他有什么不道德的行为，或者什么显而易见的感情。行人们匆匆走过我面前：有些人面带微笑，一边走一边吹口哨，头发被风吹得乱蓬蓬的；还有些人的脸色或苍白，或通红，或青灰；他们全都飞快地从我身边走过，一会儿就不见了，就像我们坐在车里见到的那些接连不断闪过去的店铺招牌。有时，我盯着那些南来北往的脚踝，竭力推测它们各自是什么样的人的身体部分，具有这种形体的人又在想着什么，再由他们行走的样子推测各人的目的是什么，我寻思着这些脚步要走向何方，为什么所有的人都如此行色匆匆。我看着华丽的车辆驶进内柱廊式的院子，沉重的踏脚板放了下来，哗啦直响；观众们涌进了剧院的大门，灯光在迷雾中闪亮，顶上的天空没有星星，一片漆黑。在街角那边，一个风琴手在拉着乐曲，一群破衣烂衫的小孩在唱着歌；一个卖水果的小贩推着小车在叫卖，车上悬挂着一盏红风灯；咖啡馆里笑语喧哗，煤气灯的光芒照得玻璃窗闪闪发亮；大理石的桌面上，刀叉碰得直响。而在门口，穷人们冷得瑟瑟直抖，踮着脚尖在望着有钱人大吃大喝；我混在穷人们中间，像他们一样地注视着生活中的骄子。我十分嫉妒他们这种庸庸碌碌的欢乐，因为有些时候，愁苦的人愿使自己更加愁苦，于是在绝望中极易溺于寻欢作乐，如同在一条平坦的道路上走得更远；其实，心里满是泪水，只想痛哭一场。我常常想成为一个赤贫汉，穿着褴褛的衣衫，受着饥饿的煎熬，觉得伤口在流血，满怀憎恨，寻求报复。

　　这种惶惶不可终日的忧伤究竟是什么呢？我们将它视为天性而引以为豪，将它视为爱情而珍藏在心中。你不会将它倾诉给任何人听，你将它隐藏在自己的心底，你将它紧紧搂在胸前，含着泪千次万次地吻着它。那么，还抱怨什么呢？什么事使你在人人都粲然微笑的年纪，独自紧锁双眉，愁绪万千呢？你是不是没有对你一片忠心的朋友？是不是没有使你感到荣耀的家庭？是不是没有亮锃锃的皮靴，没有暖和和的棉衣，等等，等等？古希腊的史诗，无聊文章的背诵，夸张的修辞，都是些没有名堂的叫人伤透脑筋的事情；不过，在烦恼的日子里，绞尽脑汁终于想出一个奇妙的暗喻，不也是挺高兴的事情吗？对于这一点，我曾经持怀疑态度，但如今疑云早已消散。

　　直到这时我还没有爱过谁，虽然我如饥似渴地想爱一个人！我准会什么美味都品尝不到便离开人世。即使在人类生活依然将千万种面貌展现在我面前的今天，在清澈的泉边，在喘着粗气的马背上，我所听到的，从来都只是从树林深处传来的号角声；在温柔的夜晚，玫瑰的芳香沁人心脾，我从来都没有默默地握住一只友爱的手，感到它在我掌心里微微发抖。啊！一只酒桶，里面的酒被人喝得精光，又被人捅破，蜘蛛在它里面到处结网，它空空如也，处处窟窿，可怜巴巴，可我，我比它还要空虚，还要深陷，还要凄惨。

　　这全然不是勒奈①的那种忧愁，不是他那些比月光更美更皎洁的如天空般无边的烦恼；我一点儿不像维特②那样心灵纯洁，也完全不像唐璜③那样荡检逾闲；总之，我既不够纯洁，也不够放荡。

　　因此，我像你们一样，是一个人，他要活要睡，要吃要喝，会哭会笑，是一个性格非常内向的人，是一个了解自己的人，他想他无论置身何处，同样的希望刚产生就即刻毁灭，成了座座废墟，总是同样的碾碎了事物的细屑，总是同样的走过

---

① 勒奈是法国大作家夏多勃里昂（1768—1848）同名小说中的主人公。小说描写情欲与宗教信仰的冲突，宣扬宿命论。

② 维特是德国大作家歌德（1749—1832）书信体小说《少年维特之烦恼》中的主人公。

③ 唐璜是西班牙民间传说中的青年贵族，欧洲许多文学作品中的主人公。最初以否定宗教的禁欲道德的形象出现，后来发展为极端个人主义者的典型。

千遍的小径，总是同样的未经勘探的深渊，令人害怕，使人厌倦。每天早晨，从梦中醒来，又见到同一个太阳，难道你们不像我一样觉得厌倦吗？过着千遍一律的生活，受着永远一样的痛苦，难道不厌倦吗？总是满怀希望，总是被人讨厌，难道不厌倦吗？总是在等待，总是在感受，难道不厌倦吗？

写下这些话又有什么用？为什么要用同样悲伤的语气不断地叙述同样凄惨的故事？当我开始叙述这篇故事的时候，我认为它是一篇美好的故事，可是说着说着，眼泪便落在心坎上，泣不成声了。

啊！苍白的冬日！它像幸福的回忆一样使人忧伤。我们看着炉火在燃烧，四周一片阴暗，架开的炭块之间是相互交叉的条条黑色粗线条，像是另一个生命的畅通血脉在跳动；黑夜将临，我们等着吧。

回忆回忆我们那些美好的日子吧，我们那时多么快活，三五成群；阳光灿烂；雨后晴天，小鸟不知躲在哪儿唱着歌。回忆回忆我们在花园里一起漫步的日子吧，仄径上的细砂还是湿的，玫瑰的花瓣落在花坛里，空气里弥漫着馥郁的芳香。当幸福从我们手中悄悄走过时，为什么我们不细细地享受一番呢？在那些日子里，所思所想，原应只是尽情享受这种幸福，久久细品它的每一分钟，让它消逝得更慢一点；还有一些岁月像这些岁月一样流逝了，我也在甜蜜地回想着它们。比如，有一天，是在冬季，那天冷极了，我们散步归来，由于没有几个人，就让我们围炉而坐，我们自由自在地暖着身子，按我们的习惯烤着面包，管道呼呼响着，我们天南地北地聊着：见到过的东西，爱着的女人，毕业之后的打算，长大后将要干的事业，等等。还有一天，我在田野里躺了整整一下午。草间长出一些小小的雏菊，有黄色的，有红色的，它们全都隐没在草地的青葱翠绿之中。草地就像色彩丰富的地毯；纯净的天空里，飘浮着朵朵白云，仿佛涌起的圆圆的波浪；我双手捂着脸，透过指缝观望太阳，阳光把我的手指边照得金灿灿的，把我的皮肤照得粉红红的，我特地闭上双眼，想看看眼皮内饰着金色流苏的大点大点的绿色。还有一天晚上，记不起是哪年哪月了，我倚在小沙堆下睡着了，一觉醒来已是午夜，繁星闪烁，堆堆干草在它们身后投下暗影，一轮明月高悬中天，亮着美丽的银光闪闪的脸蛋。

　　所有这些都是多么遥远的事情啊！我真的曾经生活在那个时期吗？那真的是我吗？是现在的我吗？鸿沟突然出现，隔断了我生命中的分分秒秒，在昨天和今日之间，我感到存在着一段使我心惊胆战的漫长时间，每一天我都觉得自己比昨天更加可怜，却又说不出究竟是什么原因，我深感自己日趋贫寒，到来的每一小时都要从我这里攫走某些东西，使我惊异的只是心中依然留着痛苦的位置；确实，人心是永不枯竭的忧伤之源：一两件幸福就能将它装得满满的，而人类的一切苦难都能在那里汇合，像主人一样地长久地居住在那儿。

　　倘若你们要问我需要什么，我可真不知道如何回答，我的愿望并没有什么具体的对象，我的忧伤也没有什么直接的原因；或者说，对象和原因都太多了，以致我不知道说哪一个才好。所有的情感全都涌进我心里，却无法散发出去，只好拥挤不堪地聚在那里，像被同心镜照着那样，互相辉映：我虚怀若谷，却又十分骄傲；我过着淡泊宁静的生活，却又渴望着富贵荣华；我离群索居，却又一心想着出入社交界，尽显风流；我洁身自好，却又在白天黑夜的梦境里，沉溺于最无节制的奢华中，最为放纵的声色犬马中。这种自我抑制的生命力在我心里收缩着，将心束得紧紧的，连气都透不过来。

有时，我支持不住了，无尽的情感使我焦虑不安，炽烈的熔岩自我心里滚滚流出，疯狂地爱着无以名之的事物，惋惜美梦逝去了无痕迹，为思想中的种种嗜欲所诱惑，渴望着诗情画意、良辰美景，不堪心灵和自尊的重负，终于精疲力尽地跌入痛苦的深渊，鲜血拍打着我的脸，动脉使我神志不清，胸膛似乎已裂，我再也看不见什么，我再也感觉不到什么，我成了个酒醉之人，我成了个疯狂之人，想象自己是个伟大的人物，想象自己是个神灵的化身，其启示将会使人世大惊，其痛苦全为我怀在心中，我所过的生活，甚至就是神的生活。对这位崇高的神，我献出了全部的青春岁月；我把自己变成了一座神殿，为的是供奉某些神物，只是它空空地残存下来了，石隙里长出了荨麻，石柱坍塌，猫头鹰在里面安了家。我并没有亏待生活，生活却将我搞得疲惫不堪；编织绮梦比干苦力活更加累人，一个完整的自然界，寂然不动，从不显形，暗暗地存在于我的生活中；我是一个沉睡着的混沌世界，有着成千上万的丰富本原，但却不知道怎样体现出来，也不知道怎样运用，它们一直在寻找适宜于它们的形状，一直在期待适宜于它们的模式。

　　我的生活变幻不定，像是一座印度大森林：生命在每件细微的小事里跳动着，在每道阳光下，不是显得极端可怕，就是显得非常可爱；蓝蓝的天空中，弥漫着香气和瘴气；老虎跳来跳去，大象神态庄严地悠悠漫步，像是活宝塔；神秘丑陋的精灵隐藏在洞穴深处，守护着大堆大堆的金银珠宝；一条大河横穿而过，张着大嘴的鳄鱼在水中游着，鳞片碰撞着岸边的忘忧树，格格作响；河中一些岛屿上鲜花盛开；河水奔流，带走了树干和瘟死的发绿尸体。然而，我还是热爱生活，热爱情感丰富的、绚丽多彩的、喜气洋洋的生活；我热爱骏马狂奔的生活,我热爱繁星闪烁的生活,我热爱惊涛拍岸卷起了千堆雪的生活;我热爱袒露着的酥胸起伏不息的生活,我热爱情意缠绵的目光颤动不已的生活,我热爱小提琴的琴弦响个不停的生活,我热爱橡树飒飒作响的生活,我热爱夕阳西下时的生活——夕阳的余晖给窗户抹上金色,叫人想起巴比伦的那些阳台,王后们正倚在那儿,眺望着亚洲。

我默默伫立,浸沉在这些幻景中;想着这许多我自己臆造出来的情景,我全无生气,漠然得如同一座雕像,听凭一群飞虫在它耳边嗡嗡作响,在它大理石的身子上爬来爬去。

啊!如果我曾经爱过,如果我能将我身心所具有的所有那些分散的力量集中于一点地去爱,那该多好啊!有时,我愿不惜一切代价,要找到一位女人,去爱她,她完全倾心于我,我把她视为我的一切,她是我的诗一般美丽的太阳,要使得一切花朵盛开怒放,要使得一切美大放光华;我决心以圣洁的爱去爱她,将使我沉醉的光环预先献给这种爱。在茫茫人海中偶然遇到第一个这样的女人,我就把我的心奉献给她,我那样真诚地看着她,为的是让她理解我,为的是让她在这道目光中能了解我的为人,从而深深爱上我。我把我的命运交付给这种偶然。可是她像其他女人一样,像她之前和之后的女人一样,从我面前走过去了,毫无反应;于是,我又回复到颓然的状态,比被暴风雨打湿撕裂的船帆还要破败不堪。

在如此冲动了几次以后,我又过着没完没了的单调生活,日复一日,同样枯燥乏味,我焦急地等待着黑夜的降临,计算着还要挨过几天才到月底,盼望着下一个季节早些到来,我觉得新季节里,生活会温馨一些。有时,为了摆脱压在我双肩上的沉重包袱,用知识和思想来排遣烦闷,我就工作,就读书;我打开一本书,接着打开第二本,直到打开第十本,可是每本书还没有读上两行，我就厌倦了，将它扔下；随后，又怀着同样的百无聊赖的情绪上床睡觉去了。

生活称心如意的人们啊，有着明确的生活目标的人们啊，为某些事情而焦虑不安的人们啊，请告诉我，在这滚滚红尘中，能干些什么呢？能想些什么呢？能臆造什么呢？

我找不到一样能适合我的东西，我也找不到一样自己能胜任的东西。努力工作，完全献身于一种思想，一种雄心，可怜的庸俗的雄心，去获得什么地位，什么名声吗？获得之后又怎样？有什么用呢？再说，我并不企慕荣耀，天大的荣耀也都一点不能让我心满意足，因为它永远不会与我的心融成一体。

对我而言，死之意愿偕生同来。我认为活着是最为愚蠢的事，苟且活着更是最为可耻的事。像我同龄的人一样，我是在没有宗教信仰的环境里长大的，我既没有无神论者那种乏味的幸福感，也没有怀疑论者那种嘲讽的无忧感。如果说我有时也去教堂，那纯粹是一时心血来潮，想去听听管风琴的声音，想去看看神龛里的石雕小神像；至于教义，我是从来不管的；我觉得自己是个十足的伏尔泰[①]信徒。

我注视着别人的生活，可是那种生活和我的生活真是南辕北辙：有些人笃信宗教，有些人否定宗教，有些人怀疑宗教，还有些人对宗教漠然置之，一心在忙着自己的事情，就是说，卖他们的货，写他们的书，授他们的课；这就是我们所称的人类，由恶人、懦夫、白痴和丑汉们所构成的喧闹不已的表层。而我在茫茫人海中，就像泛在大西洋上的水藻，听凭滚动不息、喧声不绝、围绕着我的无尽波涛掀翻淹没。

我想成为一名帝王，为的是拥有绝对的权势、大量的奴

[①] 伏尔泰（1694—1778），法国大思想家，大文豪。

隶、狂热崇拜着我的军队；我想成为一位女人，为的是拥有芳姿丽容，能够自我欣赏，裸着玉身，让长发垂至脚跟，在溪水中映照出身影。我常常自得其乐地沉浸在这些漫无边际的幻想之中，想象着自己参加古代那些富丽的盛会，想象着自己成了印度国王，骑在一头白象上狩猎，观看着爱奥尼亚的舞蹈，在神殿的台阶上倾听着希腊人的喧闹声，在我的花园里的夹竹桃丛中倾听着习习的夜间微风，乘着我那条古代双桅战船，和埃及女王克娄巴特拉一同远走高飞。啊！所有这一切，是多么的荒唐！拾麦穗的农家女子丢下手中活计，抬头望着大路上驶过的一辆辆的轿式马车，该是多么不幸！她重新干起活来，心里却想着开司米披肩和王子们的爱情，再也拾不到麦穗，不把麦捆扎好就回家去了。

也许，最好是跟大家一样，别太认真地看待生活，也别太游戏人生；最好是选择一项职业，好好地干，拿好自己的那份蛋糕，边吃边叫香；比我这样在凄清的路上独自走着，那也许要好得多。不过，真是如此的话，我就不会写下这些文字了，或者，我写下的，就是另外一篇故事了。随着我一步一步地向前走，生活于我就越来越模糊，就像我们遥望着远方的景色一片迷离似的，因为一切都已成为过去，就连我们那些最为伤心的眼泪，最为响亮的笑声，连同它们的回忆，都已消逝；很快地，眼睛变得干涩，嘴角又起了褶皱；我现在对那段漫长的厌倦日子只保留着模糊的回忆，这段日子持续了好几个冬季，我是打着哈欠度过的，一心盼望着早早离开人世。

也许就因为这一切，我才自以为是个诗人；唉！正如你们所见到的，种种人间苦难，我都领略过了。是啊，以前有段时期，我觉得自己颇有些天才，我高视阔步，头脑里满是华章丽句，落笔如行云流水，就像血在血管里奔腾不息；只要有一点美感，心中便荡起完美的旋律，如同微风一起，山间便响起轻盈的声音；如果我轻轻触动人类的情感，它们也就会美妙地颤动不已，我脑海里有着许多部现成的悲剧，全是狂暴的场面，充满隐隐的焦虑；自生到死，自摇篮直到棺材，人类连同它所有的回声，都在我心中响个不停；有时，一些伟大的思想，突然掠过我的脑海，就像夏日时节，那些无声的明亮闪电照亮了整个城市，连同它所有建筑物的细部，所有街道的十字路口。我为此而深受震动，深感惊喜；可是，当我在别人的作品里发现一些思想甚至形式，都与我所想的一模一样，我就一下子泄了气，彻底地泄了气；我原以为自己与他们才华相当，到头来只是在拾人牙慧！于是，我便从自诩有天才的那份兴奋感，跌落到发觉自己原不过是个庸才的落魄感，像所有给废黜的国王那样愤怒，还忍受着羞愧的折磨。有些日子，我确信自己是块写诗的料，另一些日子，我发觉自己几乎就是个白痴；我总是这样以上智之人自许始，以下愚之人自许终，就像生活中时而富有时而贫穷的人们，我最终还是个可怜虫，而且永远是个可怜虫。

在这段时期，每天早晨睡醒时，我总觉得这一天将会发生某件重大的事件；我满怀希望，仿佛在等待着从遥远的国度给我运来的一船幸福。可是，白昼渐渐逝去，我也渐渐失去信心；尤其是黄昏来临时，我感到任何事情都不会发生了，更是惆怅。夜晚终于来临，我只好上床睡觉。

在大自然和我之间，存在着一种忧伤的和谐。当寒风在锁眼里呼啸，当路灯的光芒映照着雪地，当我听到月夜里群犬的吠声，我的心是多么的痛苦啊！

我看不到世上有什么东西可作为我的寄托，人群、孤寂、诗歌、知识、不信宗教、笃信宗教，全都不行；我在这些东西之间久久徘徊，如同那些地狱不愿接纳天堂又拒之门外的灵魂。于是，我交叉着双臂，像个死人似的望着自己，悲痛中我只是一具涂着防腐香料的木乃伊；从我刚刚步入青年时代就使我屈从的恶运，此时对我扩展到整个世界，我在人类的一切行动中都见到了它，它无处不在，就像太阳能照耀到地球的所有表面，它成了我的凶神恶煞，我崇拜它，如同印第安人崇拜从他们肚子上爬过的巨兽；我安于处在忧伤之中，我不再想方设法从其中解脱出来，我甚至怀着病人那种绝望的欢乐心情，细细品味着忧伤；那病人正在刮着伤口，当他指甲上沾满鲜血，便放声大笑起来。

我怀着满腔无名的怒火，仇恨着生活，仇恨着人类，仇恨着一切。我把种种温情藏在心底，变得比猛虎还要凶恶；我想毁灭芸芸众生，与之一同在无限的虚无中长眠；直到熊熊燃烧的城市的火光将我唤醒！我想听烈焰烧得人骨噼里啪啦的战栗声，我想横渡尸体飘浮的河流，我想在匍匐伏地的百姓身上策马疾驰，让马的四只铁蹄将他们踏成肉酱，我想做个成吉思汗，铁木儿，尼禄，双眉一皱，天下同惊。

我越是狂热和自鸣得意，也就越是闭门不出和想入非非。好久以来，我的心灵就已经干涸，什么新东西都不再进入其中，它像尸体已经枯烂的坟墓一样空虚。我憎恨阳光，我听到江水奔腾声觉得讨厌，我望到树林感到烦闷，在我看来，田野是最最丑陋的了；世间万物都变得阴沉沉的，变得小了，我生活在永久的暮色之中。

有时，我问自己是不是我错了；我回顾我的青春，展望我的未来，可是，那是多么可怜的青春，那是多么空虚的未来啊！

当我想走出烦恼之境，看看世界的时候，我所见所闻的，无非是吼叫，呼号，眼泪，动乱，无非是同一些演员在演着一成不变的同一出喜剧；我想，有些人一直在研究这出喜剧，所以他们每天都要包演这出戏！再也没有强烈的爱，能使我从烦恼之境解脱出来，不过，我把这种爱视为非浊世所有的感情，我内心十分悲痛地怀念着我曾经梦寐以求的幸福。

因此，我觉得死是非常美丽的。我一直喜爱着它；还在儿童时期，我就想死，只为了感受一下它，为了知道坟墓里有些什么，长眠还能做些什么美梦。我记得那时我常常刮旧铜钱上的铜绿，想以此毒死自己，也试图吞下别针，还走到顶楼的窗前，想纵身跳到街上……当我想到几乎所有的孩子都干过类似的事，想着各种方法自行了结时，难道我不该作出这样的结论吗：人，不管他怎么议论死亡，总是怀着迫切的心情，爱着死亡的。他把死亡所创造的一切又还给了它，他从死亡中来，又回到死亡中去，只要他活着，他便只想着死，他身上有着死亡的苗子，心里有着死亡的念头。

想象着自己已经不在人间，是件十分愉快的事！坟墓里面总是静悄悄的！在那儿，身体挺得笔直，包在裹尸布里，交叉的双臂放在胸前，几个世纪过去了，除了风吹墓草的声音，再没有什么来扰你安眠。在主教堂的停尸室里，我曾经多次凝望着躺在坟台上的这些长长的石像般的死者！他们是那样的寂然安详，人世生活绝无什么可以与之相比；他们冰冷的唇边，好像挂着来自坟墓深处的微笑，他们似乎只是睡着了，正在细细品味着死亡。再也不需要哭泣，再也不会有一切好像腐朽的脚手架那样都将坍塌的惶恐感；躺在那里，这是超越一切幸福之上的一种幸福，是没有明天之忧的欢乐，是不会惊醒的美梦。况且，人死后也许是去一个更加美好的世界，繁星闪烁的世界，在那里，生活中充满光辉，芳香四溢；在那里，人也许会变成散发着玫瑰香味和草场清新气息的某种东西！啊！不，不，我更愿意相信人死了就是死了，任何东西都不会从棺材里出来；如果还必须感觉到某些东西，即使是自身的虚无，让死亡得以自我满足，自我欣赏；那就留住一丝生命，正够让人感觉到他已不在人间就行了。

我登上塔楼顶层，俯视着深渊，等待着头晕目眩的时刻到来，我禁不住产生一种难以置信的想法：纵身跳下，在空中飞翔，随风飘去；我望着刀尖枪口，把它们按在我的额头上，我已经惯于接触它们冰冷的身体和锋利的尖头了；还有些时候，我望着车夫赶着运货马车拐过街角，巨大的车轮碾压着路上的尘土，我想等马跑到跟前，我把脑袋往车下一送，也会碾得粉碎。不过，我可不愿给埋在土里，棺材使我害怕；我宁愿陈尸于森林深处的枯叶层上，听凭鸟儿啄食，暴雨冲洗，让我的躯体就这样渐渐变小，终至消失。

有一天，我在巴黎的新桥上站了好久；那是在冬季，塞纳河里，一块块的巨大的冰团缓缓地顺流而下，撞在拱形桥孔上劈啪直响，河水泛着绿色；我想着那些来到这儿投河自尽的人们。曾经有过多少人匆匆经过我这时站着的地方啊，他们全都昂首阔步，有的是去和情人幽会，有的是去洽谈生意，办理事务；可是，有一天，他们又回到这里，心悸不已，挪着迟缓的步伐，走向死亡！他们走近桥栏杆，爬到它上面，纵身一跳，万事皆休。啊！有多少痛苦就此结束，又有多少幸福从此开始！这是一座多么寒冷、多么潮湿的坟墓啊！它是多么宽阔，容得下我们大家！它里面已经收留了多少人啊！他们全都在河里慢慢地飘浮着，面部痉挛，四肢发青，每一阵冰冷的波浪都把他们推入长眠，都把他们缓缓地捎往大海。

有时，老年人羡慕地望着我，对我说，我正年轻，该为此而深感幸福,年轻是人生最美的时期;他们深陷下去的眼睛赞赏着我白皙的额头,他们想起了自己的爱情故事,娓娓向我道来。而我却常常暗自思忖,在他们风华正茂的时期,生活是否真的更美好一些呢?由于我看不出自己有什么值得别人羡慕的地方,我竟嫉妒起他们那些惋惜感叹之情来,因为他们心中藏有幸福,而我却从未幸福过。况且,同情心原本是尚未成熟之人的弱点。我微微一笑,好像正在康复的病人一样,几乎说不出所以然似的。有时,我感到我对我的狗有一种温情,我便亲热地把它搂在怀里;或者,我走到衣柜前,看一看中学时代穿的旧衣服,想起穿着它的日子,去过的地方,渐渐地沉浸在已逝岁月的回忆之中,至于回忆是温馨的、忧伤的还是愉快的,那又有什么关系呢!再者,对我们来说,最为忧伤的也是最为使人愉快的,它们不是概括了整个无限吗?有时,想到某个一去不返的、永远归入虚无的时刻,人们会不遗余力地找遍许多世纪,会用整个未来去换取这一时刻呢。

可是这些回忆只是一间阴暗大厅里稀疏零落的火光,它们在一片黑暗中闪烁;只看得见它们旁边被照亮的东西,而其余的地方仍是漆黑,暗影笼罩,氛围忧伤。

在继续说下去之前,我该向读者诸君讲讲下面的事情。

我记不起是在哪一年了,总之是在假期里,那天我醒来时,心情愉快,望着窗外。白天已到,但惨白的月亮依然悬在天上;峡谷间弥漫着灰濛濛的水气,缓缓上升,渐渐散入空中;农家院子里母鸡在咯咯地叫着。我听到屋后通往田野的路上驰过一辆大车,车轮在车辙里吱嘎吱嘎地响着,农夫下田干活去了;树篱上露珠闪闪,阳光照在上面,飘来一股水和草的清香。

我走出家门,要到 X 地去;路程有三里① 地呢,我独自一人上路了,没带棍棒,也没有带狗。起先,我走在麦田里弯弯曲曲的小路上,接着沿着果园树篱走在苹果树下,我什么都没想,只听着自己的脚步声,走路的节奏摇晃着我的思绪。我自由自在,默默无言,心境平和地走着。天气暖和和的。我不时地停下脚步,颧颧直跳,蟋蟀在茅棚里吟唱,歇了一会,我又上路了。我经过一个小村庄,庄里没有一个人,家家院子都是静悄悄的,我想,这是因为当天是星期天的缘故。母牛伏在树阴下的草地上,安安静静地反刍着,不时摇晃着耳朵驱赶飞虫。我记起我曾经走在一条小路上,路边有条小溪,清澈的溪水在卵石上流淌;绿色的蜥蜴和金翅昆虫沿着路边缓缓爬着;这条小路深陷下去,路上满是枯枝残叶。

接着,我登上高原,来到收割过了的田野;大海展现在我眼前,一片湛蓝,阳光在整个海面上撒下一阵闪亮的珍珠,每道波涛上都银光闪闪,一派波光粼粼;蔚蓝色的天空和深蓝色的大海之间,地平线闪闪发光;苍穹在我头顶上始行展开,落在波浪后面,波浪又朝它涌去,形成圆弧,一望无际,消逝在远方。我躺在一条犁沟里,遥望云天,出神地观赏着这幅美景。

我所在的田野是麦地,我听见鹌鹑在我身边飞来飞去,突然落到泥土块上;大海轻柔温顺,喃喃低语,与其说它在说话,不如说它在叹息;太阳本身似乎在发出声响,它把阳光洒在人间万物上,烤得我四肢发烫,大地也将它的热气传给我,我沐浴在阳光中,我闭上双眼,但我还是看到了阳光。波浪的气息,连同海藻和别的海洋植物的气味,一直飘到我身边;有

---

① 这里的"里"为法国古里,每一古里约合四公里。

时，波浪好像停息了，或者说好像来到吐着白沫的河岸静静等死，就像接吻时不再发出响声的一片嘴唇。于是，在两阵波浪的间歇期，当汹涌奔腾的大西洋暂时沉默下来的时候，我又听见鹌鹑的叫声，接着波涛声又起，接着鹌鹑声又响……

我以坚定的步伐跳过稀烂的泥地，从高原奔下，来到海边，我骄傲地抬起头，大口大口地吸着清新的海风，海风吹干了我汗水淋漓的头发；我内心充满对上帝的崇敬，感到心胸变得宽广了，我崇拜着某些行为奇特的东西，我愿消融在太阳的光辉里，与从波涛表面升起的气息一同消失在广阔无垠的蓝天里；此时此地我快活得发狂，又开始上路了，似乎上天的一切幸福全都注入了我的灵魂里了。由于这地方的悬崖突入海中，海滩全都隐没不见，除了海我什么都看不见：海浪一直涌到我脚下的卵石上，在与水面齐平的岩石上吐着白沫，有节奏地拍打着岩石，像是液态的手臂和洁净的桌布缠绕着它们；海浪翻落下来时泛着蓝色的光芒；风儿吹走我身边的海浪泡沫，吹皱残留在石窝里面的水洼；海浪虽已离去，它的运动还在使海藻摇曳不止，微微作响；不时地，一只海鸥拍翅掠过，飞向悬崖的顶部，栖息在那儿。随着海水渐渐退去，涛声也渐渐远去，如同一曲终了余音渐弱似的，海滩又展现在我面前，沙上留下了海浪划出的道道沟痕，一览无遗。我在这时明白了创造的一切幸福，上帝为人类放置在这儿的一切欢乐；我觉得大自然无比壮丽，如同完美的和谐，只有心醉神迷时才能体会到这种意境；我觉得从遥远的地平线那里升起某种东西，像爱情一样温馨，像祈祷一样纯洁，它从裂开的岩顶，从高空落下；我走近某种美妙的东西，它是用大西洋的响声和白天的光亮组成的，像是走近天堂的境域，我觉得生活在那里十分幸福，极其快乐，仿佛是一只雄鹰，迎着太阳，在阳光中高高飞翔。

于是,我觉得大地上的一切都是美的,我再也看不出有什么不协调和丑恶的东西;我爱一切,连使我双脚疲惫不堪的那些石块,连我双手支撑着的坚硬光秃的岩壁,连我料想理解我、爱着我的那没有感觉的自然,我统统都爱。于是我想,晚上,双膝跪在枝形大烛台脚下,面对着烛光辉映的圣母像,唱起赞美歌,那是多么美妙啊;圣母玛丽亚怀抱着圣婴耶稣,站在青天的一角,显形于海上航行者的面前,热爱着她,又是多么温馨啊。

　　不久,这种感觉就消失了;我想起我还活着,恢复了理智,便又上路了,同时感到不幸又攫住了我,我又回到了浊世;现实生活捎着痛苦的感觉又向我袭来,我的四肢冷极了,我又觉得幸福是虚无缥缈的,于是,我陷入一种莫名其妙的沮丧之中,赶紧向X地走去……

　　晚上我回家去,走的是原路,在沙滩上我见到了我留下的足印,在草地上我见到了我躺过的地方,我觉得我好像是在做梦。接连好几天,我都过着两种生活,第二种生活已经成了第一种生活的回忆,走在路上,我常常会在一丛灌木前、一株树前、一条大路的拐角处驻足不前,好像上午的时候,我生活中的什么重大事件就发生在那些地方似的。

　　那天我几乎半夜才回到家里。此时,家家户户都关上了门窗,狗开始吠叫起来。

　　令我在十五岁时就烦恼不安的感官快乐和爱情,在我十八岁时又来纠缠我了。要是你们了解我在这以前的生活的话,你们就该记得,直到这个年龄,我还是个童男,从来没有爱过:说到爱情的瑰丽和它的清声妙音,诗人们一直在给我提供种种题材,尽够编织绮梦;至于感官快乐,年轻人所觊觎的这类体肤相亲的欢乐,我总是在想象中有意激起种种兴奋感,将对它的欲念一直保持在心中;正如情人们不断地沉湎其中,以遂床笫之欢,不断地想着它,以摆脱性爱的欲念;我觉得单凭我的思想就能使这欲念冷却下去,只要不断地吸取它,就能使它干涸,失去诱惑力。可是,我总是回到我的出发点,在无法逾越的圈子里打旋,希望自己能进入更宽广的天地,却只是在它里面徒劳地撞破头颅;夜里,我梦中所见的事物也许是人能梦到的最为美好的,因为,每天清晨,我都是笑容满面,心里充满甜蜜的感觉,但醒来之后,我又忧虑重重,焦急地等待着梦境再来,让它再次将我整个白天都在思想着的激情带给我,我渴望着即刻就进入梦乡,我如同一个受惊的修女似的在体验着它所赋予的快感。

于是,我感到肉欲的恶魔生活在我身上的全部肌肉里,奔跑在我全身的血液中;我怜悯起我那天真纯朴的时期了,那时期女人们望望我,我也会浑身战栗,站在画中女人或女性雕像前,我也会两眼发愣,我渴望着生活,渴望着享乐,渴望着去爱,我隐隐感到我那火热的季节已经来到,如同春阳初照时,和暖的微风给你送来炎夏一样,虽然此时青草尚未生长,树叶尚未点缀枝头,玫瑰尚未结苞。可是,怎么办呢?去爱谁呢?谁又将爱你呢?将钟情于你的贵妇是怎么副模样?将向你伸出玉臂的绝代美女又是谁呢?在胸闷得难受的燠热的夜晚,独自在溪边踟蹰,愁眉锁眼,黯然销魂,对着满天繁星长叹再三的,又将是谁呢?

渴望着爱情,这就是渴望着一切,因为爱情就是无限的幸福,就是神秘的欢乐。哦,得意洋洋的美女哟,世人贪婪地盯住你瞧,目光中燃烧着多么旺盛的欲火,它是多么强烈地落到你头上!你的一举手一投足都流露出无限风韵,勾人魂魄,你的衣裙所有褶子都在窸窣作响，搅得我们心底春情荡漾，你的整个体表都散发出某种气息，使得我们神魂颠倒，但愿醉死其中。

从这时起，我觉得在人类的语言中"私通"这个字是很美妙的，一层沁人心脾的温馨气氛隐隐约约地笼罩着它，一种奇异的魅力使它散发出馥郁的香味；人们所说的每个故事，所读的每本书，所做的每种举动，都在对年轻的心灵描绘着它，议论着它。年轻人沉湎其中，十分快乐，觉得这种事具有一种混杂着不幸和感官快乐的极美诗意。

春天临近，当丁香开始开花，鸟儿开始在嫩绿的枝头啁啾时，我感到自己心里特别需要爱，需要将整个心身都熔入其中，需要化在某种温柔深沉的感情里，甚至是多么需要在光明和芳香之中散散心。就是现在，每年还是有几个时辰，我依然觉得自己是纯洁无瑕的，童贞在我心中爆芽生长；不过，现在我心中的青葱翠绿没有大路上那么多了，在那里，风吹日晒使得我两眼疲惫不堪，尘土滚滚，不住飞扬。

但是，当我沉浸在这桩回忆中，欲将下面的事情说给读者诸君听的时候，我还是有些害怕，有些犹豫；就像是我将去会会以前的情妇似的：心情沉重，每走上一级楼梯，都要停一下，既怕见到她，又怕她不在家。我们在生活中所怀着的某些想法，往往就是这样的：我们想永远摆脱这些想法，可是它们却一直缠绕在我们心头，只要我们活着，就甭想将它们扔开；心儿总是自然而然地想起它们。

我曾经对你们说过，我喜欢太阳。在阳光明媚的日子里，我心里也有某种感情，像闪亮的地平线一样宁静，像天空一样崇高。哦，是在夏天……哎！也许不该把这事全都写下来……天气热得很，我出门去了，家里人没看到我走出去；街上行人稀疏，路面干燥，地下不时散发出阵阵热气，往你头脑上直冲，房子墙壁反射出灼热的阳光，阴影处好像比阳光下还要酷热。街角拐弯处，成群的苍蝇围着一堆堆的垃圾，在阳光里飞舞，有如一只巨大的金轮，嗡嗡地向个不停；屋顶角清晰地在蓝天中映现出它们的直线，墙石呈黑色。座座钟楼，全无鸟儿。

我直往前走，一边寻找能够歇息的地方，希冀着吹来一阵清风，希冀着某种东西，能把我从地面带走，能把我卷入旋风中。

出了市郊，我到了一些花园后面，走在那些半似街道半似小径的路上；强烈的阳光从时疏时密的枝叶间漏下来，株株小草直立在大片大片的阴影中，石子的尖角反射着阳光，尘土在脚下吱嘎作响，整个大自然都在激起人的恶劣情绪，后来，太阳终于消隐；天空中浓云滚滚，仿佛暴雨行将来临；我直到此时一直感到的那种恶劣情绪，突然改变了性质，我不再觉得烦躁，却有些忧愁；这不再是撕裂人心的痛苦，而是窒息人心的难受。

我俯卧在地，气喘吁吁，整个心沉浸在野马脱缰似的欲念里，我觉得所卧之处阴影最多，最为宁静，最为阴暗，那地方能将我藏得最为隐蔽，不为人察觉。柔软如絮的云压在我身上，紧紧按住我，就像一个胸脯压住另一个胸脯似的；我渴望着肉体快感，这种渴望比铁线莲的芳香还要馥郁，比花园石墙上的阳光还要灼热。啊！我多么想能把什么人搂在怀里，让她在我怀里热得透不过气来；或者，能把我自己一分为二，去爱这另一个，再合二为一。这不再是一种隐约理想的欲念，也不再是一场已逝美梦的苦苦追忆，而是我的情欲自江河泛滥出来，像滚滚激流朝四面八方奔腾而去，它充溢在我心间，使我的心到处鸣响,其喧哗和令人头晕目眩的程度,比高山里的湍流还要厉害。

我走到小河边,我生来喜爱河水和波浪连续不断地悠悠流动;小河宁静,流水潺潺,白色的睡莲轻轻摇曳,波浪缓缓地展开,一阵舒卷在另一阵之上;河中央的小岛上,丛丛青枝绿叶垂在水里,河岸好像在微笑,只听到微波低吟。

河边这块地方长着几株大树,河水近处的清凉,树阴的清凉,使我心旷神怡,我觉得畅快极了。如同诗神缪斯附在我们身上,当她听着这和谐之声,便张着鼻孔,呼吸着这清丽的乐音,我自己身上也有着什么东西在张着,呼吸着这洋溢在整个空间的欢乐气氛。仰视天上舒卷的白云,俯看河边给阳光染成金黄的如茵的草地,倾听流水潺潺,树梢飒飒——虽然没有风,树梢还是在摇动着,又动又静,在这可爱的自然景色的作用下,我感到抵御不住肉体快感的诱惑了,我呼唤着爱情!我的双唇哆嗦着,朝前伸去,好像已经感觉到另一张嘴的气息似的,我的双手在摸索着某种东西,我凝视着每一阵波浪的皱褶,每一块云絮的边缘,竭力想从其中发现某种形象,某种欢愉,某种显影;我全部的毛孔都逸出情欲,我整个心灵都是甜蜜温柔的,充满和谐,我晃动着头发,让它们抚摸着我的脸面,我兴奋地呼吸着它们的气息,我躺在大树底下的青苔地上,想让自己更加轻松自在;我但愿自己在玫瑰花丛下了此余生,我但愿自己在阵阵热吻下魂归黄泉;我真想变作一朵花,让微风永远轻拂,我真想变作一堵河岸,让流水始终滋润,我真想变作一块大地,让阳光一直照耀。

草地软绵绵的,走起来十分舒服,我每迈一步,就会有一种新鲜的愉快感,我双脚踩着花草,享受着芳草地的柔情。远处的草野上,牲畜成群,有壮马,有马驹;天边回荡着马嘶声和马蹄声,地势缓缓地时起时伏,连绵不绝,远衔群山,河流逶迤而去,一会儿消隐在小岛的后面,一会儿又显现在水草和芦苇之间。所有这些景色都是美丽的,显得极其怡静,按着自然的法则运行,展示在天地之间;可是,唯独我自己感到苦恼,怏怏不乐,心中充满无法宣泄的情欲。

　　突然之间,我匆匆忙忙地奔回城里,我走过一座又一座的桥,穿过一条又一条的街道和一个又一个的广场;有许多女人从我身边走过,全都行色匆匆,全都貌若天仙;我从来没有这样正视过她们亮闪闪的眼睛,也没有这样凝视过她们像山羊一样轻盈的步履;公爵夫人们倚在饰着家徽的车门上,仿佛在对我嫣然笑着,邀我到丝绒坐椅上和她们亲热亲热;披着肩巾的贵妇人们,从她们高高的阳台上探出身来,一面看着我,一面好像对我说:"来爱我们吧!来爱我们吧!"她们那些姿势,那些目光,甚至她们那种沉静的神态,都在说明她们深深地爱着我,对于这一点,我看得很清楚。况且,到处都是女人,我与她们擦肩而过,轻轻相碰,呼吸着弥漫在空间的她们那种氤氲的气息;我看着她们用披巾围起来的香汗涔涔的粉颈,我看着她们帽上的羽饰随着她们的脚步在摆动;她们走过我面前时,脚跟把裙子的下摆不时地翻起。当我从她们身边经过时,她们戴着手套的手会微微颤抖起来。并非是说这一位,也不是在说那一位,其实她们彼此也没有什么不同;而是在说她们全体,她们每一个人,虽然她们的音容形体各不相同,但心中的欲望却是一样的;她们尽管穿着衣服,但也无济于事,我一下子就想到她们美妙的裸体,将它们整个地展示在我眼前;同时,我随即尽量凑近她们身边走过,尽我所能地带走种种淫念,使我什么人都会爱上的种种香味,撩人心弦的种种窸窸窣窣的声音,摄人魂魄的种种形体。

我完全明白我要去哪里，那是坐落在一条小巷里的一幢房子，以前我常常走过那儿，为的是感受一下心儿狂跳的滋味。那房子的百叶窗是绿色的，台阶有三级，啊！我早就把这些情况牢牢记在心里了，因为我曾经常常注视过这幢房子，曾经常常不走近道而要走远路绕到这里来，仅仅为了看看那些虽设常关的窗户。总之，奔了似乎有一个世纪之后，我终于走进了这条小巷，我感到自己激动得都要呼吸不过来了；小巷里静悄悄的，空无一人，我朝前走着，就这样走着；我还感到我碰到了门，我用肩一推，门就开了；我起先还担心那门是嵌在石墙里的，其实不然，它在铰链上缓缓地转了转，就毫无声息地开了。

　　我走上一道楼梯。楼梯上一片黑暗，梯级都磨损了，踏上去摇摇晃晃的；我一直往上走，什么也看不见，我这样做有些冒失，谁也没有来问我，我屏着呼吸走着。最后，我走进一间房间，我觉得它挺大，这也许是因为房间光线黯淡的原故。窗户虽然全都开着，但是那些黄色的帷幔，一直垂到地板上，不让阳光透射进来。整个房间浸沉在一种幽暗的金色光芒中。房间深处，靠着右面的窗户，有个女人坐着。她一定没有听到我脚步声，因为我走进房间时，她并没有回过头来；我站住了，没再往前走，只是细细地端详着她。

　　她穿着一件短袖长裙，双肘支在窗台上，一手托腮，好像在注视着地上什么隐隐约约不甚分明的东西；一头乌黑的秀发，编结着垂在两鬓，亮丽得宛如乌鸦的翅膀，头微微低着，脑后有几根细发散了出来，微微卷曲，贴在她的粉颈上；发间插着把弯弯的大金梳，上面饰着一颗颗的红珊瑚的珠子。

　　她见到我时，大叫一声，跳了起来。开始，我感到她那双炯炯闪光的大眼睛完全将我镇住了，在那种热烈的眼光注视下，我不得不低下头来；过了一会儿我才敢抬头望她，我看到一张挺可爱的脸，美艳绝伦：它极为端正，宛似有条直线，自头顶发间开始，从两道弯弯的长眉正中穿过，落在鹰嘴鼻上，又从翕动着的、高雅得有如古代仕女玉雕的两只鼻孔中间穿过，接着又从长着蓝色茸毛的温暖小嘴中央穿过，最后落在细腻、雪白、滚圆的颈上，这条直线将她的脸部均等地相分；透过她薄如蝉翼的衣衫，我看到了她双乳的形状，它们随着她的呼吸而时起时伏，她就这样站在我面前，从黄色帷幔透进来的阳光，衬得她的衣衫更白，脸色更为深褐。

后来，她笑了，几乎是怜悯我，但颇显得温和，于是我走了过去。我不知道她发间抹了什么，只觉得香味扑鼻，我觉得此时此地我的心比化在嘴里的蜜桃还要酥软，还要柔弱。

她对我说："您怎么啦？来吧！"

说着，她走到靠墙放着的一张灰布长沙发旁，坐了下来；我坐在她身边，她握住我的手，那只玉手暖烘烘的。我们久久地坐着，谁都没有说话，只是互相望着。

我从来没有如此近地凝视着一个女人，她的美将我环抱着，她的臂膀紧挨着我的臂膀，她的裙摆落在我的腿上，她那髋部的暖气使得我浑身灼热；这样接触到她，我感到她整个躯体都在摆动；我久久望着她浑圆的肩膀，望着她太阳穴上的条条青筋。

她又对我说："怎么啦？"

"怎么啦，"我重复了一句，显出愉快的样子；我想摆脱使我沉醉下去的蛊惑。

可是，我仅能如此而已，我全神贯注地看着她，目光扫遍她的全身。她一言不发，伸出一只手臂搂住我，将我往她身边挪，就这样默默地拥抱着我。于是，我双手搂住她，把嘴贴在她的玉臂上，无限激动地在那儿印上我爱情的初吻，我细细品味着青春时代久久积在心头的欲念和见于梦中的肉体快感，然后，我把头朝后仰着，为的是将她的脸看得更加清楚；她的两眼闪闪发光，使我心中充满激情，她的目光凝视着我，比她的双臂搂得我还要紧，我完全倾倒在她如火如荼的眼光里了；我们的手指绞合在一起，她的手指在我手中灵巧地转动着，它们是那样的修长，那样的纤细，我只要稍微用点力，就会将它们全都研碎，我特地紧紧地握住它们，想更久地感受它们的温馨。

当时她对我说的话，以及我是怎样回答的，此刻我全都想不起来了；我只记得，我就是这样久久坐在那里，不知所措，心悬半空，在心脏剧烈跳动中犹豫着；每一分钟都在增添我的热狂，每一时刻都有什么东西涌进我的心里，我整个躯体都因焦急、情欲、欢乐而微微抖动着；不过，我还是装出一种庄重严肃的样子，与其说是心花怒放，不如说是忧心忡忡，似乎浸沉在某种神圣崇高的思想里。她用手将我的头抱在怀里，但是抱得很轻，好像害怕重了会将它压碎在那儿似的。

她肩膀一动，袖子便脱落下来，长裙也随之落下；她里面没穿紧身褡，内衣也半解着，胸脯便露出来了。那是一种美丽的酥胸，恋爱中的人们就是在那儿窒息而死，也是心甘情愿的。她坐在我的双膝上，姿势极为自然，就像在做着美梦的孩子那样，美丽的侧面显现出完美的线条；腋下可爱的曲线形成波浪形的皱褶，使得她那玉肩益发令人心醉；她那雪白粉嫩的背部慵怠地微微弯曲着，长裙落在地板上，起着大片的皱褶；她举目望着上空，轻轻唱起一首忧伤的情歌。

我抚弄着她的梳子，把它取了下来，她那头秀发像波浪似的披散开来，乌黑的长长发绺抖落在她的腰间。我抚摸着她的头发，先是在外面，继而在中间，最后在里面；先是把手伸进去，继而把手臂伸进去，最后把脸也伸进去，我觉得心里难受极了。有时，为了使自己高兴，我把它们分成两股，挪到她身后去，又把它们拢到前面来，遮住她的双乳；有时，我把它们全都拢在一起，拉开它们，看她朝后仰的头，朝前伸的脖子；她让我恣意为之，动也不动，像个死人似的。

突然之间，她挣脱了我，从长裙中抽出双脚，像母猫一样敏捷地跳上床去，床垫在她脚下陷了下去，床铺喀啦喀啦直响，她猛地把床帏往后一撩，就睡了下去，她向我伸出双臂，将我拉到床上。啊！被褥像是还留着先前次次欢情的温暖，热乎乎的。

她那温柔潮湿的手在我身上到处抚摸着，不住地吻着我的脸、我的嘴和我的眼睛；这种暴风骤雨式的爱抚，每一阵都使我如痴似狂；她一会儿朝天躺着，喃喃低语着什么，眯起双眼，带着淫荡的嘲弄的神情望着我，一会儿又翻身俯卧，两肘支在床上，脚后跟高高抬起，娇滴滴的，可爱极了，那些动作又优雅又天真；最后，她完全彻底地委身于我，她举目望天，长叹一声，整个身体都稍稍抬起……她那热乎乎的肤体在我身下哆嗦着，我感到自己从脚到头都充满快感。我的双唇紧贴在她的芳唇上，我们的手指绞合在一起，一同颤动，一同摇荡，我们互相紧紧地搂抱着；我闻着她秀发的香味，吸着她芳唇的气息，觉得快活得要死。我还这样在她玉体上待了一会儿，呆呆地领略着心儿突突直跳和躁动神经的最后颤栗的滋味；后来，我觉得这一切都逐渐平息下去，终至消逝。

而她，也什么都没有说，像一尊血肉做成的雕像纹丝不动，浓密的黑发掩映着苍白的脸，裸露的双臂倦怠地伸着；不时地痉挛一下，使得膝部和髋部都在摇晃；胸脯上，我不住吻着的那块地方还留着红印,喉咙里,发出一种嘶哑的悲声,如同人们在久久痛哭和呜咽之后睡着时的声息。突然,我听见她自语道:"要是怀孕了,你就不会这样图快活,"下面还说了什么,我想不起来了;她交叉着双腿,从这边滚到那边,好像是睡在吊床里似的。

她抚摸着我的头发,像在逗一个孩子那样,问我是否有一个情妇;我就回答说有。她又问下去,我便说我的情妇很漂亮,是个有夫之妇。她还问我的名字,我的生活和家庭情况,等等。

"你呢,"我问她,"你爱过谁吗?"

"爱!是吗?"

她勉强地大笑一声,搞得我狼狈不堪。

她又问我的情妇是否真的漂亮,停了一会儿,她又说道:

"啊,她是该深深爱着你!告诉我,你叫什么,嗯!告诉我你的名字。"

轮到我了,我也想知道她的名字。

"玛丽,"她答道,"可是我还有另外一个名字,我们这里是不叫我这个名字的。"

其他什么,我都记不得了,所有这一切都已经消逝,已经很遥远了!不过,也还有一些情景,历历在目,浑如昨天所见到的事,例如她那房间的样子。我脑海中浮现出她床前铺着的地毯,中间已经有些磨损;床是桃花心木的,镶嵌着铜饰件,悬挂着波纹闪闪的红丝床帷,用手捏上去噬噬作响,流苏也都旧了。壁炉搁台上摆着两只花瓶,插着一些人工花;房中央放着一座挂钟,钟面悬在四根晶莹洁白的大理石柱之间。墙上到处挂着一些陈旧的版画,画框是木头的,涂成黑色,画面上的人物有浴女、摘葡萄的人、渔夫,等等。

而她呢！她啊！我有时会想起她来，而且这回忆是那么的鲜明，那么地清晰，她那脸上的一切细微之处都又展现在我眼前；记忆的这种令人惊奇的忠诚，是只有梦境才会赋予我们的：我们会重又见到撒手人寰多年的故人，穿着生前同样的衣服，语音语调也和生前一模一样，我们对此感到无比惊恐。我清清楚楚回想起，她的下嘴唇的左边长着一颗美人痣，笑起来便消失在皮肤的一条皱裥里；她甚至显得不再鲜艳红润了，嘴角已因为辛酸和劳累而紧皱起来了。

当我准备离开时，她便向我道别。

"再见！"

"还能见到你吗？"

"也许！"

于是，我走了出来，户外的空气使我精神振奋，我觉得一切都变了，我想人们一定从我脸上看出当时之我已与先前之我判若两人了；我走在路上，轻松愉快，心满意足，无拘无束，我在生活中再没有什么要去学习，要去体验，要去希冀的了。我回到家中，自出门到回来，很长时间过去了；我上楼回到自己的房里，坐在床上，一整天我像在负着沉重的包袱东奔西走，精力都耗尽了，疲惫不堪。当时大约是晚上七点，金乌西坠，红霞满天，鳞次栉比的屋顶上，天际闪闪发亮，一片火红；花园里已经暮色苍茫，氛围忧伤，黄橙色的光圈在墙角忽上忽下地移动着，一会儿落在灌木丛中，一会儿又升了上来，地上很干燥，灰蒙蒙的；街上有几个行人，挽着妻子，哼着小曲，向城门走去。

我总在回想我这一天的事情，感到一种莫名的忧伤，我心中烦躁不安，又满足又厌倦。"可就在白天，"我思忖道，"却并非是这样的啊，那时，我精神饱满，心情愉快；怎么搞的呢?"我想着我白天走过的每一条道路,每一条小径,遇到的每一个女人,在玛丽那儿的事情,我仔细回忆着每一个细节,我绞尽脑汁,要尽可能地想起种种往事。整个傍晚,我就是这样地回忆着;夜接踵而来,我像一个老者似的,呆呆地沉溺在这美妙的回忆里。我觉得这场风流并没有给我留下什么,我将来可能会有的许多欢情艳遇,也决不会与此相似。第一阵芳香,我闻过了;第一次柔情蜜语,飘逝了;我依然满怀欲念,为未能尽情享乐而深感遗憾。

当我细细思量我过去的生活和我现在的生活时,也就是说,思量已逝岁月中的期待和现时使我难以忍受的厌倦时,我是再也搞不清,要是我做梦或者行动,要是我满怀欲念或者极为厌倦,我的心会处在生活中的哪个角落,因为我心中同时存在着饱餐之后的厌倦感和解渴之前的热望感。

这只是为了爱!这只是为了一个女人!啊,上帝啊,饮食足,为什么就要思淫乐呢?我们为什么还要有那么多的渴望,那么多的失望呢?为什么人心是那么的宽阔,生活是那么的狭窄呢?有些时候,就连天使们的爱也不够填满人心,尘世上所有的抚爱,它在一个小时内就厌倦了。

可是,幻梦消逝了,它在我们心中留下仙女身上所特有的芳香,我们在她离去的条条幽径上寻觅着芳踪。我们总是乐观地对自己说,一切都不会这么快就结束了,生活仅仅开始,一个崭新的世界会展现在我们面前。我们真的要编织那么多的幽梦,怀着那么多的强烈欲念,才能到达那个逍遥境界吗?不过,我不愿放弃我一直在想着的一切美好的事物,在失去童贞后,我为自己创造出一些别的形象,虽然更为朦胧,但却更为完美;又产生一些别的欢乐,虽然没有我所怀着的欲念那么明确,但却是圣洁的,久远的。我最近种种感受的强烈记忆,和我不久之前所产生的、我这时竭力想着的种种想象，混成一体；记忆中的形象和生活中的躯体，梦想和现实，全都交融在一起；我刚离开她的那个女人对我来说成了一个综合的匀称体，一切在那儿归结为过去，一切又从那儿投入未来。我独自一人，想着她，我又反复思量着她的方方面面，想在她身上发现更多的东西，初次相逢我没有察觉到的、没有探究过的东西；我想再见到她，这个念头扰着我，它宛如命运在召我前往，酷似斜坡让我滑下。

啊！美丽的夜晚哟！天气很热，我来到她的门前，浑身是汗，窗户还亮着灯光；她大概还没有睡；我驻足不前，有些害怕，局促不安，心情十分复杂，久久站在门前，不知如何是好。后来，我又一次走进门里，摸着扶手上楼，扭开她房间的锁，第二次走了进去。

她独自一人，如同白天我初见她时一样，坐在同一地方，姿势也几乎与前一样；只是换了件长裙。这一件是黑色的，领口上镶着花边，在她雪白的胸脯上微微颤动着，那肌肤极富光泽，烛光下，她的脸色显出淫荡生涯的那种苍白来；她的嘴唇微启，秀发披散在两肩，眼睛望着天边，仿佛在寻找一颗消隐的星星。

见我进房，她高兴得跳了起来，一个箭步就到了我面前，把我紧紧搂在她怀里。我们拥抱在一起，心儿颤动不已。情人们夜间幽会，眼睛在暗处紧张地注视着四周的动静，留心着树叶的每一阵摇动，从林中空地走过的每一个朦胧的人影，终于相见，紧紧搂在一起；我想他们那时激动的心情就是这样的。

她问我，那声音又激动又温柔：

"啊！你又来看我了，你一定是爱上我了？你说呀，说呀，哦，我的心肝，你爱我吗？"

她的嗓音又尖又圆润,好像笛子在吹着最高音。

她半屈着腿弯,双臂抱住我,如痴似醉地看着我;我呢,尽管对这急速而来的激情有点受宠若惊,还是满心喜悦,十分得意的。

我的手抚摸着她的缎裙;那缎裙窸窣作响,像火花迸溅的声音;有时,在摸过她那柔软光滑的缎裙之后,我又去摸她那温软玉润的裸臂。她的衣衫仿佛具有她本人的那种娇媚,散发出裸体的最令人春心荡漾的充满诱惑的气息。

她用各种姿势坐在我膝上,又开始做出习惯性的亲昵动作,那就是用手抚摸着我的头发,眼睛盯住我的眼睛,含情脉脉地凝视着我。在这种无言的姿态里,她的瞳孔似乎扩大了,从中流出一道道秋波,好像一直流到我心头;这大张着的眼里流出的每一道秋波,就像白尾海雕盘旋划出的接连不断的圆圈,将我越来越紧地圈住,使我越来越依恋这无法抵御的娇媚。

"啊!你一定是爱上我了,"她又对我说,"你又到我这里来看我,你一定是爱上我了!可是,你怎么啦?你一句话也不说,你不高兴吗?你不再爱我了吗?"

停了片刻,她又说道:

"你长得多么英俊啊,我的天使!你像阳光一样美!吻我吧,爱我吧!一个吻,一个吻,快来吧!"

她贴在我的唇上,像一只鸽子那样咕咕叫着;她深深地吸了口气,叹息着。

"啊!你是来度夜的,是不是,度一个通宵,就我们两个,是不是?我想要的情人,就像你这样的,一个又年轻又英俊的情人,他深深地爱着我,心中只想着我。啊!要是我有一个这样的情人,我会多么爱他啊!"

她在表示这一愿望的那副神情,就像祈求上帝自天而降,助她实现似的。

"那么,你难道没有一个情人吗?"我问道。

"谁?我吗!难道有人会爱我们这类女人吗?难道有人会想着我们这类女人吗?谁会要我们呢?就是你,明天,你还会记得我吗?也许你会说:'啊,昨天,我和一个青楼女子上过床',仅此而已;哎哟,得啦!得啦!得啦!(她双手握拳,放在腰间,跳起舞来,舞姿极为淫荡。)我舞跳得可好呢!来,瞧瞧我的衣服吧。"

她打开大衣柜,我看见在一层搁板上放着一个黑面具,一些蓝缎带,还有一副多米诺骨牌。钉子上挂着一条金饰带的黑绒长裤。这些东西都已经旧了,大概是以前参加狂欢节留下来的。

"我可怜的衣服啊,"她说道,"我曾经常常穿着它们去参加舞会,那年冬天,我跳过多少舞啊!"

窗户开着,风吹进来,烛光摇曳不止;她把烛台从壁炉上拿起来,放到床头柜上。她走到床边,坐在床上,头低垂在胸前,陷入沉思之中。我也没有和她说话,只是静待着;风将八月之夜的热气一直吹到我们身上,我们听见大街上的树木摇动的声浪,窗幔抖动不已;狂风暴雨整夜不止。借着闪电的亮光,我常常看见她苍白的脸,流露出极度忧伤的神情,皱得紧紧的。云块急速地飘逝,它们半遮着的月亮,不时地在四周全是乌云的一角青天中显露出来。

她缓缓地宽衣解带,动作像一部机器那样地有条不紊。当她脱到只剩内衣时,便光着足向我走过来,拉着我,把我领到她床上;她没有望着我,她在想着别的事。她那粉红色的嘴唇湿润润的,鼻孔翕开着,眼睛亮闪闪的,身子好像在思绪的撩拨下微微颤动着,如同乐师虽然离去,响亮的乐器奏出的美妙音符还在空中神奇地回荡,令人沉醉。

当她在我身边躺下时,她才怀着妓女的骄傲,将她那美艳的肉体全部展现在我面前。我看着她结实的胸脯,总是鼓鼓满满的,发出激烈的低沉的声音;看着她珍珠般的腹部,肚脐眼深深凹陷下去,看着她富有弹性一起一伏的肚子,那真是柔软无比,把头枕上去,就好像枕在一只暖和和的缎子枕头上。她的髋部美极了,是地地道道的女人髋部,线条直延伸到浑圆的大腿,侧面看去,总使人想到什么蛇怪的柔软迷人的形体。香汗湿润了她的肌肤,摸上去有种凉快的感觉,只是有点黏黏的。她的两眼在黑夜中炯炯闪亮,有点吓人。她右手戴着琥珀镯子,当她碰到床头护壁板的时候,便发出清脆的响声。就是在这种时刻,她把我的头紧紧搂在胸前,对我说:

"爱情的天使,快乐的天使,淫荡的天使,你从哪里来?你的母亲在哪里?当她怀着你的时候,她在想些什么呢?她是在想非洲雄狮的威力呢,还是在想远方那些树木散发出来的人们闻之即死的浓烈的芳香?你什么也别告诉我,你就睁着你的大眼睛看着我,看着我,看着我!你的嘴!你的嘴!努,努,这儿,我的嘴在这儿!"

接着,她的牙齿咯咯作响,好像打着寒颤似的;她双唇分开,哆嗦着,朝空中说着疯话:

"啊!如果我们两人相爱,你瞧吧,我会牢牢管住你的,唯恐失去你;任何一个女人要是看着你的话……"

她在叫声中说完了这句话。别的一些时候,她那有力的手臂紧紧搂着我,使我动弹不得,低声说道她就要死了。

"啊!一个男人,正当青春的时期,多么美好啊!如果我自己是个男人,所有的女人都会爱上我,我的眼睛会多么地神采奕奕啊！我会穿戴得极为得体，极为漂亮！你的情妇很爱你，是吗？我想认识认识她。你们怎样幽会呢？是在你家里，还是在她家里？你是不是骑着马去兜风？你骑在马上一定很潇洒！走出戏院时，或者，深夜在她家的花园里，你是不是帮她穿好大衣？你们是不是坐在紫藤棚架下，促膝谈心，一起度过美妙的时光？"

我让她说着，我觉得她这番话给我描绘了一个理想的情妇，我喜欢这个刚刚进入我心中的幽灵，它在那里闪闪发光，比夜晚田野上的鬼火还要忽明忽灭得迅速。

"你们是不是相识很久了？说一点给我听听吧。你说说看，你是怎样使她开心的？她身材高大还是娇小？她会唱歌吗？"

我忍不住了，我告诉她说她全弄错了；我甚至把我来找她时的种种忧虑，我拥有她之后的愧疚，或者确切地说，是一种奇异的恐惧感，以及促使我又回到她身边的那种突如其来的迫切心情，统统告诉了她。当我真诚地告诉她，我从未有过情妇；我虽然寻遍天涯海角，我虽然久久梦寐以求，最终，她却是第一个接受我情爱的女人；话说到这里，她惊叹不已地凑近我，紧紧地抓住我的手臂，好像我是她要牢牢拴住的一个幻象。

"真的吗？"她对我说，"啊，别诳我呀。那么说，你还是个童男子，是我使你失去了童贞，可怜的天使？的确，你的吻有一种我形容不出的天真味！只有孩子们在做爱情游戏时，才有这种味道。啊，你使我吃惊！你长得很英俊，我越是看着你，心里就越是爱你。你的脸颊像桃子一样娇嫩，你的皮肤真是洁白，你的头发又粗又密，漂亮极了。啊！如果你愿意，我真是爱你！因为我所见到的你，就是这样的；我想，你是怀着怜悯的心情看着我的，可是你的眼光使我热血沸腾，充满激情，我总想凑近你，将你紧紧搂在怀里。"

这是我有生以来第一次听到的爱情的言语。不论我们身在何处，我们的心都会极其幸福地颤动着接受这些绵绵情话。永远记住它们吧！我兴高采烈地大口饮着这些蜜汁。啊！我好像疾驰到一个崭新的天地。

"是啊，是啊，好好地吻我吧，深深地吻我吧！你的吻使我焕发了青春，"她说道，"我喜欢闻你的气味，它像我所爱的六月里忍冬草的味道，又凉又甜；你的牙齿，瞧呀，它们比我的还要洁白，我没有你那么漂亮……啊！长得真好，这牙！"

于是，她把嘴唇按在我的颈脖上，贪婪地印上无数热吻，仿佛一头猛兽在折腾着猎物的肚腹。

"我今天晚上怎么啦？你使得我兴奋异常，我想饮酒，想边唱边舞。你不是有时想做个小鸟吗？我们在蓝天里一同飞翔，在空中做爱，一定是很美妙的，和风推送，白云缭绕……不，你别说什么，让我看着你，让我久久地看着你，使我能永远把你记在心中！"

"为什么要这样呢？"

"为什么要这样呢？"她说，"为的是记住你，想念你；夜阑人静，我无法入睡时，我将思念你；清晨醒来后，我倚着窗户望着街上的行人，我将整天思念你；尤其是晚上，天色黯淡，蜡烛未燃，什么都看不见的时候，我更会思念你；我将想着你的脸，你的身体，你那热情洋溢的漂亮的身体，还有你的声音！啊！听好，求你哪，我的宝贝，让我剪一些你的头发吧，我要把它们绕在这只手镯上，永远陪伴我。"

她随即起身下床，找来一把剪刀，在我脑后剪下一绺头发。这是把尖头小剪刀，用的时候铆钉处咔咔直响；我至今还感觉得到冰冷的钢剪和玛丽的玉手在我颈背剪发呢。

在情人们的眼里,赠与或者易来的头发是最为珍贵的一件信物。自有漫漫长夜以来,多少纤纤玉手伸过阳台,抛出青丝绺绺啊!理发师平庸的手弄脏了的这些秀发,或是被缠在弯成8字形的表链上,或是被缠在戒指上,或是挽成三叶形被贴在勋章上。我只想用一根线简单地将它们两头扎紧,生怕遗落其中的一根。虽然那不过是一束青丝,但那是在某种极为宝贵的时刻,在初恋最为美妙的时刻,在远去的前夜,亲手从情人的头上剪下来的啊!远古时期,头发就是女人的华丽大衣;女人的头发自头部垂落到脚跟,遮掩着一双玉臂,她与男人一同在大河边行走;混沌初开时的第一阵微风,同时吹动了棕榈树梢、雄狮鬣毛和女人秀发!我喜欢头发。在人们掘着的坟墓里,或是在人们推倒的古教堂里,我曾经多次静静观看着掘土中的头发,就在发黄的尸骨和腐朽的木块之间!太阳经常把惨淡的阳光照在它们上面,使得它们像缕缕金丝一样闪闪发光。每逢此时,我总喜欢想象着当年的情景:它们都生长在洁白的头皮上,还抹着芳香的发油,曾有一手在上面抚摸,将它们摊开在枕上,又曾有一嘴,时时吻着它们,或是咬着发梢,幸福地呜咽不已;而今,那手已成枯骨,那嘴已成窟窿。

我怀着一种愚蠢的虚荣心,让她剪下我的头发;可是,我却感到羞愧,我没有要她的秀发。以致时至今日,除了对一位青楼女子的爱情回忆外,我一无所有,既没有留下一只手套,也没有留下一根腰带,甚至连夹在书里的三瓣枯萎了的玫瑰也没有留下;我真是深为遗憾。

她做完这件事,又上床躺在我身旁,她钻进被窝,高兴得浑身发抖,哆嗦着,像个孩子似的缩成一团,睡在我身上;后来,她睡着了,头枕在我胸脯上。

我每呼吸一次,就感到了这颗沉睡的头颅在我胸口升起的重量。我和这个陌生女子究竟处在怎么样的一种亲密和谐的状态里呢？就是这时，我们还是彼此并不了解，是机缘使我们聚在一起，在此睡在一张床上，由一种无名的力量相连在一起；明天就将分手，永远不再相见。在空中滚动和飞翔的原子，比起地上两颗相爱的心来，聚合的时间也会长一些呢。夜里，孤眠时，欲念肯定会涌起，于是就彼此在梦境中寻觅着对方，这一个也许在苦苦思念着那个不知在何处的人，而后者也许正在另一个半球，在另一片天空下苦苦思念着他呢。

现在，这颗脑袋里在做着什么样的梦呢？她在想她的家庭、她第一位情人、社会、男人、某种富贵的生活、某种希冀着的爱情吗？也许，她在想我！我凝视着她苍白的额头，观察着她睡着时的模样，竭力从她那嘶哑的鼻息声中发现什么意义。

外面下着雨，我听着雨声，玛丽在睡觉。烛光快要熄灭了，在水晶托盘里噼啪噼啪地响着。曙光初照，天际现出一抹黄色，水平地伸展开来，渐渐地变成金灿灿红彤彤的颜色，将一缕近白色的、紫罗兰似的虹色的微光射入房中；这光和房内的暗色及行将灭熄的烛光交织在一起，全从镜子里反射出来。

由于躺在我身上，玛丽的身体有些部分就沐浴在曙光中，有些部分还处在阴暗中。她稍稍动了一下，头部低下去，胸脯高起来；右臂，就是戴着镯子的那条手臂，垂在床外，几乎要碰到地板了。床头柜上放着一只水杯，插着一束紫罗兰；我伸手把它拿过来，咬断扎着它的绳子，闻着。也许是昨夜太热，或者是采撷下来的时间长了，花儿已经凋谢了，但我觉得它们还是有股与众不同的清香，我一枝一枝地闻着；它们全都湿润润的，我把它们放在眼皮上，让自己清凉清凉；因为我的血还在沸腾，我的四肢疲惫不堪，碰到被褥，就像被火烧着似的。

此时此地，我不知干什么才好，又不愿惊醒她，因为我看着她酣睡的姿势，有一种非常快乐的感觉；于是，我就轻轻地把紫罗兰一枝一枝地放在玛丽的胸脯上，不多一会儿，那酥胸上就全是紫罗兰了；她就这样睡在紫罗兰下。在我看来，这些美丽的枯萎了的花朵，正是她的象征。确实，她像那些花儿一样，虽然也像它们那样失去了鲜艳，也许正因为如此，她依然有一股香气向我袭来，只是更浓烈些，更刺激些；她的不幸遭遇，使得她保留着辛酸的嘴角显得非常漂亮，就是在睡眠中，她颈背上的两条皱纹也是十分美丽的；白天，她一定是将这两条皱纹隐没在头发里了。看着这个在寻欢作乐时神色也极为忧伤，甚至在热烈拥抱时那份喜悦也羼杂着悲痛的女人，按照她心里残留的道道伤痕来判断，我想她一定历尽沧桑，千万种深沉的痛苦一定像雷电似的侵袭过她。况且，我在人类生涯中总是寻找着闪亮和震撼人心的东西，寻找着崇高的情感和长歌当哭的世界，因此，她要是能谈谈她的生活经历，我一定会愉快地倾耳谛听的。

正当此时，她醒了，紫罗兰全都落了下来。她眼睛还没有完全张开就笑了起来，同时伸开双臂抱着我的颈脖，给了我一个清晨的长吻，一个苏醒过来的天真纯洁的姑娘的长吻。

我要她把她的过去讲给我听听，她便对我说了起来：

"我完全可以说给你听。别的人准会说谎，一开始就会告诉你，说她们本是良家女子，不得已落入风尘；她们会编造些故事来美化她们的家庭，她们的爱情；可是我不愿意骗你，也不想把自己说成是一位公主。听好，你就将看到我从前是否幸福过了！我常常想自我了结，你知道吗？有一次人家赶到我房里时，我已经窒息得半死了。啊！我对堕入地狱一点儿都不怕,我早就不怕了。其实,我也怕死,死的时候使我害怕,不过,我还是想死!

"我是乡下姑娘,父亲是个庄稼人,一个佃农。直到初领圣体之前,家里人每天早晨都要叫我到野外去放牛,我整天一个人待着,或是在沟渠边坐着,打瞌睡,或是到树林里掏鸟窝;我爬起树来像个男孩子,衣服总是扯破;我常常挨揍,不是因为偷了几只苹果,就是因为让牛群跑到邻人的园子去了。收获时节,晚上,大家在院子里围成一圈,唱歌跳舞;我听着人家唱歌,有些歌词,我那时并不明白是什么意思;小伙子们拥吻着姑娘们,人们都在放声大笑;这种情景使我忧伤,使我幻想翩翩。有时,走在回家的大路上,请求运干草的马车搭上我一阵,赶车的汉子便把我抱上车,放在苜蓿捆上。一个强壮的小伙子,脸被阳光晒得黧黑,胸脯上汗水淋漓,当他那双结实有力的手将我从地面上抱起来的时候,你想,我会没有感到那份难以形容的欢乐而尽情享受吗?他通常都把袖子卷到腋下,我喜欢碰着他的肌肉,他的手每动一下,那些肌肉就会隆起陷下;我也喜欢他来抱吻我,为的是尝尝他的胡子磨着我面颊的滋味。在我每天要去的牧地下方,有条小溪流淌在两排杨树之间,溪边百花盛开,我把它们采下来扎成花束,编成花冠和花条;我还用花楸的果实为自己做项链。久而久之,这成了一种狂热的爱好。我的围裙上总是缀满了鲜花。我父亲常常责怪我,说我将来永远只是个卖弄风情的女人。我那间小房间里,也让我放满了花。有时,浓郁的花香熏得我都醉了,昏昏欲睡,恍惚飘然;可是,尽管头晕目眩,我心里依然十分愉快。譬如说,收割下来的干草气味,暖烘烘发酵的干草气味,我总觉得有股清香,以致于,每到休息日,我总将自己关在草仓里,度过整个下午,看着蜘蛛在横梁上结网,听着苍蝇嗡嗡作响。我活得像个游手好闲的女孩子,但终于长成了一个如花似玉的大姑娘,精力充沛,身体健康。有时,我会疯狂得撒腿就跑,直到摔倒在地为止;或者唱歌,唱得声嘶力竭,或者自言自语,说个没完。我脑中总有一些光怪陆离的欲念,我常常看着鸽子在鸽棚里卿卿我我,有些鸽子会一直飞到我窗前,在阳光里嬉戏,在葡萄棚上玩耍。夜里,我还能听见它们的拍翅声和咕咕声,我觉得它们的叫声非常温柔,十分悦耳,使得我也想变成一只鸽子,就像它们一样;我扭动着脖子,像它们在接吻时那样。'它们之间究竟在诉说什么呢?'我思忖道,'它们的样子是多么的幸福啊!'我还记得我见过的公马在追逐着母马时的那种威猛激烈的模样,鼻孔全都张开着喘气;我也还记得公羊走近时,母羊快活得浑身的绵毛战栗不已的模样;也还记得蜜蜂在果树上叠在一起嗡声细语的情景。在牲畜棚里,我常常钻进牲畜之间,为的是闻闻它们肢体散发出来的气息,我深深地呼吸着这种生命的气息;为的是暗中窥视它们赤裸裸的躯体;在那里我总是看得眼花缭乱,晕头转向。还有些时候,在林边拐弯处,特别当黄昏之际,那些树木本身也显得奇形怪状的:时而树枝像伸向云天的手臂,时而树干像被风儿卷曲起来的人体。夜里,从梦中醒来,正值月浮中天,云飘万里,我在天空中看到一些景象,既使我害怕,也令我神往。记得有一次,那是在圣诞节的前夜,我看到有一位身材高大的女人,光着身子,站在空中,两眼滴溜直转;她足有百尺之高,后来她走动起来,渐渐地变得细长起来,终于断裂开来,肢体各自分开,头部先消失了,其他部分都还在蠕动着。不然我就做梦。我十岁上,夜里就会做一些令人兴奋不已的梦,满是淫荡的梦。我的眼里闪烁着淫光,我的血液里流淌着淫欲,我的肢体只要彼此轻轻擦着,就会使我的心里春情勃发,难道不是这样的吗？淫荡总在我耳边唱着嗜欲的赞歌；在我的想象中，肉体像金子一样闪闪发光，陌生形体的晃动，就像在遍撒着水银。

"在教堂里，我看着十字架上的男人，我扶起他的头，鼓起他的两肋，饰美他的肢体，分开他的眼皮；我在想象中把他变成一个英俊的男人，神采奕奕地站在我面前；我要把他从十字架上解脱下来，让他向我走过来，走到祭坛上，在香烟环绕之中向前走；于是，阵阵淫乐的颤动便掠过我的肌肤。

"要是有个男人和我说话，我就会端详他的眼睛，打量他的目光，我特别喜欢那些眼皮不断眨动的男人，一会儿隐住眸子，一会又让它们显露出来，这样的动作真像夜蛾拍翅一样。我会透过他们的衣服，竭力发觉他们男根的秘密；关于这一点，我常常询问我那些年轻的女伴，我窥视着父母双亲的接吻情景，夜里还留心着他们床上的动静。

"十二岁，我初领圣体。家里人从城里给我买回一件漂亮的白长裙，我们领圣体的姑娘全都束着蓝腰带；我要家里人将我的头发束成髻，像个妇人那样。出门前，我对着镜子照了又照，我觉得自己像爱神那么美丽，我几乎爱上自己了，我真希望能这样。那天是将近圣体瞻礼的日子，修女们将花摆满了教堂，芳香袭人。我自己三天来，也和女伴们一起，用茉莉花把发愿的小桌装点得花团锦簇。祭坛上铺满了风信子，唱诗席的台阶上铺着地毯，我们都戴着白手套，持着一支蜡烛。我高兴极了，觉得自己生来就是干这种事情的料。整个弥撒期间，我的双脚都在地毯上搓个不停，因为我家里没有地毯；我真想穿着我漂亮的长裙，躺在那上面，独自一人留在教堂里，处在烛光中。我的心怀着新希望，在突突地跳动着，我焦急地等待着领圣体饼的时刻，我听人说，初领圣体后，孩子便成人了，我以为行过圣事后，我所有的愿望就能实现。可是，并非如此！回到坐位上，我又胡思乱想起来。我朝神父走过去的时候，我注意到有人看着我，赞赏我；于是我趾高气扬地走着，自以为貌若天仙，为自己身上潜藏着的连我也不曾察觉的风韵而隐隐自豪。

"做完弥撒，我们列队去墓地。亲人们和看热闹的人们站在草地两旁，瞧着我们走过去。我个子最高，走在最前面。晚饭时，我什么都吃不上，心里很难受。母亲在做弥撒的时候哭了，这时眼睛还红着。有几个邻居跑来祝贺我，满怀热情地拥抱我，他们的抚爱令我讨厌。晚上，做晚祷时，来人比白天更多。家里人安排来的男孩子们坐在我们姑娘对面，他们全都贪婪地瞧着我们，特别是瞧着我：即使我双眼低垂，我也能感到他们朝我射来的目光。他们全都烫了发，也像我们一样穿着新衣服。我们唱过赞美诗的第一段后，由他们接着唱下去。他们的声音激得我心泛起阵阵涟漪，我的快乐随着他们歌声的起落而起落。我发了愿。现在我记得的，只是我说我愿像白裙一样洁白，成为一个贞洁的姑娘。"

说到这里，玛丽停了下来。可能是浸沉在激动的回忆中，她担心克制不住自己的情绪；过了一会儿，她又继续说下去，露出一种十分遗憾的笑容：

"啊！白裙！早就穿破啦！贞洁也和它一样，早就失去了！和我一起初领圣体的姑娘们现今又在何处？有的死了，有的结了婚，有的做了母亲。我再也没有见到过她们，我和谁都没有来往。每年元旦那天，我都想写封信给母亲，但是我又不敢写。唉！算了吧！所有这些温情，都是愚蠢的！"

她硬着心肠，用力按捺涌起的亲情，继续说下去：

"第二天，还是个节日，有个男孩来找我去玩。母亲嘱咐我说：'现在你是个大姑娘了，不该再和男孩子东奔西跑的了。'于是，她就把我们分开了。可是这种做法并没有达到她的目的，反倒使我爱上那个男孩子。我去找他，讨好他，想和他远走高飞，离开家乡，等我长大后他应娶我为妻，我把他叫做丈夫，情郎；可是，他不敢那样做。有一天，我和他俩人去林子里采草莓，回来的路上，经过一个沙堆时，我将他猛地扑倒，把他压在身下，吻着他的嘴，叫道：'爱我吧，我们结婚吧，我们结婚吧！'可是，他挣脱了我，一溜烟跑了。

"从这一天起，我就远离人类，再也不走出家门，我过着离群索居的生活，沉溺在欲念之中，如同别人沉溺在欢乐之中。如果有人说起某个男人提亲不成，抢走了姑娘，我就想象着自己便是他的情人，骑在他的马后面，紧紧抱住他，和他一起穿过田野私奔而去；如果有人说起什么婚事，我便早早躺到空床上，像新嫁娘一样，又害怕又快乐地颤抖着；我甚至羡慕被公牛压在底下怨声阵阵的母牛，想着它们哞哞直叫的原因，巴不得自己也有着那样的痛苦。

"这时期，我父亲去世了，哥哥参军去了，后来他当上了上尉；母亲便带着我移居城市。我离开乡村时，正值芳龄十六；我永远告别了树林，流淌着我心爱小溪的牧地；告别了教堂的大门，我曾在它门前沐浴着阳光嬉戏，度过无数愉快的时光；告别了我那间简陋的小房间；所有这一切，我再也没有重见过。街道里的轻佻姑娘成了我的朋友，她们把自己的情人指给我看，我跟她们一起去玩，我看着她们卿卿我我；闲下来的时候，我便回想着这番情景。每天，我都要找一个新借口出门去，母亲完全清楚我在说谎，起先还不住责备我，后来也就由我去了。

"后来有一天，有个我认识不久的老太婆怂恿我抓住机会发财,对我说她给我找到了一个腰缠万贯的情人,说我只要第二天下午走出家门,做出要把针线活送到某个郊区去的样子,她就领我到那地方去。

"此后的二十四小时,我常常觉得自己都要疯了。随着时光流逝,约定时刻越来越近,我头脑中只有这个念头:情人!情人!我就要有一个情人了,我就要被人所爱,因而我就要去爱了!我先是穿上最细长的鞋子,又发觉我的足把它们撑大了,于是我换上靴子;我在发式上也翻足了花样,先是卷着,后来又中间分开、紧贴两鬓,接着又是盘成髻,又是梳成辫……我对着镜子,越打扮越美,可是我觉得自己还不够美,因为服装太一般化了,我羞惭得脸通红。我为什么不是那些细皮白肉女人中的一个呢?她们裹在天鹅绒里,衣服全都饰着花边,散发着琥珀和玫瑰的香气;连仆人们也都穿着窸窸窣窣的绸缎衣服,极为华丽!我抱怨母亲,痛恨我过去的生活,魔鬼的一切诱惑都在驱使我,我提前品尝着它们的美味,便匆匆地出了家门。

"在一条路的拐角处,有辆马车在等着我们,我们上了车;一小时后,马车在一座园林的栅门前停住了。下车后,我们在园子里走了一会儿,后来我发现老太婆离开了我,只留下我一个在小径上走着。园子里树木参天,枝繁叶茂,花坛四周,绿草如茵。我从来没有见到过这么美丽的园子。园中流过一条小河,灵巧堆砌而成的石山,形成一道道瀑布;天鹅在水上嬉戏着,它们鼓起翅膀,听任流水推动。我也兴致盎然地观看着大鸟笼,里面百鸟争鸣,在各自的环上晃荡着;它们时时展开五彩缤纷的羽尾,彼此在对方的面前来回走着。这景象真叫人流连忘返!台阶下面,两边各放着一座白色大理石雕像,姿势美极了;对面的大水池,沐浴着夕阳的光辉,一片金灿灿的,使人情不自禁得想跳下去洗浴一番。我想着居住在这儿的不相识的情人,每时每刻,我都盼望能见到有一个相貌堂堂的男人,像太阳神阿波罗一样,迈着矫健的步伐,从树丛后面走出来。晚饭过后,我听了好长时间的城堡的种种声音沉寂下来,这时,我的主人来了。这是个老头,头发全白了,人很瘦,衣服过紧地绷在身上,胸前挂着十字勋章,走起路来脚动膝不动,颠颠巍巍的;他的鼻子挺大,碧眼又挺小,样子很凶恶。他微笑着向我走过来。他的牙齿都已掉光了。男人微笑的时候,应该要有像你这样的红红的薄嘴唇,两边有点小胡子,那才好看呢,是不是,亲爱的天使?

"我们一同坐在长凳上,他握住我的手,觉得它们很美,便吻着每一根手指头。他对我说,如果我愿意给他当情妇,永远听他的话,和他同住,我就会有很多钱,有许多仆人供我使唤,天天都有漂亮的衣裙穿,有马骑,有车坐。但是,要得到这些,他说,就必须爱他。我答应爱他。

"可是,以前我一挨近男人,便我五脏六腑都燃烧起来的那些体内的情欲烈焰,这一次却丝毫没有燃起。坐在他身边,我不断地暗自说道,这个人将是我的情夫,我将是他的情妇,如此思量着,我才终于产生了一点欲念。当他要我进房去的时候,我立即站了起来,他简直心花怒放,乐得浑身颤动不已,这个老家伙!穿过一间家具都镀了金的华丽的客厅,他把我领进为我准备好的卧室,他想亲手给我宽衣解带。他先是摘下我的帽子,接着又想脱我的靴子,可是他弯不下腰来,便对我说:'我老了,孩子,'他双膝下跪,恳求地看着我,双手交叉,又加了一句:'你多美啊!'我真害怕即将发生的事情了。

"凹室①里面有一张大床,他叫喊着把我拖到那里,我感到自己陷在鸭绒被褥之中了。他的身体压在我身上,尽情宣泄,百般折磨着我,软弱无力的嘴唇在我浑身上下印满冷冰冰的吻;我觉得天花板压得我喘不过气来。老家伙是多么快活啊!真是欣喜若狂!我也尽力去找寻快感,瞧他那模样,我已激起了他的快感,可是,他的欢乐与我又有什么干系呢!我该让自己获得快感,我要的是自身的欢乐,我要从他干瘪的嘴上、从他虚弱的肢体上获得快感,我要从这个老家伙的整个身体那里激起自己的快感,我将自己所有的淫荡伎俩尽行施展出来,使出浑身解数,作出不懈努力,可是我在荒淫的初夜,得到的却只是厌恶。

"事后,他刚走出房,我就起身下床了。我走到窗前,打开窗户,让室外的空气清凉清凉我的肌体;我真想让大西洋冲走我身上留着的老家伙的污迹,还我干净之身。我将床铺重新收拾好,小心翼翼地抚平那具死气沉沉的躯体疯狂折磨着我而弄得七皱八皱的地方。我哭着度过了这一夜;我绝望得像一头被人去势的老虎那样咆哮着。啊!要是你在那时来了多好啊!要是我们相识在那时多好啊!要是你跟我一样大,我们会相爱的,我那时正当十六岁的花季,一片纯洁!我们的日子会过得像现在这样,我的双臂会紧紧地将你搂在怀里,我的眼睛会一直凝望着你。"

停了一会儿,她又继续说下去:

"于是,我成了个贵妇人。我睡到中午才起来,我有一个侍女,一直跟着我听我使唤;我有一辆马车,我卧在软垫上,

---

① 房间中放床的地方。

东游西荡；我的纯种马矫健地跃过树跟，骑士帽上的黑羽饰优美地晃动着。可是，一夜之间成了富人后，奢侈的生活并未平息我的欲念，反倒将它激荡起来。没有多久，大家都认识我了，争先恐后地想得到我。为了讨得我的欢心，我那些情人们做出种种蠢事。每天晚上，我都要读许多白天收到的情书，我想从中找到一些新颖的词句，找到一颗与众不同、为我而生的心来。可是，这些情人都是彼此相似的，这些情书都是千篇一律的；他们求欢的动作不外乎双膝跪下，看了情书的开头，也就知道了结尾。有两个家伙前来求爱，我一时任性拒绝了他们，他们便自杀了；他们的死丝毫没有触动我，为什么要走上绝路呢？为什么不越过一切障碍，将我弄到手呢？倘若我爱上哪个男人，没有什么辽阔的海洋，没有什么高大的墙垣，能拦住我奔向他身边的。倘若我是个男子汉，我就会千方百计地笼络看守，夜里爬窗去会我看中的女人，连连吻着她不让她发出喊叫声来；我每夜都满怀着希望，一觉醒来，昨夜的希望全都落空！

"我恼怒地赶走一批，换上一批，可是一成不变的欢乐是枯燥的，令我失望，我总是疯狂地追逐着欢乐，总是渴望着种种新的、像绮梦一样美妙的欢乐，就如同那些身处困境的海员，口渴得要死，禁不住痛饮海水！

"花花公子也好，土里土气的乡巴佬也好，我都想见识见识他们是不是一般滋味。我领略过种种男人的情欲：双手又白又腻、染过的头发贴在两鬓的男人们，脸色苍白、头发金黄、像姑娘们一样娇嫩、愿为我而死的青年们，我都玩过了。老家伙们也用他们衰弱的情欲玷污我，寻欢作乐，醒来时我久久看着他们透不过气来的胸脯和黯淡无光的眼睛。在林中的长凳上，在乡村的小酒店里，在一罐酒和一杆烟之间，平民百姓也会强暴地拥吻我；我和猎艳者一样，也从这类逢场作戏中感到甜蜜的欢乐；不过，贱民们做爱时并不比贵族们高明，稻草堆也没有沙发那样温暖。我对某几个人竭尽忠心，像个奴隶似的百般侍奉，为的是使他们更加热情如火，可是他们并不因此而更加爱我；对于这些笨蛋来说，我确实是个污点斑斑的女人，为此，他们憎恨我，轻侮我，作为情感的初偿原也是应当的；于是，我愿百倍地去爱他们，让他们浸沉在幸福之中。后来，我想畸形人可能比正常人更懂得爱，发育不良的身体通过感官的快乐可能紧紧抓住生活，我便委身于驼背、黑人和侏儒；我使得他们夜夜销魂，那番快活劲足让百万富翁眼红；可是，也许我使得他们害怕了，因为他们很快就离我而去了。穷人、富佬、俊男、丑鬼，全都不能满足我所企求于他们的情欲；全都是些软弱无力、萎靡不振的东西，是在厌倦之中受孕怀的胎，是酒色过度而致瘫的家伙下的种，全都害怕像死在疆场上一样在床笫之间送了命，没有一个不是才大战一个回合便缴械投降的。在这人世间，再也没有往日那些神奇的青年人了！再没有巴克科斯①了，再没有阿波罗了，再没有那些戴着葡萄藤冠和桂冠，裸体奔走的英雄好汉了！而我，我生来是要给皇帝做情妇的，我该躺在坚硬的悬岩上，在非洲的烈日下，与江洋大盗颠鸾倒凤；我愿像交尾时的蛇一样彼此紧紧地缠在一起，像亲热中的狮子一样吻声震天。

"这段时期我读了许多书，其中有两本，我特别喜欢，百

---

① 巴克科斯，又叫狄奥尼索斯，希腊神话中的酒神。

读不厌，一本是《保尔和薇尔吉妮》①，另一本是《王后罪行录》。我在后一本书里见到了梅萨琳娜、黛奥朵拉、玛格丽特·德·勃艮第、玛丽·斯图亚特和卡特琳娜二世等人②的绘像。我对自己说：'去做个王后吧，使臣民们都爱你！'实际上，我早就是个王后了，是如今这时代的那种王后：当我走进戏院包厢时，我得意洋洋地将撩人心弦的秋波遍送全场，于是成千颗头颅都对我顶礼膜拜了，我就倚仗着这种傲视一切的美姿丽容，主宰着四周的世界。

"然而，总是要追求着一个情人，总是要不惜一切代价将他弄到手，这样的生活已使我厌倦；况且，我已经把堕落生涯作为我喜欢忍受的酷刑，于是，我就在这里安顿下来了，我心中满怀激情，仿佛我还有什么贞操要待价而沽似的。我一直是很讲究的，现在却甘心忍受粗俗的生活；我虽然富有，却情愿睡在简陋的房子里；因为，迫使自己处于最低贱的地位后，我也许不再想重新往上爬了，永远不想了；随着我各种器官的日渐老化，我的欲念也许就会日趋平息。我希望这样就能一下子

---

① 《保尔和薇尔吉妮》是法国作家贝纳丹·德·圣·比埃尔（1737—1814）的小说，描写住在远离文明小岛的一对情人的恋爱生活，以及他们的悲惨结局，还描画了岛上的风光和海洋景色。该部小说深受卢梭思想的影响。

② 所列诸人均为历史上著名的王后。梅萨琳娜（15—48）为罗马公主，克罗德一世的第三任妻子，以荒淫著称。黛奥朵拉（527—548）为拜占庭皇后，是个野心勃勃和贪婪的女人，但才智横溢，富有魄力。玛格丽特·德·勃艮第（1290—1315）为法王路易十世之妻，因罪行累累为夫所杀。玛丽·斯图亚特（1542—1587）为苏格兰王后，后嫁法王弗朗索瓦二世，1560年成为法王未亡人后返回苏格兰，1567年因与杀害其第二任丈夫的凶手结婚，引起暴乱，被迫逊位；后为英国女皇伊丽莎白一世所杀。卡特琳娜二世（1729—1796）为俄帝彼得三世之后，1762年弑帝自立，整顿内治，入侵土耳其，瓜分波兰，开拓西伯利亚，在位时奖励文学，保护文人学士；其为人性情暴烈，专横武断，生活极其放荡。

消除我的欲念，对我往日强烈希冀着的一切永远感到厌恶。是的，过去我用草莓和牛奶洗浴，来到这里睡的却是人皆可寝的普通床；先前我只是一个人的情妇，如今却成了众人的奴仆，而且我在这儿伺候的，是多么粗暴的主人啊！冬天没有火炉，吃饭没有美酒，一年到头穿着同一条长裙，但这又有什么关系呢？我所操的生涯，不就是裸体接客吗？可是，你知道我最终的思想，我最后的希望是什么吗？啊！我所指望的，就是有朝一日我能找到我从来没有遇到过的、一直在躲开我的男子汉，我在风雅人物的床上，在戏院的楼座里，总是在寻找他；这个梦幻的形象只是存在于我的心里，而我却想把他搂在怀里；我总是怀着希望，有那么一天，也许有某个男的会来到这里——当然这一些都是必须的——他要比别人都高大，都高贵，都强壮；他两眼要像苏丹那么大，他声音要抑扬顿挫，充满激情，他肢体要像豹子那样柔韧有力，让人情欲勃发，要散发使人沉醉的气息，他牙齿要恣情地咬着为他而勃起的乳房。每有一个人上这儿，我就会问自己：'是他吗？'见到另一个人，我还是会问自己：'是他吗？愿他爱我吧！愿他爱我吧！让他打我吧！让他把我弄得精疲力尽吧！让我独自一人做他的后宫吧，我知道什么花会刺激人的感官，什么饮料会使人兴奋起来，甚至知道怎样将疲惫变成销魂般的心荡神驰。他若需要，我会卖弄风情，来激起他的虚荣心，或者排遣他的愁思，突然又让他看到我娇弱无力楚楚可怜的样子，柔软得像一根芦苇，嘴里绵绵软语，或幽幽叹息；为了他，我会像水蛇一样扭动着身子，夜里我会疯狂地摆动着，让人怜爱地蜷缩着。要是在一个温暖国度里，喝着水晶杯里的美酒，我将会敲起响板，为他跳西班牙舞；或者高唱战歌，蹦跳不停，像蛮族女人那样。要是他酷爱雕塑或者油画，我将会摆出大师的架势，让他顶礼膜拜。如果他更喜欢我作他的朋友,那么我将女扮男装,和他一起去狩猎;如果他要去报仇,我将助他一臂之力;如果他要去暗杀一个人,我将为他望风;如果他是个窃贼,我将和他一起去偷;不管他干什么营生,披哪种服装,我都爱他。'可是,没有这样的男子汉!永远没有,永远没有!时光徒然流逝,日复一日,我奉献出我自己身体的每个部分,让男人们恣意行乐,尽情享受;而我自己却一无所获。我像十岁时那样,依然是个处女;如果处女的意思,就是指,一个女人既没有丈夫也没有情人,她只是不断地思想着她从未体验到的性爱之乐,她只是想象出某些可爱的人物,在绮梦中和他们幽会,在风声中听他们说话,在月亮形象中寻找他们的容貌。如果处女的意思就是这样的话,那么我就是个处女!我这样说,你觉得可笑吗?可是,我不是还有着处女隐隐预感到的那些焦虑不安的忧郁吗?除了童贞之外,处女所有的,我也全有。

"看看我床头留在桃花心木上的那些乱七八糟的条纹吧,全都是那些来这儿发泄性欲、快活得脑袋往上直搓的嫖客,用指甲抠出来的。我和那些家伙一点儿都没有相通之处。虽然彼此搂得紧紧的,紧得不能再紧了,可我总感到有一条什么鸿沟将我和他们隔离开来。啊!有多少次啊,当他们如痴似狂,完全浸沉在欢乐之中的时候,我的思想却跑到千里之外去了,要与某个野人共睡一张芦席,或者与阿勃卢兹①的牧羊人共居一个挂着羊皮的山洞!

"实际上,谁也不是冲着我而来的,谁也不认识我,他们也许要在我身上寻找他们所思念着的某个女人,正如我要在他们那里寻找我的白马王子。在街上,不是总有一些狗,在垃圾

---

① 阿勃卢兹为意大利中部的山区。

堆里嗅来嗅去，寻找着鸡骨头肉骨头，寻不到就怏怏离去吗？与此相同，谁知道所有狂热的爱情会在一个妓女身上消退下去，所有美丽的哀歌会在她的一声再见中终结呢？我见过多少男人来这里时，愁绪满怀，怨恨满腔，泪水满眶啊！有些人刚刚走出舞会，想把他们对才离开的那些女人的欲念，集中在一个女人身上得到满足；有些人则是在参加一场婚礼后，想到自己还是童身，就来这里欲一啖禁果的滋味；还有些年轻人，想随心所欲地搂着他们的情妇，却又不敢对她们说，便闭着眼睛，怀里搂着我，心中想着她们；为人夫君者想返老还童，细细品味他们美好时光易得的欢情乐趣；为魔鬼驱来的教士们，要的不是女人，而是妓女，而是罪孽的化身，他们咀咒我，害怕我，可是又爱恋我，为了使诱惑更强烈，恐惧更厉害，他们希望我有一双像妖魔鬼怪那样分叉的脚，希望我的长裙缀着宝石，熠熠闪光。他们全都毫无例外地闷闷不乐地走了，如同连续不断掠过的人影，如同消失了的人群，只记得他们蜩螗沸羹的声音，几千双脚的踏步声，别的什么都忘了。我又何曾知道他们姓甚名谁呢？他们匆匆而来，完事后，匆匆而去，从没给我什么真诚的抚爱，却向我索取它，要是他们有胆量的话，他们会向我要求爱情的，可是他们谁都不敢！你得说他们长得英俊，家里有钱，他们便开心地笑了。再说，他们也喜欢笑，有时你得唱歌，或者得沉默不语，或者得开口说话。谁也没有想到，在这个颇负艳名的女人身上，还有着一颗心呢。那些称赞我弯弯的眉弓和光泽柔腻的肩膀的傻瓜们，全都为花钱不多而享受了本该国王享用的美味佳肴而沾沾自喜，却不懂得接受向他们迎面跑去，跪在他们脚下的那种永不熄灭的爱情！

"不过，就是在这种地方，有些妓女也还是有情人的，有一些爱着她们的真正的情人。她们在床上如同在心里给情人们单独留着一块神圣空地,情人们来了,她们便兴高采烈。她们会用好长的时间梳妆打扮,浇窗台上的花盆,你知道吗,这全是为了情人。可是,我没有一个情人,没有一个情人;就连一个可怜孩子那样普通的友好表示也没有,因为人们会用手指着一个女人告诉他们,这是妓女,于是他们便低着头从她面前走了过去。上帝啊,我好久没去田野上散散步,没到乡村里看看了!有多少个星期天,我就是听着忧郁的钟声度过的,钟声召唤着人们去做弥撒,而我却不能去做!母牛走在矮林里,系在颈间的铃铛响个不停,我好久没有听见那铃声了!啊!我烦恼透了,我厌倦透了,我要离开这里;我将走回到家乡去,我将回到我乳母家里去,这个心地善良的女人会好好地接待我的。我小时候常去她那里,她给我牛奶喝;我将帮她带孩子,料理家务,我将到树林里去拾枯枝,留着下雪天夜晚生炉烤火用,冬天不是就要到了吗。我们将一起分吃三王来朝节饼。啊!她将会很喜欢我的,我将会摇着摇篮哄小孩睡觉的,我将会多么幸福啊!"

她停下不说了,然后抬起头来,眼泪汪汪地望着我,好像在问我:"是你吗?"

我聚精会神地听着她,留心着从她嘴里说出来的每一句话,竭力去理解这些话对我所表述的生活。在我眼里,她一下子变得高大起来,这大概是我愈听她说愈觉得如此的缘故,在我面前的她,成了一个新的女人,充满了不为人所知的秘密,尽管我和她有了那么种关系,我觉得她还是极有诱惑力的,有一种撩人心弦的妩媚,有一些新的魅力。确实,占有过她的那些男人们在她身上留下了已逝激情的印痕,好似一种变得清清淡淡的香气,但却使她具有一种无比瑰丽的风情;放荡使得她具有一种令人心惊的美。要是没有以往那些狂欢生活，她难道会有这种自戕般的微笑，使得她就像在爱情中醒来的死人？她的脸为此而显得更白，头发也更富有弹性更为芳香，肢体也更柔软更温暖；像我一样，她也是从欢乐走向忧愁，从希望奔向厌倦，继莫名其妙的沮丧之后，就是疯狂的躁动不安。我们虽然以前并不相识，她生活在风月场中，我生活在贞洁界里，但我们各自走着的，却是同一条路，路尽头是同一道深渊。当我在寻找一个情妇的时候，她正在找一个情人，所不同的，是她在人间找，我在心里寻；而且，我们谁都没有觅到意中人。

"可怜的女人，"我紧紧搂住她，对她说道，"你吃了多少苦啊！"

"那么，你也吃过同样的苦吗？"她问我道，"你也像我一样吃过不少苦吗？你也经常让泪水打湿枕头吗？冬天有阳光的日子，你也觉得愁惨吗？起雾的晚上，我独自走着，我觉得雾水淋在我心上，把心打落了，跌得粉碎。"

"不过我想，在这世界上，你决不会像我这样活得厌倦透顶；你还度过一些快乐的好日子，可是我，我好像生下来就被关在监狱里似的，我有好多东西都还没有见到光明呢。"

"可是你还这么年轻呢！说真的，现在所有的人都老了，连孩子们也像老年人一样厌倦了生活，我们的母亲在怀着我们的时候，就感到烦闷。从前可不是这样的，是不是？"

"是啊，"我答道，"我们所居住的房子完全是同一个样子，刷得雪白，却毫无生气，就像坟地里的那些坟墓；而在那些要拆毁的黑乎乎的旧棚里，生活却是火热啊，人们在那儿唱歌跳舞，饮酒作乐，把桌上的酒壶都敲碎了，做起爱来，把床铺都震坏了。"

"可是，谁使你这么悲愁的呢？你一定是深深地爱过什么人吧?"

"上帝啊,要是我爱过就好啦!我真羡慕你的生活呢。"

"羡慕我的生活!"她说道。

"是啊,羡慕你的生活!因为,处在你的地位,我也许会幸福的;因为,如果说你所盼望着的那个男人世上没有的话,我所要找的那个女人却一定生活在什么地方;在那许多跳动着的心里面,必定有一颗心是属于我的。"

"那你去找这颗心呀!快去找啊!"

"啊!是的,我曾经爱过!爱得那么深,以致我充满了抑制着的欲念。不,你永远不会知道是什么使我神迷意乱,我把一种天使般的爱情藏在我心灵深处。听我说,当我和一个女人在一起待了一天,我就会对自己说:'我要是十年前就认识她,那该多好啊!她所有逝去的岁月都是属于我的,她的第一个微笑原该给我的,她在这世界上想到的第一个人,原该是我啊。可是,这其间有许多人来到她身边,跟她说话,她回答他们,想着他们。我原该读遍她所喜爱的那些书啊。我没有和她在绿阴如盖的大树下一同散步,是多么遗憾啊!她有许多条穿旧了的长裙,可我从未见到过;她在以往的岁月中听过许多最为精彩的歌剧,可我从未在场;其他许多人已经给她送过鲜花,可我从未采撷过;我什么都没能为她做过,她将会忘掉我的,对她来说,我只一个过路人罢了。'当我离开她以后,我又会想:'她在哪里?相隔咫尺天涯,她整天都在干些什么呢?她怎样消磨时光呢?'一个女人如果爱着一个男人,她只要对他有所暗示,那男人便会跪在她的石榴裙下!而我们男人,连她看不看我们一眼,也得凭运气,而且恐怕还不仅仅如此!……还必须家财万贯,有好马供你们乘骑,有摆设着雕像的华丽住宅,天天宾客盈门,挥金如土,声名显赫;可是一介平民,既无横溢的才华，又无殷实的家产，就不能得到心爱女人的青睐，就不能左右她，而只能像最懦弱的家伙、最愚蠢的笨蛋那样默默无闻，根本不为意中人所知；他要是憧憬着美梦一般的爱情，那么，心爱的女人朝他看上一眼，他就会快活得要死。这种折磨，我是经受过的。"

"你很害羞，是吗？女人们使你害怕。"

"现在不怕了。从前，只要听到她们的脚步声，我就会浑身发抖。我会站在美发厅的门口，久久望着那些美丽的蜡像。她们的头发里簪着花，缀着钻石，全都是脸色红润润白皙皙的，还袒胸露肩，我甚至都爱上了其中几个。鞋店的橱窗也让我心荡神驰，看那些供人穿着去夜间舞会的小巧玲珑的缎子鞋时，我想象着穿进去的光脚，极其可爱，脚指甲很纤细，晶莹雪白，活生生的，就像是公主踏进浴缸里的脚。时装店门挂着的女人胸衣，轻风一吹，荡来荡去，也会使我想入非非。我还买过鲜花送给我并不爱的女人，希望由此爱情会来到我身边——这种方法是我听人家说的。我还写过一些情书，随便寄给谁，我只是借笔抒情，我写着写着，竟也泪湿青衫了。女人唇边最不经心的微笑，也会使我心醉。也仅仅是这样罢了！人世间有许多幸福，却不是为我而存在的，谁会来爱我呢？"

"你等着嘛！再等一年，六个月！怀着希望吧，也许明天你就幸福了！"

"我希望得太多，以致我不会得到幸福了。"

"你这话说得像个孩子，"她对我说。

"不，我甚至没有发现有一种爱情，能使我在二十四小时之后不生厌的；我太想爱了，以致我对它感到厌倦了，正如那些被人过分爱着的人一样。"

"不过，在这世界上，只有爱才是美好的啊。"

"你这话是对谁说的啊?只要能和一个爱我的女人睡上一夜,我愿献出我的一切。"

"啊!你的感情确是真挚,你的心地无比善良,要是你不把这一切闪光的东西藏在心底,而是袒露出来,世上的女子都会爱你的,没有一个不想方设法要做你的情妇的;不过,你比我还要痴迷!深埋在地下的珍宝,人家会注意吗?只有卖弄风情的女人才能猜中像你这样的人的心思,并且折磨你们这些人,别的女人根本不理解你们。可是你还是值得女人爱的!那么,太好了!让我来爱你,让我来做你的情妇。"

"做我的情妇?"

"啊!我求你让我做你的情妇吧!你愿上哪儿去,我都要跟着你。我要离开这里,在你家对面租一间房子,整天看着你。我将会深深地爱你!我要和你朝夕相处,形影不离;我要和你相拥而眠,共度良宵;我要和你相对而坐,共进三餐;我要和你同室更衣,齐进齐出;你会感到永远在我身边!难道我们不是为对方彼此而生的吗?你的那些希望不是就能如愿以偿,而我的那些厌倦不是就能烟消云散,两者不都治愈了吗?你我的生活,不是就能合二为一了吗?你将向我叙述你孤独时的种种烦恼,我将向你倾诉我忍受过的种种苦难。我们应该抓紧生活,就好像我们只能在一起待一个小时那样,我们应该排尽我们身上的一切嗜欲和偏爱,然后重新开始我们的生活,同生共死。吻我吧,再来一下!把头枕在我的胸脯上,让我感到它的重量,让你的头发抚着我的颈脖,让我的手摸摸你的肩膀;你的目光多么温柔啊!"

被子散开了,拖到地上,我们赤裸的双脚全都露了出来;她跪起双膝,把被子拉到床垫上,我看着她白净的背部像根芦苇那样弯下去。彻夜未眠使得我疲惫不堪,脑袋沉重,眼皮如同火烧；她努起嘴唇，轻轻地吻着我的眼睛；它使我的眼睛一阵清凉，好像用冷水湿润它们似的。她也一样，时时打一下瞌睡，但顷刻又惊醒过来；疲倦使她恼怒，先前的甜蜜抚爱使她充满激情，她无比兴奋地紧紧搂着我，说道："既然谁都不爱我们，那就让我们相爱吧，你是属于我的！"

她张着嘴巴，喘着粗气，发疯似的吻着我，然后，突然停下，伸手拢着散开的发髻，说道：

"听着，要是我们如此相爱，要是我们搬到一个阳光促使黄花盛开、柑桔成熟的地方——看来，那是在海边，海滩上一片白色的细沙，男人们包着头帕，女人们穿着薄纱裙——我们的生活定会过得非常美满幸福。我们在阔叶大树下筑起爱巢，听着海湾的声响，一起走在海滩上拾取贝壳，我用芦苇编织篮筐，你拿到集市上去卖。我亲手给你穿衣，给你做卷发，给你戴项链，啊！我会多么爱你啊！像现在这样爱你！让我好好地亲亲你吧！"

她猛地将我按在床上，压在我身上，怀着一种淫荡的欢乐整个地贴在我身上，她脸色苍白，浑身颤抖，咬紧牙齿，以一种疯狂的力量将我紧紧搂在她怀里；我感到好似被卷入爱情的风暴中，先是爆发阵阵泣声，接着响起阵阵尖叫；我的嘴唇被她的唾液沾湿了，冒着细泡，惹得欲火中烧；我们的肌肉扭成同一个结，肉欲转为狂热，欢乐转为痛苦。

她突然睁开惊惶的眼睛，害怕地说道：

"要是怀上个孩子怎么办！"

接着，又来了个大转弯，目光哀求，神情温柔地说道：

"好啊，好啊，怀个孩子！你的孩子！……你要离开我了吗？我们不再见面了吗？你再也不来看我了吗？有时你会想起我的吧？我将永远珍藏着你的头发。再见吧！……等一会儿吧,天刚刚亮呢!"

是啊,我为什么要这么着急离开她呢?我是不是已经爱上了她?

玛丽没有再和我说话,尽管我在她身边又滞留了半个小时;她也许在想梦中的情人。在分别的时刻,有个瞬间,在这一瞬间里,所爱之人由于提前感到忧伤,已经心里没有你了。

我们没有互相道别,我握了握她的手,她也握了握我的手,不过握手的力量不重,因为她别有所思。

从那以后,我再也没有见到过她。

但是从那以后,我一直想念着她,没有一天不尽可能多地想她几小时。有时,我特地把自己一个人关在房间里,竭力再度生活在这一回忆之中;我经常在睡觉之前尽量想着她,为的是能在夜梦中与她重逢,可是我没有这种幸福,我梦不见她。

我到处找她,在散步场所找,在戏院里寻,在街角处觅,却始终不见伊人倩影。不知为什么,我一直相信她会写信给我;当我听到有辆马车停在我家门口,我总想着是她走下车来了。我是多么焦急不安地追着背影似她的女人,追到前面,回头看看是不是她的时候,我的心跳得又是多快啊!

那所房子被拆毁了,谁都无法告诉她如今在哪里。

思念曾经拥有过的女人,是难以忍受的,它要比别的什么事情痛苦千百倍,种种可怕的形象就像悔恨的心情一样,纠缠着你,困扰着你。我并不嫉妒在我之前拥有过她的那些男人,可是我对在我之后拥有过她的男人,却嫉妒得要命。我觉得我们有了一种默契,我们应该彼此忠诚于对方。我在别后的一年多时间里,对她是恪守誓言的;可是此后,不期而遇,百无聊赖,也许还有对一成不变情感的厌倦,都使我违背了誓言。只不过，我在天涯海角所觅的知音是她，虽然睡在别的女人的绣床上，想到的却是她的爱抚。

有些人想在往日的爱情上撒播新的爱情，其实是徒劳无益的做法，因为往日的爱情总是会涌现出来的，世界上没有任何一种力量能将它连根拔除。执政官车队曾经行驶过的古罗马道路，早已废置不用，千万条新的小路横穿过它们，或者变成了田野，生长着麦子，可是我们仍然可以看出这些古道的残迹，耕种时，它们巨大的路石往往会把铧犁弄得缺口累累。

几乎所有人都在寻找的心爱人物，也许仅仅存在于他们对爱情的回忆之中；这种爱情是他们想象出来的，或者是他们在人生初期形成的。我们一直在寻找与之类似的形象，使我们喜爱的第二个女人几乎总是和我们初恋的女人有些相同，要都爱，就必须堕落到极点，或者心胸特别宽阔。你们也明白，写书人对你们所说的故事总是千篇一律的，他们会重述百次而永远不会感到厌倦。我有一个朋友，他在十五岁时，看到一个正在奶孩子的少妇，喜欢得不得了；从此，有好长时期，他认为女人只有长得腰圆膀粗才称得上美，身材苗条的女子他反倒觉得丑陋。

随着时光流逝，我越来越爱她了。怀着人们对无法实现的愿望所具有的狂热，我为了找到她便编出种种奇遇，想象着重逢时的情景，我在江河碧蓝的水珠里又见到了她那双眼睛，我在给秋阳染上一层颜色的山杨树叶上又见到了她那脸色。有一次，我在草地上匆匆走着，秋草在我脚旁沙沙作响，我感到她在我身后跟着，我掉头一看，什么人都没有。还有一天，有辆马车驶过我身边，我抬头一望，车门里飘出一大角白面纱，迎风招展，车轮飞旋，面纱扭转，它在召唤着我，我赶上去，它却离我渐远，终至消失；于是又只剩下我独自一人，心情沉重，仿佛给抛弃在万丈深渊里。

啊！如果人们能取出体内的一切，只用思想来造就一个人，那该多好啊！如果人们能把记忆中的人物搂在怀里，亲吻着他的额头，而不是对空徒然抚摸，无尽长叹，那该多好啊！世事远非如此美好，记忆会逐渐淡忘，形象会逐渐消失，而深深的悲哀却会永远留在心中。为了使我能记住她，我写下了前面那些文字，我希望我写下的文字能使她在我心中复活；但我未能如愿以偿，我知道这是没有用的，我也就不多写了。

再说，这是我隐藏在心中的一桩秘密，我从没有对谁吐露过，我怕人家会嘲笑我。人们不是常常取笑那些沉溺在恋爱中的人吗？因为，在男人中间，这种爱是一种耻辱；每个男人，或是出于羞耻心或是出于自私心，都是将心灵中最为美好最为高尚的东西隐藏起来的；为了得到世人的尊重，只能将最为丑恶的一面示之于众，这是使自己处于公众水准随波逐流的办法啊。"爱这样的女人？"人家会问我，开始时，谁也不会理解我怎么会爱她的；既然如此，我又何必饶舌呢？

他们也许有理。她也许并不比别的女人更具姿色更为热情，我担心我所爱的，只是自己的一种想法；我担心我之所以爱她，只是因为她使得我想起了我憧憬着的爱情。

我心中久久地进行着这种思想斗争，我过去把爱情看得太高，无法希望它会降临到我身上；不过，由于久怀此思，也得承认，其实这是某种相似的情感。仅仅离开了她几个月，我就又思想起她来，而在最初的日子里，事情又相反，我过着极其平静的生活。

对于在世上孑孑而行的人来说，这世界真是一片空旷。我将去干什么呢？怎样消磨漫漫昼夜呢？用我的头脑去思考什么呢？白昼何其漫长啊！抱怨人生短促的人又在何处？请将他指给我看看，那一定是个幸福的人。

"您去散散心嘛，"有人劝我说；可是用什么来散心呢？这如同对我说："竭力使自己成为幸福的人。"可是怎样才能幸福呢？那么努力又有何用？自然界原本万物完美，树木生长着，江河流淌着，鸟儿啁啾着，繁星闪烁着；可是，焦虑不安的人类却躁动着，扰乱着，于是砍伐森林，翻土掘地，漂洋过海，出门漫游，行遍天涯，滥杀动物，自相残杀，四处泣声，八方呼喊，想到地狱；仿佛上帝赐其思想，欲使之想象出他们尚未熬煎过的更多的苦难似的！

在邂逅玛丽以前，我的烦忧里还有着美好、高尚的成分；可是如今，它变得愚蠢已极，这是一种腹中满是劣质烧酒、醉生梦死的人的烦扰。

年岁大得多的人，与此不同。他们在五十岁时，比我在二十岁时更为天真，所有一切对他们来说，都是新鲜事物，都具有吸引力。我是不是就像那些驽马，才出马厩就感到疲倦，要一拐一拐喘着粗气地走上一阵长路之后，才能轻松自在地快步小跑？太多的景象使我痛苦，太多的景象又令我可怜，或者不如说，所有这些都混杂在同一种厌倦之中。

出生于一般家庭的人，是无法奢望拥有情妇的，因为他没有钻石给她带，也没有宫殿供她住；他观看着这些庸俗的爱情，冷眼注视着我们称之为情夫和情妇的这两头发情动物的丑恶兽行，他没有受到诱惑要堕落到如此低下的地步，他竭力禁止自己去爱，禁止自己成为意志薄弱者，他将一切要涌上来的欲念都消灭在膝下；这种斗争使他筋疲力尽。男人们那种恬不知耻的自私使我远离着他们，同样，女人们思想的局限性又使我讨厌和她们交往；不过，无论怎么说，我都错了，因为两片美丽的嘴唇要比世间的一切表情都更令人心醉。

中短篇小说

　　落叶在秋风中飘落飞旋，我也一样，我也想远走高飞，去而不返，不论到什么地方去都行，只要离开家乡就好。我的家宅沉重地压在双肩上，从那同一道门里，我进进出出了多少次啊！我曾经多少次举目仰望着卧室天花板上的同一个地方，它都要给我的目光磨损了。

　　啊！骑在骆驼背上，感到自己也都弯腰曲背了！面前，是红霞遍布的天空，是一片褐色的沙漠，是无尽延伸的闪光的地平线，是连绵起伏的大地，雄鹰展翅在你头上凌空飞翔；在大地一隅，走过一群红爪鹳，飞向水塘；沙漠之舟摇晃着你，沐浴在阳光里，强烈的光芒使你闭上了双眼，向导刚唱完歌，只听见骆驼沉闷的蹄声，向前走去，不停地向前走去。晚上，打桩搭篷，饮过骆驼，躺在狮皮上，抽着烟卷，燃起篝火，将豺狼吓得离我们远远的，只听见它们在沙漠深处什么地方尖声急叫。不知其名的星星在天空中闪烁，它们比起我们在家乡见到的都要大四倍呢。早上，在绿洲把水灌满羊皮袋，又上路了。沙漠孤旅，狂风呼啸，黄沙飞旋。

　　随后，来到某个平原地带，整日策马疾驰。就在废弃的神殿的静影边，长在断柱之间的一株株的棕榈树轻轻晃动着它们的绿阴。山羊爬上断壁残垣，啃啮着生长在大理石裂隙里的野草，见到有人走近，便蹦蹦跳跳地逃之夭夭。走过平原，越过巨藤虬结古木参天的树林，在望不到对岸的大河那边，便是苏丹，那是黑奴的故乡，黄金的产地。一直往前走，走得更远些，啊！我想看看狂热的马拉巴尔①和那地方格斗至死的舞蹈；美酒像毒药一样使人命归黄泉，毒药像美酒一样醇味诱人；海洋一片蔚蓝，里面全是珊瑚和珍珠，回荡着山洞里发出

---

① 马拉巴尔是印度德康半岛的西南海岸，濒临阿曼海湾。

来的神圣狂欢声,再也不见波涛,四周鲜红,万里无云的天空映在温热的海水中,拉出海面的缆绳冒着热气;鲨鱼尾随船只游来,吞噬着尸体。

啊!印度!我特别向往的印度!宝塔和佛像布满座座白色的山岭,老虎和大象出没座座森林;黄皮肤的男人穿着雪白的衣裳,女人肤色似锡,手上脚上都戴着环饰,纱罗裙裹着她们的身体,如同轻烟萦绕,双双眼睛上只见用散沫花汁染得黑黑的眼皮;她们一同唱着赞美某位神仙的歌,还跳着舞……跳吧,跳吧,寺院里的舞姬,恒河的女儿,就让你那纤脚在我头脑里飞旋吧!像一条游蛇,她卷曲着,甩着双臂,摇着头颅,扭着腰肢,张着鼻孔,垂着秀发,翩翩起舞。香烟袅袅升起,缭绕着贴金的泥塑木雕佛像;那佛像长着四颗脑袋,二十条臂膀呢。

我乘着一条长形的小船,前往人们叫做中国的那个黄种人的国家去。小船用雪松木制成,船桨薄薄似羽毛,船帆是用竹子编的,船上还敲着锣打着鼓。那地方,女人的双脚都很小巧,叫做"三寸金莲",只手可握;头也小巧,纤细的双眉略往上翘;她们住在青绿芦苇扎成的棚子里,吃着盛在彩绘瓷碗里的毛茸茸的水果。官员们长须垂胸,头顶前部剃得光溜溜的,后部的头发束成辫子,拖在背后,尖帽上插着根细烟杆,红绸官服上印着黑字,手执蒲扇,在栏杆发烫的回廊里的草席上悠然踱着方步。啊!那里的茶楼多么诱人,使我情不自禁地要去遨游!

新大陆①的风暴啊,你把数百年的古橡树连根拔起,你使海蛇遨游嬉戏的湖泊掀起惊涛骇浪,你将我席卷而去吧!让

---

① 新大陆指美洲。

挪威的激流用它们的白沫淹没我的身子吧！让西伯利亚下得厚厚的白雪隐去我的道路吧！啊！远游吧，浪迹天涯吧，永远不要停留下来，在这无穷无尽的飘泊之中，看着大千世界里的一切来也匆匆去也匆匆吧，直到你体肤爆裂，鲜血飞溅！

座座峡谷连着座座高山，片片田野连着座座城市，块块平原连着条条大河。我们时而下坡，时而上坡，港口里那些密密的桅杆消失后，主教堂的那些塔尖也随之隐而不见。我们听着瀑布落在岩石上的巨响。大风在森林里的呼啸，冰川在阳光下的爆裂。我还看见过策马驰骋的阿拉伯骑士，坐轿出行的女人，筑在地上的圆屋顶，伸向云天的金字塔，沉睡着木乃伊的令人窒息的地下室，强盗在里面装子弹的狭窄掩体，隐伏着响尾蛇的灯心草丛，在大草原上狂奔的杂色斑马，用后蹄站立的袋鼠，在椰子树枝上摇来晃去的猴子，跃向猎物的老虎，虎口余生的羚羊……

往前走啊，往前走，渡过一望无际的海洋；蓝鲸和抹香鲸在水里正作着殊死搏斗。瞧，驶来了土著人的独木舟，它好像在水面上拍打着双翅的大海鸟；那些土著们，血污的头发垂在船首，肋边涂红，嘴唇裂开，脸上画得胡里花哨，鼻上穿环，嚎叫着唱着死亡之歌，他们的大弓拉着紧紧的，绿色的箭尖是有毒的，会叫中箭者在剧痛中身亡。他们的女人裸着身子，乳间手上都刺着花纹，正把柴堆架得高高的，准备用来烧烤丈夫们捕获的牺牲品。丈夫们曾经答应给她们吃白人的肉，那种肉真叫味美可口呢。

我将欲何往？大地茫茫，我将走尽条条道路，我将走遍天涯海角；但愿我在绕岬航行时淹死，在加尔各答身染霍乱，或在君士坦丁堡身染鼠疫，了百了！

如果我只是安达卢西亚①的一个骡夫，那该多好啊！整日在峡谷里奔走，看着瓜达尔吉维河奔流不息，河上有着一群小洲，洲洲长着夹竹桃；晚上，听着阳台下的吉他弹唱，看着一轮明月倒映在阿尔汉勃拉宫②的大理石水池里；那是从前苏丹后妃们入浴的地方。

　　我为什么不是威尼斯轻舟的船夫，为什么不是在春光明媚的日子里将你们从尼斯送到罗马的车夫啊！车辆络绎不绝，有那么多人前往罗马，有那么多人一直住在罗马。在那不勒斯做个乞丐也是其乐无穷的：躺在沙滩上，在温煦的阳光下，神闲意适地闭着双眼；或者抽着雪茄，看着维苏威火山的烟雾冉冉升往蓝天！他躺着的卵石床，他在那儿可能做着的各种美梦，都使我羡慕不已。永远瑰丽的大海，给他送来波涛的芳香，还有从卡普里③传来的遥远声息。

　　有时，我想象着自己到了西西里，栖身在一座小渔村里，那儿的船只上面都挂着三角帆。清晨，有位渔家姑娘坐在篓筐和摊开的渔网中间，她光着两脚，胸衣上有根金线，就像是希腊移民地的女人；她的两条黑辫子很长，一直拖到脚跟，她站起来，抖抖围裙；她走过来，她的腰身又健壮又柔软，就像古代仙女一样。要是我被这样的一个女人爱着，那是多么幸福啊！这个贫寒的渔家女大概没有什么文化，不会读书写字，不过当她带着西西里口音对我说"我爱你！留在这里吧！"的时候，那声音一定是非常甜蜜、极其温柔的。

---

　　① 安达卢西亚在西班牙南部，为著名产骡地。
　　② 阿尔汉勃拉宫为摩尔王的宫殿，园林很美，在西班牙的格林拉达。
　　③ 卡普里是第勒尼安海中的岛屿，在那不勒斯海湾。

手稿写到这里就结束了。不过我认识作者，因此，如果哪位读者读了前面那些充满隐喻、夸张和其他辞格的文字，一直读到这一页，并想知道后事如何的话，请他继续读下去吧，我们会把终局告诉他的。

　　情感事必须用少量文字来说明，要不然，这篇东西采用第一人称叙说的部分就可结束了。也许，手稿作者再没有什么可说的了；他到了人们不再写点什么却思绪万千的时期，而正是在这一时期他辍笔了；对读者来说，这真是扫兴的事！

　　我惊叹天意之不可违，当这篇东西可能变成更出色的作品时，它却要它就此打住；作者本应进入社会，将会有千种遭遇要说给我们听，但是事实却与此相反，他越来越孤独，过着杜门却扫的生活，那是什么遭遇也不会有的，也无须诉说的。因此，他认为最好是不再怨天怨地怨自己，证据也许就是，他实际上早已开始逆来顺受了。无论是在他的谈话中，无论是在他的书信中，还是在他的遗稿中——这篇东西就是我从他的遗稿中翻寻出来的——，我都没有找到片纸只字，能够反映他在辍写忏悔录之后的精神状态。

　　他生前最大的遗憾是没有成为画家，他曾经说过他头脑里有着许多精美绝伦的图画。没有成为音乐家，同样使他懊恼不已；春晨，他沿着白杨树大道漫步，脑海中便响起没完没了的交响曲。其实，绘画也好，音乐也好，他都一窍不通，我见到过他对画得酷似烘饼的东西赞不绝口，走出歌剧院时感到头痛。再花些时间，再有些耐心，再努力学点东西，特别是再提高些艺术造型的审美鉴赏力，他是能写出一些诗句来的；虽然这些诗句平淡无奇，但题在某位夫人的纪念册上还是挺不错的。不管人家如何评说，这点是风雅之举。

　　少年时代，他读了许多蹩脚作家的作品，这一点从他的文风便可看出来；进入老年时期，他厌倦那些东西了；可是杰出作家的作品却再不能唤起激情，如同少年读书时所产生的那种激情。

他深深爱着美的东西，丑陋的东西就像罪恶一样，使他反感。确实，一个丑鬼就像某种叫人难以忍受的东西，远看，他可怕，近看，他可厌。丑鬼说话，叫人痛苦；要是他哭，他的眼泪会叫你浑身难受；要是他笑，你真想痛揍他一顿；要是他不声不响，你又会觉得他那张木讷的脸好像是一切罪恶和卑贱本性的所在地。因此，他一眼望去就觉得讨厌的人，他永远都不会原谅；相反，有些人尽管从来没有和他说过几句话，但是他会对他们一片忠诚，因为他喜欢他们风流倜傥的举止，或者长得眉清目秀。

聚会、演出、舞会、音乐会，他全都敬而远之，因为一踏进这些公共场所，他便感到悲凉，感到寒心，连头发都觉得冷。要是有人碰撞了他一下，一种强烈的仇恨便会涌上心头；他对这人深恶痛绝，仿佛自己是一头狼，是一头猛兽，在洞穴中被人捕捉到似的。

他心里还十分自负，认为人们不爱他，是因为不了解他。

人民的不幸，公众的痛苦，不会使他怎样哀伤。我甚至可以说，他怜悯关在笼中拍着翅膀不能在晴空里自由飞翔的金丝雀，胜似怜悯奴役中的人民，他生来就是这样的。他顾忌得有些敏感，害羞得有些过分，譬如说，坐在糕点铺里，看见一个穷人瞧着他吃点心，他会面红耳赤起来；走出店门时，他会把手里的钱统统给那穷人，然后迅速走开。不过，大家都觉得他是个厚颜无耻的家伙，因为他说话毫无遮拦，人家暗地里想的事，他则高声说出来。

获得由情人供养着的女人的爱情（这种爱情是年轻人朝思

暮想的，因为他们没有能力供养这类女人），在他看来，是可耻的，这种爱情使他厌恶。他认为掏钱包的男人是主人，是老爷，是国王。他虽然贫穷，但他敬重的是财富，而不是财主。做一个由他人提供衣食住行的女人的情人，自己却分文不出，在他看来，就好像去偷别人地窖里的一瓶酒一样有趣。他还指出，当众吹嘘此种风流韵事，乃是那些无赖仆役和无耻小人的特性。

心里爱着一位有夫之妇，为了获得她，竟去与她的丈夫做朋友，亲亲热热地握着他的手，他说笑话时便大笑不已，他诸事不顺时便愁眉苦脸，供他差遣，与他读同一种报纸，总而言之，一天之内所表现出来的卑躬屈节和阿谀奉承，比十个苦役犯一生所行还要多。对于他的自尊心来说，这是极大的侮辱。虽然如此，他还是爱上了几位有夫之妇，有时事颇顺利话也投机，不过，当哪位漂亮的夫人开始向他频送秋波时，他就会突然反感起来，就像是五月里骤然而下的寒霜，冻坏了花朵盛开的杏树。

你们问我，他不会去找那些轻佻的年轻女工吗？不，不可能！他可不会为了去吻一张刚吃过奶酪的嘴，去握一只满是冻疮的手，而听任自己爬到屋顶室去。

至于去诱奸一个少女，他认为这比强奸她，罪要轻微些；但是，在他看来，使谁依附自己要比杀死这个人更加糟糕。他曾严肃地想过，生孩子比杀人更加糟糕，因为，杀人虽然夺去他的生命，但不是他全部的生命，而只是他二分之一，或四分之一，或百分之一的生命，你不去杀，这条生命也会结束的；但是生个孩子，他想，那就不一样了，生下来的这个人，自摇篮到坟墓所流的眼泪，难道都不该由你负责吗？没有你，他就不会来到世上，他生下来了，为什么他要生下来呢？是因为你要寻欢作乐,肯定不是让他幸福,是为了继承你的姓氏,一个愚蠢家伙的姓氏,是不是这样?那种姓氏还不如写在墙上,一个人承受那几个字母的重负,又何必呢?

他认为,一个人,依民法为据,上午娶个黄花闺女,晚间强行登上她的床,就如此这般地实施当局保护的合法强奸,其行为比禽兽都不如。在猴子、河马和蟾蜍那儿,可不是这样的。当它们雄雌两方都有了情欲,便开始求偶,结合,终至交尾,在这种时刻,雄的并不粗暴,横行淫欲,雌的也不会心惊胆战,感到讨厌。关于这一点,他有些长篇大论,所持观点和传统道德大相径庭;为节省篇幅起见,我们就不述说了。

他一点儿都不想娶妻,也不去找什么由人供养的女人、有夫之妇、轻佻的年轻女工或少女来做情妇,至于剩下的那些寡妇,他根本想都不想。究其原因,就是前面所述的那些道理。

轮到该选择职业时,他左思右想,踌躇不决。做个慈善家吧,他还不够诡计多端;软弱的天性又与医学格格不入;——至于经商,又不擅长算账,而且见到银行就心烦。尽管十分喜爱法律,可是他过于通情达理,不能认真地对待律师这门高贵的职业,况且,他对正义的理解和现行的法律又南辕北辙,相去甚远。他那种雅得过分的情趣,使他当不了艺术评论家,也许,他的诗人气质太重,使他不能在文学上有所建树。再说,这些也能算作"职业"吗?"人当有所作为,在社会上占有一席地位,游手好闲者人人都瞧不起,做人就该做有用之人,人就得工作。"人们经常苦口婆心地对他说着这些警句格言,他却难以理解。

既然在家乡事事不称心,处处不如意,于是,他便宣布将到巴黎去,攻读法律。村里有许多人都非常羡慕他,对他说他将会过得十分快乐,可以经常上咖啡馆,去戏院,上餐馆,看漂亮女人了。他由别人去讲，他只是一笑了之，但那微笑就如同人们想哭的时候一样。他曾经多次想永远离开他那间房间，他住在里面真是厌倦透了，他常常用肘部弄乱那张老式的桃花心木书桌上的东西，他十五岁时就在那上面写剧本了！可是，一旦要离开所有这些东西，他又有些舍不得了。也许，这些地方就是人们诅咒得最厉害，却又比别的什么地方都更使人们喜爱的场所，囚犯们不就是常常怀念着他们的牢房吗？这是因为，身系囹圄，还可怀有希望，而一旦出狱，连希望也都没有了。透过牢房的四壁，他们想着雏菊遍布、溪流纵横、麦穗金黄的田野，还有两旁绿树成阴的条条大路；——可是，恢复了自由，也就重陷于贫困，他们又见到生活的本来面目：贫穷不堪、艰辛困苦、充满污泥浊水、一片世态炎凉；田野也是一样，虽然还是那样美丽，可是他们想摘些果子解渴时，便有乡警来制止，他们想打点野味充饥时，便有林警来阻拦，想到处走走，便有宪警来干涉，因为他们没有通行证。

　　到了巴黎，他租了一间带家具的房间；那些家具原是为先前的房客们而置买的，也就让他们用旧了；他觉得自己好像居住在废墟里。白天他读书，听着街上传来沉浊的声音，看着雨点落在屋顶上。

　　放晴的日子，他常到卢森堡公园去走走，走在枯叶上，想起读中学时，也常常踏着枯叶散步；他那时没有想到，十年之后，他会来到这里走在落叶满径的小路上。有时，他就坐在长凳上，想着种种既温馨又令人忧伤的事情，看着黝黑幽冷的池水，随后，心情沉重地回去了。还有两三次，不知干什么才好，便走进正在举行宗教仪式的教堂，一心做着祈祷。要是他那些朋友见到他手浸在圣水器里和划着十字的样子，一定会大笑不止。

有天晚上，他在郊外踯躅，莫名其妙地发起火来，真想举起出鞘的利剑，和谁作一场殊死的厮杀；正在这时他听见教堂里响起歌声，还有管风琴的悠扬声不时地应和着，他便走进了教堂。门廊下，有个老婆子蹲在地上，摇着白铁杯里的几个小钱在请求施舍。人们进进出出，挂着帷幔的大门便一会儿开一会儿关；木屐的啪哒声，椅子在石板地上的挪动声，时时可闻；深处，唱诗班席灯火通明，圣体龛在烛光中闪亮，教士念着祈祷经文，吊在中殿顶上的灯在长绳上摇荡不停，穹顶的上部和底下两侧都隐没在暗处。雨水敲打着玻璃窗，使得窗上的铅丝网吱吱直响；琴声又起，歌声又起，好像那一天他在海边悬崖听到的波涛和鸟儿的和鸣声。这时，他想做一个教士，给死者诵经祷告，为的是身着苦衣，幸福地沉醉在上帝的慈爱里……突然，他心底涌起一种怜悯的冷笑，把帽子直拉到双耳，耸耸肩膀，离开了教堂。

　　他变得比任何时候都更忧伤，他觉得日子比任何时候都更悠长。他听见的从窗下传来的手摇风琴声摄走了他的灵魂，他觉得这种乐器声音极其凄惨悲切，叫人情不自禁地受到感染，他说那些音匣全都贮满了眼泪。或者，更确切地说，他什么都不说，由于他并没有装出是个麻木不仁的人、厌世者、看破红尘的人，甚至到头来，人们竟以为他变成了一个性格比较乐观的人呢。摇风琴的常常是一个贫穷的南方人，一个皮埃蒙泰人，或者一个热那亚人。这个人为什么要离开他的故乡，离开他那在收获季节挂满玉蜀黍的棚屋呢？他久久地看着那个摇手风琴的人，看着那人的方方的大脑袋，黑色的胡须，棕色的手；还有一只穿着红衣服，跳到那人肩膀上，做着鬼脸的小猴子。那人伸出帽子，他朝里面扔了几个小钱，看着那人离去，直到那人消失在他视线之外。

他住的地方对面正在造房子，已经造了三个月。他看着墙壁一层一层砌起，楼梯一级一级筑高，给窗户装玻璃，粉刷，油漆，最后关上扇扇大门。随后，搬来了人家，开始生活在里面；他有了邻居，他为此感到不快，他宁愿见到的是石块。

他常常去博物馆，观望着那些仿真人像，他们一动不动，永远年轻地生活在理想的境界里，以后的人们看他们的时候，他们将依然故我，他们看着从他们面前走过的人群，头不动，按在宝剑上的手也不动。当我们的孙辈入土为安之时，他们的眼睛依旧神采奕奕。他出神地凝视着这些古代的雕像，尤其是残缺不齐的雕像。

他遇到一件伤心事。有一天，在街上，有人与他擦肩而过，他自信认出了那个人，那个人也同他一样想法，于是，两人都停下来，返身走拢来。是他！他的老朋友，最要好的朋友，亲如兄弟，他俩肩并肩地上学去，进教室，去自修室，回宿舍；一同做功课，一同做罚做的作业；手挽手地在院子里，在别的什么地方散步；还曾经盟誓要共同生活，做"生死不渝的朋友"。他们先是相互握手，各自叫着对方的名字，然后一声不响，从头到脚地彼此打量着对方，觉得两人的模样都有了些改变，已经有点老了。在互相询问过所从事的职业后，他们一下子停住话头，不知再说些什么了。他们已经有六年没见面了，此时却找不出什么话来说。终了，光是彼此盯着对方瞧，也不是滋味，于是便相互道别了。

由于他干什么都觉得没有劲，因而他觉得时间是世上并不怎么值得珍惜的财富，他这种观点显然是和哲人们的见解背道而驰的。于是，他开始酗酒，吸鸦片，经常长卧终日，半醉不醒，处于一种介于麻木不仁和恶梦缠身之间的状态里。

有时，他恢复了活力，便突然一跃而起，像根弹簧似的。

亢奋时刻，他觉得工作着是美丽的，思想的光辉使他绽露微笑，一种智者那样宁静深沉的微笑。于是，他迅即投入工作，拟订种种宏伟的计划，他要用崭新的观点来重现某些时代，要把艺术和历史结合起来，要评论伟大的诗人和伟大的画家；为了实现这些宏伟的计划，就得学习各种语言，追溯古代，探究东方文明；他已经看到自己能读出铭文，能解释出方尖碑上神秘的符号了；过不了多久，便觉得自己是在发疯，便又浑浑噩噩无所事事地打发着日子。

他不再读书了，或者，只是读一些他觉得并不好、但那种平庸却能引起他某种快感的作品。夜里，他睡不着觉，躺在床上辗转翻侧，梦境不断，以致第二天早晨起来时，觉得比一夜未眠还要疲倦。

厌烦成了一种可怕的习惯性的东西，搅得他精疲力尽；他甚至觉得在随后而来的麻木状态还有着某种快感呢。他像那些自知大限将近的人们一样，不再打开窗户呼吸新鲜空气，不再洗手，就像穷人那样肮脏地过日子，一件衬衫要穿一个星期，不再剃胡子，不再梳头发。虽然天寒地冻，如果他早上出门，回来时双脚淋得透湿，他既不换鞋，也不生火，就一整天穿着那双湿鞋；要不然，就和衣倒在床上，竭力使自己能够入睡；他看着在天花板上爬行的苍蝇，抽着烟，看着从嘴里吐出来的蓝色小烟圈。

人们不难发觉他生活中没有什么目标，人生无目标，实在是一种不幸。但又有什么事情能使他恢复活力，焕发精神呢？爱情吗？他退避三舍；事业又使他嗤之以鼻；至于金钱，他倒是极想的，但是他懒得要命，再说，在他眼里，就是一百万，他也觉得不值得费力去得到它；生于钟鸣鼎食之家的人，才会过豪华奢侈的生活；而白手起家的人，几乎从来都不会挥金如土；他目空一切，就连王位也不想要。要是你们问我，他究竟要什么？我真的是一点都不知道，不过，我能肯定的是，他决不会日后去竞选议员，甚至他还会拒绝省长的职位，以及在盛典之日要穿的绣花礼服，挂在脖子上的十字勋章，军裤和马靴。他宁可读舍尼埃①的诗也不愿当部长，与其成为一世枭雄拿破仑，他更愿做个叱咤舞台的塔尔玛②。

这是个使人猜摸不透的人物，是个使人易于误解的人物，怎样形容都不过分。

从那些高山之巅看，大地和人从那儿所摆脱出来的一切，全都消失了。同样，有些痛苦也有顶峰，从那儿看，人是微不足道的，他什么也不在乎；当痛苦没能将你扼杀时，那么只有自杀才能使你从痛苦中解脱出来。他没有自杀，依然活着。

狂欢节来了，他一点儿也不去寻欢作乐。他总是不合时宜的，参加葬礼几乎使他心情愉快了，而去看戏却叫他心里难受；他总是想象着那是一群穿衣服的骷髅，戴着手套、袖套和插有羽饰的帽子，俯在包厢边沿，装腔作势地拿着望远镜相互照看着，彼此旁若无人地做媚眼，送秋波。在分枝吊灯的照耀下，他看见楼下正厅里有一群闪闪发光的白脑壳，它们彼此紧紧地挨在一起。他听见有些人奔下楼梯，笑语喧哗，拥着女人扬长而去。

青年时代的一件往事涌上心头，他想起了 X 地……有一天他曾经步行到那座村庄去；这件事，你们在他的手稿中已经

---

① 安德烈·舍尼埃（1762—1794），法国诗人。先投入革命运动，后因反对雅各宾派的恐怖统治，被绞死。

② 塔尔玛（1763—1826），法国悲剧演员，拿破仑最喜爱的男演员。擅于扮演历史人物，演来极为自然、逼真。

读到过了；他感到生命之灯正在慢慢熄灭下去，他想在死前再看看那地方。于是带了些钱，披上大衣，立即上路了。这一年，二月才开始，就是封斋的前四天，天气还是挺寒冷的，路上都结着冰，车辆疾驶而行。他坐在公共马车的前车厢里，怎么也睡不着，想到他正朝他欲重见的海洋驶去，兴奋得不得了；他看着马车夫手中的缰绳，被车顶的灯照得明晃晃的；那灯在空中荡来荡去，将灯光一闪一闪地照在冒着热气的马屁股上；天际纯净无云，繁星闪烁，宛如最为美丽的夏夜。

大约在上午十点钟时，他在Y地下了车……从那里，步行走到X地去……这一次他走得很快，再说，走得快一些也好暖和暖和身子。路边的沟渠里都结着冰，树木光秃秃的，仅留着红红的树枝梢，落叶被雨水淋湿，腐烂了，积成厚厚的一层，呈黑色或铁灰色，把树根都隐没了。没有太阳的天空，一片惨白。他发觉路标都倒了；自上次来过后，有个地方成了砍伐区。他加快脚步，急于早些到达目的地。地势终于开始下降；他走上一条熟悉的小路，穿过田野，不久，他就望见了远处的大海。他停了下来，听着大海惊涛拍岸的声音，和它在天边的低沉的隆隆声；冬日的冷风送来一阵咸味，他的心激动地跳了起来。

村口造了一幢新房子，有两三幢旧房子坍塌了。

船只全都出海去了，码头上空荡荡的，家家都闭门不出；屋沿边，檐槽下，都悬挂着长长的冰柱，孩子们把它们叫做"国王的大蜡烛"。杂货铺和客栈的招牌在铁杆上刺耳地响着。涨潮了，潮水呜咽着冲上卵石滩，像铁链的响声。

吃过午饭后，他才惊奇地发现自己并不饿，他走到沙滩上。风在呼啸，生长在沙丘上的细细的芦苇，嗖嗖直响，拼命地朝下弯曲着。泡沫从海岸边溅起，直奔沙滩，有时吹来一阵狂风，将它们抛向天空。

夜来了，或者，更确切地说，在这一年中最愁惨的日子里，先于夜晚之前的漫长的黄昏降临了；鹅毛大雪自天而降，落在海中的，顷刻即化，落在岸上的，久久不化，就像是大颗大颗的晶莹的泪珠。

他在一个地方，看见有条旧船一半埋在沙地里，它搁浅在那里也许有二十年了，里面长出了海草，珊瑚虫和贻贝依附在它发绿的甲板上；他喜欢上这条船了，他在它四周走了几圈，摸摸这里，拍拍那里，目光异样地看着它，就像我们在看尸体那样。

离此百步之外，在山凹里有块狭窄的空地，以前他常常坐在那里，在那里什么事也不干地坐上几个钟头，——他虽带着一本书，却并不开卷阅读，他独自待在那儿，朝天躺着，仰望着悬崖白壁之间的一线青天。他就是在那里编织生平最温馨的绮梦的，他就是在那里最清晰地听着海鸥的叫声的，让悬着的墨角藻将它们的发珠在他头上晃来晃去的，他就是在那里看着帆影消失在碧空里的；在那里，对他来说，阳光也比世界上其他任何地方都更温暖。

他走了过去，找到了那个地方；但是，已经有人拥有过那个地方了，因为，他无意之间用脚翻着地，竟发现了一个瓶底和一把小刀。肯定，有人在那里聚会过了，他们带了女人来到那里，吃喝玩乐。"哦，上帝，"他想道，"难道在这世界上，我们无比喜爱的地方，全都没有了？我们常常待在那里，为的是要它们永远都属于我们，直到我们撒手人寰，为的是除我们之外，任何人永远都不要发觉那些地方！"

于是，他又从细谷爬到山顶。以前，他常常把脚下的石头踢下谷底，甚至常常有意地用力把石块扔下去，为的是听听石头撞在石壁上的声音,以及与之相应的沉静回响。绝壁的平顶上,风吹得更猛了,他看见对面,深蓝色天空一角,月亮升起来了;在月亮的左下方,闪烁着一颗小星星。

他哭了,是因为冷呢,还是怆然而涕下?他心里非常苦闷,需要找个人倾诉一番。他走进一家小酒店,以前他曾在那里喝过几次啤酒。他要了一支雪茄,忍不住对那个侍候他的老太婆说道:"我终于到了这里。"那老太婆答道:"啊!不过,这不是好季节,老爷,这可不是好季节啊,"她把零钱找给他,就走开去了。

晚上,他还想出门走走。他躺在一个洞穴里,那是供猎人们打野鸭时用的。他看见月亮的影子刹那间在波涛上游动,在大海中浮沉,就像一条大蛇似的;稍后,天上的乌云又从四面八方聚拢起来,变得一片漆黑。在黑暗之中,看不见的波浪不停地摇荡着,一阵叠着一阵,像成百门大炮在爆鸣,一种节奏将这种巨响演变成可怕的旋律;而海岸在波涛的撞击下颤动不已,与咆哮着的涨潮的大海相和鸣。

他闪过一念,他是否该就此了结残生,没有人会发现他,也别指望会有人来救他,只要三分钟就可呜乎哀哉。可是,接着,在这种时刻通常出现的一种反命题又使得生命对他展露微笑,他觉得他在巴黎的生活很有魅力,前程万里,他又见到了他那间舒适的工作室,他还是可以在里面安安静静地度春秋的。然而,深渊的声音在呼唤着他,波涛像坟墓一样敞开着,等着他一跳进去就关闭,准备用它们流动的波状皱褶将他包裹起来……

他害怕起来,匆匆回到住所,整夜心惊胆战地听着呼啸的风声;他把炉火拨得旺旺的,烤着小腿取暖。

旅行结束了。回到家里,发现玻璃窗上满是冰霜,全都白了，壁炉里的火熄了，床上的衣服像他出门时扔在那里一样，没人动过，墨水瓶的墨水干了，四壁冰冷，渗着水。

  他想道："为什么不留在那里呢？"于是，他想起启程时愉快的心情，不免一阵心酸。

  转瞬之间，夏天来临。他并没有因为夏日莅临而变得愉快起来。他只是去了几次艺术桥，看看杜伊勒利宫的迎风摇曳的树木，看看染红天际的落日余晖，它像一阵光雨，洒落在星形广场的凯旋门下。

  去年十二月，他终于结束了人生旅程。不过，他是缓缓地、逐渐地离去的，他的任何器官都没有病变，只是精神日趋衰弱，就像抑郁而死的人一样；这对于饱经沧桑的人们来说，似乎是难以理解的，但在一篇小说中，出于对其神奇部分的爱好，是必须接受这种说法的。

  他担心自己没有完全断气，害怕还活着就下葬，因而叮嘱大家在将他埋葬时打开棺材看看；此外他坚决不许人家给他涂防腐香料保存他的尸体。

（一八四二年十月二十五日）

一颗简单的心

李健吾译

一

提起欧班太太的女仆全福,主教桥的太太们眼红了半个世纪。

她为了一年一百法郎的工资,下厨房,收拾房间,又缝,又洗,又烫,又会套马,又会喂家禽,又会炼牛油,对主妇忠心到底——而她①却不是一个心性随和的人。

她嫁了一个没有家业的美少年,他在一八〇九年初去世,给她留下两个很小的孩子和一屁股债。她只好卖掉她的不动产;除掉杜克的田庄和皆佛司的田庄没有卖,这两所田庄的进项每年顶多也就是五千法郎。她离开她在圣·麦南的房子,住到一所开销比较小的房子。房子是她的祖上的,在菜场后头。

这所房子,上面铺着青石瓦,一边是一条夹道,一边是一条通到河边的小巷。房子里头地面高低不平,走路一不当心,就会摔跤。一间狭窄的过堂隔开厨房和厅房。欧班太太整天待在这里,靠近窗户,坐在一张草编的大靠背椅子上。八张桃花心木椅子,一平排,贴着漆成白颜色的板壁。晴雨表底下,有

---

① "她"和下文的"她",全指欧班太太。

一架旧钢琴，上面放着匣子、硬纸盒子，堆得像金字塔似的。壁炉是黄颜色的大理石，路易十五①时代的式样，一边一张靠垫的小软椅，上面蒙着锦绣。当中是一只摆钟，模样活像一座维丝塔庙②。因为地板比花园低，整个房间有一点霉湿味道。

一上二楼，就是"太太"的卧室，非常高大，裱糊了一种浅淡颜色花朵的墙纸，挂着麝香公子③装束的"老爷"的画像。这间卧室连着一个较小的卧室，里头有两张不铺垫子的小人床。再过去就是客厅，一直关着，里面搁满了家具，家具全蒙着布。再靠后，有一个过道，通到一间书房；一张大乌木书桌，三面是书橱，书橱的架子上放着一些书和废纸。幸福年月和不存在了的奢华的遗物，什么钢笔啦、水彩风景画啦、欧庄的版画啦④，把两块垂直的雕版全给遮住了。三楼有一扇天窗，正对牧场，阳光进来，照亮全福的卧室。

全福怕错过弥撒，天一亮就起床，手脚不停，一直干到天黑。随后晚饭用过，碗碟搁好，大门关上，把劈柴埋在灰烬底下，手里拿着她的念珠，就在灶前睡着了。买东西讲价钱，谁也跟不上她，咬定牙根，就是不添钱。说到干净，亮光光的锅，把别人家的女仆活活气死。她要省俭，吃饭慢悠悠的，拿指头沾起桌子上的面包屑，——一块十二磅重的面包，专为她烤的，够二十天吃。

---

① 路易十五（1710—1774），是法国国王。
② 维丝塔，是古罗马的灶神，女性。庙在这里是圆亭式。
③ 麝香公子，是法国资产阶级革命时期的反动青年的服装，灰大衣，绿领带，紧裤腿，鞋和手杖包着铅皮，身上带麝香，拥护王室。
④ 欧庄，法国有名的版画世家，其中皆拉尔·欧庄（1640—1703）尤其有名。

她一年到头披一条印花布帕子，拿别针在背后别住，戴一顶遮没头发的帽子，穿一双灰袜子，系一条红裙子，袄外面加一条打褶子的长围裙，如同医院的女护士一样。

她的脸是瘦的，她的声音是尖的。她在二十五岁上，人家看成四十岁。她一上五十，就看不出年纪有多大了。她永远不出声，身子挺直，四肢的姿势有板有眼，好像一个木头人，以一种机械的方式动作。

二

她像别人一样，有过她的恋爱故事。

她父亲是一个泥水匠，从脚手架上跌下来摔死了。母亲过后也死了，姐妹们各走各的，一个佃农把她收留下来，小小年纪，就叫她在田野里放牛。她穿着破布烂条直打哆嗦，贴住地面喝池塘里的死水，平白无故就挨打，临了让撵走，冤枉她偷了三十苏①。她换了一家田庄，管理家禽，东家喜欢她，她的同伴却又妒忌她。

八月有一天晚上（她那时候十八岁），他们带她去参加考勒镇的晚会。提琴手刺耳的响声、树上的灯火、五颜六色的服装、花边、金十字架，还有一道蹦跳的那群人，马上就闹了她一个晕头转向，不知所以。她怯生生地闪在一旁，见一个有钱模样的年轻人，两个胳膊肘搭在一辆小车的辕木上吸着烟斗，走过来邀她跳舞。他请她喝苹果酒，喝咖啡，吃点心，送她一条绸帕子，自以为她猜出他的心思了，献殷勤送她回去。他在荞麦地头，愣头愣脑，把她翻倒了。她一害怕，叫唤起来。他

---

① 二十苏合一法郎。数目很小。

只得走开。

又一天黄昏，一辆装干草的大车，在去宝孟的大路上，慢悠悠地走着，她想赶到前头去，在从车轮旁边蹭过的时候，认出了吆车的就是代奥道尔。

他一副安适的模样，走到她跟前，说一定要宽恕他才好，因为"毛病出在酒喝多了"。

她不晓得怎样回答，直想逃开。

他掉转话头，谈起收成和乡里的名流，因为他父亲已经离开考勒镇，住到艾考田庄，所以他们如今成了邻居。她说了一句："啊！"他接下去就讲，家里盼他成家，其实他并不急，等到有了对胃口的女人再说。她低下了头。他于是问她，想不想嫁人。她带笑回答：不好寻人开心的。——"没有的话，我对你赌咒！"他拿左胳膊围住她的腰；她就这样由他搂着走路；他们放慢步子。风柔柔的，星星照耀着，老大一车干草在他们前面摇来摇去；四匹马悠着步子，扬起尘土，走着走着，不用吆喝，就朝右转。他又吻了她一回。她在夜色中跑开了。

下一个星期，代奥道尔约她幽会约到了。

他们在院子紧里，一堵墙后，孤零零一棵树底下相会。她不像小姐们那样不懂事——牲口早就教会了她；可是理智和从一而终的天性没有让她失身。她一抵抗，越发煽起了代奥道尔的爱火。他为了得到满足（或者也许不存坏心思）起见，提议娶她。她不就相信他的话。他立下天大的誓。

没有多久，他讲起一件不如意的事来：他父母去年给他买过一个替身①，可是说不定哪一天，就需要他入伍；他想起当

---

① 法国，特别在拿破仑帝国时代（书中年月），二十岁青年有应征军役的义务。有钱人家可以买一个穷人顶替。

兵就害怕。对于全福，这种怯懦成了一种钟情的证据；她加倍爱他。她夜晚偷偷出来，溜到幽会地点，代奥道尔说起话来，不是发愁，就是央求，直磨难她。

最后他讲，他要亲自去州长衙门打听一下消息，下一个星期天，十一点到半夜之间，他带消息来。

到了时候，她跑去会她的情人。

她见到的是他的一位朋友。

他告诉她：她不会再看见他了。代奥道尔为了逃避征役，已经娶了杜克一个很有钱的老寡妇勒胡塞太太。

她听了这话，万分难过，扑在地上，放声大哭，喊叫上帝，一个人在田野里哽噎到大天明。接着她回到田庄，说她不打算做下去了。到月底，她支了工钱，拿一条帕子包起她的全部小行李，来到主教桥。

她在客店前面，问一个戴寡妇帽子的太太，凑巧她就在找一个烧饭的。年轻女孩子没有什么本事，可是看样子肯学，又样样迁就，欧班太太临了道：

"好吧，我就用你！"

一刻钟后，全福住到她家来了。

这家人家，处处讲究"家风"，对"老爷"的悼念，又是时刻不忘，她起初战战兢兢，直怕做错事！保尔和维尔吉妮，一个七岁大，一个不到四岁，在她看来，像是贵重的东西做的，她像马一样背他们，只是欧班太太不许她随时亲他们，扫她的兴。不过她觉得自己很快活。环境安适，她不再忧愁了。

每逢星期四，总有亲友来玩包司东①。全福事先把牌和脚炉准备好。他们准八点钟到，敲十一点以前告退。

---

① 包司东，是四人玩的一种扑克牌。

每星期一早晨，住在林阴道树底下的杂货商，就地摊开他的破铜烂铁。接着镇上就人声喧闹，中间还夹杂着马嘶、羊咩、猪哼和车在街上吱吱嘎嘎走的响声。将近正午，赶集到了最热闹的时候，就见门槛上出现了一个高个子的老农夫，鸭舌帽歪在后头，钩鼻子，原来是皆佛司的佃户罗伯兰。不多光景，杜克的佃户李耶巴尔也来了，人又矮、又红、又胖，穿一件灰上身，皮裹腿带刺马距。

两个人全给女地主送来一些母鸡或者干酪。任凭他们花言巧语诡计多端，全福回回戳穿，不上他们的手，所以走的时候，他们对她敬服得不得了。

欧班太太接待格洛芒维耳侯爵，没有准定的日子。他是她的一位长辈，吃喝嫖赌败了家，住在法莱司他最后留下的一小块土地上。他总在用午饭的时候来，带了一条可怕的鬈毛狗，狗爪子弄脏了样样家具。他竭力摆出贵人的架式，甚至于每一次说起"先父"来，还举举帽子。可是习惯成自然，他照样一杯一杯给自己倒酒喝，说些不三不四的话。全福客客气气地把他推到外头："够数儿啦，格洛芒维耳老爷！下一回来吧！"她关上了大门。

她兴冲冲地给前公家律师布赖先生开门。一看见他的白领巾、他的秃头、他衬衫前面的皱纹、他宽大的棕色大衣、他弯胳膊捏鼻烟的姿势、他的全部形态，她就心慌意乱，像我们乍见到大人物一样。

他经管"太太"的产业，所以有好几小时和她待在"老爷"的书房。他总怕受牵连，万分尊敬官府，自命懂拉丁文。

为了用一种有趣的方式教导孩子，他送了他们一套地理知识图片，上面印着世界各种景象：几个头上插羽毛的吃人的野人、一只抢去一位小姐的猴子、几个沙漠地的拜都安人①、一条中了镖枪的鲸鱼等等。

保尔解释这些图片给全福听。这就是她的全部文学教育。

孩子们的教育由居尤担任,一个在镇公所办事的可怜虫,出名写一手好字,在他的靴子上磨他的小刀。

天气晴和的日子,全家一早就去皆佛司田庄。

院子在斜坡上,房子在正当中;往远里望,海像一个灰点子。

全福从篮子里取出一片一片冷肉,一家人就在靠近牛奶房的一间屋子用午饭。这是如今不在了的一所别墅的唯一残余的屋子。破烂的墙纸随风摆动。欧班太太回想当年,触目伤情,不由就低下了头;孩子们不敢再言语了。她说:"你们玩去吧!"他们就溜掉了。

保尔爬上仓房,捉小鸟,在池边打水漂,或者拿手杖敲大桶,像鼓一样响。

维尔吉妮喂兔子,跑过去采矢车菊,两条腿飞快,小绣花裤子露在外头。

秋季有一天黄昏,他们穿过草原回家。

上弦月照亮一部分天空,雾像纱一样,浮在杜克河弯弯曲曲的水面。牛躺在草地当中,安安静静,看这四个人走过。来到第三个牧场,有些牛站起来,后来就在他们前面,聚成一个圈子。全福说:"别害怕!"她哼着一种悼歌似的调子,轻轻摩挲着顶近的一条牛的脊梁。它转过身子,别的牛也学它转过身子。可是穿过下一个草原,平空起了一声惊人的牛叫。原来是一条公牛,给雾挡住了。它朝两个女人走过来。欧班太太拔脚

---

① 拜都安人是阿拉伯或非洲北部的游牧民族。

就跑。"不！不！别那么快！"不过她们还是放快步子，因为背后的粗鼻息越来越近。牛蹄子如同铁锤一样敲打牧场的青草，它奔腾起来了！全福扭回身，抓起两把土，朝它的眼睛丢过去。它低下头，摇摆犄角，狂蹦乱跳，怪声吼叫。欧班太太带了两个小孩子，跑到草原尽头，又急又怕，寻思怎样越过高堰子。全福总在公牛前面朝后退，不住手地拿泥丢它的眼睛，同时喊着："快呀！快呀！"

欧班太太推着维尔吉妮，紧跟着又推保尔，滑到沟底下，几次试着爬到坝上又跌了下去，后来总算鼓起勇气爬上去了。

公牛把全福逼到栅栏跟前，口沫溅着她的脸，再有一秒钟，就会顶穿她的肚子。她不迟不早，恰好从两根桩子当中钻出去；庞大的畜生，大吃一惊，站住了。

这事多年以来，成了主教桥的一种谈话资料。全福一点也不觉得这有什么好骄傲的，她连干下了什么英勇的事，也没有想到过。

维尔吉妮完全占住了她的心。因为自从这场惊恐以后，她就得了脑神经病，浦帕尔医生建议她到土镇洗海水浴。

那时候，到土镇洗海水浴的并不多。欧班太太四处打听，请教布赖，筹划一切，就像要出一趟远门一样①。

行李放在李耶巴尔的大车上，先一天走。第二天，他牵来两匹马，一匹有女鞍子，装着绒靠背；第二匹胯背上，放一件斗篷，卷成座椅式样。欧班太太骑在他后头。全福照管维尔吉妮，保尔跨上勒沙坡杜瓦先生的驴；驴是在小心照料的条件下借到的。

路坏极了，八公里路要走两小时。马陷在烂泥里头，一直

---

① 土镇离主教桥有十二公里。

陷到骸骨，拔出来要猛摇几下屁股，要不就是绊在车辙上，有时候又非跳不可。李耶巴尔的母马，走到一些地方，忽然停住不走。他耐着性子等它走；他说起沿路的地主，故事之外，还添上几句道德的感想。所以他们来到杜克乡镇中心，从围满旱金莲的窗户底下走过，他就耸肩膀道："这儿有一位勒胡塞太太，不挑年轻人嫁，反而……"全福没有听见下文；马走快了，驴奔着；大家走进一条小路，栅栏门开开，出来两个小孩子，他们就在门口粪池前面下了牲口。

李耶巴尔的妈妈看见女东家，做出种种欢喜的表示。她开出来的午饭有牛里脊、大肠、灌肠、炒子鸡、起沫的苹果酒、蜜饯糕、酒醉李子，还一边说着礼貌话，太太身子像是更好了、小姐变得越发"俏"啦、保尔少爷格外"壮"啦，还提起他们过世的祖父母，因为李耶巴尔一家人在他们家做过好几代，所以全都认识。田庄像他们一样，显出古老的意味。虫蛀了房椽，烟熏黑了墙，玻璃窗蒙了一层尘土，灰灰的。一张栎木榍架，放着形形色色的器皿：罐子、碟子、锡盘子、捕狼的机器、剪羊毛的大剪子；一个老大的灌肠器把孩子们逗笑了。三所院子没有一棵树不靠根长着蘑菇或者权桠中间长着一簇槲寄生的。风刮下好些槲寄生，又从半腰长起；累累的果实把枝子全压弯了。草铺的房顶，看上去像棕色的绒，厚薄不等，不怕最强烈的暴风。不过车房坍掉了。欧班太太说她会搁在心上的，接着就吩咐套牲口。

他们又走了半小时才到土镇。过艾考尔的时候，一小队人马下来；艾考尔是船的上空的一个悬崖。他们又走了三分钟，走到码头紧底，就进了大卫妈妈开的金羔客店的院子。

换空气和洗海水浴有效验，维尔吉妮从头几天起，就觉得自己不那么虚弱了。她没有游泳衣，穿着衬衫下水；女仆在一间供洗澡人用的海关小屋给她穿衣裳。

下午,他们骑驴,翻过黑石崖,到海格镇那边游玩。小路开头越上越高,两旁的地一个浅壑又一个浅壑,如同公园的草坪一样,接着就是一片高原,有牧场,有耕田,前后错落开了。路边的木莓丛里,冬青直挺挺立着;一棵高大的松树,或远或近,枝子横在蓝空里,桠杈一片。

他们几乎总在一块小草地上休息,左边是豆镇,右边是勒阿弗尔,前面是大海。阳光照耀,海像镜子一样光滑,而且那样平静,简直听不见潺湲的水声;几只麻雀躲在一旁啾唧;晴空万里,又把这一切罩在底下。欧班太太坐着做针线活;维尔吉妮在旁边编灯心草;全福采着香草的花朵;保尔嫌气闷,直要走开。

有时候,他们乘船,渡过杜克河,找寻贝壳。潮退的时候,留下一些海胆、石决明、水母;孩子们跑来跑去,要捉风带来的泡沫。波浪像在睡觉一样,沿着海滩,静静地落在沙上。海滩扩展开了,一望无际,只在陆地方面,沙丘为界,把它和跑马场似的马赖大草原分开。他们从这里回去,就见土镇紧靠坡下,一步一步渐渐大了起来;参差不齐的房屋,像笑盈盈的花,七歪八倒开满一片。

天气太热,他们待在屋里不出去。耀眼的太阳,从帘子的隙缝,射进一道一道亮光。村子里没有任何声响。外边人行道上没有一个人。四下里一片沉静,越发显得安宁。远处有船工的铁锤敲打船底,热风带来柏油气味。

主要的娱乐是看渔船回来。它们一过浮标,开始纡徐前进;帆降到桅杆的三分之二高;它们破浪前进,前帆膨胀胀的,好像一个气球,一直滑到港口中心,锚突然抛了下去。接着船就靠码头停住。水手隔着搪板,往外扔活鱼;一排大车等着装鱼;有些戴布帽子的女人,冲到前头拿筐子,搂抱她们的丈夫。

有一天,这中间有一个女人,走到全福跟前。没多久,全福欢天喜地走进院子:她找到了一位姐姐。接着就见勒鲁的老婆纳丝塔席·巴乃特出现了,胸前吊着一个吃奶的孩子,右手挽着一个,左边还有一个小水手,拳头顶住屁股,圆帽子扣住耳朵。

一刻钟过后,欧班太太就把她打发走了。

他们总在厨房附近或者散步期间遇见这一家人。丈夫并不露面。

全福对他们有了感情。她给他们买了一床被、几件衬衫、一只炉子;他们明明在揩她的油。欧班太太讨厌这种软心肠,而且也不喜欢那位外甥放肆——因为他你呀你呀地喊她的儿子;维尔吉妮又直咳嗽,季候不相宜了,她回到主教桥。

布赖先生指点她挑选中学校。康城的中学校据说最好。保尔到那边去了;他鼓起勇气告别:住到一个可有学伴的地方,他是满意的。

欧班太太容忍儿子远离,因为这是免不了的。维尔吉妮一天比一天不想念他。全福怀念他的吵闹,可是有一件事占住她的心:从圣诞节起,她天天带着小姑娘去学教理问答。

三

她先在门口跪一下,这才走进教堂,在两排椅子当中,打开欧班太太的凳子,坐下来,眼睛朝四周望。

男孩子在右,女孩子在左,坐满了唱经堂的椅子;教士站在经架一旁。后殿有一块花玻璃窗,画着圣灵和圣母,圣灵在圣母上面；另一块花玻璃窗，画的是圣婴耶稣，圣母跪在前面。圣体龛子背后，有圣·米迦勒① 降龙的木雕。

教士先讲一遍圣史的梗概。她恍惚看见乐园、洪水、巴别塔、烧毁的城市、灭亡的民族、推倒的偶像；她听到后来，眼花耳热，充满对天父的尊敬和对他的震怒的畏惧。过后她听见耶稣殉难，哭起来了。他疼小孩子，给众人吃，治好瞎子，而且心性谦和，愿意降生在穷人中间一个牲口棚的粪堆上，他们为什么还要把他钉死在十字架上啊？《福音》书上说起的那些家常事：播种、收获、压榨器②，全在她的生活里头，通过上帝，神圣化了。她因为爱圣羔，也就越发爱羔羊，由于圣灵的缘故，也就越发爱鸽子③。

她不大想象得出圣灵的形体；因为它不仅是鸟，而且还是火，有时候又是气息。晚上在沼泽周围飞翔的或许就是它的亮光，云飘来飘去或许就是由于它的哈气，钟抑扬动听或许就是由于它的声音。她坐在那里，万分虔诚，享受着四壁的清凉和教堂的安静。

至于教义，她丝毫不懂，就连尝试了解的心思也没有。堂长在讲，孩子们在背，她最后睡着了，直到大家要走，木头鞋打着石板地响，这才忽然惊醒过来。

她就这样靠着听，学会了教理内容，因为她小时候没有受过宗教教育；从这时起，维尔吉妮做什么，她学什么，学她吃斋，和她一起忏悔。圣体瞻仰节那一天，她们合献了一张圣

---

① 圣·米迦勒是上帝的天使长。
② 压榨器，酿酒用。
③ 参看《旧约·创世记》第二、第三、第六、第十一章以及《新约》，圣母即耶稣的母亲玛利亚。圣灵用鸽子象征。《约翰福音》第一章用"上帝的羔羊"称呼耶稣。

坛。

第一次圣体还没有领，她先忙坏了。她为了鞋、书、念珠、手套发急。她帮太太给维尔吉妮穿衣服，自己直打哆嗦!

弥撒进行的期间，她一直焦灼不安。布赖先生挡住她，唱经堂的一侧她看不见；不过正在对面，有一群小姑娘，面网拉得低低的，上头压着白花冠，看上去好像一片大雪；她老远就从更细的颈项和文静的姿态认出了心爱的女孩子。钟响了。头全低下来；一片肃静。风琴一响，唱经班就和群众唱起"上帝的羔羊"①；接着男孩子就排队走动；女孩子跟着也站了起来。她们两手合十，一步一步，走向灯火辉煌的圣坛，跪在第一级，一个挨一个，领受祭饼，然后按照原来的行列，回到她们的跪凳跟前。轮到维尔吉妮的时候，全福伸出身子看她，由于真心疼爱导致想象的缘故，觉得自己变成这孩子，长着她的小脸，穿着她的袍子，胸脯里面是她的心在跳。临到张嘴闭眼的时候，她险些晕了过去。

第二天一清早，她来到教堂更衣室，求堂长先生给她圣体。她虔诚地领受，但是感觉不出同样欢愉的味道。

欧班太太希望女儿成一个十全十美的人；居尤既然不能教她英文、音乐，她决定送她到翁福勒的虞徐林修道院②作寄宿生。

女孩子并不反对。全福直叹气，觉得太太心狠。过后她想，也许她的主妇对。这些事不是她能理解的。

终于有一天，门前停了一辆有顶篷的旧车；车上下来一位修女，她是接小姐来的。全福把行李放在顶篷上，叮咛车夫几

---

① 弥撒将完做祷告，第一句是"上帝的羔羊"。
② 法国女孩子受教育，旧时只有女修道院。

句,给车座①里头搁了六罐蜜饯,一打上下的梨和一把紫罗兰。

临到分手,维尔吉妮抱住母亲,大哭起来,母亲吻着她的额头,说了好几遍:"好啦!勇敢些!勇敢些!"脚凳朝上一翻,马车出发了。

欧班太太这时候支持不住,晕过去了;她的朋友:劳尔冒夫妇、勒沙坡杜瓦太太、"那些"洛赦弗叶小姐们、胡波维尔先生和布赖,夜晚全过来安慰她。

女儿不在,她起初很痛苦。不过她一星期收到女儿三封信,别的日子给她写回信,在花园散散步,看看书,时间也就这样消磨掉了。

全福早晨照例走进维尔吉妮的卧室,望望四墙,不再给她梳头,不再给她的小靴子系鞋带,不再帮她塞紧被窝,不再成天看她可爱的脸蛋儿,不再搀着她一块儿走出去;她觉得憋闷。她没有事干,试着织花边。手指又太笨,一来弄断了线;她什么也不在心,睡又睡不着,照她说的,"毁啦。"

为了"解闷"起见,她求太太许她接见她的外甥维克道尔。

他星期天做完弥撒来,脸庞红红的,光着胸膛,有一股从乡下带来的田野气味。她立刻给他摆好刀叉。他们面对面用午饭;她节省开支,自己尽量少吃,拚命塞饱他的肚子,吃到末了,他睡着了。晚课②钟声一响,她叫醒他,刷净他的裤子,帮他打好领带,然后扶住他的胳膊,走向教堂,像母亲一样得意。

---

① 车座仿佛一个长方盒子,盖子上面铺着车垫。
② 晚课,是基督教下午三点钟左右的祷告。

他的父母总吩咐他带点儿东西回去，一包土糖呐，肥皂呐，酒精呐，有时候连钱也要。他拿他的破烂衣裤给她缝补；她接受这种工作，高兴有一个机会叫他再来。

临到八月，他父亲带他跑码头去了。

这时候正放暑假。孩子们回来了，她有了安慰。可是保尔变任性了，维尔吉妮到了不能用"你"呼唤的年龄，这造成她们中间的拘束、障碍。

维克道尔前后去过莫尔列、敦刻尔克、布赖顿；他每次出门回来，都送她一件礼物。头一次是一个贝壳盒子；第二次是一只咖啡杯子；第三次是一个大点心人儿。他好看了，长短相宜，留了点儿髭，有一对爽朗的眼睛，后脑勺戴一顶小皮帽，像一个领港的。他娱乐她，为她讲一些夹杂着水手语言的故事。

有一天，星期一，一八一九年七月十四日（她忘不了这一天），维克道尔说，他受雇跑外洋，后天夜晚，搭翁福勒的邮船，去赶他的快帆船；三两天内，就要从勒阿弗尔启碇。他这一去，也许要去两年。

要好久不见面，全福难过了；于是星期三黄昏，太太用过晚饭，她换上木底鞋，一口气走完主教桥到翁福勒的四公里地，和他再话别一回。

她走到各各他① 前面，不朝左转，反而朝右走，在造船厂迷了路，只得倒回来，她问路的人劝她快走。她兜着装满船只的水坞走，碰来碰去是缆索，再走下去，地面低了，有几道光交在一起。她望见天空有几匹马，心想自己疯了。

---

① "各各他"，意为髑髅地，耶稣死难的地方。一般借用这一事件，在高岗上竖一个十字架，把高岗叫做"各各他"。

码头边还有马在嘶叫。它们是看见了海害怕。一架起重机把它们吊上来，坠到船里头。船上的乘客，在苹果酒桶、酪饼筐和谷子口袋中间挤来挤去；母鸡在啼，船长在骂人；一个小水手，胳膊肘靠着船头的锚桩，什么也不在心上。全福没有认出他来，直喊："维克道尔！"他仰起了头，她朝前冲，梯子忽然抽掉。

几个女人边唱边拉船。邮船出了港口。龙骨发出响声，沉重的波浪打着船头。帆掉转方向，什么人也望不见了；——月亮照耀，一个黑点子在银光闪闪的海上越来越淡，沉下去，不见了。

全福从各各他的近旁走过，想把她顶心疼的人交托上帝；她站着祷告了老半天，眼睛望着云彩，满脸的眼泪。城市睡眠了，海关上有几个人员走来走去；水从闸孔不住地往外流，声音像瀑布一样响。正敲两点钟。

天亮以前，会客室不会开的①。回去迟了，太太一定会不开心的；她虽然直想搂搂另一个孩子，还是不去了。她走到主教桥，客店的女仆们正好醒来。

那么，可怜的孩子要在海上颠簸好些月！他先前出门，她不害怕。去英吉利，去布列塔尼，人回得来的；可是亚美利加洲、殖民地、群岛②，全在偏僻地方、世界的另一头啊。

全福从这时候起，一心挂念她的外甥。有太阳的日子，她愁他渴；起了暴风雨，她怕雷劈了他。她听见风在烟囱吼，刮下瓦来，就看见这同一的狂风也在吹他，他站在一棵断桅的尖

---

① 指虞徐林修道院的会客室。修道院在翁福勒。全福想顺便看一下维尔吉妮。

② 群岛，指西印度群岛。

尖头，整个身子往后一倒，淹在一片泡沫底下；或者——想起地理知识图片——野蛮人吃掉他，猴子在树林捉住他，死在一个荒凉的海滩。可是她从不讲起她的挂虑。

欧班太太直在牵挂她的女儿。

善良的修女们觉得她感情重，过于脆弱。一点点刺激也受不了。必须停止钢琴不学。

她母亲要求修道院按时来信。有一天早晨，邮差没有来，她急了，在客厅来回走动，从她的大靠背椅踱到窗口。简直出人意外！四天了，没有消息！

全福希望她拿自己做榜样，把心放宽了，对她说：

"我，太太，半年没有得到消息！……"

"谁的消息？……"

女仆和颜悦色地回道：

"呵……我外甥的消息！"

"啊！你外甥！"欧班太太耸耸肩膀，又走动起来，意思好像是说："我不想他！……再说，管我什么事！一个小水手，一个叫化子，可漂亮呐！……不过我女儿……想想看！……"

全福受惯了气，恼起太太来了，过后也就忘记了。

为了女儿失掉理性，她觉得是常情。

两个孩子同等重要；她的心把他们联在一起，他们的命运应当一样才是。

药剂师告诉她：维克道尔的船到了哈瓦那。他在报上看到了这段新闻。

哈瓦那出雪茄，她想象人在这地方，除去抽烟，不干别的事，维克道尔裹在烟雾里面，在黑人当中走来走去。"万一有急事的话"，人能走陆地回来吗？那儿离主教桥有多远？她想晓得，就请教布赖先生去了。

他找出地图,开始解释纬度;他看见全福发呆,显出扬扬得意的学究的微笑。他最后在一个椭圆斑点的裂口,拿他的铅笔套,指着一个看不清的黑点子说:"这儿就是。"她把身子弯在地图上,看着这些着色的线网,眼睛看花了,什么道理也没有看出来;她有什么难处,布赖叫她说出来,她求他指出维克道尔住的房子。布赖举起胳膊,打喷嚏,哈哈大笑起来;他好笑她这样老实。全福不明白他为什么笑——她的理解力是那样有限,也许希望看到他外甥的画像哩!

半个月以后,李耶巴尔照常在赶集的时候走进厨房,递给她一封她姐夫写来的信。两个人谁也不识字,她央求她的主妇念给她听。

欧班太太正在计算一件编织东西的针数,拿活放在一旁,边拆信,边哆嗦,声音放低,眼色严重:

"是坏消息……他们告诉你,你外甥……"

他死了。信上没有说起别的话。

全福倒在一张椅子上,头靠板壁,眼皮闭住,马上眼皮变成红的。接着她就低下额头,搭下两只手,瞪着眼睛,停一时重复一回道:

"可怜的孩子!可怜的孩子!"

李耶巴尔望着她直叹气。欧班太太微微打颤。

她建议她到土镇看她姐姐去。

全福做了一个手势,表示她没有去的必要。

都不作声。李耶巴尔老头一想,还是走的好。

她这时候才说:

"他们才不拿这搁在心上,他们!"

她又垂下了头;她不时机械地拿起女红桌子上的长针。

有些女人走过门口,抬着一块板子,上面放着湿淋淋的衣服。

她从玻璃窗望见她们,想起要洗的衣服;衣服昨天泡下去的,今天该洗出来了;她走出房子。

她的搓板和水桶放在杜克河边。她把一堆衬衫扔在岸上,挽起袖子,拿起棒槌,打下去的有力的响声,附近花园也听见了。草原空落落的,风吹皱了河水;水底长着一些草,高高的,垂在水面,如同死人的头发在水里漂浮。她捺下痛苦,直到天黑,还很勇敢;但是走进她的屋子,她支不住了,扑到褥子上,脸埋在枕头里,两个拳头顶住太阳穴。

过了好久,她从维克道尔的船长本人那边,打听到他死的情形。他害黄热病①;医院放血放得太多了。四个医生同时治他,他马上就死了,为首的说:

"好!又死了一个!"

他父母一向苛待他。她也不高兴再见到他们。他们没有再来攀她,不是忘记,就是穷苦人的心硬吧。

维尔吉妮病下来了。

气闷、咳嗽、不断发烧、颧骨上有青纹,全都表示病症严重。浦帕尔先生建议住到普洛旺斯②。欧班太太决定照做,不是主教桥气候不好,立刻就把女儿接回家了。

她同一个出赁车辆的人讲定,每星期二送她到修道院去一趟。花园里面有一座高台子,人在这里望得见塞纳河。维尔吉妮扶着她的胳膊,踩着落下来的葡萄叶子,在这里散步。她眺望远处的帆和从唐卡尔镇的庄园到勒阿弗尔的灯塔的天边,有

---

① 墨西哥海湾当时流行一种传染病,病人全身发黄,呕吐,昏迷,很快就死了。

② 旧时法国南部一个省份。

时候太阳穿过云彩,照得她直眨眼睛。她们随后坐在花棚底下休息。母亲弄来一小坛玛拉嘎① 好酒,她想起会醉就笑了,喝两指高,不喝了。

她的元气恢复了。秋天平平安安地过去了。全福请欧班太太放心。但是有一天黄昏,她到邻近有事回来,看见门前停着浦帕尔先生的马车,他本人站在过堂。欧班太太在系帽带。

"拿我的脚炉、我的钱包、我的手套给我;快一点!"

维尔吉妮害肺炎;可能没有救。

医生说:"还有希望!"于是两个人冒着飘旋的雪花,上了马车。天快黑了。天气很冷。

全福奔进教堂,点起一支蜡烛。接着她就追马车,一小时以后赶上了,从后头轻轻跳上去,抓住两边的穗子,忽然又想起:"院门没有关,万一贼进来呢?"就跳下车来。

第二天,蒙蒙亮,她去探望医生。他回来又下了乡。她随后待在客店,以为会有生人捎信来的。最后,一清早,她上了黎孝来的邮车。

修道院在一条陡斜的小巷的紧底。上到半腰,她听见奇怪的响声、一种报丧的钟声。全福心想:"这是为别人敲的。"她拚命拍门环。

几分钟后,拖鞋踢踏踢踏地响了,门打开一半,出现了一位修女。

善良的修女显出沉痛的神情,说起"她方才过世"。就在同时,圣·莱奥纳教堂的钟声又响又快了。

全福上了三楼。

她从门口起,就望见维尔吉妮仰天躺着,手合在一起,口

---

① 玛拉嘎是西班牙南部的一个港口,葡萄酒很有名。

张开，头在一个朝着她的黑十字架下面向后仰着，两旁幔子一动不动，还不如她的脸白。欧班太太在床前，抱住床腿，抽抽噎噎，透不过气。院长站在右边。五斗橱上放着三只蜡烛台，滴下来一些红点子；雾漂白了窗户。几位修女搀走欧班太太。

一连两夜，全福没有离开死人。她重复着同一的祷告，拿圣水洒在单子上，回到原处坐下，细端详她。守到第一夜临了，她看出死人脸色变黄，嘴唇变蓝，鼻子抽缩，眼睛下陷。她吻死人眼睛吻了好几回；万一维尔吉妮睁开眼睛的话，她也决不会大吃一惊；对她这种人，怪异的事也很平常。她给她梳洗好，换上寿衣，放进棺材，戴上一顶花冠，把她的头发散开了。头发是金黄色，在她这种年龄，要算很长了。全福剪下一大绺来，一半放在自己的胸脯前头，立定主意，永不相离。

依照欧班太太的意思，尸首运回主教桥，她乘了一辆关严的马车，跟在柩车后面。

做完弥撒，还要走三刻钟，才到公墓。保尔领头走，呜咽着。布赖先生跟在后头，接着就是重要的居民、披着黑纱的妇女和全福。她想到她的外甥，因为不能举行这种殡礼，分外悲伤，如同埋这一个，同时把另一个也埋了一样。

欧班太太悲痛到了极点。

开头她埋怨上帝，觉得他不公道，不该夺去了她的女儿——她从来没有做过坏事，一直良心安宁！不对！她早该带她去南方才是。旁的医生会救活她的！她怪自己不好，愿意跟她走，梦中一来就哭醒。有一个梦，她特别入迷。她丈夫出远门回来，水手打扮，哭着对她讲：他奉命要带维尔吉妮走。他们于是商量妥当，寻找一个躲藏的地方。

有一回，她丢魂失魄，从花园回来。方才（她指出地点）在她面前，父女肩靠肩出现，什么也不做，只是望她。

好几个月,她待在房间发愣。全福和颜悦色地开导她,她应当看在儿子份上,保重身体,而且要想到另一位①,思念"她"。

"她?"欧班太太回答着,好像才醒过来一样,"啊!是的!……是的!……你没有忘记!"她指公墓说,因为她是绝对不许去公墓的。

全福天天去。

一到四点整,她绕过几家人家,走到坡上,推开栅栏门,来到维尔吉妮的坟前。坟是一根玫瑰色的大理石小柱,底下一块青石板,四周是链子圈起来的一个小花园。一片花卉,畦界都分不出来了。她给叶子浇水,换上新沙,跪在地上翻土。欧班太太到了能来的时候,感到一阵轻松,像是得到了安慰。

随后许多年过去,一模一样,没有再出事,除非是节日去了又来:耶稣复活瞻礼、圣母升天瞻礼、诸圣瞻礼。家里有些事,过后想起,也成了重大事件。例如一八二五年,两个镶玻璃的工人粉刷过堂;一八二七年,屋顶有一部分掉在院里,险些砸死人。一八二八年夏天,轮到太太献弥撒用的面包;布赖临近这时期,不知道捣什么鬼,人不见了;旧日亲友:居尤、李耶巴尔、勒沙坡杜瓦太太、罗柏兰、早已瘫了的长辈格洛芒维耳,都日渐疏远了。

有一天夜晚,邮车的车夫在主教桥讲起七月革命。不几天,派来了一位新县长:前任亚美利加洲的领事拉尔扫尼耶男爵。他家里除去太太,还有他的大姨和三位已经相当大了的小姐。大家望见她们穿着宽适的长背心,在她们的草地散步;她们有一个黑奴和一只鹦鹉。她们拜望欧班太太,全福远远望

---

① 指欧班先生。

见，就跑去通知欧班太太。欧班太太紧跟着回拜她们。不过只有一件事能感动她，就是她儿子来信。

他沉湎在咖啡馆，一事无成。她替他还完旧债，他又有了新债。欧班太太在窗户旁边编织东西，叹气的声音，全福在厨房也听见了。

她的小东西统统放在有两张床的卧室的壁橱里。欧班太太平时尽可能减少查看的次数。夏季有一天，她决定去看一趟；橱里飞出好些蛾子。

她的袍子一平排挂在一块木板底下，木板上放着三个图图、几个圈圈、一副小家具、她用的洗脸盆。她们也把裙子、袜子、帕子取出来，在两张床上摊开了，晾晾再叠起来。太阳照着这些可怜的东西，显出上面的油渍和身体动来动去动出来的褶子。蓝蓝的天，空气暖暖和和，一只喜鹊在叫唤，似乎一切悠然自得，异常恬适。她们找到一顶栗子颜色的长毛小绒帽，不过整个让虫蛀掉了。全福求主妇赏给她。她们含着一包眼泪，你看我，我看你，最后主妇张开胳膊，女仆扑过去，搂得紧紧的，在一个不分上下的吻里，满足她们的痛苦。

有生以来，她们这还是第一次吻抱，因为欧班太太不是一种喜怒见于外的性格。全福感激她，就像得到恩赏一样，从此以后，她疼她，具有牲畜的忠诚和宗教的尊敬。

她越发心善了。

她听见街上过兵的铜鼓声，来到门前，捧着一坛苹果酒，请兵士喝。她照料霍乱病人①。她保护波兰人②；甚至于有一

---

① 1832年，法国发生霍乱，死了许多人。
② 波兰爱国志士反抗沙皇统治，在1830年举义，第二年失败，大多数逃到法国。

个波兰人讲，愿意娶她。不过两个人吵了嘴；因为有一天早晨，她做完礼拜回来，发现他溜进厨房，端起一盘拌好的菜，安安静静地吃着。

波兰人以后，就是考耳米赦老爹，一个据说在一七九三年① 干过恶事的老头子。他住在河边一个破猪圈里。孩子们从墙缝张望他，朝他扔石子，掉在他的破床上；他躺在上面，害重感冒，老在咳嗽，身子不停地抽动，头发很长，眼皮发炎，胳膊上长着一个比他的头还大的瘤子。她给他找了些布，试着打扫干净他的脏窝，还打算把他安插在烤面包的地方，只要他不给太太添麻烦。癌肿破了以后，她天天帮他包扎，有时候带饼给他吃，把他放在太阳地的草堆上；可怜的老头子，流着涎水，哆哆嗦嗦，发出微弱的声音谢她，直怕丢掉她，看见她走，就伸长了手。他死了；她为他的灵魂安息，做了一回弥撒。

她当天交了一个大好运：吃午饭的时候，拉尔扫尼耶太太的黑奴来了，拿着装在笼子里的鹦鹉，还有木架、链子和锁，男爵夫人有一个纸条给欧班太太，说她丈夫升了省长，黄昏动身，请她收下这只鸟儿，作为一个纪念和表示敬意的凭证。

全福许久以来，就在盘算它了，因为它是从亚美利加洲来的，这地名让她想起维克道尔，所以她常常在黑奴跟前问起它。有一次她甚至于说："太太得到它，会开心的！"

黑奴又把这话说给他的主妇听，反正她不能带走，倒不如顺水人情把它丢了。

---

① 1793 年是法国资产阶级革命时期。

四

它叫琭琭。身子是绿颜色，翅膀的尖尖是玫瑰红，蓝额头，金脖子。

不过它有一种讨厌的怪癖：咬它的木架、拔它的羽毛、抛它的粪、泼它的杯子里的水；欧班太太嫌烦，把它永远给了全福。

她用心教它；不久它就重复着："乖孩子！先生，您好！玛丽，我向你致敬！"它挂在大门一旁，有些人奇怪叫它雅考不见答应，因为鹦鹉全叫雅考。大家把它说成一只火鸡、一根木头：一刀子一刀子刺全福的心！琭琭也出奇的固执，有人看它，就不言语了。

可是它喜欢人多；因为一到星期天，"那些"洛赦佛叶小姐、胡波维耳先生和带来的新客人、药剂师翁弗洛瓦、法奕先生和马修队长，正斗牌的时候，它就拿翅膀打玻璃窗，乱飞乱跳，闹得谁也听不见谁讲话。

不用说，它觉得布赖的脸很可笑。它一看见他，就笑开了，拚命大笑。笑声一直传到门外院子，回声重复笑声，把邻居引到窗口，也笑起来了。布赖先生不要鹦鹉看见自己，拿帽子遮住侧脸，贴墙溜到河边，再从花园内进来；他投向鸟儿的视线缺乏好感。

琭琭擅自把头探到肉铺伙计的篮子里头，他弹了它一下；从这时候起，它总试着隔开他的衬衫啄他。法布吓唬它，要扭断它的脖子，其实他并不残忍，别看他胳膊上画着花纹，长着一脸络腮胡须。正相反，他倒喜欢鹦鹉，甚至于兴致勃勃，愿意教它说脏话。全福怕他胡闹，把它搁到厨房。链子去掉，它兜着房子飞。

下楼的时候,它用上嘴钩子顶住梯级,举起右爪,再举左爪;她直怕这种运动把它弄晕了。果不其然,它病了。它不能说话,也不能吃东西。原来是它的舌头底下起了一层厚苔,母鸡有时候就得这种病。她拿指甲剥掉这层薄膜,治好了它。有一天,保尔少爷不小心,把雪茄烟喷进它的鼻孔;又有一次,劳尔冒太太拿伞尖儿逗它,它一口就把铁箍噙下来;最后,它不见了。

先是她要它吸吸新鲜空气,放在草地上,走开了一会儿;她回来一看,鹦鹉不见了!起初她在灌木丛、河边、房顶上找,主妇对她喊:"留神呀,你疯啦!"她也不听她劝。接着她就查访主教桥所有的花园;她拦住行人问:"你有没有,什么时候,凑巧看见我的鹦鹉?"有些人不认识鹦鹉,她就对他们形容一番。忽然她相信,在山坡底下磨坊后头,瞥见一个东西飞。可是上到山顶,什么也没有!有一个商贩告诉她,他方才在圣·墨南遇到它,在西蒙妈妈的铺子。她跑过去。她想说的话,人家听不懂。她最后回来了,累得要命,鞋磨穿了,心里什么希望也没有了;她坐在凳子当中,靠近太太,述说她的全部经过,就见一只不怎么重的东西,轻轻落在她的肩上,原来是球球!它干什么去了?或许在邻近散步来着!

她没有能一下子复原,或者不如说,永远没有复原。

她由于着凉,喉咙发炎;没有多久,耳朵有了毛病。再过三年,她聋了;她说话的声音很高,甚至于在教堂也这样高。她的罪过散到教区每一个角落;对她虽然没有什么不体面,对别人也没有什么不方便,堂长先生以为听她忏悔,还是改到更衣室,比较相宜。

想象的声音把她折磨坏了。主妇常对她说:"我的上帝!

看你多蠢！"她答道："是啊，太太。"一边在周围寻找东西。

她的观念世界本来就小，现在越发缩小了。钟的铿锵、牛的哞鸣，都不存在了。生物全像鬼一样，静悄悄地行动。如今只有一个响声听得见，就是鹦鹉的声音。

它像是帮她解闷吧，学机器转烤肉铁扦子的滴答声、鱼贩尖锐的叫声、住在对面的木匠的拉锯声；它听见门铃响，就学欧班太太喊："全福！大门！大门！"

他们有话谈，它拚命卖弄它那烂熟的三句话，而她，回答一些无头无尾的字句，可是有真感情。在她索居独处的生涯里，它差不多成了一个儿子、一个情人。它爬她的手指，咬她的嘴唇，抓她的肩巾；她一额头朝前，像奶妈那样摇头，帽子的大耳朵和鸟翅膀就一道颤动起来。

云一聚，雷一响，它就叫唤，也许是记起家乡森林的暴雨了吧。看见水流，它就欢狂了，疯了一样飞上天花板，把东西全撞翻，从窗户飞到花园里头去淋雨；不过它很快就回来了，歇在灶堂上，一跳一蹦，抖干羽毛，一会儿露出尾巴，一会儿露出嘴。

一八三七年可怕的冬季，她看天空，把它放在壁炉前面，有一天早晨，她发现它死了，在笼子当中，头朝下，爪子在铁丝的空档。想必是充血死的吧？她相信它中了芹菜毒①；虽然缺乏证据，她疑心是法布干的。

她哭得好不伤心，主妇对她道："好啦，做成标本不就得了！"

她请教药剂师，他一向待鹦鹉好。

他写信到勒阿弗尔。有一个叫佛拉丽的，承受这种活儿。

---

① 俗传芹菜能毒死鹦鹉。

不过公共汽车往往遗失包裹,她决定亲自把它送到翁福勒。

沿路接连不断是没有叶子的苹果树。沟里结着冰。狗在田庄边沿吠着;她拿手缩在小斗篷底下,踏着她的小黑木头鞋,挎着她的篮子,在石路当中快步走着。

她穿过森林,走过高栎树,来到圣·嘎母。

她后面起了一阵尘土,就见一辆邮车飓风也似的从坡上驰了下来。车夫看见这女人不让路,站直了,身子露在车篷外,车僮也在喊叫①,同时他管制不住的四匹马快跑着。头两匹从她旁边蹿过去;他摇起缰绳,死命把马揪到大路一旁的便道;可是他气极了,举起胳膊,抡起他的大鞭子,从她的肚子一直抽到她的后颈,她仰天倒下了。

她醒过来,头一个动作是打开她的篮子。总算好,球球没有受伤。她觉得右脸烧痛,两只手一摸,手变成红的。血直流。

她坐在一堆石子上,拿帕子包住脸,然后取出篮子里预先搁好的干面包,咬一口,看着鸟儿,也就忘记她受伤了。

她走到艾克莫镇的坡头,望见翁福勒的灯火,像一群星星在夜里闪烁;再往远去,海就隐隐约约展开了。于是她不由一阵伤心,收住了脚;儿时贫苦、初恋落空、外甥离开、维尔吉妮死去,好像一片潮水,同时卷来,涌到咽喉,噎住了她。

她随后希望和船长说话;她叮咛他小心,不过没有说明托他带去的是什么东西。

佛拉丽许久没有寄出鹦鹉。他总答应下星期寄出;过了半年,他通知寄出一只箱子,再也没有下文了。球球简直就像永远不会回来了。她想:"他们许是把它偷去了!"

---

① 邮车的车僮骑着头两匹马中间的一匹。

它终于来了,——神气得很;红木座子嵌着一个树枝子,直挺挺立在上头,一个爪子在半空,侧着头,咬一颗核桃,做标本的爱装潢,还给核桃镀了金。

她把它藏在她的屋里。

这地方她很少放人进来过,里面塞满宗教物品和古怪东西,像一座小礼拜堂,也像一家百货公司。

一个大橱立在门旁,妨碍开门。延伸到花园上空的窗户的对面,有一个朝院子开的小圆窗。帆布床旁边是一张桌子,上面放着一个水罐、两把箆梳、一个缺口碟子,碟子里头放着一小块蓝胰子。沿墙摆着一些念珠、徽章、几尊圣母像、一个椰子做的圣水杯;五斗橱上,像圣坛一样盖着单子,上面放着维克道尔送她的贝壳盒子;此外还有一把喷壶、一个皮球、几本练习簿、地理知识图片、一双小女靴子;挂镜子的钉子上,挂着帽带子。那顶小绒帽!全福毕恭毕敬到了这种地步,连"老爷"一件礼服,她也保存着,欧班太太不要的老古董,她全收到自己的屋子里。这就是为什么五斗橱靠边放着纸花,天窗紧里挂着达尔杜瓦伯爵的画像①。

琭琭用一块小木板架住,放在屋里凸出的壁炉上。她每天早晨醒来,靠黎明的亮光望见它,她于是想起过去的年月、无足轻重的动作,一直想到它们的细微末节,不但不痛苦,反而充满平静。

她不和任何人往来,日子过得懵懵懂懂的,活像一个梦游人。圣体瞻礼节游行,她兴奋起来,到四邻妇女家求了一些蜡烛和草垫,装扮搭在街心的圣坛。

---

① 达尔杜瓦伯爵,法国复辟时期的国王,1830年7月革命爆发,亡命国外。

她在教堂总望着圣灵,注意到它和鹦鹉有些地方相似。有一张厄比纳尔①的圣像,画着救主领洗,上面的圣灵她觉得特别像它。绯红翅膀和绿玉似的身子,活脱脱就是琭琭的写照。

她买过来,挂在原来挂达尔杜瓦伯爵的地方——她正好一眼把它们看到。它们在她思想里面连结起来,由于和圣灵这种联系,鹦鹉神圣化了,同时在她看来,也就变得更生动、更容易理解了。天父显示自己,不会挑一个鸽子的,因为这类飞禽没有声音,倒是挑琭琭的一个祖先可靠。所以全福望着圣像祷告,可是身子不时斜过一点来对着鹦鹉。

教堂组织圣母的侍女队,她直想加入。欧班太太劝住了她。

来了一件大事:保尔结婚。

他起先给公证人当书记,后来经商,在关卡服务,在税局做事,甚至于活动水利和森林的差事,忽然临到三十六岁,不知道天上刮来一阵什么风,他发现他的出路了:登记处!他在这里显出很大的才干,有一位检查官居然把女儿许给他,答应栽培他。

保尔变严肃了,带她来见母亲。

她指摘主教桥的风俗习惯,摆少奶奶架子,作践全福。她走的时候,欧班太太觉得轻松。

接着下星期,传来布赖先生死在下·布列塔尼一家客店的消息。自杀的谣言证实了;人对他的正直起了疑心。欧班太太复查她的账簿,很快就看出他连串的弊端:挪用利息、私卖木材、滥用收据等等。而且他有一个私生子,"和道需赖一个女

---

① 厄比纳尔是法国东部孚日省的省会,以基督教版画出名。

人有来往"。

她很为这些事难过。一八五三年三月,她觉得胸口疼,舌头像是有烟罩着,放血也减轻不了气闷;第九天黄昏,她咽了气,正好七十二岁。

人以为她没有年老,由于头发还是棕色的缘故;头发从鬓角下来,兜着她苍白的细麻子脸。很少朋友惋惜她,她拘礼的作风近乎拒人于千里之外的傲慢。

全福不像普通仆人哭主人那样哭她。"太太"会死在她前头,她怎么也想不通,觉得这违反事物的程序,不能接受,简直荒唐。

十天以后(从贝藏松赶来需要的时间),继承的人们突然来了。少奶奶翻抽屉,挑家具,卖掉多余的家具,随后他们又回登记处去了。

"太太"的沙发椅、她的独腿圆桌、她的脚炉、八张椅子,全运走了!板壁上的画幅也摘掉了,留下一些黄颜色的方空档。他们带走两张小床和床垫,壁橱里头维尔吉妮的东西统统不见了!全福走上楼,满脸的忧郁。

第二天,门上多了一张招贴;药剂师冲她的耳朵嚷嚷:出卖房子。

她站不住脚,一屁股坐了下来。

她顶难过的是放弃她的屋子——对可怜的球球是那样方便,她哀求圣灵,焦灼的视线围着它,而且养成崇拜偶像的习惯,跪到鹦鹉前面祷告。太阳有时候从天窗下来,照到它的玻璃眼睛,反射出一道明晃晃的亮光,她入神了。

她一年有三百八十法郎收入,是主妇留给她的。花园供她青菜。至于衣服,足够穿戴到她末一天,而且节省灯火,天一黑,她就睡了。

她不出门，免得看见旧货铺子那边，摆着几件旧家具。自从她摔晕过去以来，她就拖着一条腿走路；她的气力衰了；开杂货铺开穷了的西蒙妈妈，天天早晨来帮她斫柴打水。

她的眼睛不中用了。百叶窗不再打开。许多年过去了。房子租不出去，也卖不掉。

全福怕人家撵她，决不要求修理。屋顶的板条烂了；一整冬天，她的长枕头都是湿的。复活节后，她吐血。

西蒙妈妈于是请了一位医生。全福想知道她害什么病。不过耳朵太聋，她听不见，只抓住两个字："肺炎"。她晓得这个，和颜悦色地答道："啊！跟太太一样。"她觉得和太太一样是很自然的。

搭圣坛的日子近了。

第一座总在山坡底下，第二座在邮局前面，第三座在街中心。关于末一座的地点，大家起了争端；最后，教区妇女选定欧班太太房前的院子。

气闷和体温增加了。全福没有为圣坛做一点点事，觉得难过。起码她能放点儿东西上去也好！她于是想到鹦鹉。邻居妇女反对，说这不相宜。可是堂长答应了；她非常快活，请他收下她唯一的财宝琭琭，万一她死了的话。

从星期二到星期六，圣体瞻仰节的前一天，她咳嗽的回数越发多了。临到黄昏，脸绷紧，嘴唇粘在牙床上，她作呕了；第二天，一清早，她觉得险恶，托人请来一位教士。

抹圣油的时候，三个善良的妇女围着她。她随后说，她需要和法布谈谈。

他穿着星期天的好衣服来了，在这阴惨惨的空气中间，很不舒服。

她用力伸出胳膊，说："原谅我吧，我先前直以为是你把它害死的！"

什么意思，说这种废话？疑心他杀过人，像他这样一个男人！他动气了，要吵闹。

"她头脑不清楚，你看得出来。"

全福不时在同影子说话。善良的妇女走了。西蒙妈妈吃着午饭。

停了一会儿工夫，她拿起球球，送到全福面前。

"好啦！和它告别吧！"

虽然不是尸首，也虫蛀了；一个翅膀断掉，麻絮从肚里散了出来。不过她如今眼睛瞎了，看不见。她吻它的额头，脸贴着它贴了许久。西蒙妈妈要把它放到圣坛上，就又拿开了。

五

草原送来夏天的气味；苍蝇嗡嗡在飞；太阳照亮河水，晒暖房顶的青石瓦。西蒙妈妈回到屋里，不久也就睡着了。

钟声吵醒了她；人们做完晚课朝外走。全福的昏迷好些了。她想到游行，好像她跟在后头一样，看见了游行。

全体学童、唱经班和消防队，走在人行道上，同时领头在街心前行的，有握着斧钺的教堂守卫、捧着一个大十字架的教堂执事、管理男孩子们的教师、不放心小姑娘们的修女；三个最可爱的小女孩子，天仙一般，头发鬈着，往空里散玫瑰花瓣；助祭教士张开胳膊，为音乐打拍子；两个管香炉的，走一步，向圣体一回身，同时堂长先生，披着华丽的祭被，在四个财务员的一顶鲜红绒盖底下，捧着圣体。在白布盖着的房墙之间有一大群人，熙熙攘攘，跟在后头；他们来到山坡底下。

全福的太阳穴直冒冷汗。西蒙妈妈拿一块布给她揩汗，自言自语,说她一定也会有这一天的。

群众的呢喃变大了,有一时很响,随后又远了。

一阵枪声震动窗户玻璃。原来是车僮在向圣龛致敬。全福转动瞳孔,拚命提高声音说:"它好吗?"她在担心鹦鹉。

她开始咽气。气越喘越急,两胁一上一下地掀动。嘴角起泡沫,浑身打颤。

没有多久,就听见铜喇叭呜嘟嘟的响声、儿童嘹亮的声音、男子低沉的声音。有时候一切寂静,脚踩着花,声音发闷,好像一群牛羊在草地上走。

教堂人员在院子里出现了。西蒙妈妈爬上一张椅子,凑近小圆窗,望出去就是圣坛。

祭桌挂着绿花环,周围镶着一道英吉利针织的边饰,当中一个小架子,托着一些先圣的遗物,桌角有两棵橘子树,四周全是银蜡烛台、瓷花瓶;花瓶插着葵花、百合、牡丹、毛地黄、小簇八仙花。这堆绚丽的色彩,从高处第一级朝下,斜着铺向伸到石路的毯子上。有几样罕见的东西引人注意:一个戴着一顶紫罗兰花冠的镀银糖罐,在青苔上闪烁的阿朗松的玉耳坠子,露出风景的两扇张开的中国屏风。琭琭藏在玫瑰花底下,只有它的蓝额头露出来,仿佛一枚青玉片子。

财务员、唱经班、儿童,全在院子三面排好。教士慢条斯理地走上台阶,把他的光芒四射的大金太阳① 放在花边上。人全跪下。一片沉静。香炉随着链子的摆动,摇过来摇过去。

一道青烟上来,进了全福的屋子。她伸出鼻孔吸着,有一种神秘的快感;她随后闭住眼皮,微笑着。她的心一回跳得比一回慢,每回都更模糊了,更柔和了,好像一道泉水干涸,一

---

① 指放着所谓圣体的圣龛。

片回声散开。她呼最后一口气的时候,恍惚在天空分开的地方,看见一只巨大的鹦鹉,在她的头上飞翔。

长篇小说

安岡章太郎

圣安东尼受试探[*]

李平沤　李白萍译

* 本书的书名,仿《圣经》的译法。

《圣经·新约全书·马太福音》第四章和《路加福音》第四章的标题,法文本为 Tentation au désert,英文本为 The temptation of Jesus,中文本为"耶稣受试探"。故仿中文本的译法,将书名译为《圣安东尼受试探》。

一

在德巴依德①的一座大山的高处,有一块周遭有巨石环绕的土坪。

隐修士②的小屋位于土坪最靠里边的地方。小屋是用泥土和芦苇搭建的,平屋顶,没有屋门。屋内有一个水罐和一块黑面包;在屋子中央的一块木墩上放着一本厚厚的书。地上到处散乱地放着编织用的棕丝和席草之类的东西;有两三块芦席,一个筐子,一把刀。

在离小屋十来步远的地方竖立着一个长长的十字架;在土坪的另一端有一株歪歪斜斜的老棕榈树,树身歪斜在一个万丈深谷的上方。山崖如刀切斧劈似的临空壁立,使尼罗河看起来宛如悬崖下边的一个湖。

左边和右边有岩石挡住人的视野,但在沙漠那边,好像一块接一块的海滩似的展现着一行行巨大的金黄色沙浪,一浪高似一浪地推向远方。在沙漠的尽头处,利比山形成了一堵白垩色的墙,朦朦胧胧地被淡紫色的烟雾缭绕。山的对面,太阳逐渐西沉。天空的北方呈珍珠似的灰

---

① 德巴依德是古埃及南方的一个地区,其地幽静,早期的基督教中有一派苦行主义者曾在此隐修。
② 指本书的主人翁圣安东尼。

白色；在天空的正当中，绯红色的云像一绺绺长长的马鬃，舒展在蓝色的天顶上。那火焰似的红光逐渐幽暗，蓝色的天空变成了珠白色。灌木丛、砾石和泥土，这一切，现在都好像变得硬似青铜。空中漂浮着金黄色的尘埃；它们的颗粒是那么的细小，以致使人难以分辨它们是漂浮的尘埃还是颤动的光波。

圣安东尼

　　长须，长发，身穿一件羊皮长袍，盘腿席地而坐，手中正在编织席子。太阳一落山，他便长长地叹了一口气，两眼注视着天边的地平线：
　　又过了一天！又过去一天了！
　　从前，我没有这么可怜！那时，不到天明我就开始祈祷；做完祈祷，我就到河边去打水；打好水，我肩上挎着羊皮水袋，从陡峭的山路爬上来，一边爬一边唱着颂歌。回来后，我归置我屋子里的东西，然后，取出工具，开始干活。我尽量把席子都编织得同样大小，把篮子编得轻轻巧巧；我把每一样细小的活儿都看作是我应当做好的事情，所以做起来并不觉得累。
　　我在规定的时间停止工作；接着，我伸开两臂祷告上天，这时，我感觉到好像有一股沁人心脾的清泉从天上流入我的心，如今，这泉水枯竭了。这究竟是什么原因呢？……
　　他在岩石围绕的土坪上慢慢地走来走去。
　　我离家的时候，人人都责备我。我的母亲倒在地上伤心得死去活来，我的姐姐远远地向我招手，让我回去；我每天傍晚在水池边见到的那个放牛归来的小女孩阿莫娜丽娅，她当时放声大哭，并跟在我的身后追跑。她的脚镯在尘土中闪闪发光；

她的开衩长衣的下摆迎风飘荡。那个领我出走的苦修士大声斥责她。我们的两匹骆驼不停地向前奔跑;从此以后,我就再也没有见到过任何人了。

起先,我选择了一座法老① 的陵墓作我的隐居地,然而,在这座地下宫殿里弥漫着一种迷惑人的气氛,殿庭幽暗,尚留有浓烈的古时的香料味儿。我听见石棺中传出一种悲伤的声音在呼唤我,时而又突然看见墙上显现出可憎的东西,于是,我一口气一直逃到了红海边上一座倒塌的城堡里。在这里,与我作伴的是在石缝中爬来爬去的蝎子和在我头上不停地在蓝天中盘旋飞翔的老鹰,夜里,它们用爪子抓我,用喙啄我,用柔软的翅膀扑打我;还有可怕的魔鬼在我的耳边嚎叫,并把我打倒在地上。直到有一天,一支前往亚历山大城的商队救了我,才带着我同他们一起离开那里。

此后,我一心跟着善良的老者迪迪蒙②学习。尽管他是盲人,但他在《圣经》方面的造诣之深,是无人可及的。每天的功课完毕后,他都要我搀着他去散步。我把他领到帕勒蒙③,在这座假山上,可以看到港口的灯塔和辽阔的大海。散完步,我们从港口回家,沿路摩肩接踵地可以见到各种民族的人,甚至还可见到穿熊皮的希默人和身上涂抹牛粪的恒河裸体修行的高僧。街上经常有打架斗殴之事,起因往往是由于犹太人拒不纳税,或者是由于有人煽动人们驱逐罗马人。此外,城里还有许许多多的异教徒,摩尼派、瓦伦廷派、巴西里得派和阿里乌

---

① 法老,古埃及国王的称号。
② 迪迪蒙约逝世于公元 395 年;他双目失明,精通基督教教义,曾领导亚历山大教派达六十年之久。——原注释者注
③ 帕勒蒙,亚力山大城中的一座人造假山。——原注释者注

派的教徒到处都是,他们纠缠着你喋喋不休地和你谈论,想使你改信他们的教派。

我有时候也回想起他们说的话。不在脑子里回想他们的话,那是做不到的,可见他们的话还真能搅乱人心。

后来,我隐避到柯尔齐姆①;我潜心苦修,赎尽了一身罪孽,因此,我再也不怕上帝的惩罚了。有些人来到我的身边,想做隐修士。我给他们规定了一条必须遵守的戒律,即:痛恨诺斯替教派荒诞不经的教义和哲学家的武断的学说。到处都有人给我写信,还有些人从老远的地方专程来看我。

那时,人们对忏悔的人横加折磨;我渴望成为一个殉道士,因此,我到了亚力山大城。我到该城时,迫害人的事已停止三天了。

在我从亚力山大往回走的路上,在塞拉皮斯神庙前,一大群人挡住了我的去路。有人告诉我说,这是总督下令当众行刑,以儆效尤。只见廊柱的中央,在阳光照射下,一个赤身裸体的女人被绑缚在一根柱子上,有两个士兵轮番用皮鞭抽打她。每挨一鞭子,她的全身就抽搐一下。她转过头来,嘴张得大大的;我从人群的头上望去,透过遮挡住她的脸的长长的头发,我仿佛觉得她是阿莫娜丽娅……

不过,这个女人比阿莫娜丽娅高……,比阿莫娜丽娅美……,美极了!

他双手扶额。

不!不!我不能这么想象!

---

① 柯尔齐姆,在今天的苏伊士地区。——原注释者注

长篇小说

有一次，阿达纳西①要我支持他与阿里乌派作对。不过，作对的方式只限于咒骂和嘲笑。但自此以后，他遭到了人们的诬蔑，被赶下了主教的宝座，逃往他方。现今，他到哪里去了？我一点也不知道！没有任何人告诉我有关他的消息。我的门徒都离开我了；希拉瑞昂②同其他人一样，也走了！

他来的那一年，大概是十五岁；他非常聪明，时常对我提出一些问题，并带着沉思的样子听我回答他的话。我需要什么东西，他总是不声不响地给我取来；他的动作比小山羊还灵敏；他成天高高兴兴的，逗得主教们也喜笑颜开。他好像是我的儿子一样！

这时，天空呈红色，大地一片漆黑。狂风呼啸，吹起一阵阵黄沙，像巨大的幕布似的飘到空中，然后又落到地上。在黄沙蔽空的一角青天中，突然出现一群飞鸟，排成巨大的三角形队伍，好似一块铁片；铁片的边在颤动。

圣安东尼凝神注视着它们。

唉！我真想同它们一起飞去！

我曾经许多次怀着艳羡的心情注视那长长的船队，看它们扬起飞鸟的翅膀似的风帆载着我家中的客人远去！我们曾经在一起度过美好的时光！尽情吐露心中的话语！谁也没有阿蒙③那样令我高兴；他向我讲述他到罗马游历的见闻，向我描述地

---

① 阿达纳西，公元296年生于亚力山大，圣安东尼的门徒，在尼西亚主教会议上与阿里乌发生冲突；公元328年任亚力山大主教，死于公元373年。——原注释者注
② 希拉瑞昂，公元三世纪人，生于巴勒斯坦，在亚力山大皈依基督教，曾到沙漠去拜见过圣安东尼，后来隐居到塞浦路斯。——原注释者注
③ 阿蒙，古埃及的一位隐修士，死于公元320年，尼特里寺的创建人。——原注释者注

下墓穴和竞技场的样子，他告诉我那里的名媛淑女是多么虔诚，还有许许多多其他的事情！……我悔不该没有跟他一起去！我为什么还硬要继续过眼前这种生活呢？尼特里寺的僧侣们曾经挽留我。我留在他们那里也许会生活得好一些。他们各住一间小屋子，但又互相往来。礼拜天，一听见喇叭声他们便齐集到教堂里；教堂里挂着三根用来惩罚触犯教规、偷盗和擅闯教堂的罪人。他们的纪律是非常严格的。

不过，他们也不是一点乐趣也没有。有些信徒给他们送去鸡蛋和水果，甚至还有人给他们送去修剪脚上趼子的用具。在皮士佩里周围有好几处葡萄园，巴拜的葡萄园主还备有一条运送食品的筏子。

如果我是一个普普通通的教士，也许我还能更好地为我的兄弟们服务。我去帮助穷苦的人，分给他们圣餐，并仲裁他们的家务纠纷。

再说，也不是所有在俗的人都该下地狱的；是当语法学家，还是当哲学家……这完全由我自己决定。我也可以在我的房间里放一个芦苇做的地球仪，手里经常拿着小记事本，有一些年轻人围绕在我身边，门上挂一个桂冠作招牌。

但是，这样做法，未免太张扬了。也许，我去当兵更合适一些。我身强力壮，又有胆量；我能拉缆索，敢穿行茂密的森林，或者，戴着头盔进入浓烟滚滚的城里！……没有任何人能阻拦我用钱去买一个官来当，在一座桥上负责收取过桥税，让旅客们告诉我他们干何营生，并要他们把装着许多稀奇东西的行李打开，让我检查……

亚力山大的商人每逢节日就要在卡洛普河上游船，用莲花形的圣餐杯饮酒；船到之处，鼓声大作，使沿岸的小酒馆里的人都欢腾起来！在河的那边，修剪成圆锥形的树木遮挡住南边吹来的风，不让它吹刮宁静的庄园。高层房屋的屋顶支撑在状如栅栏木条的细柱上；房屋的主人躺在一条长椅上，透过细柱的空隙可以看到周围的土地和在麦田垄沟中奔跑的猎人、在葡萄园榨葡萄汁的工人及打麦场上的牛。他的孩子们在地上玩耍，他的妻子俯身下去亲吻他。

在朦胧的夜色里，到处都出现一些尖嘴竖耳的野兽；它们的两只眼睛闪闪发光。安东尼向它们走过去。这时，听见砾石滚动，野兽逃跑；原来是一群豺狼。

只有一只没有跑；它蹲在地上，身子蜷成半圆形，偏着头，一副惊疑不定的样子。

它多么好看啊！我真想用手去轻轻抚摸它的背。

安东尼吹口哨叫它过来。豺狼消失了。

啊！它跑去找它的同类去了！多么孤单！多么寂寞啊！

苦笑着说：

把棕树条在火上烤弯，做成牧羊用的棍棒，编篮子，织席子；用这些东西去和游牧人换能磕碎牙齿的硬面包，这是多好的生活啊！唉！我真可怜！这种生活很可能没有个尽头！还不如死了的好！我再也受不了啦！够了！够了！

他跺一跺脚，快步在岩石中间转来转去地走，不一会儿便气喘吁吁地停下来，呜呜咽咽地哭泣，侧身躺在地上。

夜静了，无数颗星星在天空闪烁，只有蜘蛛发出的响声。

十字架的两臂在沙地上投下了一道阴影，正在哭泣的安东尼瞥见了十字架的影子。

天哪，我太软弱了！勇敢一点，让我们挺起身来！

他走进小屋,在炉灰里找到一块火炭;他点燃火把,把火把插在木墩上,以便照亮那本厚厚的书。

我现在应该读……《使徒行传》① 吗?……对!……随便读哪一章都可以!

"他看见天开了,有一物降下,好像一块大布,系着四角,从天缒下,里面有地上的各种牲畜和野兽、昆虫,并天上的飞鸟;他听见有声音向他说:彼德,起来!宰了吃!"②

上帝让他的使徒什么都吃吗?……至于我……

安东尼低下头去。风吹书页的簌簌声使他抬起头来,并大声念道:

"犹太人用刀击杀一切仇敌,任意杀灭恨他们的人。"③

清点一下他们杀死的人数:一共七万五千人。犹太人曾经遭受过极大的苦难!他们的敌人也是真正的上帝的敌人。他们要报仇,要把崇拜偶像的人都杀光,才痛快!城里遍地是死尸!在花园的门边,在楼梯上,到处是死人;房间里的死尸堆得那么高,以致房门都打不开!……我现在老是去想那些杀人流血的事情了!

他把书翻到另一页。

"尼布甲尼撒王俯伏在地,向但以理下拜。"④

啊!这很好!至高的神把先知看得比国王更尊贵;尼布甲尼撒成天花天酒地,贪图享乐,而且骄傲自大,目中无人。为了惩罚他,上帝把他变成了牲畜,让他用四只蹄子行走!

---

① 指《圣经·新约全书·使徒行传》。
② 见《使徒行传》第十一章第五至七节。
③ 《圣经·旧约全书·以斯帖记》第九章第五节。
④ 《圣经·旧约全书·但以理书》第二章第四十六节。

安东尼开始发笑;他伸开双臂,用指头漫不经心地翻书。突然,他看到了如下一段:

"希西家听从使者的话,就把他宝库的金子、银子、香料、贵重的膏油和他武库的一切军器,并他所有的财宝,都给他们看。"①

我想象得到……他们看到的珠宝、钻石和大流克② 一定是堆积如山。一个拥有这么多财富的人,就和别人不一样了。他总想役使别人;他认为,正如他可以生杀予夺别人的生命一样,他也要随心所欲地处置别人劳动创造的无数财富。君王们记住这一点,是很有用的。世上最聪明人不会不明白这个道理。他的船队给他带回来许多象牙和猴子……好像在哪里讲过?

他急速翻书。

啊!在这里:

"示巴女王听见所罗门因耶和华之名所得的名声,就来要用难解的话试问所罗门。"③

她怎么想去试问他呢?魔鬼曾经想难住耶稣!但耶稣胜利了,因为他是神,而所罗门之能胜利,也许是靠他玄妙的学问。他的学问高深得很呢!宇宙——一个哲学家曾经对我讲过——是一个整体;它的各个部分,如同人身上的各个器官一样,是互相影响的。重要的是,要懂得世间万物原本是又相结合又相排斥的,我们应当研究如何使它们发挥各自的作用……懂得这个道理,是否就能改变一切看起来似乎是一成不变的秩

---

① 《圣经·旧约全书·列王纪下》第二十章第十三节。
② 大流克,古波斯帝国的一种金币。
③ 《圣经·旧约全书·列王纪上》第十章第一节。

序呢?

这时,十字架的两臂在他身后投下的两道影子往前移动,好像两只巨大的牛角似的。安东尼惊呼:

上帝啊,快来救我!

影子回到了原来的位置。

唉!……原来是幻觉!没有什么了不起!何必如此紧张!用不着大惊小怪!……一点关系也没有!

他坐下,两臂交叉。

不过……我仿佛感到……要来。"他"来干什么呢?难道我还不了解他那些花招吗?那个带着笑脸给我送来小热面包的怪模怪样的隐修士,那个试图让我骑在他背上的半人半马的怪物,还有那个出现在沙漠中的自称"通奸的精灵"的漂亮的黑孩子,我把他们都一个一个地赶走了。

安东尼快步从右边走到左边,又从左边走到右边。

是按照我的主意修建这些供隐修士隐修的房舍的:里边住满了内穿敞衣外罩羊皮长袍的僧侣;他们的人数之多,足可以编成一支军队!我治好了许多从远处来的病人,驱走了魔鬼,并涉水走过了满是鳄鱼的河。康士坦丁皇帝给我来过三次信;那个在我的信上啐唾沫的巴拉西乌士被他自己的马分了尸;当我再次去亚力山大时,人们争先恐后地来看我,后来,阿达纳西送我上了路。这些都是值得大书特书的事情!到现在,我在沙漠中已经苦熬了三十余年!我像欧赛伯那样身上背负着八十利弗尔重的铜,像马凯尔那样让虫子叮咬我的身体,像帕柯姆那样接连五十三夜没有合过眼。那些被处斩刑的,被处钳烙刑或火刑的,也许还不如我这样坚忍不拔地受苦受难呢;我的一生是终身殉道的一生!

安东尼放慢了脚步。

可以肯定的是，没有任何人过过我这么困苦的生活！如今，心肠慈悲的人愈来愈少。人们什么东西也不给我了。我的披风破了，鞋也不能穿了，甚至连一个盛汤用的碗也没有了。我把我的财产都分给了穷人和我的亲属，一个奥波尔① 也没有留。现在要买干活用的工具，我需要一点儿钱。唉！不需要太多！一点儿就够了！……我节省着用。

尼西亚的神父们②一个个身穿紫袍，像袄教的僧侣那样坐在顺墙根摆放的一排座位上。人们给他们丰盛的食物吃，对他们大加赞扬，尤其是把帕弗鲁斯更是捧上了天，因为受过戴克里先③ 的迫害以后，他瞎了一只眼，两腿残废！皇帝曾多次亲吻他那只瞎眼；真可笑！此外，在主教会议中，有许多十分卑鄙的人！如斯泰教区的主教德奥菲、波斯的主教约翰和那个饲养牲口的斯皮里狄翁④！亚历山大年纪太大了。为了取得阿里乌派人的让步，阿达纳西应当对他们态度温和一些！

他们应当这么做嘛！可是，他们不听我的话！那个发言反对我的人——一个长卷须的年轻人——带着冷漠的神情对我讲了许多似是而非的道理；当我正在思索如何反驳的时候，他们露出凶恶的样子看着我，并像豺狗那样大吼大叫。唉！要是我能让皇帝把他们都流放国外，或者鞭打他们，镇压他们，看他们受苦，那就好了！我，我受的苦太多了！

他身体不支，把身子靠在小屋上。

我的肚子饿极了！我一点力气也没有了。如果我能吃……

---

① 奥波尔，一种小辅币。
② 指参加公元325年在尼西亚召开的主教会议的神父；在这个会议上，神父们一致谴责阿里乌派教徒。——原注释者注
③ 戴克里先（245—318），罗马皇帝（公元284—305在位）。
④ 斯皮里狄翁，塞浦路斯岛特里米东特教区主教。——原注释者注

只吃一顿，只要能吃上一块肉，那就好了。

　　他神情沮丧地微闭双眼。

　　唉！但愿能吃上一点儿鲜肉……一串葡萄！……再吃一点儿在盘子里颤动的凝乳！……

　　怎么一回事？……我怎么啦？……我感觉到心中像暴风雨来临前的大海那样翻腾。四肢无力，全身酥软；热风中好像有一股头发的香气。可是，没有女人到这里来呀，这是怎么一回事？……

　　　　他转身面向岩石中间的那条小径。

　　她们从这边来了，坐着太监们的黑胳臂抬的轿子摇摇晃晃地来了。她们走下轿子，戴着戒指的两手合掌，跪在地上。她们向我诉说她们的忧虑。她们需要得到非人的力量所能满足的享乐；这种需要折磨着她们，她们认为不如死了的好；她们在想象中见到了神在召唤她们；——她们的长袍的下摆落在了我的脚上。我把她们推开。"啊！别推我们，"她们说，"别再推了。我们该怎么办呢！"她们认为各种各样苦修的方式都很好。她们要求采取最艰苦的方式，分担我的困苦，和我一起生活。

　　我有很久没有看见她们了！她们会不会来呢？怎么会不来？万一，突然……我听见山中有骡铃响。好像……

　　　　安东尼爬上了小径进口处的一块岩石；他弯下身去看黑暗中的情形。

　　是的！在那边老远的地方有一块东西在蠕动，好像是一群人在找路。是一群人！他们走迷了路。

　　呼唤：

　　向这边走！快来！快来呀！

　　回声：快来！快来呀！

　　　　他两臂下垂，现出惊呆的样子。

真丢人！唉！可怜的安东尼！

　　他立刻听见有人在低声说："可怜的安东尼！"

有人吗？快回答！

　　从岩石的缝隙中透过来的风发出一阵阵有节奏的声音；他从阵阵的风声中听到几下好似风在说话的声音①。声音很低，嘶嘶哑哑的似有某种含义。

第一下

你要女人吗？

第二下

不如要大堆的金银好！

第三下

一把寒光闪闪的剑？

其余几下

——所有的人都敬仰你。
——你去睡觉吧！
——你去把她们都杀了，快去，把她们通通都杀了！

　　与此同时，周围的东西都变了样。悬崖边上的那株老棕榈树的树身和它的那簇黄叶变成了一个在万丈深谷上方弯着腰身的女人，她的长发左右摆动。

---

① 这两处着重号是原有的。

安东尼

他转身过去看他的屋子；他仿佛觉得那个放着一本厚书的木墩和书上的白纸黑字变成了一个灌木林，林中到处是燕子。

这一定是那个火把的闪光在作怪……把它熄灭算了！

他把火把扑灭，周围一片漆黑。

突然，在空中先出现了一洼清泉，然后又出现了一个妓女，一座庙宇的一角，一个士兵的面孔，一辆两匹白马拉的车，两马直立起来。

这些形象突然出现，一幅一幅地呈现在夜空中，好似在一块乌木上画的鲜红色的画图。

图像的活动愈来愈快，一个接一个地像旋风似的掠过夜空；它们有时候又停下来，逐渐暗淡，消失得无影无踪；有时候又一起飞走，它们飞走之后，别的图像接着便立刻飞来。

安东尼闭上眼睛。

图像愈来愈多，围在他周围，把他包围在中央。他心中产生了一种难以形容的恐怖，并觉得上腹部有一阵灼热感。尽管他脑中有嗡嗡声，但他感到他与世界之间隔着一大块寂静的空间。他想说话，但说不出来！他好像全身瘫软，再也支撑不住了。安东尼倒在席子上。

二

这时,一块巨大的阴影投在地上。它比天然的影子更加稀薄,其他的影子围在它周围形成一道花边。

它原来是魔鬼。它趴在屋顶上,伸开两只翅膀,像一只大蝙蝠给小蝙蝠喂奶似的在翅膀下边掖着七大罪恶①;这七大罪恶的怪模怪样的头隐约可见。

安东尼依然闭住眼睛,怡然自得地一动不动地躺着,把两臂伸展在席子上。

他觉得席子很柔软,而且愈来愈软,好像填充了什么东西似的,最后竟鼓了起来,变成了一张床;床又变成了一条小船,水在船边发出拍打声。

左右两边各有一个狭长的黑土半岛,岛上有庄稼地和稀稀疏疏的无花果树。远处有铃铛声、鼓声和唱歌声。这些人是到卡洛普的塞拉皮斯神庙去求梦的。安东尼知道这一点;他在运河两边陡峭的河岸之间被风吹着前进。纸莎草的叶子和睡莲的红花(它们比人还高)垂吊在他的头上。他躺在船舱里;船尾有一只桨拖在水中。时不时地有一股热风吹来,使细细的芦苇互相碰撞。微小的水波声愈来愈小。他昏昏欲睡。他梦见他是一个埃及隐修士。

---

① 七大罪恶:吝啬、愤怒、嫉妒、贪食、奢侈、骄傲、懒惰。

他一跃而起。

我做了一场梦吗?……我明明是在做梦。我口干舌燥!我渴极了!

他走进屋子,到处乱摸。

地上是湿的!……下过雨了?咳!这么多碎瓦片!原来是水罐打破了!……盛水的羊皮袋在哪儿呢?

他找到水袋。

空的!空得连一点水也没有!

到河边去打水,至少要花三个小时,夜里这么黑,我看不见路。我的肚子饿极了。面包在哪儿呀!

他找了好久,才找到一块比鸡蛋还小的碎面包。

怎么啦?是豺狼吃了?唉,真糟糕!

他生气,把面包扔在地上。

他刚把面包扔掉,便见眼前出现一张桌子,桌上摆满了许多好吃的东西。

用牡蛎足丝织的桌布,它的条纹好似狮身人面像的额纹,闪闪发光。桌布上有几大块鲜红色的肉,几条大鱼,带羽的鸟和带毛的走兽,人肉色的水果;几块白色的冰和紫晶色的长颈壶互相辉映。安东尼发现桌子中央摆放着一只热气腾腾的烤野猪,它的四蹄蜷在肚子下面,眼睛半闭;能吃上这么一头肥野猪,真是太好了。此外,还有一些他从未见过的东西:黑色肉馅、金黄色的肉冻、蘑菇炖肉(蘑菇在肉汤上漂动,就像池塘里的睡莲)和像云层似的烘掼奶油。

这些东西的浓郁的香气,使他觉得既像海水的咸味,又像清泉的甘美和树林的芬芳。他使劲用鼻子闻,口涎直流;他自言自语地说:这些东西足够他一年、十年甚至一辈子吃了!

他一边睁大眼睛观赏这些美味佳肴,一边发现桌上的菜愈来愈多,堆成了一个金字塔,最后,塔一下子垮了。酒瓶倒了,酒在桌上直流;鱼蹦跳起来,盘子里的肉冒出了血,果肉裂开得像亲吻的嘴唇;桌子往上升,上升到他齐胸高,直抵他的下巴,这时他发现:桌上只有一个碟子和一块面包摆在他面前。

他用手去抓这块面包。又出现了几个面包。

给我!……全都给我!不过……

安东尼往后退一步。

刚才只有一个面包,怎么一下这么多呀!……这是奇迹,是上帝创造的奇迹!……

这到底是为了什么目的呢?唉!这一切都令人难以理解!喂!魔鬼,滚开!快滚开!

他用脚踢桌子。桌子消失了。

什么都没有?全没有了!

他长长地舒了一口气。

啊!真诱惑人呢!不过,我总算逃过了!

他抬起头;他的脚绊倒了一个发响声的东西。

什么东西!

安东尼弯身下去。

咳!一只酒杯!是什么人路过此地丢下的。用不着大惊小怪……

他舔湿一个指头,擦了擦杯子。

发亮呢!是金属做的!不过,我看不清楚……

他点燃火把,仔细看杯子

是银杯,上边还镶有珠子,杯底有一块纪念章似的东西。

他用指甲一挑，就把它挑弹出来了。
　原来是一个钱币，大约值……七八个德拉克马①；不会更多！行啦！我可以用它去买一张羊羔皮。
　　一道火把的反光照亮了杯子。
　不可能吧！是金杯！是的！纯金的！
　　杯底又出现一个更大的钱币。在这个钱币下边，他又发现另外几个钱币。
　这一共加起来……够买三头牛……一块地！
　　现在，杯子里满是金币。
　好了！能买一百个奴隶，许多士兵，够买一大群……
　　杯口边上的珠子掉了下来，串成了一条项链。

　有了这串珍珠，就连皇帝的妻子我也可以把她搞到手了！
　　安东尼用手轻轻一抖，把项链套在了手腕上。他左手举起杯子，右手拿着火把照亮它。这时，如同从泉眼涌出一股股清泉似的，许多钻石、红宝石、蓝宝石和有国王头像的大金币像潮水似的冒出来，在沙地上堆成了一个小丘。
　从哪里来的？从哪里来的？这么多斯达特②、西克勒③、大流克和亚里安狄克④！亚力山大，德梅特里乌斯⑤，托勒

---

① 德拉克马，古希腊钱币名。
② 斯达特，古希腊钱币名。
③ 西克勒，古巴比伦钱币名。
④ 亚里安狄克，古波斯钱币名。
⑤ 德梅特里乌斯，马其顿王国国王。

密①，凯撒！他们谁也不曾有过这么多金钱！有这么多钱，就没有办不到的事！就再也不受苦了！这些金光闪闪的东西，把我看得眼花缭乱了！啊！我心里高兴极了！这太好了！是的！……是的！再多一点更好！永远也没有个够！我无论用什么办法把它们扔到海里也扔不完，总要剩下一些的。不过，干吗要扔掉呢？我把它们全都藏起来；我谁也不告诉。我命人在岩上开凿一个屋子，屋子的内壁钉上铜片；我走进屋去，脚下踩的是成堆的黄金；我把胳臂伸进金子堆里，就像把手伸进米袋子里一样。我要用黄金擦脸，我要在黄金堆上睡觉！

  他扔下火把去抱金子，结果，一个马趴扑倒在地上。
  他站起身来。地上空空如也。

我怎么啦？
如果我方才死了的话，一定下地狱！万劫不复的地狱！
  他全身战栗。

有人诅咒我吗？啊，不！是我错了！我中了圈套！谁也不像我这么愚蠢、这么卑鄙。我真想自己打自己一顿，或者，干脆脱离我的躯壳！我克制自己的时间已经够长的了！现在，我要报复，要打人，要杀人！我胸中好像有一群凶猛的野兽。我真想到一群……中去用斧头……哼！用匕首！……

  他瞥见他的刀，扑身过去把刀拿在手上。刀从他手中滑落下去。安东尼把身子靠在小屋的墙上，把嘴张得大大的；他一动不动——像患了蜡屈症②似的。
  他周围的景物全都消失得无影无踪。

---

  ① 托勒密，古希腊拉吉德王朝前后十六位君主的称号。在亚力山大大帝公元前 323 年逝世后，他们曾统治埃及，直到公元前 246 年才结束。
  ② 症状是病人出现强直性昏厥状。

他仿佛觉得身在亚力山大城中心有一道螺旋形阶梯环绕的人工堆砌的帕勒蒙山上，他的对面是玛奥狄斯湖，右边是大海，左边是田野。这时，在他眼前突然出现了一大片平屋顶，中间从北到南、从东到西有两街交叉，街的两边一溜儿考林辛式柱廊；柱廊上的屋子的窗户都装的是花玻璃，有些窗户外边还设置了一个大木栅，让内外的空气可自由流通。

　　不同风格的大建筑物鳞次栉比地一个挨着一个。埃及神庙高出在希腊神庙之上。方尖碑像长矛似的高耸在红砖雉堞中间。在几个广场的中央都有尖耳朵的海尔梅斯①塑像和狗头人身的阿鲁比斯②。安东尼发现：各个庭院的墙上都有镶嵌壁画；支撑天花板的小梁上都挂着壁毯。

　　他一览无遗地清清楚楚看见那两个圆如古罗马的竞技场的港口（大港和欧罗斯特港），两港中间隔着一道连接亚力山大城和那个陡峭的小岛的防波堤；岛上耸立着那个四角形灯塔，塔高五百库德③，共九层，塔尖冒出一道黑煤烟。

　　两个大港里边都分成若干个小港。防波堤的每一端都有一座桥，大理石的桥墩立在海中。桥下有许多帆船来来往往；装满了货物的沉重的驳船、镶有象牙的游船、带篷的威尼斯平底船、三排桨战船和两排桨战船：各种各样的船，有的在水上游弋，有的停泊在码头。

　　在大港周围是一连串雄伟的大建筑物：托勒密宫、博

---

① 海尔梅斯，希腊神话中掌管畜牧和道路等事的神。
② 阿鲁比斯，埃及神话中掌管丧葬等事的神。
③ 库德，古法国长度单位，一库德约等于半米。

物馆、海神庙、凯撒殿、马克－安东避难的提摩尼园以及亚力山大的索玛陵；在城的另一端，在欧罗斯特港后边的一个小镇上有几家制造玻璃、香料和纸张的作坊。

沿街叫卖的小贩、脚夫和赶驴的，碰碰撞撞地奔跑。在这里或那里，不时出现一个肩披一张豹皮的奥西里斯庙的祭司或一个头戴铜盔的罗马兵，还有许多黑人。在商店门口站着几个妇女和正在工作的匠人。车子的吱嘎声把在地上啄食残肉剩鱼的鸟吓得飞跑。

房屋一律是白色，因此使纵横交错在其间的街道看起来好似一张黑色的网。长满杂草的市场仿佛像一块绿叶丛，染房的晒场好像五颜六色的盘子，庙门上的黄金装饰宛如光点，这一切，都呈现在浅灰色墙垣围绕的椭圆形场地上，上有蓝蓝的天空，旁临静静的大海。

突然，行人停住脚步，掉头注视扬起一阵阵尘土的西方。

原来，走来了一群德巴依德的僧侣。他们身披山羊皮，手执短木棍，连吼带叫地唱着为宗教而战的圣歌，圣歌的叠句云："他们在哪里？他们在哪里？"

安东尼看出他们是来打杀阿里乌派教徒的。

街上突然空了：人们纷纷逃跑。

僧侣们现在冲进了城里，他们挥舞着带有钉子的短棍，棍光闪闪，好似灼人肌肤的太阳。房屋里传出哗啦啦的打碎东西的声音。稍静一会儿后，便听见有人在大声喊叫。

从街的这头到那头，惊恐的人们乱作一团。

有些人手里端着梭标。有时候两边的人突然遭遇，扭打在一起；他们滑倒在花砖地上，松开手，接着又打倒在地，不过，总是有长头发的人占上风。

高大的建筑物里冒出一股股浓烟，门板碎了，墙塌了，柱顶盘的下楣也掉下来了。

安东尼陆陆续续发现他的敌人。有些敌人，他本已忘记，现在一见面又认出来了。他决定在杀死他们之前，先要把他们羞辱一番，然后剖开他们的肚子，割断他们的咽喉，砸碎他们的脑袋。他使劲搜老年人的胡子，用脚踩死儿童，殴打受伤的人。人们见到奢侈的东西就打个稀巴烂；不识字的人把书本都撕碎；把雕像、绘画、家具和箱子柜子，全都砸烂。凡是他们不知道其用途的东西，他们一见就生气，不分青红皂白全毁掉。有时候他们累得气喘吁吁，歇一会儿后又接茬儿干。

逃在院子里的居民不停地呻吟。妇女们仰天哭泣，并举起她们赤裸的双臂。为了打动僧侣们的慈悲心，她们抱着他们的双膝；他们把妇女们推倒在地；鲜血从砍掉头颅的腹腔中喷出来，一直喷到了天花板上，并顺着墙壁流到地上，填满了水沟，到处都可看到一摊一摊的鲜血。

安东尼在齐膝弯深的血水中行走；他舔溅在他嘴唇上的血。他的羊皮袍浸透了血水，因此紧紧地贴在他身上，既使他高兴，又使他感到胆战心惊。

夜幕降临，喧嚣声渐渐平静。

僧侣们消失了。

突然，安东尼看见九层灯塔的每一层的外栏杆上都有一道好似由乌鸦排成的粗黑线。他向灯塔跑过去，爬上了塔顶。

有一面大铜镜对着大海，反射出了海面上的船只。

安东尼津津有味地观看它们；他愈看，船只的数目愈来愈多。

　　船只聚集在一个半月形的海湾里。在海湾后边的一个岬角上有一座罗马式建筑的新城市；建筑物的穹顶是石头的，圆锥形瓦，玫瑰色和蓝色大理石墙。圆柱的涡形装饰上、屋脊上和挑檐角上都贴着大量的青铜片。高处有一座柏树林，使海水显得更蓝，海风更冷。在远处的山上覆盖着白雪。

　　当安东尼寻路时，一个人走过来对他说："快来吧！有人在等你！"

　　他穿过一个广场，进入一处庭院，低着身子进门，来到一座宫殿前面；殿里有一组表现君士坦丁皇帝击败龙的蜡像。在一个花斑岩做的大盘中央有一个金海螺壳，里边装满了松果，给他领路的人告诉他可以拿松果；他拿了几个。

　　他接连走过好几个大厅。

　　大厅的墙上有将军向皇帝行献城礼的镶嵌画。厅内到处是玄武岩圆柱、银丝缠绕的栅栏、象牙椅子和珍珠镶边的壁毯。阳光从屋顶上射下来，安东尼继续往前走。他感到迎面吹来一阵阵暖风，有时又听见有人穿着便鞋轻轻走动。前厅站着几个木头人似的卫兵，肩上扛着朱红色的棍子。

　　最后，他来到一座殿庭的台阶下；殿庭的尽里面挂着一道青紫色的布幔。布幔拉开，出现了皇帝。他坐在宝座上，身穿紫袍，脚穿黑边红色统靴。

　　他整齐的卷发上戴一顶珍珠冠。他的眼皮下垂，鼻梁笔直，相貌阴险。他头顶上的华盖的四个角上各有一只金鸽，他的脚边有一对珐琅狮子：鸽子在唱歌，狮子在吼叫,皇帝的眼睛在滴溜儿转。安东尼往前走过去;他们马上开门见山地谈论发生的大事。在安提阿、以弗所和亚力山大,寺庙遭到抢劫,神像被砸碎,当锅碗瓢盆使;皇帝哈哈大笑。安东尼责备他对诺瓦提安派教徒太放纵了。皇帝闻言大怒,说他无论对诺瓦提安派、还是对阿里乌派或梅德斯派,全都讨厌透了。不过,他很欣赏主教团,因为基督教徒归主教们管,而真正管事的主教只有五六个,所以,只要把这五六个人收买了,就可以把其他的人全都拉到自己一边。为此,他没有少花银钱,给了他们好几笔大款子。不过,他不喜欢尼西亚主教会议的神父们,——"走吧,我们去看看他们!"安东尼跟着他一起去。

他们走到一个高台上,并肩站着。高台下边有一个赛马场,场里挤满了人,柱廊里有人在散步。在赛马场中央的一个平台上有一个小小的墨丘利①庙、君士坦丁皇帝的塑像、三条盘绕在一起的青铜蛇;平台的一端有几个木头制做的大鸡蛋,另一端有七只把尾巴翘在空中的海豚。

在皇帝包厢后边的看台上,一层一层地站着各部大臣和军政长官,一直站到与一座教堂二层楼一般高的那一层;教堂的窗口有许多妇女。看台的右边是穿蓝色衣服的拉拉队,左边是穿绿色衣服的拉拉队;看台下边是一排士兵;赛场有一排拱门作进入包厢的入口。

竞赛即将开始;参赛的马各就各位。每匹马的两耳中间的羽毛饰像树枝似的迎风摇动;马跳跃时,把贝壳形的车子震动得东摇西晃;驾辕的驭手身穿一种铠甲似的花色上衣,上衣的袖子肥大袖口紧;他们光着腿,蓄着胡子,

---

① 墨丘利,罗马神话中给众神充当信使的神。

脑门像匈奴人那样剃得光光的。

开头,安东尼的两只耳朵被嘈杂的人声闹得什么也听不见。他发现,看台上的人个个涂脂抹粉,身穿各式花衣,佩戴各种金银首饰;赛场上的细沙雪白,像镜子似的闪闪发光。

皇帝和他交谈,对他讲了一些机密大事,并对他承认是自己亲手谋害了儿子克里斯普斯①;最后,皇帝还向他传授了许多养生之道。

这时,安东尼发现包厢的紧靠里边的地方有好些奴隶。原来,他们都是参加过尼西亚主教会议的主教;他们身穿破衣,看起来十分卑贱。殉道士帕弗鲁斯在刷马鬃,德奥裴在洗马腿,约翰在给马蹄刷油,亚力山大在提着筐子捡马粪。

他从他们中间走过;他们赶快两旁肃立,求他为他们说情;他们吻他的手。在场的人都嘲骂他们;他看见他们落到如此地步,心里十分高兴。现在,他成了宫中的大人物之一,成了皇帝的亲信,并当上了首相!君士坦丁皇帝把自己的皇冠戴在他的头上。安东尼把它掖藏起来,他把这一荣耀视同等闲。

突然,他透过阴森的黑暗看见一个大厅,黄金烛台上的烛光把大厅照得通明。

大厅的柱子太高,所以有半截没有受到光照;它们一根接一根地一直排列到了外边的餐桌处。餐桌一张接一张地摆到了远处的天边,天边明亮的烟雾缭绕着层层叠叠的梯子、一排排拱廊、巨大的塑像和亭台楼阁,另外,在大

---

① 克里斯普斯,君士坦丁皇帝的儿子,被其父毒死。——原注释者注

厅后边有许多宫殿,在柏树掩映下,使本来就黑的地方更加黑暗。

宾客们都头戴紫冠,双肘靠在低矮的榻上,端着尖耳酒瓮倒酒。在最里面只坐着尼布甲尼撒王一个人,他头戴三重王冠,身上到处是红宝石,独自在那里边喝酒边吃菜。

在他的两边有两排头戴尖帽的教士;他们提着香炉左右晃动。在他面前的低地上,俯伏着几个被俘的国王;他们的手和脚都被砍去;他扔骨头给他们吃。在更低一点的地方,是他的几个兄弟;他们都用布蒙着眼睛,因为他们是瞎子。

从关押奴隶的牢房里继续不断地传出呻吟声。一架液压式风琴的悠扬的琴声与合唱队的歌声此起彼伏地响彻大厅,使人感到大厅周围仿佛有一座大城市,一片人海,人声鼎沸,冲打着大厅的墙。

奴隶们跑步给客人们上菜,妇女们巡回给客人们斟酒;装面包的篮子被压得嘎吱嘎吱地响;一头单峰驼驮着几个穿了孔的羊皮水袋走来走去,让袋里的马鞭草水洒在地上,使人感到凉爽。

驯兽师牵着狮子走来;舞女们把头发拢在发网里,两手着地,在地上旋转,并从鼻孔里喷出火焰;黑人艺人表演魔术;赤身裸体的儿童们互相扔掷雪球,雪球掉在亮晶晶的银器上,炸得粉碎。人声之嘈杂,好似一场暴风雨;宴席上空漂浮着一片由肉菜的蒸汽和人的呼气凝成的云。有时候,粗大的火把的火花被风吹得像一颗流星似的掠过夜空。

国王用胳臂擦拭自己脸上的脂粉。他用供奉神的碗和盘子吃东西,而且,一吃完就把碗和盘子通通打碎;他在心里默默计算着他有多少战船、有多少军队和多少臣民。突然,他一时兴起,说要把宫殿全都烧掉,让宾客们葬身火海。他还打算重修巴比塔①,把上帝赶下宝座。

安东尼从远处看国王的额头,看出了国王心里想干什么。国王的心事深入到了安东尼的心里,结果,使安东尼变成了尼布甲尼撒。

他马上就自以为了不起,想把一切东西都通通毁灭,而且,他心血来潮,想干一番卑鄙事。人们怕就怕堕落,怕精神上受到侮辱,怕被搞得惊慌失措;世间再也没有什么东西比野兽更卑贱的了,因此,安东尼开始用两只手和两只脚在桌上像野兽那样爬行,像一头公牛那样哞哞直叫。

他感到手上疼痛——原来是一块石头擦伤了他的手;他发现自己依然在自己的小屋前面。

岩石环绕的地上空空如也。天上的星星闪闪发光。一片寂静。

我又一次上当了!这些现象是从哪里来的呢?这一切的一切,全都来自肉欲。唉!真卑鄙!

他冲进小屋,抓起一根末端有铁钩的绳子;他褪下上衣,把上衣挎在腰带上,抬头望着上天祈祷:

啊!我的上帝,请听取我的忏悔!不要因为我忏悔的言词软弱而不听。请你严厉地批评我,痛责我,即使责备得过了

---

① 巴别塔,或曰通天塔。据《圣经》上说,挪亚的子孙想修一座"塔顶通天"的塔,但结果没有修成。事见《圣经·旧约全书·创世纪》第十一章。

分,我也心甘!好!现在就开始吧!

  他用力抽打自己。

哎呀!不!不!别可怜我!

  又开始抽打。

哎哟!哎哟!哎哟!每一鞭子都打得我皮开肉绽,火辣辣地疼痛!

咳!这还不算厉害!没有关系,我支持得了。我甚至觉得……

  安东尼住手。

打呀!懦夫!打呀!使劲!使劲!打胳臂,打背,打胸脯,打肚子,打全身!用鞭子唰唰唰地使劲打,打得我皮开肉绽、体无完肤,鲜血直流才好呢!我情愿我的血一直溅到天上的星星那里去,干脆打碎我的骨头,打断我的神经!用火红的钳子烙,用夹棍夹,用熔化的铅水烫!殉道士受的酷刑还不止这些!你说对不,阿莫娜丽娅?

  魔鬼头上的角又出现了。

我最好是被绑缚在你那根柱子旁边的柱子上,与你面对面,让你看见我;你叫一声,我叹息一声,我们互相应答,让我们一起受苦,让我们的灵魂融合在一起。

  他发疯似的自己打自己。

你瞧,你瞧!为了你,我再打一次!……不过,这等于是在替我搔痒。这算什么刑罚!舒服极了!这等于是在亲吻。我一身酥软!我舒服死了!

  他发现他对面有三个骑野驴的人,身穿绿袍,手执百合花;他们的面孔样子都一样。

  安东尼转过身去,又看见另外三个样子相同的人,骑同样的野驴,持同样的姿态。

他往后退，而野驴则同时一齐向前进，用驴嘴去蹭他，试图咬他的衣服。这时，有人在叫喊："从这边走，从这边走，在这儿呢!"在山垭中出现了许多旗帜和套红绸笼头的骆驼、驮行李的骡子与戴黄色面纱、骑黑白两色杂毛马的妇女。

累得喘气的牲口卧在地上，奴隶们赶快跑到行李那里取出几条五颜六色的地毯铺在地上，并在上面摆放一些闪闪发光的东西。

一头身上有金丝装饰的鞍鞴的白象在奔跑，晃动着系在它额头上的那簇驼鸟的羽毛。

在象背上的蓝色绒垫当中坐着一个身穿光彩照人的华丽衣服的女人。她盘着双腿，眼睛微闭，头在摇动。人群俯伏在地，象的两只前腿跪下，于是

示巴女王

从象肩滑到地毯上；她向安东尼走过去。

她身穿红缎锦袍，袍上很均匀地有一道道用珍珠、煤玉和蓝宝石缀的条纹；袍子上面罩一件紧身坎肩，坎肩上有分别代表黄道十二宫的鲜艳的颜色。她的两只鞋底很厚：一只是黑的，上面有许多银星和一弯新月，另一只是白的，上面有许多金点，中间有一轮红日。

她缀有碧玉和鸟羽的袍袖很宽大，让人清清楚楚地看见了她圆圆的小胳臂；她手腕上戴着乌木手镯，手上戴有戒指；她十指纤纤，指甲又尖，因此，使指尖看起来像针似的。

她的下巴下边有一条韭菜叶似的金链，顺着两腮呈螺旋状往上盘在她扑有蓝色香粉的头发上，然后又经过两肩

会合在她胸前的一个钻石蝎子上,蝎子的舌头下垂在她的两个乳房中间。她每只耳朵上都有一个大金黄色珍珠。她画了黑眼圈;左颊上有一个天生的棕色斑点。似乎是由于她的坎肩太紧,穿起来不舒服,所以她张着嘴巴呼吸。

她一边走一边摇动着手中那把周边有朱红色小铃铛的象牙柄绿阳伞,有十二个卷发小黑孩子捧着她袍子的长后摆,摆尖由一只猴子拿着,时不时地往上高高举起。

她说:

唉!俊美的隐修士!俊美的隐修士!我已心摇意动,难以自持!

我急急忙忙赶路,脚上已磨起了茧子,还折断一根脚指甲!我派出了许多牧羊人在山上瞭望,派猎人到森林中去呼唤你的名字,还布置了密探在各条道路上问每一个行人:"你看见他了吗?"

夜里,我把脸转过去对着墙哭泣,夜夜如是,以致最后我的眼泪竟把墙上的镶嵌画滴穿了两个小洞,泪水直流,宛如岩石中的两股海水,因为我爱你!啊!我真的爱你!爱你得很!

她将他的胡子。

你笑一笑,漂亮的隐修士!你笑呀!你看我是多么高兴!我会弹里拉琴;我能像蜜蜂那样飞舞,能讲许许多多的故事。我讲的故事,一个比一个有趣。

你想象不到我们走了多么远的路。你瞧,穿绿色号衣的驿夫赶的野驴都累得半死了!

野驴躺在地上一动也不动。

整整三个月,它们天天这样奔跑,嘴里含着一个挡风的嚼子,翘着尾巴一直不停地奔跑。像这样的野驴,别人是没有的。它们是我的外祖父——卡士坦的曾孙、伊亚哈布的孙子、雅克恰布的儿子撒哈瑞尔皇帝送我的。如果它们能活过来,我们就给它们安上驮桥,驮着我们快一点回家!嗯……怎么啦?你在想什么呢?

　　她仔细观察他。

你若做我的丈夫,我就给你衣服穿,给你香料使,还给你剃胡须。

　　安东尼安然不动,身子挺得比一根木桩还稳,脸色苍白得像一个死人。

你好像很难过,是舍不得你那间小屋吗?而我,为了你,我什么都舍得,甚至连聪明过人的所罗门国王我也舍得,尽管他有两千辆战车和一部漂亮的胡须!我已经给你带来了结婚的礼物。你自己挑选吧。

　　她在一排排奴隶和物品之间来回踱步。

你看,有日内扎特产的香膏、加尔达菲尼产的乳香、劳丹香脂、樟脑和做浇头用的希菲奥姆香菜。在这个箱子里有亚述产的刺绣品、恒河象牙、迦太基朱红颜料;在那个盒子里有一皮囊专供亚述王饮用的沙里邦酒(饮这种酒,必须用独角兽的角)。此外,还有许多项链、别针、发网、阳伞、巴萨金粉、达特苏士产的锡、庞迪奥产的蓝木、伊斯多尼产的白毛皮、帕莱西蒙德岛产的大红宝石和用生活在地下的稀有动物塔沙①的毛做的牙签。这些垫子是来自埃马斯,这些披风的流苏是来自帕尔米。在这条巴比伦地毯上,有……喂,你过来一下,你来呀!

　　她去拉圣安东尼的袖子。他拒绝。她又继续说:

这种用手指一戳就发出火花爆破似的声音的薄衣料,是商

---

① 塔沙,传说中的一种豪猪类的动物。——原注释者注

人从巴克特里亚纳贩运来的。他们到那里去一趟,沿途要用四十三个译员。我将命人用这种布料给你做一件在家里穿的长袍。

把那个无花果木箱上的钩子取开,并把象脖子上的那个象牙小匣子递给我!

有一个人从箱子里取出一个用布包着的圆东西,并端来一个雕花小匣子。

你要不要简本简——那个修建金字塔的人——的盾牌?你瞧,在这里呢!这个用七张龙皮重叠制做的盾牌,是用钻石铆钉铆接,并在弑君者的胆汁中鞣过的。它的这一面绘有自从发明武器以来的历次战争,它的那一面绘有世界末日到来以前将要发生的战争。霹雷打在盾牌上,将像软木球似的被弹回去。我把它挂在你的胳臂上,你将来打猎时用。

你猜我这个小匣子里是什么东西!你把它转过来,想办法把它打开!谁也打不开;你吻我一下,我就告诉你怎么开法。

她用手捧着圣安东尼的两颊;他伸胳臂把她推开。

有一天夜里,所罗门国王失去了理智。我们终于做了一笔交易。他起身轻脚轻步地走了出去……

她在原地转了一个身。

啊!啊!漂亮的隐修士!你不知道我们做的什么交易!你不懂!

她转动她的阳伞,伞上的铃铛丁丁当当地响。

我还有许许多多其他的东西,你听着!我收藏在库房里的财宝之多,使人一走进库房,就好似进入了一片森林,看得他眼花缭乱。我有用芦苇搭造的夏宫,用黑色大理石修建的冬宫。在几个大如海洋似的湖中,我有许多圆如银币的小岛,岛上遍地珍珠;从沙滩上滚滚而来的温暖的海浪拍打岛岸的声音,就仿佛是悦耳的音乐。主管膳食的奴仆到我的家禽场中去挑选家禽,到我的鱼塘里去捕鱼。我的雕刻师成天坐着为我雕刻石像,累得气喘吁吁的铸造师为我铸造塑像,香料师用花草的汁和醋为我调制香水。我有专门的女裁缝为我剪裁衣服,专门的金银匠为我打造首饰,专门的女理发师为我研究发型。细心的油漆工把滚烫的香树水泼在我的住房的镶板上,然后用扇子把它扇冷。侍候我的女仆之多,足以组成一个庞大的后宫,太监多得可以编成一个军。我有好几支军队,有众多的臣民!我有一队由矮人组成的卫队守卫在我的前厅,他们的背上背着象牙号角。

安东尼叹息。

我有羚羊拉的小车,四头象拉的大车,几百对骆驼;还有许多良种马,它们的马鬃之长,在它们奔跑时,竟盖住了它们的蹄子;我那大群大群的牛羊,它们的角是那么的长大,以致在牧放时,必须砍去它们前边的树,它们才能前进。我的花园里有长颈鹿,我晚饭后到花园散步时,它们把头都伸得高过了我房屋的屋檐。

我坐在贝壳里,由海豚拉着贝壳在岩洞里漫游,欣赏钟乳石间流下的水声。我到盛产钻石的国家,该国的魔法师都是我的朋友,他们让我到矿里去挑选最美的钻石;我挑好后就走出矿井,回到家里。

她吹出一声尖音口哨;接着,一只大鸟便从空中飞来,落在她的头发上,把她头发上的蓝色香粉扑洒在地上。

大鸟的羽毛是橘黄色,好像是金属鳞片似的;它小小的头像人的头,头上有一个银色羽冠;它有四只翅膀、秃鹫爪子和一个大孔雀尾巴似的尾巴;它把尾巴像孔雀开屏似的舒展开。

它用嘴去叼女王的阳伞,摇晃了一下身子,竖起全身的羽毛,一动不动地站着。

谢谢,美丽的希莫尔-安卡①!是你告诉我多情的人藏在什么地方!谢谢!谢谢!我心爱的信使!

它像心中的愿望那样飞翔。白天,它去周游世界;夜里,它飞回来栖息在我的床边,向我讲述它看到的一切:它俯瞰大海和海中的鱼与船;它从空中瞭望,发现浩瀚的沙漠空空荡荡,田里的庄稼全都倒伏,城邑荒废,城墙上长满了杂草。

她没精打采地弯起两臂。

喂!如果你愿意,如果你愿意!……我在一道地峡中央两边临海的一个岬角上有一座阁楼,大玻璃窗,龟壳地板,而且四面通风;居高临下,可以看见我的船队返航,看见我的臣民肩上扛着东西爬上山岗。我们在比云还柔和的羽绒垫上睡觉,用果壳喝清凉的饮料,透过绿油油的树林观赏初升的太阳!多好呀!

安东尼往后倒退。她往前靠近,并用愤怒的声音说道:

怎么啦?你不爱财富,不爱温柔,不动情?这些你都不需要,是吗?你需要的是淫荡的丑婆娘,你喜欢她沙哑的声音、火红色的头发和一身肥肉。你喜欢她同蛇皮一样冰凉的身体和她那双比神秘的洞穴还阴沉的大黑眼睛,是不是?你来瞧瞧我的眼睛!

于是,安东尼情不自禁地看她的眼睛。

你见到的那些女人,从打着灯笼在十字街头唱歌的妓女,

---

① 希莫尔-安卡,波斯民间故事中传说的神鸟。——原注释者注

直到坐在轿子里玩弄玫瑰花的贵妇人,你心目中就只有这种女人,她们是你朝思暮想的对象,你去找她们好了!告诉你:我不是一个女人,我是一个世界。我把衣服一脱下,你就会感到我身上有种种神秘的力量!

安东尼的牙齿咬得嘎嘎响。

只要你把一根指头放在我的肩上,你就会感到你的血管中好像有火在燃烧。你只要占有我身上那个小小的要塞,你就会感到比征服一个帝国还快乐。把你的嘴唇伸过来!你将感到我的亲吻好似水果那样甜蜜,沁入你的心脾!真的!你一闻到我的头发的香味,你就会心荡神迷;你一吮呷我的乳房和接触我的身躯,你就会神魂颠倒;你一看我的眼珠,你就会投入我的怀抱,迷迷糊糊地……

安东尼在胸前画十字。

你看不起我!天哪!

她哭着走开,忽又转过身来说道:

你真的看不起吗?这么美的一个女人!

她笑,那只捧着她长袍下摆的猴子把袍子高高举起。

你会后悔的,俊美的隐修士,你会追悔莫及的!你百无聊赖地过一辈子!我才开心咧!啦!啦!啦!啊!啊!啊!

她双手捂着脸,用一只脚一跳一跳地走了。奴隶们列队从安东尼面前走过,接着是马、单峰驼、象、女仆、驮行李的骡子、小黑孩子、猴子和手持碎百合花的穿绿衣的驿夫;示巴女王走远了,只听见她抽抽噎噎,好像是在哭泣,又好像是在冷笑。

三

示巴女王的身影消失后,安东尼发现有一个男孩站在他小屋的门边。他心中猜想:"也许是女王的仆人。"男孩矮似侏儒,但身子却粗壮得像一个卡比尔①,歪歪扭扭,样子很难看。他满头白发,头大得出奇;他身披一件破长袍,全身哆哆嗦嗦,手里拿着一卷纸莎草做的纸。

月光透过一朵白云照在他的身上。

安东尼

站得远远地审视男孩,心里有点害怕。

你是谁?

男孩

回答:

---

① 卡比尔,希腊人敬拜的火神。——原注释者注

你昔日的门徒希拉瑞昂①!

安东尼

你胡说,希拉瑞昂到巴勒斯坦去了已经好几年了。

希拉瑞昂

我现在又回来了!真的是我!

安东尼

走过去仔细打量。

他的脸好似朝霞,憨憨厚厚,一副笑容,而你的脸,阴阴沉沉,一副老相。

希拉瑞昂

这是因为我长年劳累所致。

安东尼

声音也不一样。你的声音沙哑,毫无活力。

希拉瑞昂

这是因为我吃的饮食太坏!

---

① 关于这个人物担任的角色,A.迪博德在其《居斯塔夫·福楼拜》(1936年伽里玛版第172页)中说:"在《圣安东尼受试探》头两章中,"逻辑学"和"科学"占据的位置,在第三章中,由回到安东尼身边的昔日的门徒希拉瑞昂占据,由他来对安东尼进行试探。他好像1849年版中的"科学"……他借他人之口进行思想试探,使安东尼产生拓展见闻之心,因此,使一个接一个地数不清的异教徒出现在安东尼面前。——原注释者注

安东尼

你这一头白发是怎么来的呢?

希拉瑞昂

是因为我忧伤过度!

安东尼

旁白:
真是他吗?……

希拉瑞昂

我去的地方,并不像你说的那么远。今年什巴尔月①保罗隐修士来看过你。二十天前游牧人给你送来过面包。前天,你还求过一个水手给你捎来三把凿子。

安东尼

你全都知道了!

希拉瑞昂

告诉你吧,我根本没有离开你,只不过这几年你没有发现我罢了。

安东尼

怎么会呢?是的,我的头脑成天糊里糊涂!特别是今天夜里

---

① 迦勒底人和犹太人的"什巴尔月",相当于公历2月。——原注释者注

……

希拉瑞昂

七大罪恶全都降临。不过,它们的那点点儿诡计,一碰到你这样的圣人,马上就会败露!

安东尼

唉!不!……不!我每分钟都有上当的可能!要是我始终是胆大心细、意志坚定,像伟大的阿达纳西那样,就好了。

希拉瑞昂

他是七个主教非法任命担任圣职的。

安东尼

那不要紧!只要他的道德……

希拉瑞昂

得了吧!此人十分骄傲和残忍,事事都要玩弄阴谋,结果,大家说他大权独揽,把他流放到国外去了。

安东尼

这是诬蔑!

希拉瑞昂

他曾试图收买掌管施舍品库房的欧士达特①,这一点,你不否认吧?

安东尼

我承认,是有这么一回事。

希拉瑞昂

为了报复,他一把火把亚塞纳②家的房子烧光了!

安东尼

唉!

希拉瑞昂

在尼西亚主教会议上,在谈到耶稣时,他说耶稣只不过是"主的仆人"。

安东尼

唉!这样说法,的确是亵渎神明!

希拉瑞昂

此外,他的知识也很有限,他自己也承认,连"圣子"的

---

① 欧士达特,公元四世纪的一个异教徒,曾严厉谴责基督教的结婚仪式和大吃大喝的作风。——原注释者注

② 亚塞纳(公元350生于罗马),罗马皇帝塞奥多斯的老师,后退隐到德巴依德,死于隐居地。——原注释者注

性质① 他也不明白。

安东尼

高兴得发笑。

是的，他的智力也不太……高。

希拉瑞昂

如果人们任命你去担任他那个职务的话，这对你的教友和你本人都是一件好事。这离群索居的生活实在太苦了。

安东尼

恰恰相反！对人来说，重要的是灵魂；他应当远离世上有害的事物。在世上行事，必定使人堕落。我甚至不愿意沾染泥土，尽管我只是脚站地。

希拉瑞昂

远离尘世，貌似孤独的人，实际上是有更大的贪求，此种人是伪君子。你虽然不吃肉，不饮酒，不洗浴，不使用奴仆，不追逐荣誉，可是你脑子里成天都在想象什么筵席啦、香水啦、裸体女人啦、人们的鼓掌叫好啦！你这样的洁身自好法，乃是伪装得更巧妙的腐化；你看不起世人，只不过是因为你没有力量反对世人！正是因为这样，或者是因为心存疑虑，所以你这样的人才落得如此可怜。只有实事求是，才能生活得很快乐。请问，取稣是成天愁眉苦脸的吗？他周围都是朋友，在橄

---

① "圣子"的性质，按基督教教义，圣父、圣灵三位一体，圣子——耶稣基督——居第二位。

榄树阴下休息；到包税人家去，一杯又一杯地饮酒，不嫌弃犯过罪的女人，医治人们各种各样的痛苦。而你，你只知道同情你自己的艰苦。你后悔了，发疯了，连狗来亲你，你也不理了；孩子向你微笑，你也视若无睹了。

安东尼

呜呜咽咽地哭起来了。

够了！够了！你说得我心里烦透了！

希拉瑞昂

把你破衣烂衫上的虱子都抖掉！振作起来，别再这么邋邋遢遢！你的上帝并不是硬要拿人作牺牲、爱吃人肉的摩洛克①！

安东尼

不过，受苦的人将得到上帝的祝福。有翼的天使将恭恭敬敬地接受忏悔者的血。

希拉瑞昂

那你就去为孟塔鲁斯派的教徒②大唱赞歌好了！他们的血比谁都流得多。

---

① 摩洛克，古腓尼基人以火焚儿童祭祀的神。
② 孟塔鲁斯派的教徒，指公元二世纪孟塔鲁斯的门徒。孟塔鲁斯宣称世界末日即将到来，最后审判已经临近。——原注释者注

安东尼

你要知道,一个人之所以殉教,为的是证明教义的真理!

希拉瑞昂

怎么能用这种方法来证明教义的精深呢?这岂不正好说明教义也有错误的地方吗?

安东尼

住嘴!你这简直是一派胡言!

希拉瑞昂

要做到以身殉教,也许并不太难。教友们的鼓动,骂人的痛快,过去的誓言,一时的糊涂,在许许多多种情况下,都可促使一个人去以身殉教。

安东尼转身走开,希拉瑞昂跟着他走。

再说,这样死法,也可以引起大混乱。丹尼士、西普里安和格列果瓦①不采取这种做法。亚力山大的彼德②也曾经谴责过这样死法,而且,在埃尔维尔主教会议上③……

---

① 丹尼士、西普里安和格列果瓦 罗马皇帝德西乌斯迫害基督教时期的三位主教:丹尼士是亚力山大的主教,西普里安是迦太基的主教,格列果瓦是勒奥塞撒雷的主教。——原注释者注
② 亚力山大的彼德 主教,曾建议受迫害的基督徒用金钱去赎罪,免得一死,但他本人却于公元322年以身殉教。——原注释者注
③ 埃尔维尔主教会议 指约于公元300年在西班牙埃尔维尔举行的主教会议。在这次主教会议上,曾谴责一些人以身殉教的做法。——原注释者注

安东尼

塞住耳朵：
我不听！

希拉瑞昂

提高嗓门说：
瞧你又犯老毛病了，你真懒。愚昧是骄傲产生的浮渣。你说什么"我的信仰已经确定，为什么要讨论？"你看不起学者、哲人和传统；你明明不懂法律，却硬说法律没有什么了不起。你以为你这样做，是很明智的吗？

安东尼

我听够了！他吵吵嚷嚷，简直把我的头都吵晕了。

希拉瑞昂

努力去了解上帝，这个办法比你用苦修去感动他更为有效。我们的优点在于追求真理。单靠宗教，是不能够把世间的一切现象都解释清楚；把你所不了解的问题都解决了，就可以使宗教更加难以批驳，使它的教义更加精深。因此，为了宗教的地位得到巩固，你应当和教友们互相沟通，否则，教会或教友会便徒具虚名；此外，你还须要倾听理智的声音，对任何事或人都不抱轻蔑的态度。巫师巴拉姆①、诗人埃士奇勒和居姆的女预言者早已说过救世主必将到来。亚力山大的丹尼士已

---

① 巫师巴拉姆　摩亚国王派巫师巴拉姆去诅咒以色列人，但有一位天使把巴拉姆诅咒以色列人的话变成了对以色列人的祝福。——原注释者注

奉到上天的谕示：今后，无论什么书都要读一读。圣克雷芒①要求我们学习希腊的文学。赫尔玛斯②在他所钟爱的一个女人的幻想的影响下便一心皈依。

安东尼

瞧你这副神气十足的权威样子！我觉得你好像长高了⋯⋯

希拉瑞昂的身子的确在逐渐往上长；安东尼闭眼不看他。

希拉瑞昂

你放心吧，我的好隐修士！

我们到那儿去，坐在那个大石头上，像从前那样，天刚蒙蒙亮，我就来向你行礼，叫你一声"明亮的晨星"，你马上就开始教我的功课。你对我的教育还没有完哩。现在月光照亮着我们。我听你讲。

他从腰间取出一支芦苇笔，盘腿坐在地上，手里拿着一卷纸莎草纸，抬头望着安东尼；安东尼坐在他旁边，低着头。

沉默一会儿后，希拉瑞昂又继续说道：

上帝的话不是通过奇迹的显现向我们证实的吗？而法老的巫师也行奇迹，其他的骗子也能行奇迹；其实大谬不然。什么叫"奇迹"？我认为，奇迹是超自然的事情。它的威力有多大？我们并不知晓。一件普普通通不足为奇的事情，我们有何必要

---

① 亚力山大的圣克芒　基督教早期的教宗之一。——原注释者注
② 赫尔玛斯　基督教早期的神父之一，曾试图使柏拉图的哲学和基督教的道德观协调一致。——原注释者注

去了解它呢?

安东尼

没有必要!我们照《圣经》上的话做好了!

希拉瑞昂

圣保罗、奥利金①和许许多多其他的人都不拘泥于《圣经》的字面,不过,如果用比喻的办法去解释《圣经》的话,那就只有一小部分人才懂,而真理就无法让所有的人都明白。怎么办呢?

安东尼

由教会去想办法好了!

希拉瑞昂

这样一来,《圣经》岂不是就没有用处了吗?

安东尼

不!尽管《旧约全书》有……我承认,有些地方讲得很晦涩,但《新约全书》还是用词明确,一看就懂的。

希拉瑞昂

《马太福音》上说报喜信的天使显现在约瑟面前,而《路

---

① 奥利金(185—254) 基督教著名的圣师,擅长用象征主义的手法解释《圣经》上的话。——原注释者注

加福音》上却说天使出现在马利亚的房中①。第一本《福音书②》上说：耶稣由一位妇女行敷油礼一事是发生在他开始社会活动的时候，而其他三本则说是在他死在十字架上的前几天。《马太福音》说：人们给耶稣在十字架上喝的是醋和胆汁，而《马可福音》却说喝的是酒和没药。据《路加福音》和《马太福音》上说：使徒不应当身带金钱和布袋，也不应当穿鞋和拿棍子；相反，《马可福音》上说耶稣允许他们穿鞋和拿棍子，但除此以外，其他的东西一律不准带。到底哪个说法对，我简直搞糊涂了！……

安东尼

大吃一惊地说：

是的……是的……

希拉瑞昂

那个患血漏的女人摸了耶稣的衣裳③，耶稣转身说道："谁摸我的衣裳？"他不知道是谁在摸他？这个话，和耶稣"无所不知"的论断大相矛盾。如果坟墓④有人把守，妇女们就

---

① 这里讲的是耶稣基督降生的故事。据《圣经》上说：耶稣的"母亲马利亚已经许配了约瑟，还没有迎娶，马利亚就从圣灵怀了孕"，诞育了耶稣。关于这段故事，请参见《圣经·新约全书·马太福音》第一章第十八至二十五节和《路加福音》第一章第二十六至三十一节。

② 《福音书》指《圣经·新约全书》中的四《福音书》，即《马太福音》、《马可福音》、《路加福音》和《约翰福音》。

③ 据《圣经》上说：一个患了十二年血漏病的女人"摩耶稣的衣裳"，病就好了。事见《新约全书·马可福音》第五章第二十一至三十四节。

④ 指耶稣死后安葬的坟墓。关于耶稣死后安葬的情形和"有人把守"坟墓的故事，参见《新约全书·马太福音》第二十七章第五十七至六十六节。

用不着去找人来帮忙把坟墓的石头搬开。可见，不是没有人把守，就是圣洁的妇女们当时不在那里。在以马忤斯，他和门徒们一起吃鱼①，并让他们摸他的伤口。他的身体是人的身体，有骨有肉，有重量的，但它能穿过墙壁。这可能吗？

安东尼

要解答你这个问题，是需要花很多时间的。

希拉瑞昂

耶稣既然是圣子，为什么又要接受圣灵呢？他既然是三位一体中的第二位，又有何必要受洗礼呢？他，既然是神，魔鬼又怎么去试探他呢？

所有这些问题，你脑筋里就从来没有想过吗？

安东尼

想过！……经常想！它们一直萦系在我心里，有时候把人搞得糊里糊涂，有时候又把人搞得心烦意乱。我强把它们压下去，可它们一会儿又冒了出来，弄得我心里憋得十分难受；因此，我有时候觉得有人在诅咒我。

希拉瑞昂

你一心侍奉上帝不就结了吗？

---

① 关于耶稣和门徒们一起吃鱼的故事，参见《新约全书·路加福音》第二十四章第三十六至四十三节。

安东尼

我当然要敬拜他!

沉默许久以后,

希拉瑞昂

说道:

除了教条以外,其他的问题是允许自由研究的。你想不想知道天使的品级、《民数记》①的意义、胚芽和化身产生的原因吗?

安东尼

想知道!想知道!我的思想正在为挣脱牢笼而斗争,我认为,只要我集中精力从事,是可以达到目的的。我有时候在一刹那间仿佛觉得是身子悬在半空中,隔了一会儿又掉了下来!

希拉瑞昂

你想知道的秘密,是掌握在智者手里的。他们生活在一个遥远的国家;他们身穿白衣,坐在大树下,像天上的神那样恬静。有一股温煦的风滋养着他们。在他们周围有许多豹子在草地上走来走去。泉水的潺潺声、独角兽的嘶鸣和他们的话音交织在一起。你去听吧:一切尚不了解的东西都将揭示出来!

---

① 《民数记》是《圣经·旧约全书》中的一卷,书中记有"以色列第一次核实男丁数"和"统计利未人的男丁"等事。

安东尼

唉声叹气地说：
路那么远，再加上我人已经老了！

希拉瑞昂

嘿！嘿！有学问的人是不少的！在你身边就有；就在这里！——让我们进去吧！

四

安东尼发现他面前出现了一座长方形大教堂。

从教堂中射出一道五彩缤纷的太阳似的光,照亮了拥挤在大殿里、柱廊里和厢房里的数不清的人;在厢房的木板隔间里有祭坛、座位、小蓝宝石串成的细链条;墙上画有光彩夺目的一群星星。

人们三五成群,到处扎堆。有些人站在小凳子上指手画脚地发表演说;有些人双手交叉,坐在地上祈祷;有些人在唱赞美歌,有些人在饮酒,有些人围着一张桌子会餐;有几个殉教士解开他们的内衣,让人们看他们身上的伤痕;有几个老者拄着手中的棍子,谈他们旅途的经过。

他们当中有日耳曼人、色雷斯人、高卢人、斯基泰人和印度人。有些人的胡子上沾有白雪,有些人的头发里还掉进了鸟的羽毛,有些人的衣服穗子上还沾有荆棘,鞋上尽是黑色的尘土,皮肤被太阳晒得黝黑。穿各种衣服的人都有:有的穿紫色大氅,有的穿麻布袍,有的穿绣花长服,有的穿宽袖毛皮外套,有的戴水手帽,有的戴主教冠。他们的眼睛特别明亮。他们的样子,有的像刽子手,有的像阉人。

希拉瑞昂在他们中间走过。所有的人都向他问好。安东尼紧靠着他的肩头仔细观察他们。他发现其中有许多妇女。有几个女人穿男式衣服,剃成光头;安东尼感到害怕。

希拉瑞昂

她们都是基督徒,她们都说服了她们的丈夫皈依基督教。妇女们始终是信奉耶稣的,她们甚至把耶稣当偶像崇拜,例如彼拉多的妻子普洛尼娜和尼禄的妃子波贝① 就是。别害怕!往前走吧!

继续不断地又有人来。

到来的人成倍地增加,分成几堆,像影子似的走来走去,吵吵嚷嚷,还夹杂有怒吼声、谈情说爱声、唱歌声和咒骂声。

安东尼

低声说道:

他们在干什么?

希拉瑞昂

主② 说:"我还有好些事要告诉你们。"因此,他们将知道好些事情。

他把安东尼推向一个有五个台阶的黄金宝座;宝座周围有九十五个门徒,他们的身上都抹了圣油,身子瘦,脸色苍白;宝座上坐着摩尼,像天使那样美,像雕像那样一动也不动;他身穿一件印度长袍,头发辫上有红宝石,左手拿一本画册,右手下边有一个圆球。画册上画的是在混乱的环境中熟睡的人。安东尼俯身观看。这时,

---

① 波贝·萨比娜原来是奥东的妻子,后被罗马暴君尼禄强占为妃。
② 主,即耶稣基督。

摩尼

转动圆球,随着清脆的里拉琴声说道:

天国在上端,尘世在下端,尘世由两位天使——斯普朗迪特能斯和有六个面孔的奥莫弗奥尔①——支撑。

在天的最顶端是神色冷峻的上帝,下边面对面地站着上帝之子和黑暗之王。

黑暗扩展到了上帝的王国,上帝从他的本体中抽出一种美德来制造了世上的第一个人,并用五行围绕在他周围。但黑暗的魔鬼盗走了其中的一部分,这盗走的一部分就是灵魂。

只有一个灵魂,它向四面八方到处扩散,宛若江中的水分成几个支流。它在风中叹息,在被切割的花岗石中吱嘎作响,在海浪中咆哮;人们摘无花果叶时,它流出奶汁似的眼泪。

灵魂脱离这个世界,迁往天上有生命的星星。

安东尼

发笑。

嘿嘿!嘿嘿!真荒唐!

一个男子

没有胡子,表情严肃:

怎么荒唐?

安东尼正要回答,希拉瑞昂悄悄告诉他说此人就是伟大的奥利金。这时

---

① 斯普朗迪特能斯和有六个面孔的奥莫弗奥尔是摩尼教中的五天神中的两天神。——原注释者注

摩尼

继续说道:

它们先到月球上,洗净自己的罪孽,然后上升到太阳。

安东尼

慢条斯理地说道:

我不明白……怎么就没有人站出来说一声……他的话信不得。

摩尼

造物的目的,肯在释放封闭在物质中的天国的光。天国的光每每从芬芳的气味、浓烈的香料、烫热的醇酒和轻如人的思想似的东西透露出来。但是,人的行动又使它滞留在物质里。凶手将投生为迅跑的鹿;宰杀牲畜的人将变成他所宰杀的那种牲畜;如果你种了一株葡萄,你将受葡萄枝的束缚。食物吸收天国的光,因此,要少吃食物! 严守斋戒!

希拉瑞昂

你瞧,他们真地节制饮食了呢!

摩尼

天国的光,存在在肉里的多,存在在绿叶植物里的少。然而,虔诚的信徒可以凭他们的德行从植物中取出这一部分光,让它回到它的发源地。而动物则由于一代接一代地繁衍,所以把天国的光禁锢在肉体里了。因此,应当远离女人!

希拉瑞昂

他们如此禁欲,令人佩服!

摩尼

或者,采取措施,不让她们怀孕。宁可让灵魂掉在地上,也不可让它苦待在臭皮囊里!

安东尼

哼!一派胡言!

希拉瑞昂

为什么要把可卑的行为分成几等几级?教会已经把婚姻定为一件神圣的事情了!

萨图南[①]

穿一身叙利亚人的衣服。

他传播的是一大堆有害的事情!天父为了惩罚反叛的天使,便命令他们去创造世界。于是,基督降临,以便让犹太人的神(他是这些天使中的一员)……

安东尼

一位天使?他!造物主!

---

① 萨图南,公元一世纪哲学家,巫师西蒙的弟子。萨图南认为物质本身是坏的。——原注释者注

塞尔东①

他不是曾经想谋杀摩西,欺骗他的先知,诱惑百姓,散布谎言和主张崇拜偶像吗?

马西昂②

当然,造物主不是真正的上帝!

亚历山大的圣克雷芒

物质是永恒的!

巴尔德萨纳③

身着巴比伦僧侣服。
它是由七个行星的精华构成的。

赫尔尼安派教徒④

灵魂是天使创造的!

---

① 塞尔东,公元二世纪的一个异教徒。他认为存在着两个本质,即《旧约全书》所代表的恶,和基督所象征的善。——原注释者注
② 马西昂,公元二世纪哲学家。他认为善与恶是两个不同的本源。——原注释者注
③ 巴尔德萨纳,公元二世纪叙利亚哲学家。他认为耶稣基督不具有人这样的身体;还说人的灵魂在犯罪前只要有另外一个灵敏的和圣洁的形体,人就可以复活。——原注释者注
④ 赫尔尼安派教徒,此派教徒的观点,与诺斯提派相近似,认为灵魂是天使用火创造的。——原注释者注

普里西利安派教徒①

世界是魔鬼创造的!

安东尼

猛地一下往后倒退一步:
太可怕了!

希拉瑞昂

用手扶着他:
你别着急!你误解了他们的教义!这里有一个人受过圣保罗的朋友德奥达斯②的教诲。你听他讲吧!

在希拉瑞昂的示意下,

瓦伦廷③

身穿银色长袍,尖嗓子,尖脑壳:
世界是一位神心血来潮、头脑发热时的作品。

安东尼

低着头:
是一位神心血来潮、头脑发热时的作品!

---

① 普里西利安派教徒,指公元四世纪西班牙异教徒普里西利安的门徒。他们认为:灵魂从天上落到地上后,由魔鬼把它拾起来附在人的身上。——原注释者注
② 德奥达斯,圣保罗的门徒。——原注释者注
③ 瓦伦廷,公元二世纪亚力山大城的异教徒。他既不承认基督的化身,也不承认基督的神性。——原注释者注

沉默许久以后：

怎么会是这样呢？

瓦伦廷

最完美的存在，最完美的始源，是一个不可知的事物；它处在深层之中，与思想在一起。它们相结合，便产生智慧，智慧的伴侣是真理。

智慧和真理产生圣子和生命，而圣子和生命又产生人和教会；这样，就有八个始源！

他掰着指头数。

圣子和真理又产生另外十个始源，也就是说五对始源。人和教会又产生十二个始源，其中有圣灵和信仰、希望和慈悲，完美和大智慧索菲亚。

这三十个始源合起来构成灵界，或叫做神的普遍性。这样一来，如同传向远方的回声一样，如同不断挥发的香水和愈来愈西沉的落日的余晖一样，从始源散发出来的力量必然会愈来愈弱。

索菲亚想见天父；她冲出灵界；圣子又创造了另外一对始源——基督和圣灵。这一对始源把其他的始源都联合起来，结合成灵界之花耶稣。

索菲亚逃跑时的慌张相，在空中留下了她的形迹，一种有害的物质——阿沙拉莫特。救世主怜悯它，把它从情欲中解放出来；从被解放出来的阿沙拉莫特的微笑中产生了光；它的眼泪流成河，它的忧伤产生了令人苦闷的事物。

从阿沙拉莫特中走出了一个德米尔治——世界、天空和魔鬼的创造者。他住的地方远远低于灵界，所以他看不见灵界，自以为是真正的神，并通过他的预言家的嘴反复说："除我以外，就不存在有其他的神！"他创造了人，并在人的灵魂中撒下了非世俗的种子，即教会——灵界中的另一个教会的反映。

有一天，阿沙拉莫特到达了最高的境界，与救世主会合在一起；隐藏在世界中的火将消灭所有的物质，并消灭它自己；人将变成纯粹的精灵，与天使相结合！

奥利金

这样，魔鬼将被降服，开始由神来统治。

安东尼差一点叫出声来。

巴西里德

立刻抓住安东尼的胳臂：

无止无休地散发物质的最高的存在，叫做"阿布拉克莎斯"；德高望重的救世主，叫做"考拉考"①，这就是说：他行事方方正正，规规矩矩。

要懂得"考拉考"的真谛，须先懂得这几句话的意思；为了便于记忆，已经把这几句话镌刻在这块宝石上了。

他边说边指那块挂在他脖子上的小宝石，宝石上刻有几行稀奇古怪的文字。

懂了考拉考的真谛，你便会被送入人眼看不见的境界，你将高于法律，把一切都不放在你的眼里，甚至觉得道德也不屑一顾！

我们这些虔诚的信徒，应当以考拉考为榜样，逃离痛苦。

---

① 考拉考，巴西里德的用语，从《圣经·以赛亚书》第二十八章第十节看，"考拉考"一语，指的是基督。——原注释者注

安东尼

怎么啦!十字架呢?

厄尔克塞特派教徒①

身穿青紫色布袍,回答道:

由于传道团的到来,我们的父辈们的忧虑、卑怯、罪孽和受到的压迫,已全都消除!

你可以不承认下界的基督——人生养的耶稣,但必须敬拜另一个基督——由圣鸽孵出人身的耶稣。

要尊重婚姻!圣灵是女身!

希拉瑞昂消失了;安东尼被人群推推搡搡,看见

卡波克拉派教徒②

和许多女人一起躺在朱红软垫上:

在回到独一无二的境界之前,你将历尽艰辛,饱受磨砺。你如果想走出黑暗,从现在起,就应当立志修行!做丈夫的去对妻子说:"对你的哥哥行善事",她就会吻你。

尼古拉的追随者③

围着一盘热气腾腾的菜:

这是供奉偶像的肉,吃吧!只要心地纯洁,背教是可以

---

① 厄尔克塞特派教徒,公元一世纪异教徒厄尔克塞特的门徒。他们认为有两个基督,一个是天上的,一个是地上的。——原注释者注

② 卡波克拉派教徒,公元二世纪异教徒卡波克拉的门徒。他们不承认基督的神性,说世界是由天使创造的。——原注释者注

③ 指追随圣保罗的人。圣保罗绰号"尼古拉"。——原注释者注

的。尽量满足你的肉欲。放浪形骸,尽情享乐,直到把肉体消灭方休!天母普鲁尼柯的丑事秽行,不一而足。

马可派教徒①

戴金戒指,满身香气。

加入我们的行列,就能和神灵相结合!加入我们的行列,就能享受长生!

他们当中有一个人指给他看挂毯后面的一个驴头人身:魔鬼的父亲萨巴奥特。这个人朝萨巴奥特吐了一口唾沫,表示愤恨。

另外一个人让他看一张很低的床,床上铺满了花,这个人说:

神灵的婚礼即将结束。

第三个人一手端着酒杯,口中念念有词;杯里出现了血。这个人说:

喂!你来看!你来看!基督的血!

安东尼转身走开。一只桶里喷出一股水来溅了他一身。

赫尔维迪派教徒②

低着头冲过去,嘴里嘟嘟囔囔地说:
经过洗礼而获新生的人,是十全十美的!

---

① 马可派教徒,指马可的门徒。这一派人不承认三位一体说;他们认为上帝有四个"位格",教会的话可以和神灵相沟通,并允许妇女担任神职。——原注释者注

② 赫尔维迪派教徒,赫尔维迪的门徒。他们说圣母马利亚生的是约瑟的孩子。——原注释者注

安东尼从一堆大火旁边走过。有几个亚当派教徒①围着大火取暖;他们模仿天堂的纯洁,赤身裸体,全身一丝不挂;接着,他又碰见了

麦萨勒派教徒②

躺在石地板上,呈半昏睡状态,一副蠢相:

喂!如果你愿意,就从我们身上踩过去好了!干活儿是一件犯罪的事情,没有一样活计不是坏事!

在他们身后,是下贱的

帕特尔纳派教徒③

男人、女人和小孩乱七八糟地挤在一堆垃圾上,抬起他们满是酒浆的丑脸:

魔鬼创造的下身,属于魔鬼。让我们痛痛快快地喝,痛痛快快地吃,痛痛快快地淫乐!

埃提乌④

犯罪是一种需要,上帝管不了!

突然

---

① 亚当派教徒,公元二世纪的一个教派的信徒,他们认为人可以回复到亚当时候的天真无邪的状态。——原注释者注
② 麦萨勒派教徒,公元三世纪诺斯提教中的一个派别的信徒。——原注释者注
③ 帕特尔纳派教徒,这一派教徒认为肉体是魔鬼创造的。——原注释者注
④ 埃提乌,阿里乌的门徒。——原注释者

一个男人

披一件迦太基人的披风,纵身跳到他们当中,手执皮鞭,左一下右一下使劲抽打,边打边骂:

嘿!你们这些骗子、强盗、倒卖圣物的坏蛋和魔鬼!你们都是各个教派的败类,从地狱跑出来的害人虫!躺在那边的那个马西昂,是西洛普的一名水手,因犯乱伦罪被开除了教籍;加波派克拉因干巫师这一行被逐出了本乡;埃提乌曾经偷过他的姘头的钱财;尼古拉让他的老婆去卖淫;那个硬要人家称他为菩萨而自己又说自己名叫居布里居斯的摩尼,已经被人用芦苇尖刀活剥了皮,把他的皮鞣制后,如今还挂在特西丰①的城门上随风摇摆哩!

安东尼

突然发现了特都里安②,于是便马上跑去见他。

老师!救我呀!救我呀!

特都里安

大声说道:

赶快打碎偶像!把圣母遮挡起来!诚心祈祷,严守斋戒,哭哭啼啼,禁欲苦修!别再讲什么哲学了!别再读什么书了!紧跟耶稣,就用不着任何其他的学问了!

---

① 特西丰,古安息国首都,在今巴格达南边的底格里斯河畔。——原注释者注

② 特都里安(160—230),著名的"教会之父",生于迦太基,后来信奉孟塔鲁斯派的异端邪说。——原注释者注

所有的人都躲开了。安东尼发现,在特都里安所站的地方,有一个女人坐在一张石凳上。

她呜呜咽咽地哭,头靠在一根柱子上,披头散发,身穿一件棕色长袍。

这时,他们两人紧挨在一起,远离人群;两人沉默,周围特别寂静,仿佛是在森林里:风不吹了,叶子也不摆动了。

这个女人挺美,但面容憔悴,脸色像棺材里的死人那样苍白。他俩互相凝视,彼此的眼中都流露出思绪万千的样子,过去的往事纷纷呈现在眼前。最后

普里希娜

开始说道:

我躺在澡堂的最后一个房间里,街上乱哄哄的声音吵得我昏昏欲睡。

突然,我听见人声嘈杂。有人在叫喊:"他是一个巫师!他是魔鬼!"一群人来到我的屋前,我家的对面就是埃斯居拉普① 庙。我两手抓住气窗,把身子往上提到气窗口。

我看见,在庙子的柱廊里有一个人的脖子上戴一个铁颈圈。他从炉子里取出火炭,在自己的胸脯上烫出一道道的伤痕,口里叫喊:"耶稣,耶稣!"人群中的人说:"不许他叫,扔石头去打他!"但他继续叫喊。这种事,从来没有见过,真是激动人心。我眼前有一些像太阳似的大花朵在转动,我耳朵里听见空中有一架金竖琴的琴弦在发响声。太阳西沉。我松开抓着气窗的手,身子差点儿跌倒,后来,他把我领到他的家

---

① 埃斯居拉普,罗马神话故事中的药王神。

……

安东尼

你口中的他,指的是谁呀?

普里希娜

指的是孟塔鲁斯!

安东尼

孟塔鲁斯,他早已经死了。

普里希娜

你说得不对!

一个声音

孟塔鲁斯没有死!

安东尼转过身去,发现这边还有另外一个女人坐在一张石凳上。她一头金发,脸色更加苍白,眼皮浮肿,好像是哭了很久似的。不等他开口问她,她就说道:

玛克希米娜①

我们从塔耳斯翻山越岭回到这里,在途中的一个拐弯处,看见一株无花果树下有一个人。

他老远就向我们叫喊:"站住!"他一边叫骂,一边向我们冲过来。几个奴隶也跑了过来。他哈哈大笑,吓得马直立起来,猎狗狂吠。

---

① 玛克希米娜,孟塔鲁斯派的女先知之一。——原注释者注

他站着，满头大汗；风吹得他的披风劈劈啪啪地响。

他指名道姓地说我们做的事情都是出自虚荣，说我们的身体都很肮脏；他捏着拳头，指着骆驼说它们的脖子下边挂的都是银铃铛。

他愤怒的样子尽管使我胆战心惊，但同时也使我有一种沁人心脾的快感。

奴隶们走过来说："主人，牲口都挺累了。"接着，妇女们说："我们很害怕。"奴隶走开了，孩子们开始哭闹："我们肚子饿了！"他没有回答妇女们的话，她们便一个一个地溜走了。

他继续说他的。我感到我身边来了一个人。来人是我的丈夫，而我却全神灌注听另外一个人讲话。我的丈夫蹒跚地在乱石中一边走一边问我："你不要我了？"我回答说："是的，你快走吧！"——我要去陪伴孟塔努斯。

安东尼

去陪伴一个阉人！

普里希娜

啊！你觉得奇怪，心里很反感！可是，你要知道，马大莱①、约亚拿、马太和苏撒拿② 都没有和救世主同过床。灵魂的结合比肉体的结合更欢快，为了更好地保住欧士托莉，勒昂士主教把自己阉了，他把爱情看得比男子的生殖力更重要。再说，这也不能怪我，有一个精灵强要我这么做；索塔士也未能

---

① 马大莱　即抹大拉的马利亚，"马大莱"是她的小名。
② 《新约全书·路加福音》上说："有些妇女跟从耶稣"，其中就有这里所说的这四个女人。关于马太，请参见《路加福音》第十章，其余三个见第八章。

治好我的病。他很厉害！不过，这不要紧！我是女先知中的最后一个女先知；我死之后，世界末日即将到来。

玛克希米娜

他给了我很多东西。没有哪一个女人是像我这样爱他，也没有哪一个女人是像我这样被他爱过！

普里希娜

你胡说！是我！

玛克希米娜

你说得不对，是我！

她们扭打起来。

在她们中间出现了一个黑人的头。

孟塔努斯

身着一件黑色披风，用两根死人的骨头扣得紧紧的。

别打了，我的宝贝儿！我们这样结合，虽然享受不到尘世的快乐，但可以在精神上达到至福。在天父的时期之后，是圣子的时期；我将开始第三个时期，即圣灵的时期。在天堂般的耶路撒冷光芒四射的那四十个夜晚里，圣灵的光已来到了我在佩普查的家的上空。

唉！当皮鞭抽打你们的时候，你们疼得直叫！你们疼痛的身体使我产生了激情！然而，你们想得到的爱无法实现，所以在我的怀中感到兴致索然！你们的情欲是那么的强烈，以致使你们发现了另外的天地，因此，你们现在可以用你们的眼睛看到灵魂了。

安东尼做了一个吃惊的姿势。

特都里安

回到孟塔努斯身边：

毫无疑问，由于灵魂是有形体的，所以没有形体的东西是不存在的。

孟塔努斯

为了使灵魂更加灵活，我订了许多禁欲苦修的办法，每年封斋三次，每天晚上闭着嘴巴做祈祷，以免口中吐出的空气玷污了思想。不结第二次婚，最好是不结婚！就是因为有了女人，所以天使才犯了罪。

阿尔贡特派教徒[①]

身穿马毛呢苦修衣。

救世主说："我来的目的，就是为了摧毁妇女们做的东西。"

塔提安派教徒[②]

身穿灯心草苦修衣。

恶之树，是她们！皮衣是我们的身子。

安东尼一直向同一个方向前进，遇见了

[①] 阿尔贡特派教徒，公元四世纪诺斯替教中的一个派别的教徒。他们认为世界是由七重天构成的，每一重天有一个阿尔贡特统治。——原注释者注

[②] 塔提安派教徒，公元二世纪塔提安的门徒。这一派人的教规极其严格。——原注释者注

瓦勒西乌派教徒①

躺在地上,身穿长袍,下腹部上贴有红色小片。

他们给安东尼一把刀。

照奥利金和我们这样行事!懦夫,你是不是怕疼?伪君子,你是不是爱惜你的皮肉,所以不下手?

正当他看他们躺在血泊中挣扎时,

该隐派教徒②

用一条毒蛇结扎头发。他们从安东尼身边经过时,对着他的耳朵大声嚷道:

光荣属于该隐③!光荣属于所多玛④!光荣属于犹大⑤!该隐造就了一批强者。所多玛的惩罚之严厉,使世人感到害怕;上帝之能救世人,是借助于犹大!是的,是靠犹大!没有他,就没有耶稣之死和耶稣的救世!

他们消失了;接着出现了一群

希尔贡塞利派教徒⑥

身披狼皮,头戴荆棘圈,手执大铁棍:

---

① 瓦勒西乌派教徒,瓦勒西乌的门徒。瓦勒西乌认为传种是罪恶的行为。——原注释者注

② 该隐派教徒,这一派人自称是该隐和犹大的后人。他们反对耶和华,说耶和华是一切恶事的根源。——原注释者注

③ 该隐,亚当的长子,曾杀害其弟亚伯。

④ 所多玛,城名;据《圣经·创世纪》上说:耶和华认为该城"罪恶甚重"。

⑤ 犹大,耶稣的门徒,后出卖耶稣。

⑥ 希尔贡塞利派教徒,出现在非洲的狂热的宗教信徒,他们释放奴隶,废除债务,一心想以身殉教。——原注释者注

打烂果子！搅浑泉水！淹死儿童！去抢那些成天享福、吃得酒足饭饱的有钱人！凡是只要有一件破衣穿、有点儿狗食吃、有一间小屋住就感到满意的穷鬼，凡是看见别人不跟自己一样受苦便心怀不满的穷光蛋，一律痛揍一顿。

我们是圣徒；为了加快世界末日的到来，我们就要到处去放毒，去放火，去杀人！

只有以身殉教，灵魂才能得救。我们要做殉教士。我们要用钳子揭我们的头皮，把我们的身子放到犁下去犁；我们要跳进火坑！

不行洗礼！不举行圣事！不结婚！把世上的人全都打入地狱！

这时，整个教堂里爆发出一阵怒吼声。

俄得派教徒[1]向魔鬼射箭；柯利瑞德派教徒[2]把蓝色面纱扔到天花板上；阿希得派教徒[3]向一只羊皮水袋葡萄敬拜；马西昂的门徒给一个死者的身上涂油；在阿佩尔派教徒[4]旁边，有一个女人为了更好地说明她的意思，让人们看她装在一个瓶子里的圆面包；另外一个女人走到桑普色派教徒[5]中间，把她鞋上的尘土像分发圣餐面包似的撒

---

[1] 俄得派教徒，公元四世纪俄得的门徒。这一派人认为上帝的形体跟人的身子一个样子。——原注释者注

[2] 柯利瑞德派教徒，公元四世纪的一派异教徒。他们用异教的方式敬拜圣母马利亚。——原注释者注

[3] 阿希得派教徒，公元二世纪的一派异教徒。他们不行圣事，认为羊皮水袋就是内盛基督所说的新酒的罐子。——原注释者注

[4] 阿佩尔派教徒，公元二世纪的一派异教徒。他们废除婚姻，否认耶稣复活，摒弃《圣经·旧约全书》。——原注释者注

[5] 桑普色派教徒，公元一世纪出现在死海沿岸地方的一派教徒。他们的教义既包含有基督教的内容，也夹杂了犹太教和其他教派的教义。——原注释者注

给他们。在撒满了玫瑰花的马可派教徒的床上,有一对恋人正紧紧地拥抱。希尔贡塞利派教徒互相掐脖子;瓦勒西乌派教徒一口一口地喘大气;巴尔德萨纳在唱歌,嘉波克娜在跳舞,玛克希米娜和普里希娜在大声叹息;加巴多西的那个假女先知①,两肘支撑在一头狮子的身上,她赤身裸体,挥舞着三把火炬,尖声尖气地口念那句可怕的祷词②。

廊柱像树干那样左右晃动,异教徒脖子上挂的护身符现出一道道互相交叉的火光;殿堂里的星星闪闪烁烁;人头攒动,你来我往,像排山倒海似的使墙壁都挤得好像在往后倒退。

然而,在嘈杂的人声中却传出了一阵歌声,还夹杂着笑声,有人在叫喊耶稣的名字。

唱歌的人是平民百姓,他们两手击掌打拍子。在他们当中,有

阿里乌

身着教会执事服。

那些大言不惭地攻击我的疯子们说什么他们能解释荒谬的事物。为了彻底揭穿他们,我作了几首短诗,念起来铿锵有力,可以熟记在心,在磨房里,在酒馆和海港里,到处都有人在朗诵。

根本没有那么一回事!圣子和天父并非同样永生,他也不

---

① 假女先知,公元三世纪初,在古加巴多西地区有一个"受神启示的"女人到处煽动群众,说世界末日即将到来。——原注释者注
② "那句可怕的祷词"指"世界末日即将到来"。——原注释者注

和天父同质！否则，他就不会说："天父啊,请把这只圣餐杯拿开！——你们为什么说我好？只有上帝好！——我去见我的上帝,去见你们的上帝！"还有许多其他的话证明他也是一个被创造之物,此外,他的这些名称:羔羊、引路人、泉水、智慧、人子、先知、平坦的道路和基石,也表明了他是被创造者！

萨伯里乌斯[①]

我,我认为他们两者是完全相同的。

阿里乌

安提阿主教会议[②]的说法正好相反。

安东尼

何谓"圣子"？……犹赛是什么人？

瓦伦廷派教徒

是悔过自新的阿沙拉莫特的丈夫！

---

① 萨伯里乌斯,公元三世纪的一位利比亚教士,萨伯里乌斯教派的创始人。他认为圣子和圣灵只不过是天父的显现,不具备神的格位。——原注释者注

② 安提阿主教会议,公元264和268年接连在安提阿开过两次主教会议,批判该城主教保罗·德·萨莫萨特。在268年那次会议上宣布他的一切说法为异端,说他的生活丑闻甚多。——原注释者注

塞特派教徒①

是挪亚② 的儿子闪!

德阿多特派教徒③

是麦基洗德④!

梅林特派教徒⑤

只不过是一个普普通通的人而已!

阿波利拿里派教徒⑥

他外表像人! 他装出一副受难的样子。

安希尔城的马塞尔⑦

他是天父的显现!

---

① 塞特派教徒,出现于公元二世纪;他们崇拜亚当的儿子塞特。——原注释者注

② 据《圣经·创世纪》说,挪亚按照神的话,造了一只方舟,逃脱了洪水灭顶之灾。

③ 德阿多特派教徒,拜占庭人德阿多特的门徒。德阿多特认为耶稣基督在降生以后才具有神性。——原注释者注

④ 据《圣经·创世记》(第十四章)说,麦基洗德是"撒冷王",是"至高神的祭司"。

⑤ 梅林特派教徒,公元一世纪末的异教徒梅林特(又名塞林特)的门徒。这一派人认为上帝的精神是在基督受洗时才进入基督的身体的;他们相信基督的本性是冷漠的,在耶稣受难前,已同耶稣分离了。——原注释者注

⑥ 阿波利拿里派教徒认为上帝有两个儿子,一个是上帝生的,一个是圣母生的。——原注释者注

⑦ 马塞尔,古安希尔城的主教。他反对阿里乌。——原注释者注

卡里克斯特教皇①

天父和圣子是一个上帝的两种形式!

梅多狄乌斯②

他先进入亚当的身体,然后才到人的身体内。

塞林特③

他将复活的!

瓦伦廷

你这样说法不对,应当说"他的身体是天体"!

保罗·德·萨莫萨特④

他是受了洗礼以后才成为神的!

赫尔莫日纳⑤

他住在太阳上!

全体异教徒把安东尼围在当中;他哭泣,两手抱头。

---

① 卡里克斯特教皇(217—222),在罗马皇帝亚力山大·塞维尔统治时期殉教。——原注释者注
② 梅多狄乌斯,小亚细亚奥林波城主教,反对奥利金,公元311年殉教。——原注释者注
③ 塞林特,即梅林特。参见本书第261页"梅林特派教徒"注。
④ 保罗·德·萨莫萨特,安提阿城主教。参见本书第260页"安提阿主教会议"注。
⑤ 赫尔莫日纳,公元二世纪的一个异教徒。他认为物质是与上帝同样永生的。——原注释者注

一个犹太人

红胡子,皮肤上有麻疯病斑痕,走到他身边,大声狂笑:
他的灵魂是以扫① 的灵魂!他得了忧郁症;他的母亲,那个卖香水的女人,在收割小麦的一个夜晚,在一个玉米垛上与一个名叫邦特鲁的罗马兵野合。

安东尼

猛然一下抬起头来,一言不发地用两只眼睛盯着他们,然后,径直向他们走过去:
圣师、巫师、主教和执事们,人和幽灵们,去你们的!去你们的!你们全都是骗子!

异教徒们

我们的殉教士比你们的殉教士受的苦楚多,我们的祈祷难得多,爱的冲动高雅得多,心醉神迷的时间却同样持久。

安东尼

没有见到神的启示,没有见到证据!
异教徒们手中举起纸卷、小块木片、皮子或布条,在空中挥舞;你推我搡地往前挤。

---

① 据《圣经·创世记》(第二十五章)说,以撒的妻子利百加生了一对孪生子,大的取名"以扫",小的取名"雅各"。以扫生下来时"浑身有毛",他的名字"以扫"就是"有毛"的意思。

塞林特派教徒

你瞧瞧这希伯来人的《福音书》!

马西昂派教徒

天主的《福音书》!

马可派教徒

夏娃的《福音书》!

克欲派教徒①

托马的《福音书》!

该隐派教徒

犹大的《福音书》!

巴西里德

论灵魂显灵的文章!

摩尼

《巴尔古夫的预言》②!

安东尼挣扎,逃出了他们的包围圈;他瞥见在一个阴

---

① 克欲派教徒,这一派教徒认为婚姻是不道德的;他们不吃肉,甚至在做大弥撒时也不饮酒。——原注释者注
② 《巴尔古夫的预言》,巴西里德的作品,但他伪称是另外一个有权威的作者写的。——原注释者注

暗的角落里，

年老的伊比奥尼派教徒①

身子干瘦得像木乃伊似的，白眉毛，两眼无神。

他们用颤抖的声音说道：

我们认识他，我们这些人都认识这个木匠的儿子！我们与他同岁，住在同一条街。他常用泥土捏小鸟，不怕利刃割破皮；他帮他的父亲干活，帮他的母亲缠染过色的毛线，绕成一个一个的毛线团。后来，他到埃及去游历了一番，带回来许多稀奇古怪的东西。我们一到耶利哥，他就去找那个吃蝗虫的人。他俩低声交谈，谁也听不见他们谈了些什么。不过，从此以后他在加利利就出了名，出现了许多有关他的传闻。

他们颤颤巍巍地反复说道：

我们认识他，我们这些人都认识他！我们都认识他！

安东尼

好！讲下去！讲下去！他的长相怎么样？

特都里安

长得粗头粗脑，难看极了，因为他把世上的一切罪恶、痛苦和丑恶都加在自己身上了。

安东尼

啊！不！不！在我的想象中，恰恰相反，他长得很俊，比

---

① 伊比奥尼派教徒，这一派教徒遵守摩西的律法，不承认基督的神性。——原注释者注

一般人都美。

塞撒雷的欧赛布①

在帕尼亚德一间破房子旁边的乱草丛中倒是有他的一座石雕像,据说是一个患血漏病的女人为他立的。不过,年头久了,脸已经烂了,雕像的铭文,也因风吹雨打,看不清楚了。

从加波克拉派教徒中走出一个女人。

马塞莉娜②

我从前在罗马的一座小教堂里当过执事;我曾经把圣保罗、荷马、毕达哥拉斯和耶稣基督的银质雕像给信徒们看过。我身上现在只有耶稣基督的像了。

她微微敞开她的外衣。

你看吗?

一个声音

只要我们一叫他,他就会显现!是时候了!来吧!

安东尼感到有人使劲抓住他的胳臂,把他带走。

他从一道漆黑的楼梯往上走了好多级,才来到一扇房门前。

给他领路的那个人(是希拉瑞昂吗?他不知道)对着另外一个人的耳朵低声说道:"主快到了";他们被领进一个房间,房间的天花板很低,房中没有家具。

---

① 欧赛布,巴勒斯坦塞撒雷城的主教。——原注释者注
② 马塞莉娜,曾活到公元160年左右,崇拜圣徒像,但经常把异教的教义和基督教的教义搞混。——原注释者注

首先使他吃惊的是,他对面有一根血红色的人头长蛹,从头中射出一道道光芒,周围写着希腊文"克努菲斯"①。长蛹的下边是一根圆柱,安放在底座的中央。在房间的其他三面内壁上,挂着许多锃亮的铁浮雕动物头,有牛头、狮头、鹰头、狗头和驴头,等等!

吊在动物头像下边的陶瓷灯,发出闪烁的光。安东尼从一个墙洞中看见远方海浪上映出的月光,还听见海浪有节奏的汩汩声和一条船的船身碰着防波堤的石头发出的沉重的撞击声。

有几个男人蹲在地上,用披风蒙住脸,不时发出闷声闷气的叫声。妇女们坐在地上打瞌睡,两手捧着头放在膝盖上;她们的面纱蒙得那么严严实实,整整齐齐,以致看起来好像是顺着墙根摆放的一堆破衣,在她们旁边是一群小孩,半裸着身子,满身的虱子,傻乎乎地望着闪闪发光的灯。他们没有事干,好像在等待着什么。

他们低声谈他们家中的情形,互相告诉得了什么病该吃什么药。迫害愈来愈严重,所以有些人打算天一亮就去乘船远走他方。要欺骗不信神的人并不难。"他们这些傻瓜以为我们是崇拜克努菲斯的!"

这时,有一个教友突然受了神的启示,走到圆柱前面;那里放着一只篮子,装满了茴香和马兜铃,上面还有一块面包。

其他的人各就各位,并排站成三行。

---

① "克努菲斯"不是希腊文,而是埃及文,意为"蛇神"。——原注释者注

受神灵启示的教友

打开一卷上面乱七八糟地满是圆斑点的文书，开始说道：

在茫茫黑暗中，圣子的光降临，响起一声强烈的叫喊，好像是他的光在召唤。

全体教友

摇晃着身子回答：
求主怜悯我辈！

受神灵启示的教友

人，实际上是那个卑鄙的以色列的上帝① 用这些东西制造的。

他边说边用手指着那些浮雕的动物头像。

阿斯托法约士，奥拉约斯，萨巴奥特，阿多奈，埃洛伊，伊阿奥②！

他直挺挺地躺在污泥上，样子丑恶极了，身体虚弱极了，全身没有一处像个模样，头脑里也没有思想。

全体教友

用悲怆的声音祈祷：

---

① 这里的"以色列"，指雅各。据《圣经·创世记》（第三十二章）说：雅各与一个人摔跤，胜了那个人。那人说："你名叫什么？"他说："我名叫雅各。"那人说："你的名不要再叫雅各，要叫以色列，因为你与神与人较力，都得了胜。""以色列的上帝"指与雅各摔跤的神。

② 这几个词，指的都是"以色列的上帝"。——原注释者注

求主怜悯我辈!

受神灵启示的教友

索菲亚①发了同情心,从自己的灵魂中取出一小块来给他,使他有了生气。

后来,上帝看见这个人竟变得那么美,于是大发雷霆,把他关在天国里,不允许他接近那棵智慧树。

索菲亚又一次救助了他!她派蛇去拐弯抹角地设法使他违背那条仇恨的律法。

于是,这个人吃了智慧树的果子,明白了天国的事物。

全体教友

用有力的声音祈祷:

求主怜悯我辈!

受神灵启示的教友

雅布达拉奥特②一气之下便把这个人扔进了污泥里,把那条蛇和他都一起扔了!

全体教友

低声祈祷:

求主怜悯我辈!

他们闭着嘴,不说话了。

---

① 索菲亚,瓦伦廷派教理中所说的"始源"之一,为智慧之神的化身。——原注释者注

② 雅布达拉奥特,诺斯替派教徒给耶和华的贬称。——原注释者注

海港里的各种气味在热风中与灯的烟味混合在一起。灯花劈啪作响,灯光即将熄灭;一群群的蚊子在飞舞。安东尼急得喘气,好像感到了他周围笼罩着恐怖的气氛,罪恶的事情即将发生。

受神灵启示的教友

顿足,拍手,抬头;在一阵钹声和尖笛声中,他大着嗓门有节奏地说道:

来!来!来!你快从洞中出来!

你没有脚也能跑,没有手也能拿取东西!

你像江河那样弯弯曲曲,像太阳那样滴溜圆,颜色黑而有金色的斑点,像繁星点点的苍穹!像葡萄藤那样缠绕,像肠子那样盘成圈!

你不是胎生!你吃泥土!你永远年轻!明察秋毫!在埃皮多尔受敬拜!对人有益!你治好了托勒密王、摩西的兵和米诺斯之子格劳科斯①的病!

来!来!来!你快从洞中出来!

全体教友

重复说:

来!来!来!你快从洞中出来!

然而,毫无动静。

怎么回事?它怎么啦?

大家商议;大家出主意,想办法。

---

① 格劳科斯,这里,福楼拜搞错了。格劳科斯是希西福的儿子,据拉丁诗人维吉尔说,他被他自己的几匹马像五马分尸似的撕成几块。——原注释者注

一位老者送来一筐带泥土的草。只见筐子中有东西在往上拱。草被掀开,草上的花掉落:露出了一条大蛇的头。

它沿着那块面包的边慢慢爬行,好似一个圆环围着一个静止的圆盘旋转。一会儿后,它开始舒展身子,身子逐渐拉长。它的身子粗大,相当的重。为了不让它落地,男人们把它捧在自己的胸口上,女人们把它顶在自己的头上,孩子们把它抬在自己的胳臂上。它的尾巴从墙上的一个洞中伸出去,慢慢地一直伸进了海里。它盘成圆圈状的身子全部展开,塞满了整个屋子,把安东尼堵在了屋子里。

虔诚的信徒们

把嘴唇放在蛇皮上;互相争夺它口中含的那块面包。是你!是你!

你当初是由摩西立的,后来被埃泽西阿①打碎了,最后由弥赛亚又把你修复成原来的样子。他在洗礼的水波里吸收你,可是你一到了橄榄园就离开了他,因此他感到全身软弱。

你盘绕在十字架上,而且高过了他的头;你把口涎流在他头上的荆棘环上,你眼睁睁地看着他死去。——因为你不是耶稣,你,你是圣子!你是基督!

安东尼吓晕了,跌倒在他小屋前面的一堆碎木上;他手中的火把掉落,在碎木中缓缓燃烧。

他身子震动了一下,使他微微睁开了眼睛。他看见了

---

① 埃泽西阿,犹大王。他把他国中的臣民所敬拜的青铜蛇打成粉碎。——原注释者注

尼罗河,河水在月光下碧波粼粼,河身宛似沙漠中的巨蛇。他又产生了幻觉:他没有离开奥菲教徒①;教徒们围着他,叫他的名字。他们带着行李,向海港走去。他和他们一起上船。

短暂的一会儿时间转瞬即过。

后来,他发现他到了一座监狱的拱顶下。他面前的一排栅栏在蓝色的墙上映出一道道黑影。在他身边的一个阴暗处,有些人在哭泣和祈祷,旁边有人在劝勉和鼓励他们。

外面似乎有人在吵吵嚷嚷;天空像夏日那样美好。

有人在大声叫卖西瓜、水、冰镇饮料和草编坐垫。不时传来一阵阵鼓掌声。他听见他头上有人在走动。

突然听见一阵轰鸣声,声音深沉有力,好像是水渠的水的奔流声。

他瞥见对面一个有铁栏的单间屋子里一头狮子走来走去,随后又看见一排光腿穿便鞋、身披大红色流苏的人。在更远一些的地方,井然有序地坐着一圈一圈的人,从竞技场的最低处,一圈比一圈大地一直坐到最高处。在最高处,有几根桅杆支撑着用绳子扯在空中的一个青紫色布篷。一道道通向中心的阶梯把这块巨大的圆形竞技场隔成一般大的许多小块,一层一层地都坐满了人,其中有骑士、议员、士兵和平民,也有贞洁的女子和卖淫的妓女。他们有的头戴毛呢风帽,有的胳臂上戴着丝带,有的穿浅褐色长袍,头戴宝石做的枝状饰品或五颜六色的羽毛,有的手持束棒。他们乱蹿乱动,闹闹嚷嚷,一片混乱,好像

---

① 奥菲派教徒,公元二世纪的一派异教徒。他们敬拜蛇。——原注释者注

一个泡沫翻腾的大酒桶。这一切,简直把安东尼搞得晕头转向。在竞技场中央的祭坛上有一个香炉,香烟冉冉升起。

原来,他周围的人都是被判处给猛兽吃的基督徒。男的身穿红色萨土恩祭司袍,女的头戴赛雷带。他们的朋友们在瓜分他们的破衣服和戒指。他们说,他们进监狱来看他们的朋友,是花了许多钱的。所以,管他的!能待多久,就尽量待多久。

在探监的人当中,安东尼注意到一个身穿黑色长袍的秃头男人。看他的样子,好像在什么地方见过。他对难友们宣讲世界本是虚无、只有上帝的选民才能得福。这时,安东尼心里充满了爱,巴不得有个机会把自己的生命献给救世主,不知道眼前是否就能成为这批殉教士当中的一员。

然而,在所有的人当中,只有一个满头长发的弗里吉亚人举起双臂;除他以外,其余的人都面带愁容。一个老年人坐在一张凳子上哭泣,一个年轻人站在那里低头沉思。

老年人

不愿捐献;来到一条十字路拐角处的一座米涅瓦女神像前,举目观看他的伙伴。从他的眼神看,他的意思是说:

你们应当帮助的是我呀!有些教友有时候是能够想出办法,保住平安的。你们当中有几个人就弄到了伪称他们已经向偶像奉献过牺牲的证书。

他问道:

亚力山大城的彼得主教不是已经规定好了受不了苦刑的人该怎么办吗？

接着，他自言自语地说道：

唉！我这把年纪，这份儿罪，我可受不了！我又老又病，身体实在太虚弱了！不过，活到来年冬天，看来还是可以的！

他一想起他那座小菜园，心里就难过；他把目光转过去看着祭坛。

那个年轻人

乱打乱踢，把一场祭祀阿波罗的庆典搅得大乱，而且嘴里还嘀嘀咕咕地说：

只要我一抬腿，就溜之大吉，跑到山里去了！

一位教友

士兵们要来抓你的。

那个年轻人

嗨！我跟西普里安学；回头再回来；下一次我的劲儿比现在还大，肯定比现在大得多！

接着，他思虑起他还有好多好日子可活，还有各种各样的欢乐也许来不及享受；最后，他转过脸去看着祭坛。

穿黑长袍的人

向那个年轻人跑过去：

你一派胡言！你，怎么把你也挑来作供奉神灵的牺牲？所有的女人都盯着眼睛看你，你该明白了！有时候上帝是要显现奇迹的。皮奥纽斯就曾使对他行刑的刽子手感到双手麻木，抢不动手中的刀；波利卡普的血喷灭了烧他的柴火。

他转身对那个老年人说：

老伯，老伯！你真该以你一死来教导我们。你要是迟迟不死的话，也许就会犯某种错误，使你过去的善行全都前功尽弃。再说，上帝的能力是无限大的。说不定你的模范行为将把所有的人都感动得诚心皈依。

在对面的兽栏里，几头狮子来回不停地快步走过来又走过去。

最大的那头狮子突然盯着安东尼吼叫，嘴里还喷出一阵水气。

女人们偎缩在男人身边。

安慰者

走过去挨个问众人：

如果有人拿烧红的烙铁烫你，或者，把你拿去五马分身，给你的身上涂上蜂蜜，让苍蝇来叮死你，你们怎么办？你怎么办？你只好像一个在林中遭猛兽袭击的猎人那样送命了。

安东尼宁肯被烙铁烫死或者被五马分身，也不愿被猛兽咬死；这时，他仿佛感到了它们的牙齿和爪子，好像听见了自己的骨头被它们咬得嘎嘣直响。

一个饲养猛兽的人走进牢房，殉道者们个个全身战栗。

只有一个人（那个弗里吉亚人）还保持冷静，在一边祈祷。他曾经放火烧过三座寺庙。他高举双臂向前走去；他张着大嘴，仰头往着天空，样子像一个梦游人似的。

安慰者

大声喊道:
往后退!往后退!孟塔努斯的灵魂要来抓你们的。

众人

一边往后退,一边骂道:
这个该死的孟塔努斯派!

众人都骂他,往他身上吐唾沫,并想揍他。

被激怒的狮子互相咬颈上的长毛。人们叫喊:"喂狮子!喂狮子!"

殉道者们大声哭泣,彼此紧紧地抱成一团。有人给他们一杯麻醉酒。他们依次传递,动作很快。

在兽栏的门口,一个饲养猛兽的人在等待信号。门开了;一头狮子走出来。

它大步穿过竞技场,其他的狮子跟在它身后。在狮子的后面,还有一只熊、三只金钱豹和几只云豹。它们像草原上的羊群那样分散在竞技场上。

一声鞭响。殉道的基督徒们身子摇摇晃晃。为了早一点结束他们的生命,教友们使劲推他们。安东尼闭上眼睛。

等他睁开眼睛时,只见眼前一片漆黑。

一会儿后又出现了光明;安东尼发现眼前是一块荒丘起伏的原野,好像一块被废弃的采石场似的。

在石头中间到处生长着小灌木;石头上面飘浮着一些比白云还飘动不定的白色东西。

有人走来,步子很轻。长长的面纱的纱缝中透露出一双双明亮的眼睛。从散发的香味和轻盈的脚步看,安东尼知道她们是贵妇人。另外还有几个男人，但他们的地位较低，样子显得粗俗。

其中的一个女人

深深地吸了口气，说道：

啊！夜里天气凉爽，这墓地里的空气多好啊！软绵绵的床，我简直睡够了；白天人声闹嚷，天气又那么热，我真受不了。

她的女仆从一个帆布口袋里取出一个火把点燃；其他的信徒也跟着点燃火把。她们把火把插在一座座坟墓上。

一个女人

喘着气说道：

唉！我终于到这里来了！不过，嫁给一个偶像崇拜者，多没有意思呀！

另一个女人

到监里去探视囚徒，和男教友们谈话，这一切都会遭到我们的丈夫们的怀疑！甚至在胸前画十字，我们也必须悄悄地画；他们把我们画十字的动作看作是在念咒语。

另一个女人

我和我的丈夫天天吵架；我不愿意屈服于他对我的肉体的过分要求。为了报复我，他竟派人像追捕基督徒那样跟踪我。

另一个女人

你们想必还记得那个漂亮的年轻人鲁西乌斯，人们把他像赫克托那样把两个脚后跟拴在一辆战车上,从埃士基林门一直拖到梯布尔山。他的血洒在了道路两旁的小树上!我收藏了他几滴血,在这儿,你们瞧!

她从怀里取出一块黢黑的海绵,使劲亲吻;接着,扑倒在石板上高声叫喊:

啊!我的朋友!我的朋友呀!

一个男人

多米迪娜正好是三年前的今天死的。她在普洛塞尔匹纳林中被人用一阵石头砸死的。她的骨头像萤火虫似的在草里闪闪发光;我收捡了她的骸骨,现在都埋在土里了!

他扑倒在一座坟上。

啊,我的未婚妻呀!我的未婚妻呀!

其余的人

遍地喊声:

我的姐姐呀!我的哥哥呀!我的女儿呀!我的妈妈呀!

有些人跪在地上,手捧着脸;有些人倒在地上,伸开双臂。他们强忍着哭泣,胸脯鼓得像是要炸裂似的。他们望着天空说道:

上帝啊!可怜可怜她的灵魂!她在阴间饱受煎熬;请你让她复活,让她享受你的光明!

他们两眼盯着石板,口中喃喃说道:

你要安息,不要再悲伤!我给你携来了酒和肉!

一个寡妇

我按照她的口味做了几块馍馍,加了许多鸡蛋,用了两份面粉!我们像从前那样一起吃,好吗?

她放一小块在嘴边;突然,她开始狂笑。

其余的人也像她那样咬一小块,喝一口酒。

他们互相讲述殉道者的故事;他们愈讲愈悲伤,愈频频奠酒。他们眼泪汪汪地你看着我,我看着你;醉醺醺地述说着许多伤心事。他们的手慢慢地互相接触,嘴唇贴在一起,面纱微微打开;他们在坟上的那一堆酒杯当中,在火把的火光照耀下,互相结合了。

天光开始发白,露水打湿了他们的衣裳。他们像彼此互不相识的人一样,各走各的路,消失在田野中。

阳光灿烂;地上的草长高了,原野变了样。

安东尼透过一片竹林看见许多柱子。它们是从同一根树干生长出来的枝桠;每一根枝桠又生长出另外的枝桠,插入土中。这些横七竖八的枝桠多得数不清,要不是稀稀疏疏地有些小无花果树和像埃及无花果树的叶丛那样的浅黑色叶子点缀其间的话,它们真像一个巨大的屋架。

他发现树杈上有一簇簇的黄花、紫花和鸟羽似的蕨。

在最低的树杈下面,到处露出一些非洲巨羚的角和明亮的羚羊的眼睛;树枝上栖息着鹦鹉,有许多蝴蝶在飞舞、蜥蜴在爬行、小飞虫在嗡嗡地飞。在这一片寂静中,他仿佛听见一种强大的脉搏跳动似的声音。

在树林的进口处的一个柴堆似的东西上,有一个奇形怪状的东西——一个赤身裸体、满身牛粪的男人。他的身子干瘪得比木乃伊还干瘪;他那木棍似的骨头两端的关节鼓得像疙瘩。他的两耳上挂着许多贝壳,他的脸特别长,鹰钩鼻。他的左臂伸向空中,僵硬得像根木桩。他在那里待的时间是如此之长,以致鸟儿在他的头发里筑了一个鸟巢。

在他那个柴堆的四个角上有四个火把闪耀着火光。太阳正对着他的脸；他睁大眼睛注视着太阳。他没有看安东尼；他口中说道：

尼罗河边的僧侣，你的意见如何？

火焰穿过木柴的空隙，向四面八方喷射。

这个恒河裸体僧

继续说道：

我像犀牛那样孤独。我居住在我身后的那株大树中。

在一株大无花果树的树干上，果然有一个和人一般大小的天然的空穴。

我吃的是植物的花和果；我严格遵守教规，就连狗也没有看见过我吃别的食物。

人的存在根源于人体的腐化；人体的腐化起因于人的肉欲；人的肉欲来源于感官的感觉；感官的感觉来源于和他物的接触，因此我毫不活动，不和任何事物接触，像墓碑那样纹丝不动。我用两个鼻孔呼吸；我眼观鼻，审视我灵魂中的太空，观察我的各部分器官中的世界和我心中的月亮；我潜心思考伟大的灵魂的精髓，因为，生命的本源就是从伟大的灵魂中像火花似的源源不断地喷射出来的。

我终于获得了一切生命之中的最高的灵魂，并从最高的灵魂中获得一切生命，使我的灵魂进入最高的境界；我的感官早已回到我的灵魂中了。

如同布谷鸟饮的是天上的雨一样，我的智慧直接受之于上天。

我之所以能认识万物，其原因就在于此；在我的眼中，世间万物已不复存在了。

现在,对我来说,已无所谓希望,也无所谓忧虑、幸福和美德了;也没有白天或黑夜,也没有你和我,万物皆空了。

我严格的苦修苦行,使我比君王还更有权威,我只要一动恶念,就能杀死成百个王子,撵走诸般神灵,把这个世界搅个天翻地覆。

他用单调的声音说完了这番话。

周围的树叶都蔫了,老鼠都钻进地里了。

他慢慢地低头看燃烧的火焰,并继续说道:

我对这血肉之躯已感到厌倦,对感官的感知也感到厌倦,甚至对智慧本身也感到厌倦,因为使人思前想后的转瞬即逝的事情消失以后,人的思想也随之消失;同其他事物一样,人的精神纯属虚幻。

万物有生必有死,死者又将再生;眼前消失的生命将居留在尚未成形的母体里,并将再次来到世间辛辛苦苦地服侍其他的生命。

我已无数次轮回转世:当过神,做过人,也变过畜生;我已不想再如此奔波,再也不愿受此辛苦了!我将丢掉我的这个臭皮囊,抛弃我的血肉之躯,为此,我将得到的报偿是:静静地安睡,无声无息地安睡,直到灭亡。

火焰上升到他的胸脯,把他包围在火中。

他的头像钻墙洞似的钻出火焰;他睁大着两只眼睛,好像在看什么东西。

安东尼

站起身来。

地上的火把引燃了碎木片;火苗烧焦了他的胡须。

他一边叫喊,一边踩灭地上的火,直到最后剩下一堆灰烬。这时，他说道：

希拉瑞昂到哪里去了？他刚才还在这里呢。

我看见他了！

唉！不，不可能！我搞错了！

为什么？……我这间小屋，这些石头和沙子，也许都不是真的。我发疯了。要保持冷静！我到底身在何处？这究竟是怎么一回事儿？

唉！这个恒河裸体僧！……印度的贤者都是这样死法的。迦南洛当着亚力山大的面引火自焚；在奥古斯特时代也有一个人是这样死法的。他们对人生是多么憎恨啊！这是出于骄傲之心的驱使吗？……不管怎么说，这都是殉道者的勇气的表现！……至于那些人，我现在完全相信人们对他们荒淫无耻的行为的议论是正确的。

以前的情况如何呢？以前的情况我全记得！那帮异教徒……闹闹嚷嚷！一副色迷迷的眼睛！不过，为什么要那样耽于肉欲和心猿意马呢？

他们以为条条道路都可通向神灵！我，我自己也曾经一再失足，我有什么权利责备他们呢？他们的死，也许会使我学到更多的东西。事情的变化太快了；我来不及作出反应。到现在，我的头脑才比较清醒。我心里很平静。我觉得我能够……这是什么东西？我还以为我把火全都踩灭了呢！

　　一股火苗在岩石之间蹿来蹿去；从远处的山中突然传来一阵断断续续的声音。

这是豺狗在叫，还是迷路的行人在呻吟？

　　安东尼侧耳细听。火光逼近了。

　　他看见一个女人在哭泣，扶着一个白胡子的男人的肩头走来。

她穿一身破破烂烂的紫色长袍;他俩都光着头。那个男人也穿一件紫色长衣;他手中端着一个青铜罐,罐子里冒出一股小小的蓝色火苗

安东尼感到害怕;他想知道这个女人是谁。

那个男人(西蒙①)

这是一个年轻女子。一个穷孩子,我无论走到哪里,都把她带在我身边。

他高举铜罐。

安东尼透过摇曳的火光观看那个女人。

她脸上有咬伤的痕迹,手臂上有被打伤的伤痕;她的头发披撒在她的破长袍上,她的眼睛好像对火光没有感觉似的。

西蒙

有时候,她就是这样呆呆的样子,好久都不说一句话,也不吃东西,然后,突然清醒,口中说出一些奇妙的事情。

安东尼

真的吗?

西蒙

爱洛娅②! 爱洛娅! 爱洛娅! 你有什么话要说就说吧!

---

① 西蒙,犹太巫师,曾想用金钱从圣徒手中贿买奇迹的法力。他自称信奉弥赛亚;后来到了罗马,罗马人还为他建了一座雕像。他身边有一个名叫海伦的女人。——原注释者注

② 爱洛娅,希腊语,意为"思想"。——原注释者注

她转动眼珠，好像是刚从睡梦中醒来似的；她用手指轻轻揉她的两道眉毛，用悲伤的声音说道：

海伦（爱洛娅）

我记得有一个遥远的地方，那里一片碧绿。只有一棵树。
　　安东尼战栗。
在这棵树的每一根大桠枝的上方都有一对精灵。精灵周围的树枝互相交叉，像人身上的脉络似的。他们注视着那永恒的生命从深入土中的根直到高出于太阳之上的树梢不停地循环。我，我在第二根树枝上，我的容光照亮了夏日的夜晚。

安东尼

以手扶额。
啊！啊！我明白了！是头脑！

西蒙

用一根指头捂着嘴：
嘘！……

海伦

风鼓船帆，船身乘风破浪。他对我说："即使我搞乱了我的国家，失去了我的王国，那有什么关系！你终将属于我，到我这里来，和我在一起吧！"

他宫中的卧室是多么舒适啊！他躺在象牙床上，抚摸我的头发，情意绵绵地唱着歌。

在日落时分，我看见两座军营和点燃的信号灯。尤里西斯站在营帐外边，全副武装的阿基里斯驾着战车沿着海岸疾驰。

安东尼

她完全疯了!为什么呢?……

西蒙

嘘……!嘘!

海伦

他们给我全身抹上香脂,把我卖给下等人,供他们玩乐。

有天晚上,我站在那里拉四弦琴,让希腊水手跳舞。雨像瓢泼似的落在酒馆的屋顶上,盛满热酒的杯子在冒烟。门没有打开便走进一个男人来。

西蒙

那个男人就是我!我又找到了你!

安东尼,你看,她就是那个人们称之为希格①、爱洛娅、巴尔贝洛②、普鲁尼柯③的女人!统治世界的神灵都嫉妒她,因此把她附在一个女人的身上。

她曾经一度是特洛伊人的海伦(诗人斯特西科尔一想起她就咒骂她)。她曾经一度是被几个国王奸污过的贵妇人卢克莱修。她就是那个剃掉参孙头发的大利拉。她就是那个委身于公山羊的以色列女子。她喜欢通奸,崇拜偶像;她爱撒谎,爱干蠢事。她到处卖淫,在十字街头卖唱。她和谁都可以亲嘴。

---

① 希格,希腊语,意为"寂静"。——原注释者注
② 巴尔贝洛,诺斯替教派用语,意为"水性扬花的女人"。——原注释者注
③ 普鲁尼柯,希腊语,意为"淫荡"。——原注释者注

在提尔，这个叙利亚女人曾当过窃贼的情妇。她和他们通宵饮酒作乐；她在满是虱子的炕床上窝藏过杀人犯。

安东尼

嗨！这和我有什么关系！……

西蒙

愤怒地说道：

我告诉你，我替她赎了身，使她恢复了昔日焕发的容光，使她变得那样美，以致卡尤斯·凯撒·卡里古拉① 竟爱上了她，因为他就是想和月宫仙子睡觉！

安东尼

是吗？……

西蒙

她就是月宫仙子！教皇克雷芒不是在圣谕中说过她被关在一座碉楼里吗？有三百个人去把那座碉楼围了起来；他们看见，在碉楼的每一个枪眼都同时出现了月亮，尽管世界上的月亮不是有好几个，也不是有好几个爱洛娅！

安东尼

是的……我想起来了……

他陷入梦幻似的沉思。

---

① 卡尤斯·凯撒·卡里古拉，古罗马皇帝（公元37—41在位），以暴虐和荒淫著称。

西蒙

　　她像为人类而死的基督那样清白,她为妇女们的利益而献身。亚当的违犯禁条,显示了耶和华的无能,因此,必须废除与事物的秩序相违背的旧律法。
　　我在以法莲和以萨迦宣讲变革的道理;我沿着比左尔河,经过乌勒湖对岸,到了马日多谷,再翻山越岭,到波士特拉和大马士革去宣讲!那些满身酒气和满身污泥或血迹的人都来找我;我同希腊人称作米涅瓦的圣灵一起擦去他们身上的污秽!她就是那个米涅瓦!她就是圣灵!我是朱庇特、阿波罗、基督、帕拉克勒和上帝的巨大威力化身成人的西蒙!

安东尼

　　喔!是你!……真的是你吗?不过,你干了些什么见不得人的勾当,我全清楚!
　　你出生在萨马里附近的吉托伊。你的第一个老师多西特乌斯把你赶出了师门。你恨圣保罗,因为他使你的一个小妾改信了他教。你被圣彼得打败了,你又气又恨,就把你那个装满了变戏法用的东西的袋子扔进波涛汹涌的大海里!

西蒙

　　你想要这些东西吗?
　　　　安东尼两只眼睛盯着他,心中暗暗自语:"为什么不要?"
　　　　西蒙继续说道:
　　凡是了解大自然的力量和神灵的本质的人,都能行奇迹。一切贤者都巴不得有此能力;这个愿望吞噬着你的心。这一点，你必须承认！

当着罗马人的面，我在竞技场中飞升得高到他们的眼睛看不见我了。尼禄下令砍我的头，可是，砍落到地上的不是我的头，而是一只母羊的头。最后，他们把我活埋了，可是到第三天我又复活了。你瞧我现在好好的，这就证明我说的话不假！

他把手伸给安东尼闻。双手一股死尸味儿。安东尼往后倒退一步。

我能使用青铜铸的蛇爬行，让花岗石雕的像发出笑声，使狗说人言。我将在你面前摆一大堆黄金；我将拥立各国君王，让各国人民都敬爱我！我能在云端和波涛上行走，我能穿山前行，我能变化成年轻人、老年人、老虎或蝼蚁；我能变成你的样子，也能使你变成我的样子，我能让天空打雷。你听见了吗？

天空一阵雷鸣和闪电。

这是至高无上的神的声音！"因为永恒之神——你的上帝——是一团火"，世上的一切创造物都是从这堆火中喷发出来的。

你即将受到火的洗礼；这第二次洗礼，将由耶稣宣告，在一个暴风雨的日子，从打开的窗户施在使徒身上。

他用手慢慢摇动火把，好像是要把火焰喷在安东尼身上似的。

慈悲之母啊；是你发现了秘密，让我们能在这第八间屋子里安息……

安东尼

大声说：
唉！如果我有圣水就好了！

火焰熄灭,一片浓烟。

爱洛娅和西蒙消失得无影无踪了。

空中充满了臭不可闻的、混混浊浊的寒雾。

安东尼

伸开双臂,像一个瞎子似的说道:

我这是在什么地方呀?……我怕掉进深渊。十字架离我太远了……唉!天多么黑呀!天多么黑呀!

一阵风把浓雾吹开了一道缝,于是,他看见两个穿白长袍的男子。

第一个男子身材高大,相貌和善,举止稳重。他满头金发,像基督的头发那样从中分开,整整齐齐地披在两肩。他把他手中的小棍扔出去;他的同伴赶紧像东方人那样恭恭敬敬地接着。

这个接棍的人身材矮小、肥胖,塌鼻子,脖子粗短,一头卷发,样子很憨厚。

两人都光头赤脚,满身尘土,好像是经过长途旅行似的。

安东尼

疾声问道:

你们想干什么?快说!走开!

达米斯

——即那个矮个子。

喂,喂!……好隐修士!你问我想干什么吗?我不知道!你问我的主人好了。

他坐下；那个高个子依然站着。沉默。

安东尼

又问道：
你们是从哪里来的？……

达米斯

唉！来自远方；从很远的地方来的！

安东尼

到哪儿去？

达米斯

指着高个子说：
他想到哪里就到哪里去。

安东尼

他是什么人？

达米斯

你自己看吧！

安东尼

旁白：
好像是个圣人！如果我敢……
　　浓烟散去，天空晴朗。月光明亮。

达米斯

你在想什么？为什么不说话了呢？

安东尼

我在想……嗨！什么也没有想。

达米斯

向阿波罗尼乌斯走去，躬着身子围着他转了几圈，头也不抬。

老师！这是一位加利利地方的隐修士；他想了解智慧的来源。

阿波罗尼乌斯①

叫他走过来吧！

安东尼犹豫。

达米斯

过来吧！

阿波罗尼乌斯

以洪亮的声音说道：

过来！你想知道我是谁，想知道我在干什么和想什么，是吗，孩子？

---

① 阿波罗尼乌斯，公元一世纪人，毕达哥拉斯派哲学家、魔术师，到公元三世纪曾一度被人们奉为"半个神人"；据说，亚力山大大帝对他都很崇拜。

安东尼

……如果这些事情有助于我的灵魂得救。

阿波罗尼乌斯

放心吧,我这就告诉你!

达米斯

低声对安东尼说:

行啦!看来他一眼就看出你很喜欢哲学!我,我也要趁此机会学点东西!

阿波罗尼乌斯

我首先要告诉你的,是我为了得到这门学问所走过的漫长的道路;如果你发现我这一生中有什么坏行为,你尽可打断我的话,不让我说下去,因为做过坏事的人的话会引诱人去干他干过的坏事。

达米斯

对安东尼说:

多么好的人呀!嗯?

安东尼

不错,我觉得他真是好人。

阿波罗尼乌斯

在我出生的那个夜晚,我母亲说她觉得自己是在一个湖边采集鲜花。空中忽然出现一道闪光,她梦见她是在天鹅的歌声中把我诞生在这个世界上的。

我在年满十五岁以前,我母亲一天三次让我到阿斯巴德泉去洗浴;如果是背信弃义的人,一进入这个泉,泉水就会使他全身水肿。我母亲还用乳香草的叶子擦我的身子,为的是使我立身贞淑。

一天晚上,一位巴尔米国的公主来找我,把她所知道的几处坟墓中的财宝都告诉了我。戴安娜庙中有一个女奴在绝望中用宰杀牺牲的刀自刎了;西利西亚的总督,在他无愿可许时,就在我家的大门口叫嚷,说是要杀死我;可是,反倒是他自己三天之后被罗马人杀了。

达米斯

用肘碰了一下安东尼,并对他说:
嗯?我早就告诉过你了!这是多么好的人呀!

阿波罗尼乌斯

我把毕达哥拉斯派的秘密严格连续保守了四年之久。无论吃多么大的苦,我都一声不吭;我一走进剧场,人们就像躲避幽灵那样远远地离开我。

达米斯

你,你会这样做吗?

阿波罗尼乌斯

我受考验的日子一结束,我就去教育那些丢失了传统的教士。

安东尼

什么传统?

达米斯

别打岔!让他继续说下去!

阿波罗尼乌斯

我和恒河的隐修哲人聊过天,和沙德的星相学家、巴比伦的魔术师、高卢的德洛伊教祭司和黑人的司铎都闲聊过!我曾攀登过十四座奥林匹斯山峰,探测过斯迪的湖泊的水深,测量过大沙漠的面积!

达米斯

他说的这些,都是真的!我,我都亲眼见到!

阿波罗尼乌斯

我首先到希尔卡尼海①,在海上转了一圈,然后经过巴哈奥马特人居住的地方(布色法尔② 就埋在这个地方)直奔尼尼威。在城门口,有一个人走到我身边。

达米斯

那个人就是我!就是我!我的好老师!我当时一下子就喜欢上了你!你比一个姑娘还温柔,比一个神还美!

---

① 希尔卡尼海,即里海。
② 布色法尔,亚力山大大帝的马。

阿波罗尼乌斯

没有听见达米斯的话。

他想跟我一起走,为我当翻译。

达米斯

你对我说你通晓各国语言,能猜测各种人物的心思。于是,我吻了一下你的大衣的下摆,便跟在你的身后走了。

阿波罗尼乌斯

过了特西丰,我们便踏上了巴比伦的土地。

达米斯

总督看见一个脸色如此苍白的人便大叫一声。

安东尼

旁白:
这意味着……

阿波罗尼乌斯

在一间顶上镶嵌着星星的圆形大厅里,国王站在一张银色宝座旁边接见我;大厅的穹顶上,用人眼看不见的线吊着四只翅膀展开的大金鸟。

安东尼

沉思:
世上有这样的东西吗?

达米斯

这个巴比伦,真是一座大城池!人们都很富有!他们的房屋都粉刷成蓝色,家家都是青铜大门,有一道石梯通到河边;

用他手中的棍子在地上描画,

这样的房屋,你见过吗?此外,庙宇、广场、浴池和引水渠,比比皆是!宫殿的屋顶用的是红铜!那里边呀,你要是能亲眼看看就好了!

阿波罗尼乌斯

正北方的城墙上有一座塔,塔上有塔,三层、四层、五层,五层上面还有三层呢!第八层是一座礼拜堂,里面放有一张床。除了教士为北鲁斯神① 挑选的女人以外,谁也不许进去。巴比伦的国王却让我住在那里。

达米斯

至于我,谁也不理睬我!因此,我只好一个人去街上转游。我去调查研究当地的风俗习惯,参观他们的手工作坊,研究他们向农田灌溉用的大机器。不过,不和老师在一起,我心里总是闷闷不乐的。

阿波罗尼乌斯

后来,我们走出巴比伦,在月光下突然看到了一个女幽灵。

---

① 北鲁斯神,北鲁斯原为一位古亚述国国王。据说,他的儿子尼鲁斯把他奉若神明。

达米斯

嗬!她穿着一双铁鞋乱蹦乱跳,像一头驴似的嗥叫,在山崖上迅跑。我的师父大声骂她,她就跑了。

安东尼

旁白:
他们以后又怎么样了呢?

阿波罗尼乌斯

在有五千座城堡的都城塔克西拉①,恒河国王弗拉奥特斯,让他的由五千个身高五库德的黑人组成的卫队迎接我们;而且在王宫的花园里还让我们观看了那头饲养在绿锦营帐中的大象;王后们还在大象的身上喷洒了香水呢。这头象是波鲁斯②的;亚力山大死后,它就逃跑了。

达米斯

后来在一座森林里又找到了它。

安东尼

他们说个没完,像是喝醉了酒似的。

阿波罗尼乌斯

弗拉奥特斯邀我们和他同桌进餐。

---

① 塔克西拉,古印度城市。
② 波鲁斯,印度国王,与亚力山大作战,被击败。

达米斯

多么奇特的国家呀！贵族老爷们一边喝酒一边寻开心：朝一个跳舞的孩子的脚边射箭。这，我可不赞成……

阿波罗尼乌斯

在我即将告辞的时候，国王送我一把阳伞，并对我说："我在印度河边给你准备了一群白骆驼；当你不再需用它们的时候，对着它们的耳朵轻轻说一声，它们就会回到我这里来的。"

我们在夜里借竹林中的萤火虫的微光沿着河岸前进。一个奴隶一路上吹着口哨驱赶毒蛇；我们的驼驼在树林下得低着身子走，就像经过一些低矮的房门似的。

有一天，一个手执金神杖的黑孩子领我们到了贤人院，院长伊阿尔恰斯对我讲述了我的祖先，评论了我的种种思想、行为和一生的行事。他前生就是那条印度河；他告诉我说，在塞索士特里斯王时代，我还在尼罗河上撑过船咧。

达米斯

对我呢，他什么话也没有说，因此，我生前是干什么的，我一点也不知道。

安东尼

他们的样子模模糊糊，像阴影似的。

阿波罗尼乌斯

我们在海边碰上了一群喝饱了奶的西洛塞法尔①,它们刚从塔普洛巴尼岛② 远征归来。温暖的海浪把一串串金色的珍珠涌到我们面前。琥珀在我们脚下被踩得咯啦咯啦地响。有许多鲸鱼的骨骼在海边的岩穴中变成了一堆白骨。最后,陆地竟变得比一只鞋还窄;于是,我们向太阳洒了几滴海水之后,便向右转往回走。

我们在归途中,经过了阿诺马特人居住的地区,也经过了冈加里德人的国家③,经过了科马里亚岬角、萨卡利特人、阿德拉姆人和霍梅利人居住的地方。随后,翻过卡萨尼亚山,过红海和托帕佐岛,从俾格米王国④ 进入埃塞俄比亚。

安东尼

旁白:
地球真大呀!

达米斯

我们回家时发现,我们过去认识的人都死了。
安东尼低下了头。沉默。

阿波罗尼乌斯

继续说道:

---

① 西洛塞法尔,一种非洲猴子,埃及人认为这种猴子是敬拜太阳的动物。
② 塔普洛巴尼岛,即锡兰岛,今名斯里兰卡。
③ 冈加里德人的国家,指恒河三角洲。
④ 俾格米王国,即矮人国。

于是，人们开始谈论我。

那时，瘟疫在以弗所流行；我让人用石头打死了一个年老的乞丐。

达米斯

于是，瘟疫的流行便停止了！

安东尼

什么！他能驱赶瘟疫？

阿波罗尼乌斯

在克尼德城①，我治好了那个迷恋维纳斯的人的相思病。

达米斯

有这回事。那个人是疯子，他甚至还说什么要娶维纳斯为妻。爱一个女人，这是可以的；但爱一座雕像，那就荒唐了！老师把手放在那个人的心上，他的爱情之火马上就熄灭了。

安东尼

什么！他能驱魔？

阿波罗尼乌斯

在塔兰托，有人把一个已经死了的女孩子抬到柴火堆上。

---

① 克尼德城，在特里奥皮阿姆海角上，城中有一座著名的维纳斯女神像。

达米斯

老师摸摸她的嘴唇,她立刻坐起来呼唤她的妈妈。

安东尼

什么!他能使死人复活?

阿波罗尼乌斯

我曾预言韦士帕西安将掌大权。

安东尼

什么!他能预测未来?

达米斯

在哥林多,曾经……

阿波罗尼乌斯

在巴伊亚温泉,和他同桌进餐时……

安东尼

对不起,你们这两位外乡人,时间已经不早了!

达米斯

有一个名叫麦尼普的年轻人。

安东尼

别说了!别说了!快给我走开!

阿波罗尼乌斯

进来一条狗,嘴里叼着一只被斩断的手。

达米斯

一天夜里,他在一个小镇上遇见一个女人。

安东尼

你们没有听见我的话吗?你们快走吧!

阿波罗尼乌斯

那条狗围着几张床乱转。

安东尼

够了!

阿波罗尼乌斯

有人想赶走它。

达米斯

麦尼普只好到她家里去;他们相爱了。

阿波罗尼乌斯

它用尾巴扑打地上铺的花砖,把那只断手放在弗拉维乌斯的膝上。

达米斯

在早晨做功课的时候,麦尼普的脸色很苍白。

安东尼

跳起来:

还要说呀!唉!让他们继续说吧!既然没有……

达米斯

老师对他说:"啊,漂亮的年轻人,你爱一条蛇,那条蛇也爱你!什么时候举行婚礼?"我们后来都去参加了婚礼。

安东尼

我真不该听这些话!

达米斯

客厅里的仆人忙来忙去,所有的门都同时打开了,可是既没有听见人的脚步声,也没有听见开门声。老师站在麦尼普身边。那位新娘一见到哲学家们就生气。就在这时,黄金的杯子和盘子、斟酒的小僮、厨师和仆人全消失了;屋顶飞了,墙也塌了,只有阿波罗尼乌斯一个人站在那里,在他脚旁边有一个女人在哭泣。其实,这个女人乃是吸血鬼,她之所以向漂亮的年轻人献媚,是为了吃他们的肉;在这种鬼怪看来,世上再也没有什么东西比情人的血更好吃的了。

阿波罗尼乌斯

如果你想知道这门法术的话……

安东尼

我不想知道!

阿波罗尼乌斯

在我们到达罗马城门口的那个晚上。①

安东尼

啊!太好了,给我讲一讲历代教皇居住的这座城的情形!

阿波罗尼乌斯

一个醉汉来和我们搭讪,并柔声柔气地给我们唱歌。他唱的是尼禄的祝婚歌;谁要是不好好地听;他就有权处死谁。他背上背了一个盒子,盒子里有一根从皇帝的齐塔尔琴上取下来的琴弦。我耸了一下肩膀,他就往我们脸上扔污泥。于是,我解下我的腰带,把它交到他的手里。

达米斯

你这样做,不对!

阿波罗尼乌斯

当天夜里,皇帝派人把我叫到他的宫里。我看见他左肘支在一张玛瑙桌子上,正在和斯波鲁斯玩骨牌。他转过身来,皱了一下他的金黄色眉毛,问我:"你为什么不怕我?"我回答说:"因为上帝让你令人见到就害怕,而让我却见到什么也不

---

① 此处,据1910年康纳尔版,句末为"……"号。——原注释者注

怕。"

安东尼

旁白：
凡是说不清道不明的东西，都让我害怕。
沉默。

达米斯

尖着嗓子说：
而且，全亚洲的人都会告诉你……

安东尼

猛然一声：
我人不舒服了！让我安静吧！

达米斯

你听着。他在以弗所看见远在罗马的多米迪安① 被人暗杀了。

安东尼

大声笑道：
这可能吗？

---

① 多米迪安，古罗马皇帝（公元 81—96 在位），公元 96 年 9 月 18 日被人暗杀在他的罗马皇宫里。

达米斯

当然。罗马历十月十四日,他大白天在剧场里突然高声叫喊:"凯撒① 遇刺了!"过了一会儿,他又补充说:"他满地打滚;啊!他拼命挣扎!他站立起来,试图逃跑;可是门被关上了,唉!这一下完了!他一命呜呼了!"真的,正如你所知道的,迪都斯·弗拉维乌斯·多米迪安乌斯② 是在这一天被人暗杀的。

安东尼

没有魔鬼来救……那当然……

阿波罗尼乌斯

这个多米迪安,还想杀死我呢!我让达米斯逃走,我一个人待在监狱里。

达米斯

应当承认,这要有大无畏的精神才行哩!

阿波罗尼乌斯

大约在五点钟,士兵们把我带到法庭。我准备了一篇演说,我把演说稿藏在我的大衣的衣兜里。

---

① 凯撒,古罗马皇帝的称号;这里指多米迪安。
② 迪都斯·弗拉维乌斯·多米迪安乌斯,多米迪安的拉丁文名。

达米斯

我们这些人,当时在普佐尔河边上!我们以为你死了;我们都哭了。大约在六点钟,你突然出现,并对我们说:"我来啦!"

安东尼

旁白:
就像他!

达米斯

高声说:
一点不错!

安东尼

哼!不对!你瞎说,是不是?你撒谎!

阿波罗尼乌斯

他从天上降下来,而我,我却上升到天上;我之所以能上升到万物的始原那么高,全靠我的德行!

达米斯

他的家乡提亚那城还为他修建了一座庙,配备了许多教士!

阿波罗尼乌斯

走到安东尼身边,对着他的耳朵说道:

这是因为我认识所有的神灵，熟悉一切礼拜的仪式、经文和神谕！我曾经深入阿波罗之子特罗弗奥尼乌斯①的洞去听取神谕！我曾为希拉古的妇女们制作她们带到高山上去吃的糕点！我还经受了米特拉②的八十次考验！我曾把萨巴西乌斯的那条蛇紧紧地抱在我的胸口上！我接受了卡比尔众神灵③赠与我的披肩！我用康帕尼亚湾的海水给希比丽④洗浴，还在萨莫塞哈斯⑤的岩洞里待了三个月！

达米斯

傻笑。

哈！哈！哈哈！还看出"善良女神"的秘密！

阿波罗尼乌斯

现在，我们又再次去朝圣！

我们往北走，向天鹅和积雪的地方前进。在白茫茫的原野上，瞎眼的伊波波德人⑥乱踩乱踏海外草⑦。

---

① 特罗弗奥尼乌斯，不是阿波罗的儿子，而是奥尔科梅恩国王的儿子。他杀害他的弟弟阿嘉梅德后，被淹死在一个地缝里。据说，他死后在地缝中传达神谕。
② 米特拉，古波斯人敬拜的一种太阳神。
③ 卡比尔众神灵，古希腊人敬拜的火神。
④ 希比丽，古弗里吉亚人崇拜的一种女神，又称"众神之母"或"善良的女神"。
⑤ 萨莫塞哈斯，爱琴海中的一个岛，敬拜希比丽的圣地。
⑥ 伊波波德人，传说中的一种脚似马蹄的人。
⑦ 海外草，据信是木蓝草。

达米斯

好了！天已黎明。雄鸡已经报晓，马儿已经嘶叫，帆船也已经准备好了。

安东尼

雄鸡还没有报晓！我听见蟋蟀还在沙地里叫，看见明月依然高悬在天空。

阿波罗尼乌斯

我们往南去，越高山，渡大海，到香花之国去寻求爱情发生的根源。你将闻到那可使意志薄弱的人丧命的没药的香气，可以在汝洛尼亚岛上的玫瑰油湖中洗澡。你还可看到，每隔一个世纪，那沉睡在报春花上的蜥蜴在它额头上的红宝石熟落到地上的时候，它就睁眼醒过来。还有，天上的星星像眼睛那样闪烁，瀑布的声音美得像里拉琴，鲜花散发出令人陶醉的芬芳。在这样的环境里，你将感到心旷神怡，精神振奋，焕发容光。

达米斯

老师！到时候了！快起风了，燕子都醒了，香桃树的叶子已被风刮走了！

阿波罗尼乌斯

好吧！跟我们一起走！

安东尼

不！我，我不走！

阿波罗尼乌斯

你要不要我告诉你能使人起死回生的巴里草生长在什么地方？

达米斯

倒不如问他要能帮助人寻找银矿、铁矿和青铜矿的硬宝石呢！

安东尼

哎哟！我身子不舒服！我难受得很呀！

达米斯

你将听懂所有一切生物的声音，无论是虎啸狼嗥，还是斑鸠、布谷的咕咕叫，你都能听懂！

阿波罗尼乌斯

我将使你能骑上独角兽、蛟龙、马头人身兽和海豚！

安东尼

哭泣。
啊呀！啊呀！啊呀！

阿波罗尼乌斯

你还可看到住在洞穴中的妖魔、在树林中说人言的鬼怪和翻江倒海与腾云驾雾的精灵。

达米斯

束紧你的腰带！系上你的鞋扣！

阿波罗尼乌斯

我将向你讲解神灵之所以有各种形状的原因，并告诉你为什么阿波罗是站着的、朱庇特是坐着的；为什么维纳斯在哥林多是黑色的，在雅典是方的，而在帕弗斯则是圆锥形的①。

安东尼

两手合掌：
但愿他们快走开！快走吧！

阿波罗尼乌斯

我能够当着你的面扯下诸神的甲胄；我们闯入神殿，让你强奸神殿的女祭司！

安东尼

主啊，快来救我！

---

① 实际上，在哥林多，维纳斯只有一座小小的庙子，由一千名圣妓照管；雅典的维纳斯塑像只有一部分像人，而在帕弗斯的维纳斯的雕像，是用一根圆锥形木头雕刻的。——原注释者注

扑到十字架上。

阿波罗尼乌斯

你还有什么要求？还有什么梦想？你只要一动脑子……

安东尼

耶稣啊，耶稣，快来帮助我！

阿波罗尼乌斯

耶稣嘛，我让他出现在你面前，好吗？

安东尼

什么？让谁出现？

阿波罗尼乌斯

让他出现！不是别人！他将扔掉他的荆冠，和我们面对面地谈话！

达米斯

低声：
说你希望和他谈话！快说呀！

安东尼在十字架前默念神谕。达米斯围着他转，并做出故意讨好的样子。

好了，我的隐修士，亲爱的安东尼！你是圣洁的人，有名望的人！无论怎么称赞也不为过的人！别害怕；刚才的话，只不过是从东方人那里学来的一种夸张的说法而已。这一点也不妨碍……

阿波罗尼乌斯

别管他了,达米斯!

他像一个没有脑筋的人似的,竟相信事物的真实性。他对神灵的恐惧,妨碍了他对神灵的理解;他贬低了他的上帝,竟把上帝看成一个嫉妒成性的国王!

你,我的孩子,别离开我!

他往后倒退到悬崖边,并越过悬崖,悬在空中。

在各种有形的事物之外,在远离大地和天空之处有一个充满圣言的思维的世界!我们一跃就可到另一个空间;你将在它无限的广袤中领会到"永恒"、"绝对"和"存在"的真谛!——走吧!把你的手伸过来!立刻出发!

他俩肩并肩地慢慢升到空中。

安东尼抱着十字架,看着他们上升。

他们在空中消失得无影无踪。

五

安东尼

缓步行走：

这个人哪，比整个地狱还可怕！

尼布甲尼撒也没有把我搞得如此晕头转向。示巴女王也没有使我这么着迷。

他评说诸神的那些话，使人不能不产生想认识诸位神灵的心。

我记得，在戴奥克里先时代，在埃列芳提纳岛上，我曾经一次同时见到过成百的神。皇帝把一大片土地让给游牧人，条件是他们必须遵守划定的疆界；这项条约是以"看不见的权威"的名义签订的。因为，每个国家的神，其他国家的人民都未曾见过。

野蛮人引来了他们供奉的神。他们占据了沿河一带的沙丘。人们看见，他们把他们的偶像像抱瘫痪的儿童似的抱在怀里；有时候，他们撑着一根棕榈树干在瀑布之间穿行。他们打老远就向人们展示他们脖子上挂的护身符和胸脯上刺的花纹；与希腊人、亚洲人和罗马人的宗教信仰相比，他们的这些做法也不算过分荒唐！

我住在赫里奥波里斯庙的时候，经常去观看墙上画的东西：有用爪子抓着权杖的秃鹫、弹里拉琴的鳄鱼、蛇身人面男人和匍匐在生殖神前面的牛头女人。他们的超自然的形状，使我感到好像是到了另外的世界。我很想知道他们安详的眼睛到底在看些什么。

要使物质具有这么大的感染力，就必须使它包含一个神灵。神的灵魂是附在他的形象上的……

外貌美的，能够引诱人。而其他……相貌猥琐难看的，让人怎么能相信他们呢？……

他看见好些树叶、石头、贝壳、树枝、似兽非兽的东西和患水肿病的矮子，在地上一掠而过；他们就是神。他哈哈大笑。

他身后也有人在笑；希拉瑞昂出现在他面前——身穿隐修士服装，比以前高大得多，简直是个巨人。

安东尼

看见了他，但并不吃惊。
崇拜这些东西，真是傻子！

希拉瑞昂

啊，是的，傻透了！

这时，在他们面前像游行的队伍似的走来一群偶像，各个国家和各个时代的偶像都有：有木头雕的、金属铸造的、花岗石刻的、羽毛扎的、兽皮缝制的。

最老的偶像（洪荒时代以前的偶像）消失在马鬃似的悬吊着的海藻下边。有些偶像的身子太长，下部太小，走起路来关节咯吱咯吱响，腰也竖不起来。有些偶像的肚脐眼里流出了沙子。

安东尼和希拉瑞昂看得很开心。两人都捧腹大笑。

接着又走来了一些山羊状的偶像。他们的罗圈腿走起路来一瘸一拐的；眯缝眼，嘴里哑声哑气地叫："叭！叭！叭！"

当人形偶像走来的时候，安东尼勃然大怒。他用拳头打他们，用脚踢他们，他扑到他们身上去。

偶像的样子一下子变得很可怕：头上长出高高的羽翎，眼睛鼓得像圆球，手上长利爪，下巴变成了鲨鱼下巴。

有人在石头祭坛上杀人来奉献这些神；还把一些人扔进酒桶里捣碎，或者用大车压死，或者把他们钉死在树上，有一位神满身红铁色，头上长一对牛角，大口大口地生吃小孩。

安东尼

太可怕了！

希拉瑞昂

所有的人都主张使用酷刑。你那位上帝甚至要……

安东尼

哭着说：
唉！别说了，住嘴！

岩石周围变成了一个山谷，一群牛在山谷的浅草地上吃草。

牧牛人注视着天上的云，并尖声向空中乱叫乱嚷，好像是在下命令似的。

希拉瑞昂

他多么需要雨水啊,所以,他想用唱歌的办法迫使天上的神普降甘霖。

安东尼

笑着说:

这真是一个狂妄的小人!

希拉瑞昂

你为什么念起驱魔的咒语来了?

山谷变成了一个海,海中全是牛奶,静静的,一眼望不到边。

海中漂浮着一个由一条多头蛇的蛇身盘成的长形摇篮;蛇的几个头一起垂下,荫蔽着一个睡在它身上的神。

这个神很年轻,没有胡须,比一个姑娘还美。他身上披着半透明的薄纱;他三重冠上的珍珠像月亮那样发出柔和的光。一串星星在他胸前盘绕了几个圆圈。他一只手枕在头下,另一只手向外平伸。他在休息,好像在想什么,而且想入了迷。

一个女人蹲在他的脚边,等着他醒来。

希拉瑞昂

这是婆罗门①的原始的二重性。上帝是不用任何形式表现他自己的。

---

① 婆罗门,印度封建种性制度中的第一种性,即僧侣。

在神的肚脐上长出一朵莲花;在花萼里出现了一个三面神。

安东尼

你瞧,这纯属捏造!

希拉瑞昂

圣父、圣子和圣灵,其实是一个人!

三个头分开了;出现了三个高大的神。

第一个神面带粉红色,使劲啃自己的大脚趾尖。

第二个神面蓝色,摇晃着四只胳臂。

第三个神面绿色,脖子上挂一根用人的颅盖骨串成的项链。

在他们面前接着出现了三个女神,一个身上裹着一张网,另一个手捧一个酒杯,第三个摇动着一张弓。

这三个男神和三个女神,个个都一变十,十变百。从他们的肩头上长出胳臂,从胳臂又长出手,手里拿着旗子、斧子、盾牌、剑、阳伞和小鼓。他们的头喷出清泉,鼻孔里长出青草。

他们有的骑在鸟背上,有的坐在轿子里晃来晃去,有的端坐在金椅子上,有的站在象牙神龛里;他们或沉思,或漫游,或指手画脚,或饮酒,或闻香花。女的在跳舞,巨人在追逐妖魔;隐修士们在岩洞门口沉思。谁也分不清哪些是眼珠,哪些是星星;也分不清哪些是云彩,哪些是旗幡。孔雀在金粉的溪边畅饮。旗幡上的彩绣和豹子的花斑混杂不清;一道道霞光在蓝色的天空中与飞驰的箭互相交叉。人们提着香炉晃动。

这一切好似一面高高的檐壁，壁基立在岩石上，一直往上升到天空。

安东尼

眼花缭乱。

这么多神灵！他们想干什么？

希拉瑞昂

那个用象鼻子搔肚皮的，是太阳神——智慧的启迪神。

那个六个头上顶着塔、十四只手中拿着标枪的，是军中王子——是纵火神。

那个骑在一条鳄鱼背上的老头儿，要到河边去给死人洗涤灵魂；他们的灵魂将受到这个执掌地狱的烂牙黑女人的折磨。

太阳神坐着一辆由四匹红毛马拉的车子（车夫是一个失去双腿的人）在蔚蓝色的天空中遨游；月神坐一乘三只羚羊拉的驮轿陪伴着他。

波德① 女神跪在一只鹦鹉的背上，用她半满的乳房喂她的儿子阿穆尔②。现在，她向远处走去，快快活活地跳到草地上。你看呀！你看呀！她戴上耀眼的头巾，在麦浪上、在波涛上迅跑，升到空中，飘到四方。

在这些神之间，端坐着风神、星神、十二个月的月神、三十天的天日神；还有成千上万个其他的神！他们的面貌多种多样，而且变化无穷。有一条鱼变成了乌龟，它一会儿又长了一个野猪头，一会儿又变成了侏儒。

---

① 波德，意为"美"。
② 阿穆尔，意为"爱"。

安东尼

为什么要这样呢?

希拉瑞昂

为的是恢复平衡,与腐败作斗争。生命是要枯竭的,形体是要损坏的,因此,他们只有在变化中才能前进。

突然出现

一个赤身裸体的男人

盘腿坐在沙地上。

他身后悬着一轮颤动的光环。他那映出蓝色反光的小黑发卷,对称地围绕在他凸起的头顶上。他的胳臂特别长,垂直地放在两侧,手掌撑开,平放在两条大腿上。他的两个脚掌心像两个太阳;他待在那里,纹丝不动。他面对着安东尼和希拉瑞昂;周围的神坐在一级一级的岩石上,像竞技场阶梯座位上坐的观众一样。

他微张双唇,用深沉的声音说道:

我是大施舍神,我普救众生,我向信神的人阐述清规,也向不信神的讲解禁律。

为了拯救世人,我降生人间。我从天上临行之际,诸神都流下了眼泪。

我首先要寻找一个合适的女人:一个出身将门的女子,国王的后妃,心地善良,容貌特别美丽;她的脐要深,身体要结实得像钻石。在月圆之时,无须男人的授精,我就投入她的腹中。

我从她的右胁出世;我降生之时,众星都停止运行。

希拉瑞昂

口中念念有词：
"他们看见那星停止，就大欢喜！"
安东尼更加留心观看。

佛①

马上接茬儿：
一位百岁老僧从喜马拉雅深山中赶来看我。

希拉瑞昂

"有一个名叫西面②的人，在未死以前将看到基督！"

佛

有人叫我去上学，其实，我知道的东西比各位教师还多。

希拉瑞昂

"……在教师中间，凡听过他讲话的，都对他的聪明感到惊奇。"
安东尼示意希拉瑞昂闭嘴。

佛

我继续不断地在园中沉思。所有的树影都移动了；只有我

---

① 佛为"佛陀"的简称，即释迦牟尼。据传说，他是古印度迦毗罗卫国净饭王的儿子；他在前段说他为"国王的后妃"所生，指此。
② "西面"为"西蒙"的谬音。参见《圣经·新约全书·路加福音》第二章第二十五节（"在耶路撒冷有一个人，名叫西面……"）。

头顶上面的那棵树的树影静止不动。

在文章的写作、原子的探索、大象的驯养、蜡工的制作和天文、诗歌及拳击方面，谁都不如我；无论何种技艺，我都胜过他人！

我按照人们的风俗，娶了一个妻子；从此，我深居简出，成天待在我的王宫里；我满身珠光宝气，还喷上了香水，并有三万三千个专门驱赶蚊蝇的女人给我打扇，在钟声齐鸣时，我站在楼台上看我的臣民。

然而，我眼见世人多灾多难，便抛弃了我享乐的生活。我逃离了王宫。

我身穿从墓地里捡来的破衣，一路之上讨乞为生。我遇上了一位学问高深的隐修士，便心甘情愿当他的奴隶，为他看门，给他洗脚。

我的七情六欲全都消失了；对一切欢乐和忧虑之事，我都无动于衷。

后来，我集中心思，思考更深奥的问题；我发现了事物的实质和形体的虚幻。

我一眼便看穿了婆罗门僧侣的玄虚。他们个个都贪得无厌，但表面上却刻苦修行，一本正经，在身上抹牛类，睡在荆棘上，说什么人死了才能到极乐世界！

希拉瑞昂

"法利赛人，伪君子，粉饰的坟墓，毒蛇！"

佛

我，我也做过一些令人惊异的事：我一天只吃一粒米，而且，那时的米，颗粒没有现在的大。我的毛发脱落，全身变成了黑色;我的眼睛深陷在眼眶里,宛如在井底看到的星星。

在整整六年里,我一动不动地让苍蝇叮,让狮子和蛇咬,让大太阳晒,让大海浪冲打,让雪淹,让雷劈,让风霜吹打:我忍受这一切,连用手挡都没有挡过一下。

过往的行人都以为我死了;他们站得远远的,往我的身上扔泥土。

我只差没有受到魔鬼的试探了。

我呼唤魔鬼。

可是,来的却是魔鬼的一群男孩子:他们的样子很丑陋,满身鳞甲,散发出死尸那样的气味;他们不停地像狼那样嗥叫,像蛇那样咝咝作响,像牛那样哞哞叫,而且还摔打死人的甲胄和骸骨。有几个小魔鬼从鼻孔里喷出火焰,有的故意用他们的翅膀挡出一片阴影,有的身上挂着一条用断手串成的念珠,有的喝他们手掌心中捧着的毒蛇的毒液。他们的头,有的像猪,有的像犀牛,有的像蛤蟆,奇形怪状,看了令人厌恶,令人害怕。

安东尼

旁白:

从前,我也经受过这种情形!

佛

接着,魔鬼又让他的女孩子来了:她们个个长得都很美,搽脂抹粉,腰系金带,牙齿像茉莉花那样白,大腿像大象的鼻子那么圆。有几个女孩子伸开双臂打呵欠,故意让人看她们的肘窝;有的挤眉弄眼,有的格格直笑,有的微解衣衫。她们之中,有红颜童贞女,也有傲气十足的贵妇人;还有几个是皇后，身后边跟着一大帮奴仆和一大堆行李。

安东尼

旁白：
啊！他是不是也一样的呢？

佛

在战胜魔鬼以后，我有十二年唯一无二地只吃气味芳香的东西。由于我获得了五德、五才、十力和十八物，并深入探索了眼睛看不见的世界的四大界，智慧就属于我了！我成佛了！

所有的神都躬身施礼；多首神的几个头都同时一起低下。

他把他的长手伸向空中，继续说道：

为了解救众生，我成千上万次牺牲我自己！我把丝袍、床、车子、房子和成堆的黄金和钻石给予了穷人。我把我的胳臂给予独臂人，把腿给予瘸子，把眼珠给予盲人；我去顶替待斩首的人，让刽子手砍我的脑袋。在我当国王时，我把我的土地分给别人去治理；在我当婆罗门时，我从不轻视任何人。在我当隐修士的时候，我良言开导那个想杀死我的贼人。在我变成猛虎的时候，我宁愿自己饿死，也不伤残人畜。

在最后一次转生之后，我除了到处宣讲佛门清规以外，便不做其他的事情了。现在功德已经圆满！所有一切的人、动物、诸般神灵、竹子、海洋、山峦、恒河的沙和亿万兆个星星都将消亡，然后重获新生；未来，将有一道火光熠熠生辉地照耀在被毁灭的世界的废墟上！

这时，诸神感到一阵晕眩。他们摇摇晃晃地倒在地上抽搐，吐出他们的命根。他们的神冠碎了，旗幡飞走了。

他们扯掉他们象征神灵的标志,并割掉他们的生殖器官,把用来饮长生不老酒的杯子从肩头上抛出去,到处乱扔,并用毒蛇互相勒脖子,最后化作一道轻烟消失得无影无踪。当一切都过去时……

希拉瑞昂

慢慢说道:

你刚才都看到了,千千万万人所信奉的神竟是如此!

安东尼坐在地上,双手捂着脸。希拉瑞昂站在他的旁边,背对十字架,注视着安东尼。

过了相当长的一段时间。

接着,出现了一个人头鱼身的怪物。他在空中笔直地往前行进,用尾巴拍打沙子。他这副老头儿脸和短胳臂样子,逗得安东尼大笑。

奥安勒①

用如泣如诉的声音说道:

你应当尊重我!我是和万物的始原同时诞生的。

我居住在无一定形状的世界上;在那里混浊不清的空气中,在阴暗的深水中,沉睡着许多两性畸形的动物。很难分清它们的哪些东西是指,哪些东西是鳍,哪些东西是翅膀;它们无头的眼睛,像软体动物似的在人面牛和狗脚蛇之间摆动。

奥莫洛卡蜷曲成一个圆圈,卧在这些动物上边,展现出一个女人的身体。贝律把它切成两半,用一半来制造大地,另一半制造天空;这两个相似的世界彼此便永相遥望。

---

① 奥安勒,迦勒底人供奉的神,据说是他给人类带来文明的。

作为混沌初开的第一个有知有识者,我走出深渊,使世上的物质坚硬,成为一定的形状。我教会人类捕鱼、播种、写字和了解各位神灵的故事。

从此以后,我就生活在洪水之后形成的池塘里;但是,池塘周围的沙漠愈来愈扩大,风把沙子刮到池塘里,太阳也吸池塘里的水,因此,我最后便死在一滩稀泥上,两眼透过滩上的水凝视天上的星星。现在,我要回到那里去。

他往前一跳,便消失在尼罗河中。

希拉瑞昂

这是迦勒底人远古的神!

安东尼

用嘲笑的口气问道:
巴比伦的那些神又是什么样子呢?

希拉瑞昂

你仔细瞧吧!

巴比伦的神立刻出现在一座方塔的平台上,方塔下边还有六座塔;它们的塔身愈往上便愈缩小,共同形成一座大金字塔。塔边有一大片黑黑的东西——显然是巴比伦城——伸展在平地上。空气寒冷,天空呈暗蓝色,众星在闪烁。

平台中央竖立着一根白石柱。身穿麻布袍的教士围着石柱转来转去,不停地走动,以致看起来好像是一个转动不停的圆圈;他们抬头观看天上的星星。

希拉瑞昂

指着其中的几颗星对安东尼说：

主要的星有三十颗。其中，十五颗面对地球的上界，另外十五颗面对地球的下界。按照固定的时间间隔，一颗星从上界跃到下界，而另一颗星则从下界跃到上界。

在七个行星中，有两个行善于人，有两个为恶于人；另外三个，时而行善，时而为恶；世上的情况如何，完全取决于这七个永恒的火光似的星。人们根据它们的位置和活动，可以预测未来。你现在正站在地球上最受人尊敬的地方。因为毕达哥拉斯和佐洛亚士特①曾相会于此。为了更好地了解神灵，人类观察天空，到现在已经观察了一万两千年了。

安东尼

天上的星星不是神。

希拉瑞昂

是的！他们都说是的。世上的万事万物接连在我们周围不断发生，可是天空却一成不变，永远如此！

安东尼

看来，有一个主宰者在执掌这一切。

希拉瑞昂

指着石柱说：

---

① 佐洛亚士特，麦德人的先知和立法者。——原注释者注

这一位,名叫贝律,是原始的光。即太阳,男性!那一位——贝律正在对她授精的那一位,躺在他身下!

安东尼突然看见一座花园,园中灯火通明。

他夹在人群中间,正走在一条两旁种有柏树的大道上。左右两边都有小路,通向石榴林中有芦苇遮挡的小屋。

男人们大部分都头戴尖帽,身穿孔雀羽毛似的绣花袍。还有穿熊皮的北方人、披棕色大毛氅的游牧人和脸色苍白、耳戴一串小环的恒河人。各种地位和各种民族的人都混杂在一起了:水手和石匠与头戴红宝石三重冠、手执精雕圆头手杖的王子摩肩接踵地挤在一起同行。所有的人行路时都张着大鼻孔出气,集中心思想一门心事。

他们时不时地散开,给一辆有篷的牛车或一头毛驴让路;毛驴背上驮着一个戴面纱的女人,也往小屋的方向走去。

安东尼感到害怕,想转身往回走。然而有一种难以解释的好奇心促使他依然继续往前走。

在柏树阴下,一排排的女人蹲在鹿皮上,每个女人头上都有用细绳编结的发帽。有些女人穿扮得挺漂亮,高声招呼在她们面前经过的男人。有些害羞的女人用膀子遮着脸,在她们身后有一个老婆子(看来是她们的母亲)在给她们打气。有些女人头上顶个黑披肩,但全身赤裸,一丝不挂,从远处看去好像是用肉做的雕像似的。只要有一个男人把钱扔到她们的膝上,她们便站立起来。

树阴下传来接吻声。有时候又传来一阵尖叫声。

希拉瑞昂

她们都是为女神卖淫的巴比伦姑娘。

安东尼

为哪个女神?

希拉瑞昂

瞧,为这个!

　　他让安东尼往大道的尽头看。在灯光照亮的岩洞口,有一块女人性器官状的石头。

安东尼

可耻呀!在神前摆放一个性器官,真是大不敬呀!

希拉瑞昂

你真以为她是一个活人!

　　安东尼又回到黑暗中。

　　他瞥见空中有一个光环放在许多平伸的翅膀上。

　　光环像一条松松的腰带,围绕着一个矮小的男人;他头戴头巾,手中拿着一个花冠,他的下半身隐藏在像裙子那样展开的大羽毛下边。

　　他是

奥尔姆兹①

　　波斯人的神。

　　他飞来飞去地叫喊道:

我害怕呀!我隐隐约约看见了他那副丑恶的脸。

---

① 奥尔姆兹,波斯人供奉的善神。——原注释者注

阿里曼①，我曾制伏了你！你如今又开始干恶事了！

你首先与我作对，后来又害死了人首牛身的凯约莫尔②的长子，再后来，又勾引了人间第一对恩爱夫妻梅西亚和梅西亚娜。你在人们的心中散布黑暗，还把你的队伍开到天上。

我从前也有我自己的军队——住在星星上的人；我坐在我的宝座上俯览一层层井然排列的群星。

我的儿子米特拉住在一个无法进入的地方。他在那里接收人的灵魂，然后又把它们通通放出去，而且，他每天早晨起床后，都要向世人散发他的财富。

天上的光辉得到地球的反照。这颗火一般的星在群山上闪闪发光，——另一颗星（星上的生物都是我创造的）的样子也是这样。为了保证这颗星不受污染，人们不焚烧死人。鸟儿用它们的喙把死去的人叼到天上。

我曾经改良过畜牧和农耕的方法，并教导人们如何制作供奉神灵的木器和酒杯，还告诉人们在失眠之时应当默诵哪些经文，我的教士们不停地祈祷，虔诚地敬拜上帝的永恒。他们用清水沐浴，把面包放在祭坛上，大声忏悔自己的罪过。

为了把自己的力量传送给人们，奥玛③让人们喝他身上的液汁。

当天上的神灵与魔鬼交战的时候，伊朗的子孙们④，便去驱赶各种毒蛇。那位受满朝的臣子跪拜的国王，乃是我的化

---

① 阿里曼，波斯人供奉的恶神。——原注释者注
② 凯约莫尔，波斯人认为是第一个曾经统治全世界的国王。——原注释者注
③ 奥玛，巴尔西斯人信奉的宗教中的精灵，他们把他看作"生命之树"的化身。
④ 伊朗的子孙们，指波斯人。——原注释者注

身,他头上戴的是我的王冠。他的花园满园芬芳,好似一座天堂;他墓中的墙上画的是他杀死一个魔鬼的情形——象征着善必消灭恶。

时间是无穷无尽的,所以我总有一天能彻底打败阿里曼。

然而,我们两者之间的时间间隔已经消失;黑夜降临了!阿姆恰斯潘,伊泽德,费努尔①,你们快来救我呀!米特拉,救命呀!快把剑拔出来,考西雅克②!你既然是普救世人,你就该保护我呀!怎么啦?……谁也不来了!

唉!我死定了!阿里曼,你现在是万物之主了!

希拉瑞昂躲在安东尼身后,高兴得差点儿叫出声来;奥尔姆兹跳入黑暗的深渊。

这时,出现了

以弗所的大戴安娜③

面黑,眼睛亮得像珐琅似的,两只胳臂的上半部贴着身子,下半部分开,撑开双手。

有几只雄狮趴在她的肩上;在她的胸脯上交织地排列着许多水果、鲜花和星星;它们的下边排列着三排乳房。她从腹部到脚这半截身子都裹在一个紧紧的套子里,有一些公牛、鹿、蟋蟀和蜜蜂从套子里伸出半段身子。人们借着一个放在她脑后的圆如满月的银盘的白光,可以隐隐约约地看见她的面孔。

---

① 阿姆恰斯潘、伊泽德、费努尔,古波斯人信奉的神。阿姆恰斯潘神有七个,是行善事的神,伊泽德是守护神,费努尔是对垂死的人给予援助的神。
② 考西雅克,能使死者再生的神,曾与魔鬼作战,以拯救世人。
③ 以弗所的大戴安娜,掌管水、火、风、土四行及土地出产和动物繁殖的女神。

我的庙子在哪里？

我的女婢到哪里去了？

我怎么办……我，我本是不朽之身，如今也衰败了！

她身上的花凋谢了，熟透的水果都掉落在地上。雄狮和公牛的脖子都往下耷拉；精疲力尽的鹿直流口涎；蜜蜂嗡嗡几声，掉在地上死了。

她挤她的乳房，挤了这个又挤另一个。乳房全干干的，一点乳汁也没有了！她拼命使劲一撑，她身上的套子裂开了。她像抓衣襟似的抓着套子，把动物和花扔进套子里，然后便回到黑暗中去了。

远处有人在低声细语，也有人在大出怨言，有狮吼，有鹿鸣，也有牛叫。一阵阵烟雾使夜色更加深沉。这时，从天上掉下了热雨点。

安东尼

多么美好啊，这芳香的棕榈、微微颤动的绿叶和清彻的泉水，是多么美啊！我真想趴在地上，让我的心感受到大地，使我的生命沐浴在它永恒的青春里！

他听见一阵响板声和铙钹声，接着，看见在一群乡下人当中，有几个身穿白长袍腰系红绸带的男人牵来一头鞍辔华丽的驴；驴尾巴上扎有饰带，蹄子上还涂了油彩。

驴背上有一个盖着黄布罩的盒子在两个篮子中间晃来晃去；一只篮子里装着人们供奉神灵的祭品：鸡蛋、葡萄、梨、奶酪、家禽和钱币，另一只篮子里装满了玫瑰花，牵驴的人一边走，一边把玫瑰花瓣摘下来往前撒。

他们都戴着耳环，身披大氅，头发编成辫子，脸上还搽了脂粉。他们的头上有一个用橄榄枝做的发圈；在额头处，发圈上别有一个人像章。他们的腰带上插有匕首，手中挥舞着乌木柄的鞭子，柄上有三条饰以小骨头的丝穗。

走在队伍最后边的人把一棵像烛台那样笔直的大松树放在地上。松树的树端在燃烧，最下边的枝桠下有一只小羊。

驴停下来了。有一个人揭开盒子上的黄布罩，露出下边的一块黑毡。接着，一个身穿白袍的人敲着响板跳舞，另一个人跪在盒子前边敲鼓。这时，

队伍中年纪最大的那个人

开始说道：

这就是善良的女神，伊达山的神，叙利亚的"伟大的母亲"！诚实的人们，走过来吧！

她让人人都得到欢乐，她给人们治病，散发财物，让恋人都心满意足。

无论天好天坏，我们都要让她到田野转游。

我们经常是风餐露宿，吃不上一顿好饭。在树林中常常遇到强盗，野兽从山洞中跑出来袭击我们，陡峭的山路泥泞难行。你们来看她！都来看她！

他们揭开毛毡，现出一个嵌有宝石的盒子。

她的身子尽管比雪松还高，但能翱翔在蓝色的天空。她能达到的范围比风能达到的范围还宽广。她通过老虎的鼻孔呼吸；她的声音震得火山隆隆作响，她的愤怒将化成暴风雨，她白白的脸色把月亮映成了雪白。她使五谷丰登，使树木长得粗壮，使男人长出胡须。大家都应当向她奉献点东西；谁吝啬，她就厌恶谁！

盒子微微打开，人们看到，在一面蓝色小旗下边有一

个小小的希比丽。她满身的珠光宝气，头戴塔形冠，坐在一辆由两头雄狮拉着的车子上，雄狮的前爪举起。

大家一拥而上去观看。

大高拉[①]

继续说道：

她喜欢扬琴的琴声、人的顿脚声和狼嗥声；她喜欢回音缭绕的山峦和幽深的峡谷；她喜欢看扁桃树的花、红色的石榴和绿色的无花果及回旋的舞蹈；她还爱听浑厚的笛声，爱舔甜的浆液、咸的眼泪和血！这一切，我们都奉献给你！都奉献给你，群山的母亲！

他们用自己的鞭子抽打自己，鞭子打在他们的胸脯上啪啪地响；鼓皮快要震破了。他们拿起自己的刀，在胳臂上划出一道道口子。

她悲伤，我们也要跟着她悲伤！为了让她高兴，我们就要受点苦！这样，大家的罪孽才能得到宽恕。血能洗刷一切；要像撒花瓣那样把血一滴一滴地洒掉！她要求我们奉献另外一种血——纯洁的血！

大高拉把刀举在小羊的头上。

安东尼

惊叫：

不许杀小羊羔！

一股鲜红色的血喷射出来。

[①] 在古罗马，有一种江湖骗子称为"高拉"，后来，罗马皇帝克洛德封他们当中的一个人为"大高拉"，成为主持敬拜"众神之母"的仪式的首席官员。

大高拉把血洒在众人身上；所有的人（包括安东尼和希拉瑞昂）都静静看着那只被杀的羔羊流尽最后一滴血。

在教士们中间出现了一个女人，和关在那个小盒子中的样子一模一样。

她站在那里，两眼注视着一个头戴弗吉尼帽的年轻人。他穿一条紧身长裤，裤子上有一些很整齐的菱形口子，口子上扎着五颜六色的结子。他肘靠树枝，手里拿着一只笛子，一副懒洋洋的样子。

希比丽

用双臂抱着他的身子：

为了与你相会，我跑遍了天涯海角；我看见到处的乡村都在闹饥荒。你欺骗了我！那没有关系，我很爱你呀！快暖暖我的身子！让我们结合在一起吧！

阿提斯①

春天已一去不复返了，啊，永生的母亲！尽管我爱你，但我不可能深入你那最珍贵的身躯。我很想穿上一件你那样的花色袍子。我巴不得也有你那样丰满的乳房，有你那样的长发和孕育生灵的大肚腹。我怎么不生成你这个样子呀！我要是一个女人，那该多好啊！不，根本不可能！快走吧！我真不愿有我这男性的特征！

他用一个锋利的石头割下自己的生殖器，把割下的生

---

① 阿提斯，一个年轻的牧羊人。据说，众神之母爱他爱得发狂；由于他拒绝她的爱，她便狠狠地打他。他一怒之下割掉了自己的生殖器，竟致伤重而死。后来，希比丽使他复活，变成了象征生殖和复活的神。

殖器高高举起,一个劲儿地狂奔。

教士们照着神的样子干,信徒们又照着教士的样子干。男人和女人互相换穿衣服,拥抱在一起。这乱成一团的血肉之躯渐渐向远方离去,但他们的声音依然能听见,而且愈来愈喧嚣刺耳,好像在葬礼上听到的声音一样。

一座挂着红色帷幔的大灵柩台上有一张乌木床,床的周围有许多烛台和银丝编的篮子,篮子里有碧绿的莴苣、锦葵和茴香。台阶从上到下都坐满了妇女,着清一色的黑衣服,腰带解开,赤脚,个个面带忧容地手里拿着一大束鲜花。

在地上,台子的四角都放着大理石钵,钵里的没药正缓缓地冒着轻烟。

人们看见床上有一具男尸。他的大腿在流血。他的一只胳臂下垂;一条狗边叫边舔他的手指。

烛台摆得太密,所以看不清他的面孔;安东尼很担心,生怕认出是某个相识的人。

女人们的啜泣声停止了;静一会儿以后,

所有的女人

像唱赞歌似的齐声说道:

美哉!美哉!他真美啊!睡够了,快抬起头来!站起来!来闻我们的香花!为了让你高兴,我们从你的花园中摘来了这些水仙和银莲。你快醒过来吧,你让我们多害怕呀!

你说话呀!你需要什么东西?想喝酒吗?想到我们的床上去睡吗?你想不想吃小鸟形的蜜糖面包?

我们去搂着他的腰,吻他的胸脯!喂!喂!你感觉到了我们戴着戒指的手指在你身上抚摩吗?你感觉到了我们的嘴唇在亲吻你的嘴唇吗？你感觉到了我们的头发在你的腿上摩挲吗？昏厥的神呀，你对我们的话竟无动于衷！

她们大喊大叫，用指甲抓破自己的脸，过了一会儿又默不作声；这时候，只听见一只狗在狂吠不已。

唉呀！唉呀！黑黑的血在他雪白的肉上流淌！大家看，他的两腿蜷起来了，两肋下陷了。他脸上的花润湿了红色帷幔。他死了！哭吧！我们好伤心呀！

她们一个接一个地依次走到烛台那里，把她们的长发剪下来放在烛台中间，从远处看起来好像一条条黑色和金色的蛇似的。灵柩台缓缓下沉，一直下沉到一个岩洞处——一个幽暗的坟墓，坟墓的后端有一个半开着的洞穴。

这时

一个女人

扑到男尸身上。

她的长发没有剪，从头上一直拖到了脚跟。她流的眼泪是那么多，可见她伤心的程度超过别人，超过常人，无限悲伤。

安东尼想起了耶稣的母亲。

她说：

你从东方喷薄而出，把我被露水冻得发抖的身子抱在你的怀里，啊，太阳！鸽子在你周围的蓝天中飞翔；我们的亲吻在叶丛中激起阵阵微风。我委身于你，尽情享受你对我的爱，享受两情欢娱的乐趣。

唉！唉！你为什么要去翻山越岭？

在秋分那天被一头野猪所伤！

你死了；山泉哭泣，树木躬身，冬风在无叶的荆棘丛中嘶鸣。

既然黑暗包围了你，我的眼睛就该闭上了。现在，你居住在世界的另一端，到了我的情敌的身边，她比我更强壮有力。

啊，波斯芳，天下的美都集于你一身，你一去就不要再回来！

当她说这番话的时候，她的同伴们把死尸抬进坟墓。可是，他依然留在她们手中。原来是一个蜡做的尸体。

安东尼大大地松了一口气。

一切都消失了，小屋、岩石和十字架又重新出现。

突然，他发现尼罗河的对岸有一个女人站在沙漠中间。

她右手握住一条盖在头上的黑纱巾的下端，用它来挡住她的脸，她的左臂抱住一个正在吃奶的小孩子。她身旁有一只大猴子蹲在沙地上。

她仰起头来对着天空。距离虽远，安东尼依然能听见她的声音。

依西丝[①]

万物的始祖赖特啊！永恒的主宰阿蒙啊，创业主普达啊，普达的侍从多泰啊，阿门提的众神灵啊，洛姆的三大尊者啊，蓝天中的鹰啊，庙宇旁边的狮身人面像啊，站在牛角中间的白鹮啊，众行星、众星座啊，各个河岸啊，簌簌吹拂的风啊，闪

[①] 依西丝，埃及人信奉的大女神。据说，她既是奥西里斯的妻子，同时又是她的妹妹，是一个象征贤妻良母的女神。

烁的光啊,请你们告诉我,阿西里斯①在哪里!

我到每一条江河和每一个湖泊去寻找他,甚至还远到腓尼基的比布洛去寻找过。阿鲁比斯②竖起耳朵在我的周围蹦跳,把它的嘴伸进罗望子树丛中去搜寻。谢谢你,好心的西洛塞法尔,谢谢了!

她轻轻在猴子的头上拍打了两三下。

丑恶的红发鬼泰丰杀害了他,把他砍成了好几块!我们找到了他的肢体。可是我没有找到那个使我怀孕的东西!

她哀声尖叫。

安东尼

勃然大怒,扔石头去打她,骂她。

不知羞耻的东西!滚开,快滚开!

希拉瑞昂

你要尊敬她!你的祖先把她奉若神明呢!你在摇篮里还戴过她的护身符哩。

伊西丝

从前,夏天来临后,洪水把脏脏的牲畜驱赶到沙漠。堤坝缺口了,小船被冲得互相碰撞;干涸的土地饱饮河中的水。你这个牛角神却匍匐在我的胸脯上,人们都听到那头老不死的母牛哞哞叫!

---

① 阿西里斯,埃及人信奉的象征善行的神。据说,他后来被他的弟弟塞特暗杀,弃尸在尼罗河上的一个浮筒里。

② 阿鲁比斯,人身豺狗头的神,在地狱里负责衡量人的灵魂好坏。

播种、收割、打场和摘葡萄，顺着季节的交替，一个接一个地有条不紊地进行。夜里的天空十分明净，硕大的星星闪闪发光。白昼沐浴在永恒不变的光辉里。人们看到太阳和月亮宛如一对皇家的夫妻那样出现在天际的两边。

我们是孪生的国王和王后，我们两个都高居在最美好的世界上；我们在永恒的娘胎里就结成为夫妻。他手执豺头权杖，我手执莲花头权杖。我们合掌而立；——即使帝国覆亡了，我们的姿势也不变。

埃及展现在我们的脚下；它显得很庄严和雄伟；长长的，好似宙宇里的走廊；右边有方尖碑，左边有金字塔，中间有迷宫；到处是宽阔的道路、多得像森林似的石柱和沉重的门柱；大门顶上都有一个饰有双翅的地球。

它境内的动物散布在各个牧场上；在神秘的埃及文字里随处可见这些动物的形状和颜色。埃及划分成十二个地区，好似一年划分成十二个月，每一个月和每一天都各自有各自的神灵。这样划分法，反映了天上永恒不变的秩序，让人死后不会失去他本来的面貌，而且全身浸饱香水，变成不朽之身，在一个静静的埃及沉睡三千年。

这静静的埃及，比埃及的范围还大；它伸展在地下。

从这几道阶梯下去，就可走到在那里展现好人快乐、恶人受苦的大厅；在肉眼看不见的第三重天上发生的一切，在大厅里都可看到。顺着墙根摆放的朱漆棺材里的死者，在等待他们出现在大厅的时候的到来；免除了奔波劳累之苦的灵魂，将继续沉睡，直到另一个生命开始时才苏醒过来。

奥西里斯有时候回来看我。他的亡灵与我结合而诞育了哈波克拉特①。

她端详孩子。

真像他!孩子的眼睛和他的眼睛一模一样,头发也一丝不差,编成羊角形!你将再次做你过去做过的事。我们将像莲花那样重新开花。我依然是伟大的伊西丝!还没有谁来揭过我的面纱!我生育的是太阳!

春天的太阳呀,乌云遮挡了你的脸!泰丰吐出的气摧毁了金字塔。我刚才看见狮身人面像也逃跑了。它跑得像豺狗那么快。

我要去寻找我的教士。我的教士们都身披麻布氅,背着大竖琴,手中还拿着一个饰有银钩的神秘的船形器皿。湖上再也不举行庆典了!我的三角洲上也没有灯光照明了!菲莱岛也没有一杯杯的牛奶了!阿匹斯②,它已经很久没有重新出现了。

埃及呀!埃及!你那些千年不动的神的肩头上都积存了一层白白的鸟粪;沙漠的风刮走了死人的骨灰!亡魂的守护神阿鲁比斯,你不要离开我呀!

西洛塞法尔消失了。

她摇晃她的孩子。

你怎么啦?……你的手冰凉,头也耷下来了!

哈波克拉特刚刚死了。

于是,她对着空中尖声大叫。她的叫声是那么撕心裂肺的凄惨,以致使安东尼也跟着她大叫一声,并伸出双臂

---

① 哈波克拉特,即奥鲁斯,奥西里斯的遗腹子,长大后,为被塞特杀害的父亲报了仇。人们把他和他的母亲伊西丝供奉在一起,样子像个小男孩,一根指头放在嘴唇上,额头上有一朵莲花或一弯新月。——原注释者注

② 阿匹斯,供奉在埃及芒菲斯的圣牛。

去抱她。

她消失得无影无踪。他低下头，满面羞惭。

他刚才所看到的这一切，在他的心中乱作一团，使他感到好似走迷了路，又好似喝醉了酒。他一股怨气；然而一种说不清的怜悯心又使他的心肠软下来了。他开始放声大哭。

希拉瑞昂

谁使你伤心了？

安东尼

思索了好一阵后说道：

我在替那些被这类假神弄得迷失了方向的人担心！

希拉瑞昂

你没有发现他们……有时候……也像真神吗？

安东尼

这是魔鬼用来诱惑善男信女的一种伎俩。他用搞乱思想的办法攻击强者，用肉体勾引的办法攻击意志薄弱的人。

希拉瑞昂

好色的行为无论多么痴迷，但只要知错就改，就可以弥补过失，消除罪尤。而疯狂的肉体的爱，必将加速肉体的毁灭，——肉体是脆弱的，疯狂的肉体的爱不可能久长。

安东尼

要是我碰上这种事,我不能容忍!我一见到那些杀戮成性和男女乱伦的畜牲似的神,就恶心!

希拉瑞昂

你想必还记得,《圣经》中讲的有些事情之所以令你生气,是因为你不理解它们。同样,以罪恶的形式出现的那些神,很可能还包含着真理呢。

再往下看。你转过身去!

安东尼

不!不!很危险,看不得呀!

希拉瑞昂

你刚才还说你想了解他们嘛。怎么在假象面前你的信心就动摇起来了呢?你怕什么?

安东尼对面的岩石变成了一座山。

一道云彩拦腰把山分成两半;上半段山上又出现了另外一座大山,满山碧绿,到处是山谷;在山顶的一座桂树林中有一座铜墙金瓦象牙柱的宫殿。

朱庇特坐在殿庭中央的宝座上。他身躯魁伟,赤裸着上身,一只手托着胜利女神像,另一只手握着闪电;他的两腿中间有一只鹰;鹰昂起它的头。

朱诺① 站在他身边,转动着一双大眼睛;从她头上

---

① 朱诺,罗马神话中的天后,朱庇特之妻。

的后冕中垂下一道面纱,像一缕轻烟似的随风飘动。

米涅瓦站在他身后的一个台座上,身子倚着她手中的长矛。她胸前挂一块女蛇妖的皮;一件皱褶匀称的无袖麻布长衣一直拖到她的脚趾。她那深蓝色的眼睛在帽檐下闪闪发光,聚精会神地注视着远方。

在宫廷的右边是年老的海神尼普顿。他骑着一条海豚;海豚用鳍拍打的那一大片蓝色的波纹,好像是蓝天,又好像是蓝色的海水:远处的海水与蓝天相连,海天一色,混淆难分了。

左边是冥王神普路东。他面色凶恶,披一件深黑色大氅;头戴钻石冠,手持一根乌木权杖,站在斯提克斯①中心的一个小岛上。这条阴河的水流入悬崖下边有一个大黑洞的深渊里;黑洞的形状难以形容。

身披青铜铠甲的战神马尔斯面带怒容,使劲挥舞着手中的大盾牌和剑。

大力神赫丘利站在稍下的地方,挂着他手中的狼牙棒,定睛瞧着战神。

阿波罗神采奕奕,右手长伸,驾着四匹白马奔驰,赛莱丝②手执镰刀,坐着牛车向他走去。

巴卡斯③坐着一辆由几只狰狞拉的很低矮的车子,懒洋洋地跟在赛莱丝后边。他身子肥胖,无须,额上有几串葡萄饰;他手中捧着双耳大酒杯,酒从杯中漫出来。西

---

① 斯提克斯,希腊神话故事中的地狱里的一条河。
② 赛莱丝,罗马神话中掌管收获的女神。
③ 巴卡斯,罗马神话中的酒神。

莱纳①骑着一头毛驴,摇摇晃晃地跟在他身边;长一双长尖耳朵的潘②使劲吹排箫;几个米玛洛勒伊德③敲着鼓;几个梅纳德④撒着鲜花;披头散发的女巴坎特⑤来回扭头向后看。

戴安娜一只手撩起衣裙和一群仙女从林中走出来。

在一个洞穴的深处,乌尔冈⑥在卡比尔人当中打造铁器;在这里或那里,有几个年老的河神靠在绿茵茵的石头上,把他们罐子中的水倒出来;许多缪斯⑦站在山谷中咏诗。

掌管时辰的神手拉着手,个子一般高。墨丘利⑧斜靠在一条彩虹上,手里拿着权杖,脚生双翼,头戴宽边浅圆帽。

天空的云彩轻柔如羽毛,它们在空中盘旋时,落下了一朵朵玫瑰花。在云彩中的神梯上端,爱神维纳斯在照镜子;她的眼皮有点儿浮肿,眼珠没精打彩地左顾右盼。

她的金色长发披撒在双肩上;她的乳房小,身材苗条,臀部凸出,好似竖琴的琴鼓。她两腿圆圆的,膝盖周围有小窝,两只脚小小的。离她唇边不远,有一只蝴蝶在飞舞。她身材的美妙,使她周围的空气形成了一个熠熠生

---

① 西莱纳,希腊神话中的长一对尖耳朵、两条公羊腿的农神。
② 潘,希腊神话中的畜牧神。
③ 米玛洛勒伊德,即巴坎特;梅洛岛上的诗人称她们为"米玛洛勒伊德"。
④ 梅纳德,巴坎特的另一名称。
⑤ 巴坎特,侍奉酒神巴卡斯的祭司。
⑥ 乌尔冈,罗马神话中的火神和铁器神。
⑦ 希腊神话中掌管诗歌、音乐和艺术等的女神称为缪斯,共九位。
⑧ 墨丘利,罗马神话中的商贾和行人的保护神。

辉的光晕。奥林匹斯山处处沐浴在鲜红的曙光里；这鲜红的曙光逐渐逐渐地遍布于蓝色的苍穹。

安东尼

啊！我感到心旷神怡。一种难以形容的快乐一直沁入了我的灵魂！这是多么美啊！这是多么美啊！

希拉瑞昂

他们从云端到下界来消弭刀兵之灾；人们可以在路上遇见他们，也可以把他们请到家中，这样的亲密相处，可以神化人生。

人生的最高目的在于生活得自由和美好。宽袍大袖的衣服可以使人的姿态显得雍容。演说家的嗓子经过海涛声的磨练之后，说起话来，余音缭绕，响彻石廊。小伙子在身上抹了油，便可在烈日下赤身格斗。最虔诚的行为是展示纯洁的形体。

这些人爱他们的妻子，并敬老怜贫。在赫丘利庙后面有一个供奉慈悲神的祭坛。

人们宰杀祭祀的牲畜时，要在手指上缠着鲜花。死者的朽骨已不复存在，剩下的只是一点儿骨灰。灵魂已进入无边无际的太空，到神灵那里去了！

俯身对着安东尼的耳朵说：

他们如今还活着！君士坦丁皇帝崇拜阿波罗。你可以在萨莫塞哈斯的神秘的敬拜仪式上看到三位一体的真容，在伊西丝那里看到施洗礼的情形，在米特拉那里看到赎罪的经过，在巴卡斯的庆典上看到一个神所折磨的人。普诺塞尔皮娜就是圣母！……阿里斯德就是耶稣！

安东尼

两眼下视;隔了一会儿,他突然念诵起耶路撒冷信条来了;因为他要回忆信条的内容,所以每念完一句便长出一口气:

我只信奉一位上帝,即天父,——只信奉一个主,即耶稣基督,——上帝的长子,——他化为肉身,化为人,——他被钉在十字架上——被埋葬,——后来又升天,——他还要再来人间裁判活人与死人——他的国不会灭亡;——我只敬拜一位圣灵,——只行一种悔罪的洗礼,——只皈依神圣的天主教,——我相信肉身可以复活,——我相信永生!

十字架立刻变高了;它高入云霄,在众神的天顶投下一道影子。

众神脸色苍白。奥林匹斯山也动摇了。

安东尼发现山脚下有好些被链子锁住的身躯高大的人:他们有的一半身子隐没在岩洞里,有的肩头上扛着石头。他们是泰坦①,是巨人,是赫卡东希尔②和希克洛普③。

一个人的说话声

尽管不甚清楚,但令人生畏:像波涛的轰鸣,又像暴风骤雨下的树林中的唰唰声,也像悬崖峭壁间的呼呼的风声:

---

① 泰坦,在天神宙斯出现之前统治世界的巨人,六男六女共十二人。
② 赫卡东希尔,百手巨人,据说是天公和地母之子。
③ 希克洛普,只额头上有一只眼睛的独眼巨人。

我们,我们早就知道这些了!这些神早该完蛋了。乌拉鲁斯① 被萨土恩② 打成了残废,而朱庇特又把萨土恩打成了残废。朱庇特本人也将被消灭的。每个人都会轮到自己被消灭的时候;这是命中注定了的!

他们逐渐逐渐地隐入山中,最后消失得无影无踪。

与此同时,宫殿的金瓦都飞起来了。

朱庇特

走下宝座。闪电在他脚边冒烟,好像一块即将熄灭的木炭似的。那只鹰伸长脖子,用嘴去捡它掉下的羽毛。

现在,我不再是万物的主宰了,不再是至善至大的神,不再是大氏族和希腊人的神了,不再是诸王的祖先,不再是天上的阿加芒隆③ 了!

神鹰啊,是哪一阵夜神的风把你吹到我这里来的?或者,你是特地从马尔斯的战场上飞来,把最后一位皇帝的灵魂带给我?

我再也不想见到人的灵魂了!让大地去保存它们吧,让它们永远留在尘世好了。人们现在已经养成了奴隶的习气,忘记了受到的羞辱,忘记了祖先和自己的誓言。大众的愚昧、个人的平庸和各个民族的丑恶比比皆是,随处都可见到!

他喘气喘得几乎把肋骨都折断了;还使劲搓双手。泪流满面的埃白给他端来一个酒杯。他一把就接过了杯子。

不!不!不论在什么地方,只要还有一个人的头脑里有憎

---

① 乌拉鲁斯,希腊神话故事中的天神。
② 萨土恩,罗马神话故事中的农神。
③ 阿加芒隆,特洛伊战争时的希(腊)军统帅。

恨混乱和崇尚法治的观念，朱庇特的精神就会永远长存！

杯子是空的。

他慢慢把杯子倒放在一根指头上。

一滴酒也没有！当奥林匹斯山上的神没有食物吃的时候，不朽的神灵也就快完了！

酒杯从他手中滑落；他靠在一根圆柱上，感到自己快死了。

朱诺

用不着如此多情！鹰、公牛、天鹅、金色的雨、云和火焰；什么形态的事物你都变过；你到处滥用你的智慧，你和谁都可以同床共枕！这一次离异已无可挽回，我们对世界的统治，我们的存在，已烟消云散了！

她升入空中，远远离去。

米涅瓦

手中的长矛没有了；栖息在檐壁雕花里的乌鸦现在在她周围飞来飞去，啄她的头盔。

让我看一看我那些船是否已经在白浪滔天的大海上乘风破浪地回到了我那三个港湾；让我了解一下乡村里的人为什么都纷纷弃家而去，看一看雅典的姑娘们现在在做些什么事情。

在百牛大祭月[①]，我的人民在官员和教士的率领下倾城出动，纷纷到我这里来。他们身后还跟着一长队一长队的童贞女；她们身穿白袍、外罩金色坎肩，她们有的手捧酒杯，有的

---

① 百牛大祭月，古希腊风俗，在每年的希腊历一月（相当于公历七月）要举行祭神大典，宰杀成百头牛供奉神灵。

提着篮子或者拿着阳伞，随后是三百头祭神用的牛，还有挥舞着绿色树枝的老年人，身穿臃肿的甲胄的士兵和口唱赞歌的小伙子，此外，还有吹笛子的、拉琴的、吟诗的和跳舞的，最后是一只用车子载运的三层桨战船，在它的桅杆上挂着我那个由吃了一年特殊饮食的童贞女绣制的大风帆；它经过各条大街、各个广场和寺庙前，在一列唱着圣歌的人的簇拥下，一步一步登上卫城的山岗，穿过卫城的山门，进入巴特隆神殿。

我，我这个心灵手巧的女人突然感到一阵心烦意乱！怎么办，怎么办，没有办法了！我战抖得比一个普通的女人还厉害。

她瞥见她身后出现了一片废墟，她大叫一声，额上挨了一击，仰身倒在地上。

赫丘利

扔掉他的狮皮，使劲站稳脚，弓着背，咬着嘴唇，拼命支撑正在崩塌的奥林匹斯山。

我曾经战胜过赛尔柯普人，打败了亚马孙①，并制服了桑托赫②。我杀死过许多国王，并撅断了大河神阿塞罗乌斯头上的角。我曾力劈群山，并把几个海洋并联在一起。受奴役的国家，我把它们一个个都解放了；人烟稀少的地方，我使那里的人口逐渐稠密起来了。我曾跑遍了高卢的各个地方，并曾穿越过渴死人的大沙漠。我曾保卫过众位神灵，并摆脱了女王翁法儿的羁縻。但是，奥林匹斯山实在太重了，我的胳臂已酸软无力。我快要死了！

---

① 亚马孙，希腊神话中孔武有力的女战士。
② 桑托赫，半人半马的怪兽。

他被山上落下的乱石砸死了。

普路东

这要怪你自己,小安菲特里翁!你为什么到我的王国里来了?

那只吃提提约斯脏腑的秃鹫又抬起头来了。坦塔勒① 的嘴唇湿了,伊克西雍② 的轮子停止转动了。

凯瑞③ 伸出她们指甲长长的手去抓人;绝望的弗利④ 使劲拧她们头发上的蛇形饰物;你用一条链子锁住的塞尔拜赫⑤ 喘着粗气,三张嘴流着口涎。

你把门半开着,别人也进来了。人间的阳光射进了塔塔赫⑥!

他沉入黑暗中。

尼普顿

我这支三叉戟再也掀不起暴风雨了,令人害怕的妖魔也全都在水底腐烂了。

用一双白嫩的脚在浊浪滔天的海上迅跑的安菲特丽特⑦,出现在天边海天交会处的身穿绿衣的海上仙女,留住过往船只

---

① 坦塔勒,利底国国王,与天神宙斯同桌用餐,因偷桌上的仙露给人喝,并杀死其子,用儿子的肉款待神灵,被宙斯扔进果树下边的一个湖里,罚他饿了吃不到树上的果子,渴了喝不到湖里的水,永久挨饥挨渴。
② 伊克西雍,因侮辱天后埃娜,被绑缚在一个转动不停的火轮上。
③ 凯瑞,夜神的女儿。
④ 弗利,专司复仇的女神。
⑤ 塞尔拜赫,守卫地狱的一条三头犬。
⑥ 塔塔赫,地狱下边的地方,据说比地狱还黑暗。
⑦ 安菲特丽特,海神尼普顿之妻。

听她们讲故事的满身鳞片的希赫娜①,在介壳里直喘气的老特里顿②,他们全都死了!海上的欢乐已一去不复返了!

我也不会活得太久了!愿广阔的海洋覆盖着我的身!

他消失在碧蓝的海水里。

戴安娜

身着黑衣,站在一群已变成狼的狗当中。

大森林葱茏独立的景色和林中的野兽味与沼泽气,使我感到陶醉。我保护的孕妇们生的都是死婴。月亮一听见妖婆的咒语就吓得发抖。而我却巴不得被一阵风暴刮到无边无际的空间。我想喝毒药,昏昏沉沉地在梦幻中死去……!

从她身边经过的一片乌云把她带走了。

马尔斯

光头,满身是血:

我开始是孤身作战。我辱骂一支军队,我向他们挑衅;我对各国人民的苦难无动于衷,只图杀个痛快。

后来,我有了伙伴。他们在笛声中,排成整齐的队伍,迈着整齐的步伐前进。他们戴着饰有长长的羽翎的头盔,盾牌护胸,手持长枪。作战时,他们冲锋陷阵,像雄鹰那样高声喊叫。他们打起仗来,像吃筵席那样快活。一支三百人的队伍,敢和整个亚洲对阵。

不久,那些野蛮人,他们又杀回来了!他们的人数成千上万,多得数不清!他们在人数、器械和计谋上都胜过了我,所

---

① 希赫娜,鱼首(或鸟首)女身的海妖。
② 特里顿,半人半鱼的海神。

以，我最好是以一个勇者的姿态死了算了！

他自杀了。

乌尔冈

用一块海绵擦他身上的汗。

世界变冷了。应当把泉中的水烧热，给火山加温，把在地下滚滚流着铁水的河烧得滚烫！使劲打铁呀！抡圆了胳臂打呀！使出全身的力气打呀！

卡比尔人的胳臂被铁垂打伤了，眼睛被火星迸瞎了；他们摸索着一步一步地向前走，最后消失在黑暗中。

赛莱丝

站在一辆轮轴上有翼的车子上：

停！停下！

有充分的理由把外邦人、不信神的人、伊壁鸠鲁的门徒和基督教徒通通撵走！篮子的秘密①已被揭穿，圣殿已遭亵渎，一切全完了！

她走下一个陡坡；她绝望了，她大声喊叫，用力揪自己的头发。

啊！一派谎言！达伊娜②并没有到我这里来！钟声催我到死人那里去。又一个塔塔赫！一去就不可能再回来了，可怕呀！

她坠入深渊。

---

① 篮子的秘密，指伊鲁西教派的一种神秘的敬拜仪式。——原注释者注

② 达伊娜，女神佩尔赛丰的另一名字，据说，她以"达伊娜"这个名字主持伊鲁西教派的神秘的敬拜仪式。

巴卡斯

狂笑：

执政官的夫人给我当老婆①！这有什么关系！法律本身就是糊里糊涂的。快对我唱新歌并奉献各种各样的东西吧！

那一团吞食我母亲的火，如今在我的血管里燃烧。愿它再烧得更厉害一点，即使把我烧死，我也愿意！

男的和女的，全都有用；我把我交给你们了，女巴坎特！我把我交给你们了，男巴坎特！葡萄藤终归要缠绕在树干上的！你们闹呀，跳呀，扭呀！把老虎和奴隶都放出来！用锋利的牙齿吃肉！

这时，出现了潘、西莱纳、女巴坎特、米玛洛勒伊德和梅纳德；人们看见有许多条蛇跟着他们一起出现；他们手执火炬，脸上戴着黑色假面具；他们互相投掷鲜花。他们发现了一个木雕的男性生殖器，便去吻它；他们摇着铃铛，敲着酒神权杖，用贝壳互相扔打，大口大口地吃葡萄，掐死一只公山羊，最后把巴卡斯也撕成几块。

阿波罗

用靴子抽打他的马；马头上的白毛随风飘动。

我把怪石嶙峋的德洛岛抛在我身后，现在，它看起来是那样的寂静，好像岛上的一切都死了似的。我要尽量在德尔菲城的灵气还未完全散去之前赶到那里。有许多骡子在吃城中的那

---

① 在古希腊各地，每年祭祀酒神的庆典上，地方长官的夫人要象征性地和酒神结婚。

棵月桂树的叶子。误入歧途的庇蒂① 不会回来了。

只要我更加集中心思，我就可以写出美妙的诗句和不朽的杰作；世上的一切物质都将被我的齐特拉琴的琴声唤醒！

他拨弄琴弦。琴弦断裂，断弦打了一下他的脸。他把琴扔掉，愤怒地抽打他那四匹马：

不！有形的东西到此就足够了！要往远处去！到最高处！去探索纯抽象的观念！

然而，他的马往后倒退，两蹄直立，把车子掀翻，摔个粉碎；他被车辕的碎木片和乱糟糟的缰绳缠住，一头栽进了深渊。

天黑了。

维纳斯

冻得发紫，直打哆嗦。

我用我的腰带作厄勒尼亚② 的地平线。

它的田野映照着我的脸蛋儿的玫瑰色；它的江河的河岸是按照我的嘴唇的样子形成的；它那些比我的白鸽还白的山，在雕刻师的手下颤动不已。人们发现，我的精神至今还影响着它的各种庆典的安排、头上的帽饰的搭配、哲学家的谈论和共和国的基本大法的订立。我太宠爱男人了！正是这种对男人的爱，败坏了我的名声！

她仰着身子放声大哭。

人世太可憎。我心里老憋气！

啊，墨丘利，你这位里拉琴的发明者和人的心灵的向导，

---

① 庇蒂，德尔菲城中阿波罗庙的女先知，据说，她能传达阿波罗的话。
② 厄勒尼亚，希腊的古称。

带我走吧!

她把一根指头放在嘴唇上,然后纵身一跃,像一条长长的抛物线似的掉进了深渊。

什么也看不见了。周围一片漆黑。

这时,只见从希拉瑞昂的眼珠里射出两道像火红的箭似的光芒。

安东尼

这时,他发现希拉瑞昂的身子很高。

高了好几倍;你讲话的时候,我觉得你的身子长高了;这不是幻觉。怎么回事儿?快告诉我……你的个头这么高,真叫我害怕!

听到一阵脚步声,而且声音愈来愈近。

是谁?

希拉瑞昂

用手一指。

你瞧!

在一道淡淡的月光下,安东尼看见岩顶上走来一大长队人;他们一个接一个地从悬崖上掉入深渊。

开头是萨莫特哈士的三位大尊神:阿克西诺、阿克西奥克诺和阿克西奥克尔萨。他们捆在一起,戴着红面具,举起双手坠下去。

埃士居拉普神情忧郁地走来,萨莫斯和特列孚赫焦急不安问他的话,他连看都不看他们一眼。埃立德城的索西波里斯把他那蟒蛇似的身子盘成一个圆圈滚进深渊。多斯普勒昏头昏脑地直往下跳。布里托马蒂斯吓得大声喊叫,紧紧地抓住她编织的网子。几个桑托赫飞也似的跑来，一窝蜂似的冲进黑洞。

跟在他们后面的是一群可怜的一瘸一拐的沼地仙女、满身尘土的草原仙女和被樵夫的斧子砍伤的林中仙女，她们的身上还流着血，口中还在呻吟。

杰律德、斯特里吉和昂普斯这一大帮地狱的女魔把她们的铁钩子、火把和蝰蛇堆成一个金字塔；在金字塔顶端的一块秃鹫皮上，宛如食肉蝇似的全身淡蓝色的欧丽龙在咬食她自己的胳臂。

接着，一阵旋风，把嗜血成性的奥尔西娅、奥尔科默城的希姆妮、帕特雷城居民供奉的拉芙丽娅、埃伊纳岛的阿菲娅、特哈士城的本狄斯和长一双鸟腿的斯坦法莉娅，通通卷走了。特里奥帕斯的三个眼珠没有了，只剩下三个眼窝。厄里克诺尼乌斯两腿无力，像一个失去双腿的残废人似的用双手爬行。

希拉瑞昂

看见他们一个个落到这般下场，受这般苦，真是痛快！现在，跟我一起到那块石头上去，你可以在那里像赛尔赛斯国王检阅军队那样看一看那帮神灵。

在那边很远的地方，在一团浓雾中间，你是否看见了那位扔下手中血淋淋的剑的黄须巨神？他就是身在两颗行星——阿尔坦帕萨（金星）和奥尔希洛赛（月亮）——之间的斯基泰人查勒莫克西。

再远一点，隐没在云雾中的，是西默人敬拜的众神灵；他们在图勒岛以北的地方，也受人崇拜。

他们的大殿很温暖；借着拱顶反射的剑光，他们用象牙制作的角形杯子饮蜜糖酒。他们用魔鬼打造的铜菜盘吃鲸鱼肝，听被俘的巫师演奏宝石竖琴。

他们厌倦了！他们感到身上发冷了！大雪使他们身上的熊皮变沉重了，他们的脚丫子从他们的破鞋洞里露出来了。

他们为草原哭泣，因为他们从前在战斗之时曾到它的草坡上歇过气；他们为长长的战船哭泣，因为战船的船首曾为他们击破了层层冰山；他们为他们的冰鞋哭泣，因为他们曾经穿着它们，手里托着与他们的步伐同步运转的苍穹走遍了南北两极。

一阵寒风向他们袭来。

安东尼低下眼睛朝另一个方向看去

他瞥见在一块红土的洼地上冒出了一片黑影：一堆稀奇古怪的人；他们的下巴颏和手上都戴着护套；他们互相扔弹子打闹；你从我头上跳过去，我又从你头上跳过去；又做鬼脸，又疯狂地乱蹦乱跳。

希拉瑞昂

他们是来自伊特鲁里亚的神；这种神称为"以萨尔"，数目多得数不清。

这一位名叫塔热斯，占卜术就是他发明的。他现在在试图用一只手把天多分成几小块；你再看他的另一只手，他在使劲按大地。让他进地里去吧！

诺西娅在观看那面她钉上钉子以记年数的墙。墙上的钉子钉满之日，就是所有一切最后完结之时。

卡斯图尔和普鲁图克好似途遇暴风雨的游客，哆哆嗦嗦地同躲在一件大氅下边。

安东尼

闭上眼睛。

够了!够了!

这时,空中传来一阵巨烈的翅膀扇动声,卡皮托尔①的全体胜利女神从空中飞过,她们用手掩着脸,挂在手臂上的战利品纷纷掉在地上。

黄昏神雅鲁斯骑着一只黑公山羊逃跑;他的两个面孔,一个已经腐烂,另一个已经困乏得睡着了。

掌管阴暗的天空的神苏马鲁斯,尽管他的头已经掉了,但他依然把一块车轮形的陈蛋糕紧紧地搂在胸前。

维士达,在一个坍塌的穹顶下正在想办法点燃他那盏已经熄灭了的灯。

贝洛娜,划破自己的双颊,但却没有流出血来为她的信徒洗涤罪恶。

安东尼

行了!行了!我已经看烦了!

希拉瑞昂

从前,他们让人看起来满有趣的!

他指着花揪树丛中一个赤身裸体的女人让安东尼看;她像畜牲那样趴着让一个黑男人和她交配,她每只手上还拿着一个火把。

她是阿里奇亚城的女神,那个黑男人是魔鬼维尔比乌斯。

---

① 卡皮托尔,罗马城外建有朱庇特神庙的小山岗。

她的司铎,那位山林王,大概是个杀手;因此,逃亡的奴隶、盗墓贼、萨拉里亚大路上拦路抢劫的匪徒、苏布里修斯桥上的跛子和苏布尔贫民窟里的歹徒,都对他佩服得五体投地!

不过,马可·安东尼时代的贵妇们却更喜欢利比蒂娜①。

现在,他又让安东尼看那个站在柏树下的玫瑰丛中的女人——她身披薄纱。她在微笑,在她周围放着许多锄头、担架、黑幔和各种丧葬用具。她的钻石在蜘蛛网下闪闪发光,让人老远就可看见。那些状如骷髅的拉尔伏把他们的骨头展现在树枝中间;幽灵列穆尔展开他们的蝙蝠翼。

立在田边的地界神特尔穆被连根拔起,斜歪着身子,满身的污秽。

躺在垄沟中间的维尔土姆纳的巨大的尸体,正在被几只红毛狗吞食。

土地神萨托尔、萨哈托尔、维瓦克托尔、柯林娜、瓦农娜及霍士提里吕斯,全都哭哭啼啼地走了;他们身披带风帽的窄身外套,有的扛着锹头,有的拿着叉子,有的手提柳条筐,有的手执长矛。

希拉瑞昂

他们的灵魂使庄园到处是一片富庶的景象,建起了鸽棚、脂山鼠和蜗牛养殖场、加防护网的家禽饲养场及用松脂熏香的温暖的马厩。

他们保护所有的穷苦人:带着脚镣在萨宾的乱石路上拖着沉重的步子走的,吹着喇叭看管猪的,爬上榆树摘榆钱的,在羊肠小道上赶驮运肥料的驴的,神对他们都时时呵护。累得气

---

① 利比蒂娜,罗马神话中司丧葬的女神。

喘嘘嘘的农夫,求神赐给他们更多的犁田的力气;站在椴树阴下的葫芦架旁边的放牛娃轮番吹着芦笛颂扬神灵。

安东尼叹气。

在一间房屋正中央的高台上出现了一张象牙床,床的四周有一些手拿油松火把的人。

他们是掌管婚姻的神。他们在等待新娘子的到来!

待一会儿多米都卡就会把她领来,维尔果将给她宽衣解带,苏比果将把她扶上床,普瑞玛将分开她的双臂,对着她的耳朵说一些令她心甜的话。

可是,她不来了!于是,他们把其他的神:女护士神诺娜和狄西玛、三个尼克希接生神、两个乳娘神(艾杜卡和波蒂娜)以及那个一手拿着一把为婴儿驱赶恶梦的山楂花另一只手摇着摇篮的卡尔娜,都通通打发走了。

往后,奥希帕果会来使孩子腿上的筋骨强健的,巴尔巴杜斯会来使他长胡须的,斯迪缪拉将使他产生性欲,伏鲁皮娅将让他初尝云雨,法布里鲁斯将教他如何说话,鲁默拉将教他如何计数,卡门娜将教他唱歌,孔苏士将教他凡事三思,要动脑筋思考。

现在,房间里空空的,只床边坐着百岁老姬鲁尼娅,嘴里咕噜咕噜地哼着哀叹老头儿逝世的挽歌。

然而,她刚唱不久,她的歌声便被一阵尖锐的闹嚷声压倒了。这时,出现了几个

拉尔[①] 门户神

蹲在中庭的尽里边,身着狗皮,腰围鲜花,双手握拳

[①] 拉尔,罗马宗教的家族神,立在交叉路口、田地交界处和房屋交接处,类似我们的门神。

放在脸颊上,扯开嗓子放声大哭。

每餐都要奉献我们的食品,如今为什么不奉献了呢?女仆们为什么不来侍候我们了呢?家中的主妇为什么不对我们微笑了呢?在院子的瓷砖地上玩小骨头珠子的孩子们为什么不高兴了呢?我们还等着他们长大以后给我们胸前挂上皇帝颁发的黄金诏书或羊皮诏书呢。

从前,打了胜仗之后的夜晚归来,这房中的主人都要噙着喜悦的泪花来看我们,那是多么幸福啊!他对大家讲述战斗的经过,刹那间,这小小的屋子比宫廷还神气,简直跟庙宇一样庄严。

从前,家中的饭菜是何等丰盛啊,尤其是亡灵节第二天吃的那顿饭,简直是丰盛极了!在悼念死者的时候,一切纷争不和之事都平息了;大家互相拥抱,为过去的光荣与未来的希望频频举杯。

可是如今,供奉在我们身后边的彩蜡制作的祖宗像,渐渐地都长了霉。新一代的人们一遇上不顺心的事儿就拿我们出气,打碎我们的下巴,让老鼠把我们的木头身子咬个稀巴烂。

这时,数不清的门神、灶神、地窖神和浴室神四散奔逃:有的像大蚂蚁那样快步跑,有的索性像蝴蝶那样飞。

克雷皮杜斯①

只让人听到他的声音。

我也一样,从前是受人尊敬的。人们对我敬酒。我也是一个神呀!

雅典人把我看作是一个能使人发财致富的神,而虔诚的罗

---

① 克雷皮杜斯,只让人能听到其声而不能看见其形的屁神。

马人却举起拳头说要揍我;那个戒食蚕豆的埃及教宗,一听见我的声音就发抖,一闻见我的气味就脸色刷白。

他们不刮胡须喝酸酒,难怪酒顺着他们的胡须流;不论是橡栗、豌豆、生葱头,还是用牧羊人发哈喇味的奶油烧的羊肉,他们一见就谁也不顾谁,只顾自己放开肚皮吃个够。固体的食物难消化,弄得肚子咕咕叫。太阳地里的阳光好,他们就到地里去一边晒太阳,一边慢慢把肚子里的东西屙掉。

我这样过日子,没有出过丑闻;我和其他的生活需要一样,和那个使处女苦不堪言的梅娜① 一样,和那个专负保护青筋胀起的乳房之责的温柔的鲁米娜② 一样,没有什么见不得人的地方。我很快活,我让人发笑。因为有了我,宾客们才放开肚皮吃,让身体上的每个毛孔都感到痛快。

我也有过值得骄傲的日子。善良的阿里斯托芬③ 曾经把我搬上过舞台,克洛迪乌斯·德鲁苏斯皇帝④ 还请我和他一起吃过饭。我还在贵族们的大礼服里大摇大摆地来回走过哩!金便盆像扬琴那样在我下边回响;在主人吃了一肚子的海鳝、块菰和馅饼,接着一阵劈劈啪啪地拉个痛快之后,关心天下大事的人们知道凯撒吃过晚饭了!

可是如今,我被限制在老百姓当中活动,因此,才使某些人一听到我的名字,就大惊小怪起来!

    克雷皮杜斯唉声叹气地远远走开。

    接着一声雷鸣。

---

① 梅娜,掌管妇女月经和其他妇科病的女神。
② 鲁米娜,掌管给婴儿授乳的女神。
③ 克里斯托芬(公元前445—386),希腊喜剧作家。
④ 克洛迪乌斯·德鲁苏斯皇帝,即罗马暴君尼禄。

一个人的声音

我是众军之神,是天主,是上帝!

我曾经在山岗上把雅各的帐篷打开了,在沙漠中给我那些逃亡的人民提供食物。

是我把所多玛城烧掉的!是我把大地沉没在洪水中的!是我把法老淹死的;我把那些王子王孙、战车和车夫通通都扔进了水里。

我是嫉妒心很强的神,我憎恨其他的神。我把邪恶的人都碎尸万段,把骄傲的人都打翻在地。我像一头在玉米地里解脱了缰绳的单峰骆驼一样,四处乱跑,要把见到的东西破坏得一干二净。

我选择心地质朴的人去解救以色列。我让那些长有火焰翅膀的天使在荆棘丛中告诉他们如何行动。

我让胆大的女人用甘松茅、樟树枝和没药熏香身子、穿着透明的袍子和高跟鞋去斩杀那些带兵的统帅。我让过往的风把那些先知通通刮走。

我已把我制定的律法刻在石板上。它像一座城堡那样把我的人民限制在它规定的范围里。他们是我的人民;我是他们的上帝!土地是我的,人是我的,他们的思想、他们制作的东西、他们的劳动工具和他们的子孙后代,全都属于我。

我把我的圣约柜[①]放在一座三重圣殿里,前边挂着红纬幕,还放着许多点燃的蜡烛,一大群提着香炉摇晃的人和那位身穿青紫色长袍、胸前戴着对称排列的宝石的大祭司,都恭恭

[①] 圣约柜,这里的"约",指《圣经·旧约》;柜中所放,为《圣经·旧约全书》的前五卷。

敬敬侍奉我。

糟了！糟了！放圣约柜的地方① 被打开了，帷幕被撕破了，祭品的香气被风吹散了。豺狼在墓地里嗥叫；我的殿堂被摧毁了，我的人民东奔西散了！

人们用祭司衣服上的丝绦把祭司们都通通勒死了。妇女们被掳走。银制祭器被熔化了！

声音逐渐远去：
我是众军之神，是天主，是上帝！
这时，一片寂静，夜色深沉。

安东尼

全都走了。

有一个人接茬

我还留在这儿呢！

希拉瑞昂出现在他面前；但样子变了，变得跟大天使一样漂亮，满面红光，而且，个子变得那么高，以致

安东尼

只好仰起头来看他。
你是谁？

希拉瑞昂

我的王国的幅员同宇宙一般大；我的欲望也大得没有止

---

① 放圣约柜的地方，指耶路撒冷耶稣圣殿中放圣约柜的殿堂。

境。我的目标永远是：解放思想，品评世人；我对谁都无恨、无惧、无怜悯心、无恋眷心；我也不信上帝。人们给我起个名字叫"科学"。

安东尼

往后猛退一步：
你最好是叫做……魔鬼！

希拉瑞昂

两只眼睛盯着他问：
你想见魔鬼吗？

安东尼

也一个劲儿地对着希拉瑞昂的眼睛瞧；他立刻产生了想见魔鬼的好奇心。可是，他愈来愈害怕，而想见魔鬼的心又大得不得了。
万一我真地见到了他……我能见魔鬼吗？……
气得全身抽搐：
既然我恨他，我就永远不想见他。——对！
出现了一只牛蹄形的魔鬼脚。
安东尼后悔不已。
魔鬼一把把他抓过来搭在犄角上，把他掳走了。

六

  魔鬼在安东尼身子下边,像游水那样展开两只大翅膀向前飞行;翅膀像一块云似的盖住他的全身。

安东尼

我这是到什么地方去?

我刚才看见的是那个该死的魔鬼。原来不是呀!是一片云在托着我飞呢。也许我已经死了,是到上帝那里去吗?……

啊!我现在的一呼一吸是多么痛苦呀!清新的空气使我感到心旷神怡。沉闷的感觉消失了!痛苦的感觉也没有了!

我往下边看,有闪电雷鸣,地平线上的视野愈来愈宽阔,江河交错,沙漠闪耀着金黄色的光,海上一片涟漪。

远处又出现了几个海洋和许多我未曾到过的地区,此外,还有像木炭那样冒烟的黑土地和终年浓雾蔼蔼的冰雪区。我仔细观察,想找到太阳每天黄昏之后歇息的山峦。

魔鬼

太阳从来不歇息!

  安东尼对魔鬼的话并不感到吃惊。他觉得他也有这种看法,——魔鬼的话与他不谋而合。

  这时,大地变成了一个圆球形;他发现它在蔚蓝色的天空里以自己的两极为轴心旋转,同时又围绕着太阳转。

魔鬼

可见地球不是宇宙的中心,是不是?骄傲的人呀,你谦虚一点吧!

安东尼

现在我看不清楚它是什么样子了。它和其他发光的东西混在一起了。

苍穹只不过是一大片星星而已。

   他们继续往上飞升。

一点儿声音也没有,连鹰的叫声也没有!静悄悄的!……我正好借此机会侧耳倾听众行星的优美的和声。

魔鬼

你听不到行星的声音!你也看不到柏拉图的昂狄克东①,看不到费罗拉乌斯②的火团,看不到亚里士多德的那些星球③,看不到犹太人的七重天和水晶天上的大江河!

安东尼

它的下边看起来硬得像一堵墙。其实不然,我穿过了它,

---

① 昂狄克东,毕达哥拉斯与柏拉图想象的行星;它从与地球相反的方向围绕太阳转,因此是永远看不见的。——原注释者注

② 费罗拉乌斯,古希腊哲学家,毕达哥拉斯的学生。他认为所有的行星都受一个中心火团的制约。——原注释者注

③ 亚里士多德的那些星球,指亚里士多德关于天体星球的学说。——原注释者注

我深入到里边了!

　　他来到月亮前边;月亮的样子像一个圆圆的大冰块;通身是静止不动的光。

魔鬼

这里从前是有人居住的地方。善良的毕达哥拉斯还在这里养过鸟,种过美丽的花呢。

安东尼

我看上面尽是荒凉的土地,到处都有死火山口,它的上空一片漆黑。

咱们到光线柔和的星球那里去吧,到那里去看天使是如何像手举火把那样高擎众星的。

魔鬼

　　把他带到众星当中。

它们互相吸引又互相排斥。每个星球的运转,都是由于其他星球的推动,同时,它也推动其他的星球;它们不需要别的辅助,它们靠的是一条规律的力量,完全靠秩序的作用。

安东尼

太好了……太好了! 我现在心怀宇宙,把苍穹的景色尽收眼底! 这种快乐,比感官的享受高出千万倍! 上帝的宇宙之浩瀚无边,简直把我看得目瞪口呆,怎么看也看不完了!

魔鬼

苍穹的高度是随着你的上升而上升的,因此,你的思想境界愈高，宇宙也愈扩大，你心中的快乐也将随着你对宇宙的发现和苍穹的了无止境而增加。

安东尼

喂！再高点！再高点！一直往上飞！

星星愈来愈多，光彩熠熠。银河像一条宽阔的腰带，带子上每隔不远处就有一个洞，在明亮的洞口中排列着一条条黑暗的空隙。空中散落着一阵阵星雨，刮过一阵阵金色的尘埃，飘散着一阵阵亮光闪闪的雾。

时而有彗星掠过；它掠过之后，无数明亮的星星重新又恢复平静。

安东尼张开双臂趴在魔鬼的两角上，正好盖住了魔鬼的全身。

他回想起自己过去的无知和想象力的平庸，就觉得可笑。从前在地上要仰着头才能看见的明亮的星星，现在就近在他身边！他把它们互相交叉的运行路线和复杂的方向看得清清楚楚。从远处看，它们好似用弹弓弹出的一串石头似的，各有各的轨道，各有各的飞行路线。

他一眼就看见了南十字星座、大熊星座、天猫星座和半人马星座、剑鱼星座的云雾、猎户星座的六个太阳、木星和它的四颗卫星以及硕大无比的土星的三道光环！所有的行星及后来人们陆续发现的星球，他全都看到了！他的眼睛里充满了它们的光，他心里一个劲儿地忙着计算它们的距离。但过了一会儿，他把头低下。

这一切，有什么目的吗？

魔鬼

没有目的!

上帝怎么会有什么目的呢?他哪有什么经验可循?他哪有功夫去思考一番之后才行动呢?

在开始以前,他不可能有什么打算,现在,即便有什么打算,已为时太晚,没有用了。

安东尼

这么说来,他造创世界,是一次成功的,是凭他一句话就成了的!

魔鬼

不过,世上的生物是以后陆陆续续才有的。同样,天空中的新的星球也是一个一个陆续出现的,——不同的结果,来自不同的原因。

安东尼

原因之所以不同,是出于上帝的意志!

魔鬼

不过,要是说上帝有多种体现意志的行为,那等于是说有多种原因,从而便破坏了他的统一性!

他的意志和他的本质是不可分开的。他既然没有另外一个本质,他就不可能有另外一个意志;他既然是永存的,他就要永远行动。

你仔细观察一下太阳,你看它周边射出的高高的火焰喷射着许多火花，它们分散四方，变成星球。在比最后一个火花还远的地方，在你只能看到一片黑暗的深邃的空间之外，还有其他的太阳在旋转；这些太阳之外还有太阳，天外有天，永无穷尽……

安东尼

够了！够了！我害怕啦！我快要掉进深渊了。

魔鬼

停了下来，有气无力地摇晃他：

没有一处是空无一物的，真空是不存在的！到处都有物体在无垠的空间中运动；空间如果有什么东西限制的话，它就不成其为空间，而是一个实体了。空间是广阔无边的！

安东尼

张着大嘴巴发愣：

没有边！

魔鬼

你往上飞到天空，即使你飞升、飞升、再飞升，也永远飞不到天顶；你往下进入地里，即使你走千千万万年，也永远走不到地底，因为地本来就没有底，天本来就没有顶；无所谓高，也无所谓低，根本就没有界限。无垠的空间存在于上帝之中；上帝不是宇宙的一个部分，不能说他是这么大或那么大；他是浩瀚无边的！

安东尼

慢慢吞吞地问道：

不过………物质………是不是上帝的一部分呢？

魔鬼

怎么不是？你能知道它到哪里为止吗？

安东尼

不但不能，我反倒要匍匐在他面前，服从他的威力！

魔鬼

你以为你能折服他！你和他对话，甚至拿道德、善良、公正和仁慈这类美好的词儿赞美他，但就是不承认他创造的一切都是完美的。

认为在他的威力之外还有别的什么东西，就等于是认为上帝之外还有上帝，最高的神之外还有最高的神。因此，他是唯一的最高的神，是唯一的物质。

如果物质是可分的，它就会失去它的本性，它就不再是它，上帝也就不存在了。因此，他同无限一样，是不可分的；如果他有一个形体，他就是由几个部分组成的，而不再是一个整体，不再是无限的。因此，他就不是一个人了！

安东尼

什么？我的祈祷，我的诉泣，我肉体的痛苦和我内心的喜悦，这一切都化作一阵虚无……消失在空间……不起一点作用，——像一声鸟叫或几片枯叶的飘零，劳而无功！

他哭泣。

啊！不！在这一切之上，一定有一个人，一个伟大的灵魂，一位天主，一位天父，我敬拜他，他也一定爱我！

魔鬼

你巴不得上帝不是上帝，因为，如果他能感受到喜、怒或怜悯，他完美的程度就会变得更大或者更小。他就不能陷入某种感情，也不会把自己纳入某种形体。

安东尼

总有一天我会见到他的！

魔鬼

和有真福的人一起见到他，是吗？——在有限的生命享受无限的时间那一天，在一个安放着上帝的狭小的地方！

安东尼

在什么地方，这并不重要，重要的是：要让善人进入天堂，让恶人下到地狱！

魔鬼

你的这个主张虽有道理，但是，能行得通吗？其实，上帝对恶人并非漠不关心，因为这种人在世上到处都有嘛！

他之所以容忍恶人，是因为他软弱无能吗？他之所以保留恶人，是因为他也心地残忍吗？

你以为他是在像修改一个不完善的作品那样时时在纠正世人？你以为他是在时时监督所有一切生物的种种行动，从蝴蝶的飞舞到人的思想，无不在他的密切注视之中吗？

如果说世界是他创造的话，那就无需他再来提供神的保佑。如果说世界非要神来保佑不可的话，就可见他创造的世界是有缺陷的。

其实，逢到善还是遭到恶，其结果只与你有关，正如日与夜、苦与乐、生与死只与空间的某一个角落、某一个特定的环境和某一个个别的人有关是一样的。既然无限的空间是独自永存的，那么，就一定有一个无限的空间在；仅此而已！

魔鬼逐渐伸开他的大翅膀；现在，他的两只翅膀把空间都遮盖住了。

安东尼

什么也看不见了。他支持不住了。

一股寒气凉透了我的灵魂的深处。它超过了我能忍受的程度！这好像是特意使人有死上加死的感觉似的。我在广阔无边的黑暗中飘来飘去。黑暗进入了我的身。虚无的感觉一膨胀，我的良知就破裂了！

魔鬼

不过，事物的形象是通过你的思维传达给你的。而像你这样的思维，却好似一个凹面镜，把事物的形象全歪曲了，而且，你还没有任何办法验证它们确切的样子。

你永远不可能从宇宙的实际广度去了解宇宙，因此，你也不可能知道它之所以存在的原因，不可能对上帝有一个正确的概念，更说不出宇宙何以会是无限的，因为，你首先要知道宇宙的无限到底是怎么一回事儿，你才能把它解释得清楚嘛。

事物的形象也许是你的错觉，而神的实体却是你的头脑的想象。

　　世界好似一条万物永不停息地流动的江河,所以,表象的反面是真实的东西,幻想的反面是唯一的现实。

　　你真以为你明白这一切了吗?你还想活下去吗?也许一切都完了!

　　　魔鬼抓住他,把他拿在手上直盯盯地瞧,张着大嘴想把他吞下去。

　　告诉你。你该崇拜的,是我!你该诅咒的,是你称之为"上帝"的那个有名无实的人!

　　　安东尼抬起眼睛,抱着最后一线希望。

　　　魔鬼弃他而去。

七

安东尼

躺在一个悬崖边上。

天光开始发白。

这是黎明的阳光,还是月光?

他试着想站起来,随后又躺了下去;牙齿格格作响:

我太累了……全身的骨头都好像散了架似的!

为什么会这样呢?

啊!我想起来了,这是那个魔鬼害的!他又重新对我讲了一遍我从前在老迪迪蒙① 那里听过的色诺芬②、埃拉克利特③、梅里斯④和阿纳克萨戈尔⑤关于"无限"、"创造"和"不可知论"的那些话!

我以前还以为我能与上帝相联系呢!

苦笑:

唉!真荒唐!真荒唐呀!这能怪我吗?今后我再也不做什

---

① 老迪迪蒙,参见本书第191页原注释者注。
② 色诺芬,公元前六世纪希腊哲学家。——原注释者注
③ 埃拉克利特,公元前六世纪希腊哲学家。——原注释者注
④ 梅里斯,古希腊埃勒派哲学家。——原注释者注
⑤ 阿纳克萨戈尔,希腊哲学家,生于公元500年。——原注释者注

么祈祷了！我的心已硬如铁石！而在从前我的心是充满了爱的呢！………

那时，每天清晨，在远处的地平线上黄沙飞扬，好像从一个香炉中飘起的阵阵轻烟；在太阳落山的时候，霞光在十字架上映出的闪光，宛如一朵朵火红色的花；到午夜时分，我往往感到我周围的生物和没有生命的东西都与我一起，在万籁俱寂的恬静气氛中敬拜上帝。唉，亲切的祈祷、内心的喜悦和上天的赐与，如今你们只空留记忆而已！

我记得我曾经同阿蒙一起去遍游四方，想找一个修建寺庙的安谧之地。在最后一个晚上，我们加快步伐，无言地轻声唱着颂歌，并肩前进。太阳西沉时，我们两人的身子的影子像两座方尖碑似的投射在地上，影子愈来愈长大，总走在我们的前方。我们把我们手中的棍子折成许多小段，插在这里或那里，标明适合于隐修士潜身苦修的地方。黑夜慢慢到来，在地上到处起伏着黑影时，天空还留有一片巨大的玫瑰色云彩。

我小时候爱玩用石头砌隐修室的游戏。我母亲站在一旁观看我。

她责骂我不该抛下她去隐修，伤心得直揪自己头上的白发。如今，她的遗体安放在茅屋中央，四周的墙壁已经倒塌。一只豺狗嗅着气味，把它的嘴从一个墙洞中伸进茅屋！……可怕呀！太可怕了！

他啜泣。

不对呀，阿莫娜丽娅[①] 并没有离开她呀！

这个阿莫娜丽娅，现在到哪里去了？

也许她正在浴室里一件一件地脱她自己身上的衣服，先脱

[①] 阿莫娜丽娅，参见本书第190页。

外氅,然后解开腰带,脱下长袍和内衣,摘下项链;这时,樟香味儿的水蒸气笼照着她赤裸的身子。她躺在温暖的花砖地上。她一头黑羊毛似的齐腰的长发,更加突出了她臀部的美。浴室过于闷热,使她感到有点儿窒息;她喘着气,胸部隆起,双乳高耸。哎呀!……我的肉欲冲动难忍呀!正在悲痛欲绝之时,又产生了这折磨人的淫心。两种苦刑同时加在我身上,这太重了!我这个人活不下去了!

他俯身下视悬崖。

一掉下去就死了。再容易不过了,往左边一翻身就下去了;就这么办!一劳永逸!

这时出现了

一个老妪

安东尼一惊而起。他以为是她母亲复活了。

但这个老妪的年岁比他母亲大得多,而且瘦得出奇。

一块裹尸布顶在她白发苍苍的头上,一直下垂到脚踝;两条腿细如拐杖。她的牙齿呈象牙色,在这样的色泽陪衬下,她灰暗的皮肤显得更加灰暗。她的两个眼眶发青,明亮的眼睛好像坟墓前边点的两盏灯。

下去呀,谁拦住你了?

安东尼

结结巴巴地说道:

我怕铸成大错!

老妪

继续说道:

扫罗王是自杀而死的！拉齐亚斯这个正人君子也是自杀而死的！安提奥什的圣女柏拉吉也是自杀的！阿勒普的多米宁和她的两个女儿及另外三个圣女也都是自己结束自己的生命的。你要知道，所有那些跑到刽子手面前去忏悔的人还巴不得快一点结果自己的性命呢。为了尽快地品尝到死的滋味，米勒的那些童贞女竟用自己手中的绳子把自己勒死。哲学家赫热希亚在西哈库斯把死亡的意义讲解得那么透彻，以致那里的男人都纷纷从妓院跑到乡下去上吊。罗马的贵族们甚至还像追求荒淫的享乐那样去寻死哩。

安东尼

是的，这是一种非常强烈的追求！许多隐修士和孤独生活的人都抵抗不住这种追求的吸引力。

老妪

因此，你要动一动脑筋，赶快做一件能使你与上帝匹敌的事情。他创造了你，而你就要鼓起勇气去彻底摧毁他的创造物——即你。埃诺斯特拉特所干的那桩得意事①，也没有你这么得意。再说，你这样做，也可使你的肉体把你的灵魂大大嘲笑一番，最后报了它的仇。你不会受什么痛苦的。很快就结束了！你怕什么？一个大黑窟窿！里面是空的；你看清楚了吗？

安东尼听着而不回答。这时，在另外一边出现了

---

① 指以弗所人埃诺斯特拉特为了使自己名留后世，竟故意放火烧毁了执掌狩猎的女神阿尔泰米斯的神庙。

另一个女人

又年轻又漂亮,简直美极了。他开头以为她是阿莫娜丽娅。

但她的身子更高,长一头蜂蜜色似的金黄头发;她身躯丰盈,脸上抹了脂粉,头上插了玫瑰花。她缀满金属小圆片的长袍闪闪发光。她厚厚的嘴唇呈鲜红色;眼皮浮肿,忧忧郁郁,看起来像是一个盲人。

她喃喃说道:

好好地生活,好好地享乐!萨洛蒙劝大家要多寻欢作乐!你的心想到哪里,你就去哪里;你的眼睛想看什么,你就看什么。

安东尼

寻什么欢,作什么乐?我的心已厌倦,我的眼睛已经昏花!

她

继续说道:

你到城郊的哈戈提斯①去,推开一道蓝色油漆门;当你进入一个喷泉丝丝作响的庭院时,一个女人就会来到你面前。她身穿镶金边的白绸无袖长衣,头发蓬松,笑声如响板那样清脆。她的动作灵敏。你将在她身上感到初入温柔乡的乐趣和欲望得到满足时的舒畅。

你还未曾做过通奸、偷盗和诱拐女人的丑事,也不知道看

---

① 哈戈提斯,亚力山大城郊高等妓女聚居的地区。——原注释者注

见一个衣服整齐、受人敬重的女人忽然脱得赤身裸体时,你心里将是何等的快乐。

你可曾把一个爱你的处女拥抱在怀中?你是否还记得她是如何丢掉她的羞耻心的?后来又是如何后悔而流下甜蜜的眼泪的?

你们月光下漫步林中的情景,你如今还历历在目,不是吗?你们紧握双手时,你们都感到全身战栗;你们四目对视时,眼睛中发射出明亮的光波,这时,你们心满意足,乐开了花,飘飘然,快乐得如醉如痴……

老妪

不可贪欢,自食苦果!从长远看来,你终将感到它们是十分乏味的。单单调调老是那几件事儿,岁月没有穷期,世界是那么丑恶,甚至连太阳也干傻事,这一切,必将使你感到厌倦的!

安东尼

唉!是的,它所照耀的东西都使我感到不快!

年轻女人

隐修士呀!隐修士!你将发现乱石堆中有钻石,沙漠下边有清泉;在你鄙视的那些乱糟糟的事情中,也有令人愉快之事。这个地球的某些地方是那么的美,以致使人真想把大地抱在怀里。

老妪

每天晚上你睡在它身上时,你也巴不得它赶快把你拥抱!

年轻女人

所以你相信肉体能复活,从而使生命永远长存!

老妪说话时,身子变得愈来愈干瘦,在她的秃头顶上有一只蝙蝠在空中盘旋。

年轻的女人越来越胖,她的长袍闪闪发光,鼻子打喷嚏,眼珠懒洋洋地转动。

第一个女人

张开双臂说:

到我这里来吧,我将给你带来安慰,使你的生活恬适,忘掉过去,得到永久的宁静!

第二个女人

露出她的乳房:

我能使你安然入睡,得到欢乐,生活舒适,有享不完的福!

安东尼转身逃跑。每个女人都用一只手抓住他的肩膀。

裹尸布打开了,现出了死神的骷髅。

长袍撕开了,现出了淫欲女神的身子。她身材苗条,臀部肥大,波浪形的长发的发梢随风飘动。

安东尼一动不动地站在她们两个中间,仔细打量她们。

死神

对他说道:

是马上跟我走,还是待一会儿才走,都没有关系!你已经属于我所有了,就像天上的太阳和世上的人民、城池、君王、山上的雪与田间的草一样,归我掌握了。我比鹰飞得还高,比羚羊跑得还快,我甚至能打破一切人的希望,我已击败了上帝的儿子!

淫欲女神

别抵抗了;我是无所不能的女神!我一叹口气,森林中就会响起回声;我一激动,水上的波涛就会翻腾。道德、勇猛和虔诚心,被我口中的香气一吹,就会化为乌有。男人每走一步,我都要紧紧跟随;甚至他都走到了坟墓的门边,也要回过头来看我!

死神

你想借着烛光在死人脸上看到的东西,或者,你在金字塔那边转游,想在死人残骸构成的大沙漠中找到的东西,我都将展示给你看。那时候,不时有一块头盖骨滚到你的脚边,你抓起一把尘沙,让它从你的指缝中流下,于是,你的思想就随同尘沙沉入虚无的深渊。

淫欲女神

我的深渊比你的还深!就连我这里的花岗石也能引起人们产生贪淫好色之心。人们快步如飞地奔赴吓人的约会,把他们平日诅咒的锁链自己套在自己的脖子上。要不,妓女们怎么会那么迷人?梦景怎么会那么荒唐无稽?我的悲哀怎么会那么深?

死神

一切其他的东西在我看来都不值一提,十分可笑!只有国王的葬礼和一个种族的灭绝,才能使人高兴得发狂。人们要在我面前演奏一番音乐,戴着羽翎帽、打着旗子、骑着金鞍马,举行隆重的仪式向我致敬以后,才去打仗。

淫欲女神

我心中的怒火跟你一样大。我号叫,我咬牙切齿。我满身流着垂死之人的虚汗,我的样子像一具死尸。

死神

是我使你变成这么一副令人望而生畏的样子;让我们紧紧地拥抱在一起吧!

死神冷笑,淫欲女神大声吼叫。她们互相搂着腰齐声唱道:

——我加快物质的解体!

——我帮助种苗到处开花!

——你致死别人,是为了让我获得新生!

——你生育后代,是为了让我将来毁灭他们!

——发挥我的生育能力呀!

——发挥我把人化作一团腐朽的功能呀!

她们的歌声响彻四方,最后竟变得那么的高昂,以致把安东尼冲击得仰倒在地。

不时传来的一声震响,使他微微睁开了他的眼睛;这时,他瞥见黑暗中有一个妖怪似的东西出现在他面前。

原来是一个死人的头,头上戴一顶玫瑰花冠,头下是一个女人白珍珠色的上半身。她身后像尾巴似的缠着一块饰满金色斑点的裹尸布。她整个身子像一个直立的大毛虫似的一弯一扭地蠕动。

幻影渐渐淡化，最后完全消失。

安东尼

站起身来。

又是魔鬼；这一次是双重面貌：一面是淫盗鬼，另一面是凶煞神。

这一鬼一神，我哪个也不怕。我不贪图享乐，所以我能永生。

其实，死亡只不过是一种幻象，一层薄纱，它随处都掩盖着生命的延续。

既然上帝是唯一无二的，为什么万物的形状却千差万别呢？

看来，在某个地方一定有它们原始的形象，其身子必然是象征某种生物的。如果能识别它们的话，人们就可以认识物质和思想的联系了；正是这种联系构成了生命的基础！

巴比伦的贝律圣殿墙上画的就是这种形象，迦太基港的一幅镶嵌画上表现的也是它们。我本人有时候也看见天空出现过一些类似的形态。穿越沙漠的人也碰见过一些难以描述的动物……

在对面，在尼罗河的对岸出现了狮身人面的斯芬克司。

它伸出脚爪梳理它额上的长毛，然后卧在地上。

凯默拉①腾空飞起，鼻孔里喷出火焰，用它的龙尾拍打自己的翅膀，在空中一边盘旋，一边狂叫。

它头上的卷毛有一部分披撒在身子的一边，与背脊上的毛交织在一起，另一部分卷毛在身子的另一边一直长拖到沙地上。它的身子左右摇动不停。

斯芬克司

身子卧在地上不动，眼睛盯着凯默拉：
到这里来，凯默拉，别飞了！

凯默拉

不，不干！

斯芬克司

别跑得这么快，别飞得这么高，别叫得这么大声！

凯默拉

既然你一直像哑巴那样不说话，你就别叫我好了！别再叫我了！

斯芬克司

别向我脸上喷火了，别对着我的耳朵狂叫了；你休想把我的花岗石身子熔化了！

---

① 凯默拉，传说中的狮首、羊身、龙尾能喷出火焰的怪兽。

凯默拉

你抓不着我,可怕的斯芬克司!

斯芬克司

你太疯狂了,哪能和我在一起!

凯默拉

你身子太笨重了,永远追不上我!

斯芬克司

你到哪里去,干吗跑得这么快?

凯默拉

我能在迷宫的宫道上奔跑,能在群山顶上翱翔,能贴近波涛汹涌的水面飞,能在悬崖深处叫;我能用嘴咬着云边,把身子挂在云上;我还能用尾巴在海滩上画出一道道线条,并让山岗按照我肩头的样子塑造它们自己的形象。可是你,我发现你永远一动也不动,或者,顶多用你的爪子在沙地上写几个简单的字而已。

斯芬克司

这是因为我要保守我的秘密嘛!我成天在思考、在计算嘛!

尽管海水在海中翻腾,麦子在风中摇晃,商队来来往往,尘土飞扬,城郭倾圮,但我的目光穿过这些事物,始终密切注视着永远走不到的天边的情况,无论什么东西都不可能使我转移我的目光。

凯默拉

　　我，我的举止轻浮，图的是个心情愉快。我要向世人展示美好的前景和云中的天堂与长远的幸福。我要把永恒的狂想、享乐的计划、未来的蓝图、光荣的追求、爱情的山盟海誓和为人高尚的决心全都倾注在他们的灵魂里。

　　我鼓励人们不畏旅途的艰险，一心去从事伟大的事业。我用我的脚爪精雕细刻地营造美妙的建筑。波赛纳①陵墓上的小铃铛，是我挂上去的；阿特兰提德②码头上的那道青铜围墙，是我修建的。

　　我到处去寻求新的香料、更肥大的花朵和尚未领略过的欢乐。如果我在什么地方发现有头脑清醒的人，我就要扑到他身上把他掐死。

斯芬克司

　　凡是急着想去见上帝的人，我都把他们一个一个地吃下肚子里去了。

　　有些身强力壮的人想爬到我高高的额头上，便像爬楼梯那样抓住我一绺绺的长头发往上爬。后来累得精疲力尽，自个儿一个倒栽葱摔到地上。

　　　　安东尼开始全身战栗。

　　他已不在自己的小屋前面，而是在一个沙漠中；这两

---

　　① 波赛纳，伊特鲁里亚国王；他的墓旁有几座金字塔，塔顶上挂有许多小铃铛。——原注释者注

　　② 阿特兰提德，神话故事中传说的大西洋中的一个小岛。——原注释者注

个怪物在他的两边,用嘴轻轻杵他的肩膀。

斯芬克司

啊,胡思乱想的精灵,把我放在你的翅膀上把我带走,好让我摆脱我的烦恼!

凯默拉

啊,安哥侣①,你这双眼睛使我着了迷!我现在像一只发情的母豹狗那样围着你转,求你使我怀上小宝宝,我想生孩子都想到命里去了。

快张开你的嘴,提起你的两只前脚,趴到我背上来吧!

斯芬克司

自从我的脚平放在地上以后,我就再也站不起来了。苔藓像皮疹那样在我的嘴上生长。我潜心思考,哪有时间说话。

凯默拉

你撒谎,虚伪的斯芬克司!你为什么老叫我而又不要我?

斯芬克司

这要怪你;你这个难以驾驭的任性鬼,老是来回走动打转转!

凯默拉

这怪我吗?怎么?快放开我!

---

① "安哥侣"意为素不相识的人。

她吠叫。

斯芬克司

你老动弹,摆来摆去,躲躲闪闪!
  他很不高兴。

凯默拉

再试试!——你快把我压死了!

斯芬克司

不!不成啦!
  斯芬克司逐渐下陷,最后消失在沙中;凯默拉低着身子爬行,舌头长伸,绕着圈子远去。
  它口中吐出的气形成了一阵烟雾。
  安东尼瞥见烟雾里有一团团的云和模糊不清的曲线。
  最后,他看出它们好像是人的身体似的东西。
  开头走来

一群阿斯托米人[①]

样子像阳光照射下的气泡。
  风儿你别太使劲吹了!因为雨点可致我们于死地,吼声将震破我们的皮,黑暗会把我们变成瞎子。我们是微风和香气组成,我们滚来滚去,四方飘飏——我们比空虚的梦稍为实在一点点,但又不完全是有生命的生物……

---

  ① 阿斯托米人,印度神话故事传说中的一种没有嘴巴的人。——原注释者注

尼斯纳人①

只有一只眼睛、一个面颊、一只手、一条腿、半个身子、半个心。他们用很高的声音说道:

我们在我们的半边房子里,同我们半边身子的妻子与半边身子的孩子生活得非常舒服。

布莱米人②

他们都没有头。

我们没有头,因此使我们的肩更宽;我们能扛的东西,没有任何一头牛、任何一只犀牛或任何一只大象能驮得动。

我们的容貌,只不过是画在胸前的几根线条,看起来像一张模模糊糊的脸而已!我们考虑的,是如何吃好和更轻松地排泄。在我们看来,上帝只不过是在肠子里顺顺当当地流动的乳糜。

我们行路是笔直前进,见污泥就笔直踩过去,见深渊就笔直穿过去;我们是最勤劳的人,最幸福的人,最有道德的人。

俾格米人③

我们是个子矮小的人;我们像寄生在驼峰上的蛆虫那样在世界上到处乱蹿动。

人们烧死我们,淹死我们,踩死我们;然而我们终归又重

---

① "尼斯纳",这个词儿似乎是福楼拜创造的。——原注释者注
② 布莱米人,传说中的居住在埃塞俄比亚的一种人,据说是一种介于猴子与人之间的怪物。——原注释者注
③ 俾格米人,传说中的一种侏儒。——原注释者注

新再生,而且生命力比从前更强,人数也比从前更多:我们以人数众多而令人害怕!

夏波德人①

我们被我们长如藤萝的头发固定在大地上,在我们大如阳伞的脚的遮挡下过着无声无臭的单调生活。太阳光要透过我们肥大的脚后跟才能照射到我们身上。从来没有人打扰我们,我们也从来不劳动干活!尽量把头低下去,这是安闲度日的秘诀。

他们抬起树桩似的大腿,数目愈来愈多。

出现一座森林。有一些大猴子在林中乱跑;原来它们是狗头人。

西洛塞法尔②

我们在树枝上跳来跳去,吮食鸟蛋;我们拔去雏鸟的毛,最后把它们的窝戴在头上当帽子。

我们也免不了去揪过母牛的乳头;我们挖过猞猁的眼珠,从树顶往地下拉过屎;我们敢把我们干的丑事儿暴露在光天化日之下。

我们之所以敢撕碎花儿、砸烂果子、搅混清泉、强奸女人,是因为我们是主人,凭我们胳臂的力气和心肠的狠毒。

伙计们,要下狠心呀!把你们的牙齿咬得嘎嘣嘎嘣响吧!

从它们的下唇流出血和奶。雨水落在它们毛茸茸的背上。

安东尼使劲闻绿叶的清香。

---

① 夏波德人,传说中的一种以自己的脚遮掩自己身子的人!
② 西洛塞法尔,参见本书第299页译注。

绿叶摇曳，树枝互相碰撞；这时，突然出现一只长着公牛头的大黑鹿，两耳中间长着许多根白色鹿角。

萨杜扎格①

我这七十四根角的中心空如笛子。

当我把头转过去迎着南风的时候，它们就会发出声音，把许多爱听此声的动物招引到我这里来。蛇来缠在我的腿上，黄蜂紧贴着我的鼻孔，鹦鹉、鸽子和白鹮栖息在我的角杈之间。——请听！

它把角转过来；鹿角中传出一阵美妙得难以形容的音乐。

安东尼用双手按住心窝。他感到音乐的旋律将把他的灵魂带走似的。

萨杜扎格

可是，当我把头掉过去迎着北风的时候，我这些密如枪林的鹿角就会发出一阵嗥叫，吓得森林战栗、河水倒流、果实的外壳破裂，草儿像胆小鬼的头发那样直立起来。

——听着！

它把角杈往下方倾斜，鹿角中立刻传出一阵乱糟糟的叫声；安东尼吓得肝胆俱裂。

他愈来愈害怕，因为他看见了

---

① "萨杜扎格"，这个词儿是福楼拜后来创造的；在本书1849年稿中的说法是"牛头大黑鹿"。——原注释者注

长篇小说

马尔狄柯拉斯

一头硕大无比的人面红毛雄狮,口中长有三排牙齿。

我这身红毛的波纹状闪光与大沙漠的反光交相辉映。我从鼻孔中呼出令人恐怖的冷清气,我从口中吐出瘟疫。不论哪个军队敢闯进沙漠,我就把军队的士兵吃得一个不剩。

我的趾甲是弯钩形,像螺旋钻似的;我的牙像锯齿;我翘起的尾巴上插满了标枪。无论是向左或向右,向前或向后,我都可以投射,——瞧!瞧呀!

马尔狄柯拉斯投射它尾巴上钢针似的毛,像箭似的飞向四方。一滴一滴的血像雨点一般噼啪噼啪地落在树叶上。

卡托布勒帕斯

是一头黑水牛。它猪脑袋似的头一直耷拉到地上,脖子细长,软得像一截空肠子似的。

它全身趴在地上;四只蹄子被身上浓密坚硬的毛盖着。

我的身躯肥胖,性情忧郁,胆子小,我时时刻刻都要感到我肚皮下边的泥土的热气才舒服。我的脑袋实在是太重,所以我不能把它抬起来,只能慢慢转动,看一看我的周围,用舌头去拔用我自己呼出的气息浇灌的毒草。有一次,我竟不知不觉地吞下了我自己的蹄子。

安东尼,谁也没有看见过我的眼睛,换句话说,看见了我的眼睛的人必成死人。如果我抬起我的眼皮,抬起我红肿的眼皮,你马上就会死的。

安东尼

哦!这个家伙!……想……想……如果我也想呢?……我倒真喜欢它那副傻样。不!不行!我才不愿意呢!

他目不转睛地盯着地上瞧。

这时,地上的草燃烧起来了,在阵阵火光中出现了

巴西里克①

一条紫色巨蛇,头上有一个三叶形的冠状突起,口中有两个牙齿,一个在上边,一个在下边。

当心呀!你快掉进我嘴里了!我饮火。我就是火。我每到一处,就把那里的火吸进肚子里;我把云里的火、石头缝里的火、枯树中的火、动物的毛里的火和沼泽的滥泥面上的火,都一饮而尽。火山的火,靠我的体温来维持;宝石的光和金属的色泽,都是我提供的。

格里丰②

一头鹰嘴狮,白翅膀、红爪子、蓝脖子。

我是那些深埋地下的金银财宝和珍珠玛瑙的主人。众老王陵寝里的秘密,我全知道。

他们的头的姿势尚能保持端正,靠的是钉在墙上的一根链条。他们心爱的女人就漂浮在他们旁边的斑岩池中的黑水上。他们的财宝在大厅里堆成了山,堆得像座金字塔。再往下,在

---

① 巴西里克,一种毒蛇;古人说它能用它的眼睛把人迷死。——原注释者注
② 格里丰,神话故事中传说的一半像鹰、一半像狮子的怪物。——原注释者注

坟墓的下边，在令人窒息的黑暗中走完很长很长的一段路之后，你就会发现好些金河、钻石林、宝石草地和水银池。

我背靠地道门，伸出利爪，用我的火眼金睛监视着来的是些什么人。你看，一直延伸到天边的平原上，全是一片荒凉，到处是旅客的白骨。现在，两扇铜门向你打开了，你已闻到了地下的潮气，快进洞穴里去吧……快！快！

它用爪子使劲刨土，一边刨一边像公鸡那样鸣叫。

传来了成百上千的回答它的声音，连森林也颤动起来了。

接着，各种各样吓人的怪物蜂拥而来，其中有：半鹿半牛的特拉日拉非斯、前半截像狮子后半截像蚂蚁而且生殖器反向的米尔麦柯勒奥、身长六十库德把摩西也吓坏了巨蟒阿克萨尔、能用其臭气把树木熏死的大黄鼬帕斯蒂拉卡、只要碰人一下就能使人变傻的普列斯特罗、生活在海岛上的尖角野兔米拉格、大声吼叫得能震破自己肚皮的豹子法尔芒、能用舌头把自己生下的小崽舔死的三头熊塞纳、把自己的蓝色奶水滴在岩石上的野狗塞普斯。成群的蚊子嗡嗡飞，哈蟆到处跳，蛇也咝咝作响。闪电飞舞。冰雹大作。

一阵阵狂风刮来了许许多多稀奇古怪的东西：狍脚钝吻鳄、蛇尾猫头鹰、虎面猪、驴头山羊、像狗熊那样毛茸茸的青蛙、大如河马的变色龙、两头（一个头哭一个头哞哞叫）的牛犊、像陀螺那样转动的联脐四胞胎、像小飞虫那样盘旋飞翔的双翅鼓肚蝇。

从天上掉下、从地里冒出、从岩缝中钻出许许多多闪闪发光的眼睛、咆哮的大嘴、鼓鼓的胸脯、长伸的爪子、格格作响的牙齿、啪啪直响的肉。它们当中，有的在下仔,有的在交媾,有的一张嘴就能把对方吞下肚。

它们的数目愈来愈多,愈来愈拥挤,愈拥挤便愈繁殖得快,最后只好互相重叠起来。它们很有节奏地左右摇摆身子,围着安东尼转,使地面看起来仿佛像一条船上的甲板。安东尼感到有许多蛞蝓在他的小腿上爬、冰凉的毒蛇缠住了他的手、织网的蜘蛛把他网在它们的网子里。

突然,这些怪物围成的圆圈打开了一个口子,天空立即变成了蓝色,这时

里柯纳①

出现。

快跑!跑快点!

我有象牙蹄子钢牙齿、紫红脑袋雪白身,额上独角的花纹似彩虹。

我从迦勒底漫游到鞑靼大沙漠,跑遍了恒河两岸和美索不达米亚平原。我奔驰的能力胜过驼鸟。我跑得如此之快,以致反倒是我把风儿带着跑。我在棕树上蹭我的背,在竹林中打滚。我一纵身就能跳过江河。鸽子在我的头顶盘旋。只有童贞女能驾御我。

快跑!跑快点!

安东尼看着它跑走了。

他举目看天上,看见了那些以风为食的鸟:谷伊特、阿鸟提、阿尔法里姆、喀夫山中的犹克赖特、阿拉伯人认为是由遭暗杀的人的灵魂变的霍玛伊。他听见鹦鹉在说人

---

① 里柯纳,神话故事中传说的一种马身、鹿头、额上一只长独角的动物。人们认为它是"贞洁"的象征。——原注释者注

言，大海鸟有的在像小孩儿那样啼哭，有的在像老太太那样咯咯笑。

一股带咸味的风吹进了他的鼻孔。他面前出现了一片海滩。

远处，巨鲸喷出了一根根水柱；从海天交会之处游来了

一群海兽

有的身子圆得像羊皮袋、扁得像刀片，有的身子周边像锯子那样成细齿状。它们在海滩上拖着身子慢慢向他走来。

你到我们这里来吧，到我们这广阔无边的人迹尚未到过的地方来吧！

在海洋的各个国家中居住着各种各样的民族。有的在狂风暴雨中安家，有的在冰凉的清澈的海水中四处游荡，像牛那样大口大口地吃珊瑚虫，用吸管似的嘴吸海潮，有的甚至把沉重的海水发源地扛在自己的肩上。

海豹的胡须和鱼的鳞片发闪闪的磷光。海胆像车轮那样转动，石菊的螺旋角像缆绳那样伸开，牡蛎抖得它们的硬壳铰链直发响声，珊瑚虫展开它们的触须，水母像水晶球那样动来动去，海绵到处漂浮，海葵一口一口地吐水，苔藓和海藻长得很茂盛。

各种各样的植物，有的长许多枝桠，有的弯曲如卷须，有的长伸如尖钉，有的圆得像把团扇。葫芦的样子像乳房，树藤像蛇似的互相缠绕。

巴比伦的德达依姆树结的果子像人头；曼德拉草能唱歌，巴拉斯草的根能在草上跑。

这时,鸟兽与草木已混杂难分。样子像埃及无花果树似的珊瑚骨的枝桠上长出了胳臂。安东尼发现两片叶子中间有一根毛虫;原来是一只正在飞舞的蝴蝶。当他正要踏上一块卵石的时候,一只灰色的蝗虫跳了起来。许多玫瑰花瓣似的小昆虫装点着一个矮树丛;地上有一层白花花的蜉蝣的残骸。

后来,草木和乱石混杂在一起。

有些石头像脑子,钟乳石像乳房,铁花像绣有图像的壁毯。

他发现冰块中夹杂着盐霜、荆棘丛和贝壳的痕迹(其实他并未看清楚是痕迹还是实物)。他还发现有一些像眼睛似的光闪闪的钻石和闪烁的矿石。

他现在不再害怕了!

他趴在地上,支起双肘撑着下巴;屏住呼吸注视着。

没有胃的昆虫在继续吃东西,干枯的蕨又重新开花,手脚残缺的部位又重新长出了手或脚。

最后,他发现一些小圆球似的东西,大小如针头,周围有纤毛。纤毛在颤动。

安东尼

作谵语:

啊,太好了!太好了!我看见生命已经诞生,我看见运动已经开始。我的血在脉管里奔流得那么快,以致好像要把脉管冲破似的。我想在天上飞,在水中游;我想汪汪叫、哞哞鸣、像狼那样嗥。我想长一双翅膀,一个甲壳,一层硬皮,口吐轻烟,长一只长鼻子,能弯曲身子,能分身到四方,处处都有我,随香风飘溢,像植物那样生长,像水那样奔流,像声音那样振荡,像光那样闪烁;我碰见什么东西就变化成什么东西的形状,我要钻进每一个原子,直探物质的底蕴,——我要成为物质!

天终于亮了;像圣墓的帷幔在卷动似的,一道道金色的彩云像巨大的旋涡那样卷动起来,让天空呈现在人们的眼前。

在天空的正中央,耶稣基督容光焕发的面孔出现在圆盘似的太阳里。

安东尼在胸前画十字,开始祈祷。

(终)

包法利夫人

外省风俗

李健吾译

献　给

路易·布耶①

---

① 路易·布耶（Louis Bouilhet；1822—1869）是福楼拜的挚友。

上　卷

上 辑

1

我们正上自习，校长进来了，后面跟着一个没有穿制服的新生和一个端着一张大书桌的校工。正在睡觉的学生惊醒了，个个起立，像是用功被打断了的样子。

校长做手势叫我们坐下，然后转向班主任，对他低声道：

"罗皆先生，我交给你一个学生，进五年级①。学习和操行要是好的话，就按照年龄，把他升到高年级好了。"

新生站在门后墙角，大家几乎看不见他。他是一个乡下孩子，十五岁光景，个子比我们哪一个人都高。他的神情又懂事又很窘。头发顺着额剪齐，像一个唱赞美诗的。肩膀不算宽，可是他的黑纽扣绿呢小外衣，在夹肩地方一定嫌紧，硬袖的袖口露出裸惯的红腕子。背带抽高了浅黄裤子，穿蓝袜的小腿露在外头。他穿一双鞋油没有怎么揩好的结实皮鞋，鞋底打钉子。

大家开始背书。他聚精会神，像听布道一样用心，连腿也不敢跷起来，胳膊肘也不敢支起来。两点钟的时候，下课钟响了，班主任要他和我们一道排队，不得不提醒他一声。

我们平时有一个习惯，一进教室，就拿制帽扔在地上，腾空了手好做功课；必须一到门槛，就拿制帽扔到凳子底下，还

---

① 相当于初中二年级。

要恰好碰着墙,扬起一片尘土;这是规矩。

可是不知道他没有注意到这种做法,还是不敢照着做,祷告完了,新生还拿他的鸭舌帽放在他的两个膝盖上。这是一种混合式的帽子①,具有熊皮帽、骑兵盔、圆筒帽、水獭鸭舌帽和睡帽的成分,总而言之,这是一种不三不四的寒伧东西,它那不声不响的丑样子,活像一个表情莫名其妙的傻子的脸。帽子外貌像鸡蛋,里面用鲸鱼骨支开了,帽口有三道粗圆滚边;往上是交错的菱形丝绒和兔子皮,一条红带子在中间隔开;再往上,是口袋似的帽筒,和硬纸板剪成的多角形的帽顶,帽顶蒙着一幅图案复杂的彩绣,上面垂下一条过分细的长绳,末端系着一个金线结成十字形花纹的坠子。崭新的帽子,帽檐闪闪发光。

教员道:

"站起来。"

他站起来:他的鸭舌帽掉下去了。全班人笑了起来。

他弯下腰去拾帽子。旁边一个学生一胳膊肘把它捅下去了;他又拾了一回。

教员是一个风趣的人,就说:

"拿开你的战盔吧。"

学生哄堂大笑,可怜的孩子大窘特窘,不知道应该拿着他的鸭舌帽好,还是放在地上好,还是戴在头上好。他又坐下,把它放在膝盖上。

教员继续道:

"站起来,告诉我你叫什么名字。"

---

① 熊皮帽是一种既高且圆的军帽。骑兵盔是一种顶子方而且小的战盔。睡帽是一种编结夹层软帽,尖顶下垂,有坠。

新生叽哩咕噜，说了一个听不清楚的名字。

"再说一遍！"

全班哗笑，照样听不出他叽哩咕噜说的是什么字母。

先生喊道：

"声音放高！放高！"

于是新生下了最大的决心，张开大口，像喊什么人似的，扯嗓子嚷着这几个字："查包法芮"。

就见轰的一声，乱哄哄响成一片，强音① 越来越强，还夹着尖叫（有人号，有人吠，有人跺脚，有人重复："查包法芮！查包法芮！"），跟着就又变成零星音符，好不容易这才静了下来。笑声堵是堵回去了，可是有时候还沿着一排板凳，好像爆竹没有灭净了一样，又东一声，西一声，响了起来。

不过由于大罚功课，教室秩序逐渐恢复了；教员最后听出查理·包法利这个名字②，经过默写、拼音、再读之后，立刻罚这可怜虫坐到讲桌底下的懒板凳。他立直了，可是行走以前，又逡巡起来。

教员问道：

"你找什么？"

新生向四围左张张，右张张，怯生生道：

"我的鸭……"

教员喊着：

"全班罚抄五百行诗！"

---

① 渐强是音乐术语。

② 包法利（Bovary）含有"牛"意。1870年3月20日，作者致函柯尔女（Cornu）夫人，说："我根据布法赖（Bouvaret）这个姓，拟造出来包法利这个姓。"作者似乎看中了这个含有"牛"意的姓，晚年又拿这个姓变化成"布法尔"（Bouvard），参看他的长篇遗作《布法尔与白居谢》。

一声怒吼,就像 Quos ego① 一样,止住新起的飓风。
"不许闹!"
教员从瓜皮帽底下取出他的手绢,一边揩额头的汗,一边气冲冲接下去道:
"至于你,新生,罚你给我抄二十遍动词 ridiculus sum②。"
然后声音变柔和一些:
"哎!你的鸭舌帽,你回头会找到的;没有人偷你的!"
人人又安静下来,头俯在笔记本上。新生端端正正坐了两小时,尽管笔尖不时弹出一个小纸球,飞来打他的脸,可是他揩揩脸,也就算了,低下眼睛,一动不动待到下课。

夜晚他在自习室,从书桌里取出他的套袖,把东西理齐,小心翼翼,拿尺在纸上打线。我们看见他学习认真,个个字查字典,很是辛苦。不用说,他就仗着这种意志坚强的表现,才不降班;因为他即使勉强懂了文法,造句并不高明。他的拉丁文是本村堂长开的蒙,父母图省钱,尽迟送他上中学。

他的父亲查理·代尼·尼尔道劳麦·包法利先生,原来当军医副,一八一二年左右,在征兵事件上受了牵连,被迫在这期间离职,当时就利用他的长相漂亮,顺手牵羊,捞了六万法郎一笔嫁资:一个帽商姑娘爱上他的仪表,给他带过来的。美男人,说大话,好让他的刺马距发响声,络腮胡须连髭③,手指总戴戒指,衣服要颜色鲜艳,外貌倒像一个勇士,说笑的兴致却像一个跑外的经纪人。结婚头两三年,他靠太太的财产过

---

① Quos ego 是"我要"的意思,见于维吉尔的史诗《阿奈德》第一章第一三五行,是海神威吓飓风的话。
② ridiculus sum,拉丁文,意思是"是可笑"。
③ 络腮胡须盛行于浪漫主义时期。

活,吃得好,起得迟,用大磁烟斗吸烟,夜晚看过戏才回家,常到咖啡馆走动。岳父死了,几乎没有留下什么来;他生了气,兴办实业,赔了些钱,随后退居乡野,想靠土地生利。可是他不懂种田,正如不懂织布一样,他骑他的马,并不打发它们耕地,一瓶一瓶喝光他的苹果酒,并不一桶一桶卖掉,吃光院里最好的家禽,用他的猪油揩亮他的猎鞋,不久他看出来,顶好还是放弃一切投机。

所以他一年出两百法郎,在苟和毕伽底① 交界地方一个村子,设法租了一所半田庄半住宅的房子;他从四十五岁起,就闷闷不乐,懊恼万分,怪罪上天,妒忌每一个人,闭门不出,说是厌恶尘世,决意不问外事。

他的女人从前迷他,倾心相爱,百依百顺,结果他倒生了外心。早年她有说有笑,无话不谈,一心相与,上了岁数,她性子就变得(好像酒生气,变成酸的一样)别别扭扭,喊喊喳喳,急急躁躁的。她看见他追逐村里个个浪荡女人,夜晚不省人事,酒气冲天,多少下流地方叫人把他送回家来!她受尽辛苦,起初并不抱怨,后来自尊心怎么也耐不下去了,索性不言语,忍气吞声,一直到死。她奔波、忙乱得一刻不停,去见律师们,去见庭长,想起期票到期,办到了缓付,在家里又是缝缝补补,洗洗熨熨,监督工人,开发工钱,而老爷无所事事,始终负气似的,昏天黑地挺尸,醒转来只对她说些无情无义的话,在炉火角落吸烟,往灰烬里吐痰。

她生了一个男孩子,必须交给别人乳养。小把戏回到家,

---

① 苟(Caux)是塞纳河河口以北沿海高原地区,在诺曼底北部;重要商港,南有哈佛尔,北有第厄普;属塞纳河下游州,州的首邑是鲁昂。苟地出产麦、苹果,农民兼营牧畜。过苟西北,便是毕伽底(Picardie),属另一州。

惯得活像一个王子。母亲喂他蜜饯;父亲叫他赤脚跑,甚至于冒充哲学家,说他可以学学幼畜,全身光着走路。他对教育儿童有一种男性理想,所以排斥母亲的影响,试着按照这种理想训练,用斯巴达方式,从严管教。他打发他睡觉不生火,教他大口喝甘蔗酒和侮辱教堂行列。可是小孩子天性驯良,辜负了他的心力。母亲总把他拖在身边,帮他剪裁硬纸板,给他讲故事,喋喋不休,一个人和他谈古道今,充满了忧郁的欢乐和闲话三七的甜蜜。日子过得孤零零的,好胜心思支离破碎,她把希望统统集中在这孩子身上。她梦想高官厚禄,看见他已经长大成人,漂亮,有才情,成了土木工程师或者法官。她教他读书,甚至于弹着她的一架旧钢琴,教他唱两三支小恋歌。可是包法利先生不重视文学,见她这样做,就说:"不值得!"难道他们有钱让他上公家学校,给他顶进一个事务所① 或者盘进一家店面?再说,"一个人只要蛮干,总会得意的"。包法利夫人咬住了嘴唇,孩子在村里流浪着。

他跟在农夫后头,拾起碎土块,赶走飞来飞去的乌鸦。他吃沿沟的桑椹,拿一根竿子看守火鸡,收成期间翻谷子,在树林里跑来跑去,雨天在教堂门道玩造房子,遇到盛大节日,就央求教堂听差,代他敲钟,为的是整个身子吊住粗绳,上下来回摆动。

所以他长的如同一棵栎树,手臂结实,肤色健康。

十二岁上,母亲给他争到开蒙,请教堂堂长教。可是上课的时间,又短,又不固定,不起什么作用。功课不是忙里偷闲,站在圣衣室,匆匆忙忙,赶着行洗礼和出殡之间教,就是在做晚祷以后,堂长不出门,叫人把学生找过来教。他们上

---

① 指律师、公证人事务所。

楼,到他的房间坐下;蚊子和蛾子兜着蜡烛飞翔。天气热,孩子睡着了;老头子手搭在肚子上,昏昏沉沉,跟着也就张开嘴,打起鼾来。有时候,堂长给邻近病人做临终圣事回来,望见查理在田地撒野,喊住他,开导他一刻钟,利用机会,叫他在树底下变化动词。落雨了,或者过来一位熟人,打断他们。其实他一直对他满意,甚至于说:年轻人记性很好。

不能让查理这样下去。太太下了决心。老爷惭愧了,或者不如说是疲倦了,不抗拒就让了步。他们又拖了一年,等孩子行过他的第一次圣体瞻礼。

一晃又是半年;第二年这才决定把查理送进鲁昂的中学。约摸十月梢,赶着圣·罗曼集时期①,父亲自己带他来。

我们现在没有一个人能想起他当时的情形。他是一个性情温和的男孩子,游戏时间玩耍,自习时间用功,在教室听讲,在寝室睡得好,在饭厅吃得好。他的保证人是手套街一位铜铁器皿批发商,星期天铺子不做生意,每月一次,把他接出来,打发到码头散散步,看看船,然后一到七点,晚饭之前,送回学校。每星期四夜晚,他用红墨水给母亲写一封长信,拿三块小圆面团子封口;随后他就温习历史笔记,或者读一本扔在自习室的《阿纳喀尔席斯》②老书。散步中间,他和校工闲谈,校工像他一样,是乡下来的。

他靠死用功,在班上永远接近中等,也一直保持下来;甚

---

① 圣·罗曼(Saint Romain)是七世纪鲁昂主教,节日是10月23日,举行各种市集。这是鲁昂最大也最著名的市集,前后共有二十五日。

② 《阿纳喀尔席斯》(Anacharsis)是一本游记(1778),叙述古代西徐亚人阿纳喀尔席斯,到希腊考查风物,访问当时所有的名流。作者是巴尔代莱米(Jean Jacques Barthlélemy;1716—1795)。

至于有一次，他考博物，得到表扬。但是临到第三学年① 末尾，父母叫他退学读医，深信他单靠自己，就会得到学位。

母亲到洛拜克河附近相识的染匠家，给他在五楼挑了一间屋子。她讲定他的房饭钱，弄来几件木器：一张桌子，两把椅子，另外从家里运来一张樱桃木旧床，还买了一个小生铁炉子和一堆劈柴，为她的可怜孩子取暖用。随后她待过一星期，再三叮咛他正经做人，今后就只剩下他一个人了，这才回乡。

布告牌上的课程表，他一念，就觉得头昏脑闷；解剖学、病理学、生理学、药理学、化学、植物学、诊断学、治疗学，还不提卫生学、药材论，没有一个名词他晓得来源的，一个一个全像庙门，里面庄严而又黑暗。

他完全不懂；听也白听，他跟不上。可是他用功，他有成本的笔记。他每课必上，一次实习不缺。他干完一天的乏味工作，好像拉磨的马一样，两眼蒙住，兜着一个地方转，不知道磨了些什么。

母亲要他省钱，每星期托邮车给他带来一块灶火烤的小牛肉，他上午从医院回来，一边鞋底打墙，一边拿它就午饭吃。用过午饭，他该朝教室、解剖室、救济院跑了，然后穿过一条又一条街，回到住所。他用罢房东的菲薄晚饭，又上楼回到房间，埋头用功，他的湿衣服当着熊熊的炉火，直在身上冒汽。

夏季黄昏美好，郁热的街巷空空落落，女佣人在大门口踢健子，他打开窗户，胳膊肘靠在上头。小河② 在他底下流过

---

① 相当于高中一年级。
② 洛拜克河（L'Eau de Robec）流过鲁昂东区，带了染坊、硝皮做的排泄物，流进阴沟。它的两岸是鲁昂最贫困、最龌龊的城区。1930年后，这条臭河填掉。

桥和栅栏,颜色发黄、发紫或者发蓝,把鲁昂这一区变成一个破旧的小威尼斯。有些工人,蹲在岸边,在水里洗胳膊。阁楼顶撑出去的竿子,晾着成把的棉线。从对面房顶望过去,一轮西沉的红日,衬着一片清澄的天空。那边①该多好啊!山毛榉底下要多凉爽啊!他张开鼻孔去吸田野的清香味道,但是没有吸到。

他瘦了,个子长高了,脸上显出一种哀怨的表情,几乎惹人好感了。

早先下的决心,自然而然,他就漫不经心,统统丢到脑后。他有一次不实习,第二天不上课,尝出了偷懒味道,索性渐渐不去了。

他养成坐酒馆的习惯,爱上了牙牌。每天夜晚,钻进一家肮脏的赌窟,在大理石桌上,掷着有黑点的小羊骨头:他觉得是他得到自由的一种珍贵凭据,提高他对自己的尊重。这就像初入社会,初尝禁脔一样;他往里走,将手放在门的扶手上,心头兜起一种近乎肉感的喜悦。于是心里许多被压抑的东西冒出来了:他学会几个小调,唱给女伴们听,迷上了贝朗瑞②,能调五味酒,最后,懂得了爱情。

多亏这些准备工作,他当医生的考试③,完全失败。当天黄昏,家里等他回来,庆贺他当上了医生!

他一路走去,在村口停住,托人找母亲出来,一五一十,

---

① "那边"指他的乡村。
② 贝朗瑞(Béranger, 1780—1857)是法国民歌诗人,反对宗教和王室复辟,所作民歌,风行社会各阶层。
③ 1820 年,共和政府颁布法令,凡学生年届十七岁,读完第三学年,虽无医学博士学位,只要在普通医学校考试及格,便取得乡间行医资格。1892 年 11 月 30 日取消。

讲给她听。她原谅他,把失败推到考试人员身上,说他们不公道,勉励了他两句,负责安排一切。五年以后,包法利先生这才知道实情;过去的事,他也就由它去了,再说,他不能设想他生出来的孩子会是蠢才。

于是查理埋头用功,坚持不懈,预备他的考试项目,事先记住全部问题。他录取了,分数相当高。这对他的母亲,是一个了不起的大喜日子!他们大摆酒宴。

他到什么地方行医呢?道特①。那边只有一个老医生。许久以来,包法利夫人就盼他死,老头子还没有卷铺盖,查理作为继承人,就在对面住下了。

但是把儿子教养成人,让他学医,帮他在道特挂牌行医,还不算完:他需要一位太太。她给他找到一位:她是第厄普一个承发吏的寡妇,四十五岁,一年有一千二百法郎收入。

杜比克夫人尽管长得丑,像柴一样干,像春季发芽一样一脸疙瘩,可的确不缺人嫁。包法利太太为了达到目的,不得不一个一个挤掉,甚至于有一个卖猪肉的,有教士们撑腰,她也别出心裁,破坏了他的诡计。

查理满以为结过婚,环境改善,他就自由了,身子可以自主,用钱可以随意。然而当家作主的是他的太太;他在人面前,应该说这句话,不应该说那句话;每星期五吃素;顺她的心思穿衣服;照她的吩咐逼迫不付钱的病人。她拆他的信,窥伺他的行动,隔着板壁,听他在诊室给妇女看病。

她每天早晨要喝巧克力,要他一个劲儿疼她。她不住口抱怨她的神经、她的肺、她的气血。脚步声音刺激她;人走开

---

① 道特(Tostes)在鲁昂与第厄普之间,正东不远,即小镇圣·维克道(Saint-Victor)。

了,她嫌寂寞;回到身旁,不用说,是为了看她死。查理夜晚回来,她从被窝底下伸出瘦长胳膊,搂住他的脖子,要他在床沿坐下,开始对他诉说她的苦恼:他忘掉了她,他爱别人!人家先前同她讲过的,她会不幸的;说到最后,她为她的健康,向他要一点甜药水,再多来一点爱情。

2

有一天夜晚,约摸十一点钟,来了一匹马,当门停住,响声吵醒他们。女佣人打开阁楼天窗,问明下面街上一个男子的来意。他带了一封信来请医生。娜丝达席打着寒噤,走下楼梯,一道又一道,开锁,拔门闩。来人下了马,跟着女佣人,一直上来。他从他的灰冠子毡帽,取出一封旧布包着的信,小心翼翼,呈上查理。查理拿胳膊肘支住枕头看信。娜丝达席在床边举着灯。太太害羞,脸转向墙,露出后背。

这封信用一小块蓝漆封口,求包法利先生立刻就来拜尔斗田庄,接一条断腿。可是从道特到拜尔斗,经过长镇和圣·维克道,走小路也要十足六古里①。夜晚黑漆漆的,少奶奶担心丈夫遇到意外。所以决定,厩夫先打前站。查理等月亮上升,三小时后动身。那边派一个小孩子迎他,帮他指点田庄道路,开栅栏门。

早晨四点钟左右,查理披好斗篷,向拜尔斗出发。人刚离开暖被窝,还迷迷糊糊的,由着牲口的安详脚步,颠上颠下。靠近田垄,掘了一些荆棘围着的窟窿,马走到前面不走了,查理身子一耸,惊醒过来,立时想起断腿,试着记忆他知道的种

---

① 一古里(lieue)合 4.4445 公里。

种接骨方法。雨已经不下了;天开始发亮,有些鸟动也不动,栖在苹果树的枯枝上,晨风峭厉,敛起它们的小小羽毛。平原展开,一望无际,田庄周围,一丛一丛树木,远远隔开,在这灰灰的广大地面,形成若干黑紫点子。地面在天边没入天的阴暗色调。查理不时睁开眼睛,后来精神疲倦,又困上来了,没有多久,坠入一种昏迷境界,他的新近感觉和记忆混淆了,看见自己变成两个:同时是学生,又是丈夫,就像方才一样躺在床上,又像往常一样走过一间手术室。在他的意识上,药膏的热香和露水的清香混合起来了;他听见床顶铁环在帐杆上滑动,太太睡着……走过法松镇,他望见沟沿草地坐着一个小男孩子。

小孩子问道:

"你是医生吗?"

查理回答一声"是",他拿起木头套鞋,就在前面跑开了。

路上听向导谈话,医生理会:卢欧先生一定是一位最富裕的农民。昨天黄昏,他在邻居家里"过三王"①,回来摔断了腿。太太死去两年,身边只有他的"小姐",帮他料理家务。

车辙更深了。他们到了拜尔斗。就见小孩子钻进一个篱笆窟窿,不见了,过后由一座院子紧里回来,开开栅栏门。马走湿草地,朝前滑溜;查理弯着腰,在树枝底下过。看门的狗在狗舍拉起链子吠叫。他走进拜尔斗,马一害怕,来了一个大闪失。

这是一家外表殷实的田庄。马厩敞开,从门上望过去,就见耕田的大马,安安静静,吃着新槽的草料。沿房有一大堆肥料,直冒水汽,五六只孔雀——荀这地方田家的奢侈品,站在

---

① "过三王"是过"三王节"的意思,节日在1月6日。

上头，在母鸡和火鸡当中，啄东西吃。羊圈长长的，仓库高高的，墙光溜溜的，就像人手一样。车棚底下放着两辆老大的大车、四把犁，还有鞭子、套包、全副马具，楼上谷仓落下浮尘，污了马具的蓝羊毛。院子越上越高，种着行列整齐的树木，池塘附近，响彻一群鹅的欢叫。

一个年轻女人，穿着镶了三道花边的"麦里漏斯"① 蓝袍，来到房门口，接住包法利先生，让到厨房坐。厨房生着旺火，伙计的早饭，盛入高低不齐的小闷罐，在四周沸滚。灶头烘着几件湿衣服。铲子、钳子、吹筒，都大得不得了，明晃晃的，好像钢一样发亮，沿墙摆了许多厨房器皿，大小不等，映着通红的灶火和从玻璃窗那边射进来的曙光。

查理上到二楼去看病人，就见他躺在床上，蒙着被窝出汗，睡帽扔得老远。他是一个五十岁矮胖子，白皮肤，蓝眼睛，秃额头，戴耳环。旁边有一张椅子，上面放着一大瓶烧酒，不时喝一口，给自己打气；可是他一看见医生，就意兴索寞了，十二小时以来，他一直都在咒天骂地，如今却轻轻哼唧起来。

腿伤简单，情形并不复杂。查理做梦也没有想到这么容易。他于是想起师长在病床旁边的姿态，用各种好话安慰病人，——外科医生的温存，就像抹手术刀的油一样。人到车棚底下找来一捆板条，当夹板用。查理挑了一块，劈成几小块，用碎玻璃磨光了，同时女佣人撕开床单作绷带，爱玛小姐试着缝小垫子。父亲嫌她找针线盒找久了，一不耐烦，说了她两句；她没有顶嘴，不过，缝的时候，扎破手指头，后来就放在嘴里嗫。

---

① 麦里漏斯（mérinos）是西班牙优良羊种的细毛织品。

指甲的白净使查理惊讶，亮晶晶的，尖头细细的，剪成杏仁样式，比第厄普的象牙还洁净。其实手并不美，也许不够白，关节瘦了一点；而且也太长了，周围的线条欠柔。她美在眼睛：由于睫毛缘故，棕颜色仿佛是黑颜色。眼睛朝你望来，毫无顾虑，有一种天真无邪的胆大的神情。

包扎完了，卢欧先生亲自邀医生，在走前"用一口东西"。

查理下楼，来到底层厅房。里头有一张华盖大床，挂着印花布帐子，帐子上画了土耳其人物①；床脚放一张小桌，摆了两份刀叉和几只银杯。他闻见蝴蝶花和面窗的栎木高橱发散出来的湿布气味。角落靠地，直挺挺排了几袋小麦。它们是附近谷仓多出来的。有三层石头台阶通到谷仓。墙上裱糊的绿纸受潮，剥落了；黑铅画的米奈尔如②头像，装饰房间，挂在墙当中钉子上，镶了镀金框子，下面用哥特字体③写着："献给我的亲爱的爸爸"。

他们起初讲病人，后来就谈天气、严寒、夜晚在田里跑东跑西的狼。卢欧小姐在乡间并不开心，尤其是现在，田庄几乎归她一个人料理。厅房冷凄凄的，她一边吃，一边打哆嗦。她一吃东西，就露出一点她的丰腴的嘴唇。不说话的时候，她有咬嘴唇的习惯。

白领子朝下翻，露出她的脖子。一条中缝顺着脑壳的弧线，轻轻下去，分开头发；头发黑乌乌的，光溜溜的，两半边都像一块整东西一样，几乎盖住了耳朵尖，盘到后头，绾成一

---

① 中东形象曾经风行一时，但在小时期间，已将近过时。
② 米奈尔如（Minerve）是古罗马文艺女神，亦即古希腊的雅典那女神。
③ 哥特人（Goths）是公元三世纪的野蛮民族，最初在欧洲北部，后来迁徙东南一带。哥特字体是古体字一种，实际和哥特人没有多大关系，十二世纪末叶代替罗马字体，十五世纪又为意大利字体所代替，如今仅仅德文还保留它的形态。

个大髻，又像波浪一样起伏，朝鬓角推了出去。这在乡下医生，还是有生以来，头一回看见。她的脸蛋是玫瑰红颜色。她像男子一样，在上身衣服两颗纽扣中间，挂了一只玳瑁眼镜。

查理上楼，向卢欧老爹告辞，然后在走以前，又回到厅房。她站着朝花园望，额头贴住窗户。先前起风，吹倒园里的豆架。她转回身，问道：

"你找什么东西？"

他答道：

"对不住，我的鞭子。"

他开始在床上、门背后、椅子底下寻找；原来掉在口袋和墙壁之间的地上。爱玛小姐瞥见了；她伏到小麦口袋上。查理表示殷勤，连忙跑过去，也同样伸出胳膊，女孩子弯在底下，他觉出他的胸脯蹭到她的后背。她涨红了脸，立直了，朝后望，递鞭子给他。

原来答应三天过后再来拜尔斗，但是第二天他就来了。此后，他一星期经常来两次，还不算他有时候意想不到的偶尔探望。

其实，一切顺利，病按步就班好起来了；四十六天之后，大家看见卢欧老爹试着独自在他的"破屋"走路，开始把包法利先生看成一位名医。卢欧老爹说：伊如斗①，就连鲁昂的头等医生，医病也不见其医得更好。

至于查理，他并不追究他为什么喜欢去拜尔斗。万一想到这上头的话，不用说，他把热忱不是说成由于病情严重，就是也许说成为了贪图厚利。不过平日业务猥琐，难道去田庄看病，成为可喜的例外，真就由于这些理由吗？去的日子，他老

---

① 伊如斗（Yvetot）是一个大镇，在道特之西，去哈佛尔的大路上。

早起来，骑上牲口，打着它跑；接着他就下来，在草地揩干净脚，进去之前，戴上黑手套。看见自己来到院子，觉得栅栏门随着肩膀转，公鸡在墙上啼，小伙计们过来迎他，他就欢喜。他爱仓库和马厩；他爱卢欧老爹拍着他的肩膀，喊他救命恩人；他爱爱玛小姐的小木头套鞋，踩着厨房洗干净的石板地；她的高后跟托高了她一点点，她在前面走，木底飞快掀起，牵动女靴皮，嘎吱直响。

她送他永远送到第一层台阶。马要是还没有牵来，她就待在这里。再会已经说过，他们也就不再言语；风兜住她，吹乱后颈新生的短发，或者吹起臀上围裙的带子，仿佛小旗，卷来卷去。有一次，时逢化冻，院里树木的皮在渗水，房顶的雪在溶解。她站在门槛，找来她的阳伞，撑开了。阳伞是缎子做的，鸽子咽喉颜色，阳光穿过，闪闪烁烁，照亮脸上的白净皮肤。天气不冷不热，她在伞底下微笑；他们听见水点，一滴又一滴，打着紧绷绷的闪缎。

查理初去拜尔斗，少奶奶免不了打听病人的底细，甚至于为卢欧先生，在她的复记账簿，选了又白又干净的一页。但是她一得知他有一个女儿，就四下打探，听说卢欧小姐是在虞徐林修道院长大的，据说受过好教育①，自然也就懂得跳舞、地理、素描、刺绣和弹琴了，这还了得！

她向自己道：

"那么，就是为了这个缘故，他去看她，这才脸上发光，这才穿上他的新背心，不怕雨淋坏？啊！这个女人！这个女人！……"

她本能地恨她。起初她闷不下去，说暗话试他。查理听不

---

① 法国女子教育过去由教会主持，一般妇女没有机会受到正式学校教育。

懂；后来她偶尔挖苦几句，他怕吵闹，权当没有听见；最后，她当面指责，他不晓得怎么回答。——卢欧先生已经病好了，医金又没有付，他凭什么还去拜尔斗？啊！因为那边有一个人儿、一位能说会道的人儿、一位刺绣家、一位女才子。他爱的就是这个：他要的是城里小姐！她接着道：

"卢欧老爹的女儿，一位城里小姐！去她的吧！他们的祖父是放羊的，他们有一个亲戚，同人吵架，差点儿吃官司。她犯不上那样瞎神气，也犯不上星期天上教堂，穿一件绸袍子，活像一位伯爵夫人。再说，可怜的老头子，去年不是油菜，就许还不了旧欠！"

查理嫌烦，不去拜尔斗了。艾劳伊丝爱情大发作，哭了吻，吻了哭，之后，叫他赌咒，手放在他的弥撒书上，说他再也不去，他只得依顺；可是欲望强烈，他不甘心奴颜婢膝，就此屈服：这道禁止看她的阃令，在他看来，通过一种天真的虚伪想法，反而成为爱她的权利。而且寡妇瘦括括的，牙又长，整年披一件小黑披肩①，尖尖头搭在肩胛骨之间；骨头一把，套上袍子，就像剑入了鞘一样；袍子又太短，露出踝骨和大皮鞋的交叉搭在灰袜上面的带子。

查理的母亲不时来看他们；可是待不了几天，刀口对刀口，媳妇像是把她磨快了一样，于是好比两把刀，你一言，我一语，她们扎过来，刺过去，拿他出气。他吃东西不该吃得那么多！为什么不管谁来，总请他喝酒？死不穿法兰绒背心，多固执！

就在开春，安古镇一个公证人——杜比克寡妇财产的保管人，有一天，带了他的事务所的全部现金，搭船卷逃了。不

---

① 方形。帝国时代，由印度传入，盛行于1870年以前。法国有仿制品，缺少光泽。

错，除去值六千法郎的船股之外，艾劳伊丝还有她在圣·福朗斯瓦街的房子；可是这份产业，尽管吹了一个天花乱坠，除去几件家具和几件旧衣服之外，就没有别的再在家里露过面。事情必须查究明白。原来第厄普的房子，连打地基的桩子，都抵押掉了；她在公证人那边存了一些什么，只有上帝知道；船股也决多不过一千艾居①。原来她撒谎来的，好娘儿们！公公一怒，在石板地上，摔坏一张椅子，骂老婆祸害儿子，给他套了这样一匹干瘪马，鞍鞴不及马皮值钱。他们来到道特。话一扯穿，吵起来了。艾劳伊丝哭着，扑到丈夫怀里，求他帮她对付公婆。查理试着替她分辩。父母一怒而去。

但是病根扎下了。过了一星期，她在院子晾衣服，吐了一口血，第二天，查理转过背去拉窗帘，她说："啊！我的上帝！"叹息一声，晕倒过去。她死了，真想不到！

坟地的事一了，查理回到家，没有在底下遇见一个人，走上二楼卧室，看见她的袍子还挂在床头，于是靠住书桌，一直待到天黑，沉在痛苦的梦境。无论如何，她爱他来着。

3

有一天早晨，卢欧老爹来了，给查理带来医腿的诊费：七十五法郎，用的是四十苏②一个钱的辅币③，另外还有一只母火鸡。他听人说起他的不幸，就尽力安慰他，拍他的肩膀道：

---

① 艾居（écu）是一种古币，每枚值六法郎或三法郎，小说这里指后一种。
② 苏（sou）值五分，合一法郎二十分之一。
③ "四十苏一个钱的辅币"，就是一个值二法郎的辅币。"七十五法郎"却是单数。作者可能指多数用二法郎辅币付账。

"我知道这是怎么一回事!我也像你一样,经过这事!我丢了我的老伴儿,当时我走到田里,只想一个人待;我倒在一棵树旁边,又哭,又喊老天爷,直讲他的浑话;我真愿意像我看见的树枝上的田鼠一样,肚子里头长蛆,一句话,死了拉倒。我一想到别人这期间,和他们的小媳妇亲热,搂得紧紧的,我就拿我的手杖拚命打地;我差不多疯了,饭也不吃;你也许不相信,单只想到上咖啡馆,我就腻味。好啦,慢条斯理,一天又一天,春天接冬天,秋天跟夏天,也就一星一点过去了,去远了,走开了,我的意思是说,沉下去了,因为你心里总有一点什么东西留下来,像人说的……一块石头,在这儿,压着胸口!不过,既然我们人人命当如此,人就不该糟蹋自己,因为别人死了,就也想死……包法利先生,应当打起精神来才是;这会过去的!看我们来吧;你明白,我的女儿一来就想到你,说你忘了她啦。眼看春天要来了;我们陪你上林子地打野兔,也好散散心。"

查理听他劝,又去了拜尔斗。他发现一切如旧,就是说,和五个月以前,一模一样。梨树已经开花,卢欧老头子如今站起来了,走来走去,田庄也就因而越发生气蓬勃。

在他想来,医生境遇恶劣,尽可能体恤成了他的责任,所以他求他不要露出光头,低声同他说话,仿佛他成了病人,甚至于看见别人没有为他准备一点比较轻松的吃食,如同小罐奶酪,或者烧熟的梨呀什么的,还假装生气。他讲故事,查理意料不到自己笑了;可是他忽然想起太太,就又郁郁不欢了。咖啡端上来,他不再思念她了。

过惯一个人的日子,他越来越不思念她。他有了自由自在这种新到手的快乐,不久反而觉得寂寞好受了。现在他可以改改饭时,出入不必举理由,人累狠了,就四肢一挺,躺到床上。他于是贪舒服，心疼自己，接受外人的慰唁。再说太太一死，他的营业反而好转，因为一个月以来，大家总在说："这可怜的年轻人！多不幸！"他有了名气，主顾多了；而且他去拜尔斗，无拘无束。他起了一种漫无目标的希望，一种模模糊糊的幸福；他理他的络腮胡须，照照镜子，觉得脸好看多了。

有一天，三点钟上下，他来了；人全下地去了；他走进厨房，起初没有看见爱玛。外头放下窗版，阳光穿过版缝，在石板地上，变成一道一道又长又亮的细线，碰到家具犄角，一折为二，在天花板上颤抖。桌上放着用过的玻璃杯，有些苍蝇顺着往上爬，反而淹入杯底残苹果酒，嘤嘤作响。亮光从烟突下来，掠过铁板上的烟灰，烟灰变成天鹅绒，冷却的灰烬映成淡蓝颜色。爱玛在窗、灶之间缝东西，没有披肩巾①，就见光肩膀冒小汗珠子。

她按照乡间风俗，邀他喝酒。他不肯，她一定要他喝，最后一面笑，一面建议：他陪她饮一杯酒。于是她从碗橱找出一瓶橘皮酒，取下两只小玻璃杯，一杯斟得满满的，一杯等于没有斟，碰过了杯，端到嘴边喝。因为酒杯差不多是空的，她仰起身子来喝；头朝后，嘴唇向前，脖子伸长，她笑自己什么也没有喝到，同时舌尖穿过细白牙齿，一点一滴，舔着杯底。

她又坐下来，拾起女红，织补一只白线袜；她不言语，低下额头，只是织补。查理也不言语。空气从门底下吹进来，轻轻扬起石板地的灰尘；他看着灰尘散开，仅仅听见太阳穴跳动，还有远远一只母鸡在院子下了蛋啼叫。爱玛不时摊开手心冰脸，手心发热，放在火篦的铁球上再沁凉了。

---

① 三角形；乡间妇女喜欢用来遮盖头、肩裸露部分。

她诉说入夏以来,就感头晕;她问海水浴对她有没有用①;她谈起修道院,查理谈起他的中学,他们有了话说。他们上楼,来到她的卧室。她让他看她的旧音乐簿、她得奖的小书②和扔在衣橱底层的栎叶冠。她还同他说起她的母亲、坟地,甚至于指给他看花园里的花畦,说她每个月的第一个星期五,都要掐下花来,放到母亲的坟头。可是他们的花匠,什么也不懂;佣人简直不称心!她情愿住在城里,哪怕单是冬季也好,虽然夏季天长,住在乡间,也许更其腻味;——依照说话的内容,她的声音一时清楚,一时尖锐,一时忽而懒散上来,临了差不多变成自言自语时的呢喃,——转眼之间,兴高采烈,睁开天真的眼睛,马上却又眼皮半闭,视线充满厌烦,不知想到什么地方去了。

查理夜晚回来,一句一句掇掇她说过的话,试着一面追忆,一面补足意思,想把他还不认识她的那段生活为自己编造出来。不过他所能想象到的她,和他第一次看见的她,永远不差分毫,不然的话,也就是前不多久,他才离开她的摸样。随后他问自己:她结了婚,会变成什么模样?而且嫁谁?唉!卢欧老爹很有钱,她呀!又……那样美!不过爱玛的脸总在眼前出现;有什么单调的声音,仿佛一只地簧在耳边嗡嗡道:"可是,假如你结婚的话!假如你结婚的话!"他夜晚睡不着,喉咙发干,直想喝水,下床走到水罐跟前,打开窗户;满天星斗,吹来一阵热风,狗在远处吠叫。他的头不由转向拜尔斗。

查理一想,反正没有什么损失,决计一有机会就求婚;但是每次机会来了,他又牢牢闭拢嘴唇,害怕找不到适当的字句。

---

① 海水浴当时刚刚时兴。
② 宣传宗教的小册子,有很多彩色插图。

女儿在家,一点没有用处,有人把她带走,卢欧老爹并不难过。他私下原谅她,觉得她才情高,不宜稼穑,——老天爷见不得的行业,就从来没有见过出一位百万富翁。老头子不但不发财,而且年年蚀本:因为他谈交易虽说精明,喜欢耍耍本行的花枪,可是稼穑本身,还有田庄内部管理,对他说来,却没有再不相宜的了。他不高兴操劳,生活方面,一钱不省,衣、食、住,样样考究。他爱酽苹果酒、带血的烤羊腿、拌匀的光荣酒①。他一个人在厨房用饭,小桌端到跟前,当着灶火,菜统统摆好,如同在戏台上一样。

所以看见查理挨近女儿就脸红,——意味有一天,他会为了她向他求婚,他前前后后先考虑过一遍。他觉得人有些单薄,不是他一直想往的一位女婿;不过人家说他品行端正,省吃节用,很有学问,不用说,不会太计较陪嫁的。何况卢欧老爹欠泥瓦匠、马具商许多钱,压榨器的大轴又该调换,他的产业非卖二十二阿克②,应付不了。

他向自己道:

"他问我要她的话,我就给他。"

圣·米迦勒期间③,查理来拜尔斗待三天。末一天像前两天一样过掉,一刻又一刻拖延。卢欧老爹送他一程;他们走了一条坑坑洼洼的小道,眼看就要分手;是时候了。查理盘算,走到篱笆角落,一定开口,最后过都过去了,他唧哝道:

"卢欧先生,我打算同你谈一点事。"

---

① 光荣酒(gloria)即茶叶酒或咖啡酒。
② 阿克(acre)是法国旧测量单位,因乡而异,普通一"阿克"约合四十五公亩。二十二"阿克"约合中国一百五十市亩。
③ 圣·米迦勒(Saint Michel)是上帝的天使长,节日在9月28日。

他们站住,查理又不作声了。卢欧老爹笑微微道:
"把你的事说给我听吧!我有什么不清楚的!"
查理结结巴巴道:
"卢欧老爹……卢欧老爹……"
佃农① 继续道:
"就我来说,我是求之不得。不用说,闺女和我是一个心思,不过总该问问她,才好算数。好,你走吧;我把话带回去就是了。答应的话,你听明白,用不着回转来,一则防人口舌,再则,也太刺激她。不过免得你心焦,我朝墙推开窗版,推得直直的:你弯在篱笆上,就从后头望见了。"

他走开了。

查理把马拴在树上,跑到小径等待。过了半小时,后来他数表又数了十几分钟。墙那边忽然起了响声;窗版推开,钩子还直摆动。

第二天,才九点钟,他就到了田庄。爱玛见他进来,脸红了,碍着面子,勉强笑了一笑。卢欧老爹吻抱未婚女婿。银钱事项留到日后再谈;而且他们目前有的是时间,因为办喜事,照规矩说,也该等到查理除服,就是说,开春前后。

大家在期待中过了冬天。卢欧小姐忙着办嫁妆。一部分到鲁昂定制;她照借来的时装图样,做了一些衬衣、睡帽。查理一来田庄,他们就谈婚礼筹划,研究酒席摆在哪一间屋子;他们考虑必需的菜肴道数、上什么正菜。

---

① 根据田庄的描写、卢欧的生活,特别是他能作主卖田这件事,他这个佃农应当是"以官册为凭的土地持有者——缴纳封建地租的终生和世袭的佃农"(参看《马克思恩格斯全集》第一册第193注)。

爱玛希望点火炬，半夜成亲①；不过卢欧老爹根本不懂这种想法。婚礼举行了，来了四十三位客人，酒席用了十六小时，第二天又开始，拖拖拉拉，一连吃了几天。

4

客人老早乘车来了：一匹马拉的小货车，一排一排板凳的双轮车，没有车篷的老式轻便马车，挂了皮篷的搬运车；最近村庄的年轻人，一排一排，站在大车里头，生怕摔倒，扶住车栏杆，因为马放开蹄子，车颠得厉害。有的从十古里以外的高代镇、诺曼镇和喀尼来。两家亲戚邀遍了；绝了交的朋友，又和好如初；长久不见的故旧，也捎了信去。

篱笆外不时传来鞭子的响声，栅栏门紧跟着开开，便见进来一辆小货车，直奔台阶第一级，猛一下子停住。乘客四面八方下来，揉揉膝盖，挺挺胸脯。妇女戴帽子，穿城里样式的袍子，挂金表链，披小斗篷，下摆披在带子底下，或者披小花肩巾，拿别针在背后别住，露出后颈。男孩子照爸爸的模样打扮，穿新上衣，倒像添了拘束（许多孩子这一天，还是穿他们生平第一双靴子），同时就见他们旁边，闷声不响，坐着一个十四岁或者十六岁的大姑娘，不用说，是他们的表姊或者大姊，穿着第一次圣体瞻礼穿的白袍，为了这趟做客才又放长，脸红红的，心慌慌的，头发厚抹玫瑰油，直怕碰脏手套。厩夫少，车来不及卸，老爷们挽起袖子，亲自动手。他们依照不同的社会身分，有的穿燕尾服，有的穿大衣，有的穿制服，有的穿小礼服；——讲究的燕尾服，一家大小敬重，不逢大典，不

---

① 属于浪漫主义的想法。

从衣橱出来；大衣是随风飘扬的宽下摆，圆筒领子，口袋一般大小的衣袋；粗布制服，寻常还来一顶铜箍帽檐制帽；小礼服很短，后背有两个纽子，聚在一道，好似一对眼睛，对襟就像木匠一斧子从一整块料子上劈下来的一样。有些人（这种人，当然应该敬陪末座），穿着出门穿的工人服，就是说，领子翻在肩膀上，后背打小褶子，一条缝好的带子，在顶低的地方勒紧了腰。

而胸脯上的衬衣，胀鼓鼓的，仿佛铠甲！人人新理的发，耳朵露出，胡须剃光；甚至于有些人，天不亮起床，刮胡须看不清，不是鼻子底下来几道垂直伤口，就是沿上下颚剃掉皮，三法郎一枚艾居那样大，路上遇冷空气发炎，于是那些光彩奕奕的大白脸，仿佛大理石，添上了小小一片玫瑰红。

村公所离田庄半古里远，去时步行，教堂行礼回来，仍是步行。行列起初齐齐整整，走在绿油油小麦之间的狭窄阡陌，曲曲折折，好似一条花披肩，在田野动荡起伏，不久拉长了，三三两两，放慢步子闲谈。前面走着提琴手，提琴的卷轴扎了彩带；新人跟在后头，亲友随便走动；孩子们待在末尾，掐荞麦秆子尖尖的花儿玩，要不然就瞒着大人，自己玩耍。爱玛的袍子太长，下摆有些拖来拖去，她不时停住往上拉拉，然后用戴手套的手指，灵巧敏捷，除去野草和蓟的小刺，而查理两手空空，等她完事。卢欧老爹戴一顶新缎帽，青燕尾服的硬袖连手指甲也盖住了，挽着包法利太太。至于包法利老爷，心下看不起这群人，来时只穿一件一排纽扣的军式大衣，对一个金黄头发乡下姑娘，卖弄咖啡馆流行的情话。她行着礼，红着脸，不知如何回答才好。别的贺客，谈自己事，要不然就是，兴致勃勃，彼此在背后捣乱；提琴手一直在田野拉琴，格支格支的声音总在大家耳边响。他一看大家落远了，就站住换气，仔细给弓子上松香,弦子吱嘎起来,也好听些,然后举步又走,琴柄忽高忽低,帮自己打拍子。乐器的声音惊起小鸟,远远飞去。

酒席摆在车棚底下。菜有四份牛里脊、六份炒子鸡、煨小牛肉、三只羊腿,当中一只烤肥小猪,边上四根酸模香肠。犄角是盛烧酒的水晶瓶。一瓶一瓶甜苹果酒,围着瓶塞冒厚沫子,个个玻璃杯先斟满了酒。桌子轻轻一动,大盘黄酪就晃荡,表皮光溜溜的,上面画着新人名姓的第一个字母,用糖渍小杏缀成图案。他们到伊如斗找来一位点心师傅,专做馅儿饼和杏仁糕。他在当地初出手,特别当心,上点心时,亲自捧出颤巍巍一盘东西,人人惊叫。首先,底层是方方一块蓝硬纸板,剪成一座有门廊有柱子的庙宇,四周龛子撒了金纸星宿,当中塑着小神像;其次,二层是一座萨伏衣蛋糕① 望楼,周围是独活、杏仁、葡萄干、四分之一橘子做的玲珑碉堡;最后,上层平台,绿油油一片草地,有山石,有蜜饯湖泊,有榛子船只,就见一位小爱神在打秋千:巧克力秋千架,两边柱头一边放着一个真玫瑰花球。

大家一直吃到天黑。坐得太累了,大家到院子散步,或者到仓库玩瓶塞②,然后回来再吃。临到散席,有些人睡着了打鼾。不过咖啡一来,大家又都有了生气,有人唱歌,有人表演,有人举重,有人钻大拇指③,有人试扛大车,有人说玩笑话,有人吻抱妇女。马吃荞麦,吃到鼻子眼儿都是,夜晚动身,左右不肯套车,又踢,又跳,鞁带也挣断了,主子骂着,

---

① 萨伏衣(Savoie)是法国东南一带通称,和意大利接壤,最初是一个伯国。相传十四世纪,阿麦代(Amédée)六世伯爵宴请日耳曼皇帝,特制一种蛋糕,象征本国山川,极受欢迎;后来蛋糕而有庄园形象的,就都叫萨伏衣蛋糕。
② 瓶塞上放钱,用种种条件限制,看谁能把钱打下来。
③ 举平大拇指,人做出从底下钻过去的模样。

要不然就是笑着;整整一夜,月光如水,小货车沿着乡间大道,疯狂奔驰,投水沟,跳石子堆,爬险坡,妇女身子探出车门来抓缰绳。

留在拜尔斗的那些人,在厨房饮酒消夜。孩子们早在板凳底下睡着了。

新娘子事先央求父亲,免去闹房习俗。不料亲戚当中,有一个海鱼贩子(还带了一对比目鱼作贺仪),对准钥匙眼儿,拿嘴往里喷水;正巧他要喷水,卢欧老爹过来拦住,对他解释:女婿有身分,这样闹是不可以的。亲戚勉强依了,可是心里直嫌卢欧老爹傲气,走到一个角落,和另外四五个客人打成一伙;这几个人偶尔一连几回在席上吃了次肉,也认为主人薄待他们,就嘀嘀咕咕,话里带刺,咒他败家。

包法利老太太整日没有开口。媳妇的梳妆,酒席的安排,全没有同她商量;她老早上了床。她的丈夫非但不跟她安息,反而差人到圣·维克道买雪茄,吸到天明,一边拿樱桃酒兑上柠檬酒喝,——这种搀合方式,在座的人因为不懂,分外敬重他。

查理生性不诙谐,婚礼期间,并不出色。从上汤起,贺客作为一种责任,朝他直说俏皮话、同音字、双关语、恭维话和猥亵话,他也就是应付而已。

第二天,异乎寻常,他仿佛成了另一个人。大家简直把他看成昨天的女郎。而新娘子行若无事,讳莫如深,就连最狡黠的人也猜不透她的心思;她走过他们身边,他们打量她,显出万分紧张的心情。可是查理什么也不掩饰。他喊她"我的太太",称呼亲热,逢人问她,到处找她,时常把她拉到院子,人远远望去,就见他在树木中间,搂住她的腰,继续行走,身子弯过去,头蹭乱她胸前的花边。

婚后过了两天,新夫妇动身:查理要看病人,不便久离。

卢欧老爹套上他的小货车送他们，又亲自陪到法松镇。他在这里最后吻抱一次女儿，下了车，往回走。他走上百十来步，站住望着小货车走远，轮子在尘土中旋转，长叹了一口气。接着他想起他的婚礼、他的往事、太太第一次怀孕；他从岳父家带她回去，这一天，他也很快活来的，她骑在他的背后，马踏着雪；因为当时是在圣诞节前后，田野正好白茫茫一片；她一只胳膊抱牢他，一只胳膊挎着她的篮子；帽子是苟地样式，风吹动花边长帽带，有时候飘到嘴上；他一回头，就见她的小红脸蛋，贴紧他的肩膀，在她的金黄帽沿底下，静悄悄微笑。她为了取暖，不时拿手指伸进他的胸怀。这一切，都多远哉遥遥！他们的儿子，活到如今，三十岁了！他不由朝后望望。路上一无所有。他觉得自己好生凄凉，活像一所空房子；热气腾腾的酒菜，早已冲昏头脑，现在横添上动情的回忆和悲伤的心思，他一时真想到教堂旁边① 转上一转。不过他怕去了愁上加愁，就一直回家去了。

约摸六点钟光景，查理夫妇到了道特。邻居凑到窗户跟前，看他们的医生的新夫人。

老女佣人过来同她见礼，道歉晚饭没有备好，请太太先认认她的住宅。

5

房子前脸，一砖到顶，正好沿街，或者不如说是沿路。门后挂一件小领斗篷、一副马笼头、一顶黑皮便帽，角落地上扔一双皮裹腿，上面还有干泥。右手是厅房，就是说，饮食起居

---

① 指教堂旁边的公墓而言，里头有他太太的坟。

所在。金丝雀黄糊墙纸,高头滚一道暗花,由于帆布底子没有铺平,整个都在颤摆;红压边白布帘,错开挂在窗口;壁炉板架窄窄的,上面放着一只明光闪闪的座钟。样式是席波克拉特① 的头,一边一支椭圆形罩子扣着的包银蜡烛台。过道对面是查理的诊室——六步来宽的小屋,里头有一张桌子、三张椅子和一张大靠背扶手椅。一个六格松木书橱,单是《医学辞典》②,差不多就占满了。辞典没有裁开③,但是一次一次出卖,几经转手,装订早已损坏。看病时候,隔墙透过牛油融化的味道,人在厨房,同样听见病人在诊室咳嗽,诉说他们的病历。再往里去,正对院子和马棚,是一间有灶的破烂大屋,现在当柴房、堆房、库房用,搁满废铁、空桶、失修的农具和许多别的东西,上下灰尘,也摸不清作什么用。

花园长过于宽,夹在土墙当中,沿墙是果实累累的杏树,靠近田野,有一道荆棘篱笆隔开。当中是一个石座青石日晷。四畔瘦小野蔷薇,互相对称,环绕着一块较为实用的方菜地。院子深处云杉底下,有一座读祷告书的石膏堂长像。

爱玛来到楼上。第一间没有家具。第二间寝室靠里,有一张红幔桃花心木床;还有一只蚌壳盒子,点缀五斗柜;窗边有一张书桌,上面放着一个水晶瓶,里头插了一把白绫带束扎的橘花。这是新娘子的花、前人的花!她看着花。查理发觉了,拿花放到阁楼;爱玛坐在一张扶手椅上(她带来的东西放在周围),想着纸匣里她的结婚的花,凝神自问,万一她死了的话,

---

① 席波克拉特(Hippocrate)是古希腊最有名的医生。
② 《医学辞典》是八开本,共六十册,1812 年开始刊行,1822 年出齐。
③ 法国书,平装本,由读者自己裁开。"没有裁开",表示没有看过,只是装门面罢了。

这束花又将如何。

开头几天,她盘算改动家里的布置,去掉蜡烛台的罩子①,换了新糊墙纸,又漆一遍楼梯,花园日晷四周,搁了几条板凳。她甚至于打听怎么样安装喷水鱼池。最后,丈夫知道她喜欢乘马车散心,买了一辆廉价出让的包克②,装上新灯和防泥的花皮护带,宛然就是一辆提耳玻里③。

所以他快乐,在世上毫无忧虑。两个人面对面用饭、黄昏在大路散步、她的手整理头发的姿势、她的草帽挂在窗户开关上的形象和许多查理梦想不到的欢愉,如今构成他的幸福的存在。早晨他躺在床上,枕着枕头,在她旁边,看阳光射过她可爱的脸蛋的汗毛,睡帽带子有齿形缀饰,遮住一半她的脸蛋。看得这样近,他觉得她的眼睛大了,特别是她醒过来,一连几次睁开眼睑的时候;阴影过来,眼睛是黑的,阳光过来,成了深蓝,仿佛具有层层叠叠的颜色,深处最浓,越近珐琅质表面越淡。他自己的视线消失在颜色最深的地方,他看见里面有一个小我,到肩膀为止,另外还有包头帕子和他的衬衫领口。他下了床。她来到窗前,看他动身,胳膊肘拄着窗台,一边放一盆天竹葵,穿着她的梳妆衣,松松的,搭在身子周围。查理在街上蹬住界石,扣牢刺马距;她在楼上继续和他说话,咬下一瓣花或者一片叶来,朝他吹过去,鸟儿似的,一时飞翔,一时停顿,在空中形成一些半圆圈,飘向门口安详的老白牝马的蓬乱鬣毛,待了待,这才落到地上。查理在马上送她一个吻:她

---

① 巴尔扎克在《风雅生活论》第一章第一节中说:"在这愁苦的市区,有一笔恤金或者……有流苏窗帘、船形大床和玻璃罩蜡烛台,风雅就解决了。"所以玻璃罩子,《包法利夫人》时代已经很不时兴了。

② 包克(boc)是一种小型轻便马车,两个座位。

③ 提耳玻里(tilbury)是一种英国式轻便马车,无篷,也是两个座位。

摆摆手,关上窗户,他出发了。于是他走在大路,尘土飞扬,如同一条长带子,无终无了,或者走在坑坑洼洼的小道,树木弯弯曲曲,好似棚架一般,或者走在阡陌,小麦一直齐到腿弯子,就见太阳照耀肩膀,鼻孔吸着早晨的空气,心中充满夜晚的欢愉,精神平静,肉体满足,他咀嚼他的幸福,就像饭后还在回味消化中的口蘑的滋味一样。

在这以前,他生活上哪一点称心如意?难道是中学时期?关在那些高墙中间,孤零零一个人,班上同学全比他有钱,有气力,他的口音逗他们笑,他们奚落他的服装,他们的母亲来到会客室,皮手筒里带着点心。难道是后来学医的时期?钱口袋永远瘪瘪的,一个做工的女孩子,明明可以当他的姘头,因为她陪他跳双人舞的钱,他付不出,也都吹了。此后他和寡妇一道过了十四个月,她那双脚在床上就像冰块一样凉。可是现在,他心爱的这个标致女子,他一辈子占有。宇宙在他,不超过她的纺绸衬裙的幅员;他责备自己不爱她,起了再看看她的心思;他迅速回家,走上楼梯,心直扑腾。爱玛正在房间梳洗;他潜着脚步,走到跟前,吻她的背,她猛吃一惊,叫了起来。

他一来就忍不住摸摸她的篦梳、她的戒指、她的肩巾;有时候,他张开嘴,大吻她的脸蛋,要不然就顺着她的光胳膊,一路小吻下去,从手指尖尖头一直吻到肩膀;她推开他,半微笑,半腻烦,好像对付一个死跟在你后头的小孩子一样。

结婚以前,她以为自己有爱情;可是应当从这种爱情得到的幸福不见来,她想,一定是自己弄错了。欢愉、热情和迷恋这些字眼儿,从前在书上读到①,她觉得那样美,到底在人生

---

① 这些字眼,指沉醉于上帝的爱而言,常见于宗教书籍,尤其是在浪漫主义时期。

上，有什么正确意义，爱玛极想知道。

6

她读过《保耳与维尔吉妮》①，梦见小竹房子、黑人道曼戈、狗"忠心"，特别是，一个好心小哥哥，情意缠绵，爬上比钟楼还高的大树，给你摘红果子，或者赤脚在沙地跑，给你带来一个鸟窠。

十三岁上，父亲送她到修道院，亲自带她进城②。他们投宿圣·皆尔外区一家客店，晚饭用的盘子，画着拉·法里耶尔小姐③的故事。解释传说的文字，句句宣扬宗教，心地的温柔以及宫廷的辉煌景象，可是东一道印，西一道印，划来划去，上下文连不起来了。

她在修道院，起初不但不嫌憋闷，反而喜欢和修女们在一起相处。她们要她开心，领她穿过一条长廊，走出饭厅，去看礼拜堂。休息时间，她很少游戏。她熟悉教理问答，有了难题，总是她回答教务协理先生。于是永不离开教室的温暖的气氛。活在这些戴铜十字架念珠、面色苍白的妇女中间，加之圣坛的芳香、圣水的鲜冽和蜡烛的光耀散出一种神秘的魅力，日子一久，她也就逐渐绵软无力了。她不听弥撒，只死看书上天

---

① 《保耳与维尔吉妮》（Paul et Virginie, 1787）是法国作家拜纳尔丹（Bernardinde Saint-Pierre）的著名小说，初期浪漫主义的代表作品：保耳和维尔吉妮，两小无猜，自幼相爱，生活在非洲旁的毛里求斯小岛，伴侣有黑人道曼戈和一条狗。

② "城"指鲁昂。

③ 拉·法里耶尔（La Vallière；1644—1710）是路易十四早年的宠姬，失宠之后，皈依宗教，退居修道院。

蓝框子的圣画;她爱害病的绵羊、利箭穿过的圣心或者边走边倒在十字架上的可怜的耶稣①。她练习苦行,试着一天不吃饭,还左思右想,要许一个愿。

临到忏悔,她为了久待,编造一些小故事,跪在阴影地,双手合十,脸贴住栅栏门,听教士细声细气讲话。布道中间,往往说起的比喻,类如未婚夫、丈夫、天上的情人和永久的婚姻,在灵魂深处,兜起意想不到的喜悦。

黄昏祷告以前,在自习室读宗教作品。星期一到星期六,读一些圣史节要,或者福赖席路斯院长的《讲演录》②;星期日,增加兴趣,选读《基督教真谛》③。浪漫主义的忧郁,回应大地和永生,随时随地,发出嘹亮的哭诉,她头几回听了,十分入神!我们接受自然的感染,通常要靠作品作媒介,她的童年如果是在商业区店铺后屋过掉的话,她也许容易受到感染,可是她太熟悉田野,听得出羊叫唤,懂奶房工作,也晓得犁。她看惯安静风物,反转过来,喜好刺激。她爱海只爱海的惊涛骇浪,爱青草仅仅爱青草遍生于废墟之间。她必须从事物

---

① "害病的绵羊",象征有罪的人。

"圣心"崇拜,特别在法国流行,倡导者是一个女修士玛利·阿拉考克(Marie Alacoque;1647—1698)。

波米艾(Jean Pommier)与勒洛(Gabrielle Leleu)编订的《包法利夫人》新版本(185 页):"倒在十字架上"作为"倒在十字架下"。《约翰福音》第十九章第十七节写明:"耶稣背着自己的十字架出来"。

② 福赖席路斯(Denis de Frayssinous;1765—1841)是法国宗教活动家,并在复辟政府,担任部长,1825 年,收集讲稿,出了一本《基督教辩》。(Défense du Christianisme)。

③ 《基督教真谛》(Genie du Christianisme;1802)是法国天主教浪漫主义重镇夏多勃里昂(Chateaubriand;1768—1848)的作品,《阿达拉》(Atala)与《洛奈》(René)两篇有名的小说,就包括在这部作品中。

得到一种切身利益；凡不直接有助于她的感情发泄的，她就看成无用之物，弃置不顾，——正因为天性多感，远在艺术爱好之上，她寻找的是情绪，并非风景。

有一个老姑娘，每月来修道院，做一星期女红。因为她是大革命摧毁的一个世家的后裔，有大主教保护，她和修女们一道在饭厅用饭，饭后和她们闲聊一会儿，再做女红。住堂生常常溜出教室看她。前一世纪有些情歌，她还记得，一边捻针走线，一边就曼声低唱起来。她讲故事，报告新闻，替你上街买东西，围裙袋里总有一部传奇小说，私下借给大女孩子看，老姑娘休息的时候，自己也是一章一章拚命看。书上无非是恋爱、情男、情女、在冷清的亭子晕倒的落难命妇、站站遇害的驿夫、页页倒毙的马匹、阴暗的森林、心乱、立誓、呜咽、眼泪与吻、月下小艇、林中夜莺、公子勇敢如狮，温柔如羔羊，人品无双，永远衣冠修整，哭起来泪如泉涌。爱玛就这样在十五岁上，有半年之久，一双手沾满了古老书报租阅处① 的灰尘。后来她读司各脱②，醉心历史事物，悬想大皮柜、警卫室和行吟诗人。她巴不得自己也住在一所古老庄园，如同那些腰身细长的女庄主一样，整天在三叶形穹窿底下，胳膊肘支着石

---

① 根据汝尔大（P. Jourda）的论文《内地1832年一家书报租阅处》（Un cabinet de lecture en province en 1832），法国南部那旁尼（Nar bonne）一家书报租阅处规定：租阅一本书，预交押金五法郎；租阅者每月一本书交一又五十法郎，两本书交二法郎，三本书交三法郎。租阅报纸，不得超过两小时。这家租阅处藏书以小说为最多，小说中又以十八世纪末叶与帝国时期的小说为最多。司各脱的小说同所谓的历史小说占绝大比重。浪漫主义运动时期的作品，也占相当比重。但诗歌、戏剧却很少见到。这家租阅处虽在法国南部，事实上，也反映了各地租阅处的情况。原文见于《法兰西文学史杂志》1937年第四季度。

② 司各脱（Walter Scott；1771—1832）是苏格兰浪漫主义小说家，以中世纪历史小说知名于世。

头，手托住下巴，遥望一位白羽骑士，跨下一匹黑马，从田野远处疾驰而来。她当时崇拜玛利·斯图亚特①，衷心尊敬那些出名或者不幸的妇女。在她看来，贞德、艾劳伊丝、阿涅丝·扫赖耳、美人拉·弗隆与克莱芒丝·伊叟尔②，超群出众，彗星一般，扫过历史的黑暗天空，而圣·路易与他的栎树、临死的巴雅尔、路易十一的若干暴行、圣·巴托罗缪的一些情况、贝阿人的羽翎③和

---

① 玛利·斯图亚特（Marie Stuart；1542—1587）是苏格兰女王，信奉天主教，新教信徒执掌政权，逃往英国，拘囚约二十年之久，后被处决。

② 贞德（Jeanne d'Arc；1412—1431）是法国一个农村姑娘，执戈从戎，打败敌人英国军队，收复许多城市，后为贵族出卖，死于敌人之手。

艾劳伊丝（Héloise；1101—1164）是法国学者阿拜纳尔（Abélard）的女学生，两下私自结婚，由于家庭反对，男受阉刑，女入修道院。

阿涅丝·扫赖耳（Agnès Sorel；1422—1450）是法国国王查理七世的情妇，掌握大权，有六七年之久。

美人拉·弗隆（la belle Ferronnière）是法国国王法兰西士一世的情妇，死在1540年左右，丈夫姓拉·弗隆（La Ferron）。

克莱芒丝·伊叟尔（Clémence Isaure）是法国南方一位命妇，传说生在十四世纪，创立欧洲最早的诗会（Collège de la gaie science），奖赏用南方语言写成的诗歌。

③ 圣·路易即法国国王路易九世（1215—1270），传说他坐在一棵栎树底下审问官司。

巴雅尔（Bayard；1473—1523）是法国武士，远征意大利，石头打断他的脊椎，他让人把自己放在树底下，面向敌军，说："我从来没有背向敌人，我死的时候也不想这样做。"

路易十一（1423—1483）是法国国王，即位以前，传说曾经毒死父亲的情妇阿涅丝·扫赖耳，即位以后，运用阴谋，处决许多和他作对的贵族。

圣·巴托罗缪（Saint Barthélemy）是耶稣门徒，节日在8月24日。1572年23日之夜，即节日前夕，查理九世遵于母命，号令全国，屠杀耶稣教信徒，促成第五次内战。

贝阿（Béarn）人指法国国王亨利四世（1553—1610），他是法国西南部贝阿人。1590年，他在作战之前向士兵演说："你们要是丢了你们的军旗，就朝我的白羽翎聚拢好了；你们永远在荣誉之路看见它。"羽翎是他的帽饰。

颂扬路易十四的花盘子的经久不忘的回忆,虽然东一闪,西一闪,也在天空出现,但是彼此之间,毫无关联,因而长夜漫漫,也就越发不见形迹。

她在音乐课上唱的歌,不外乎金翅膀的小天使、圣母、内海、甘道里耶①,全是一些悠闲之作,文字庸俗,音调轻浮,她在这里,影影绰绰,看见感情世界的动人形象。有些同学,年节贺礼收到诗文并茂的画册,带到修道院来,必须藏好;查出来,非同小可;她们躲在寝室读。爱玛小心翼翼,掀开美丽的锦缎封面,就见每首诗文底下,陌生作家署名,大多数不是伯爵,就是子爵,她看着这些名字看呆了。

她战战兢兢,吹开保护画幅的纱纸;纱纸起来,折一半,又轻轻落下。画上是:阳台栏杆后面,一个穿短斗篷的青年男子,搂住一个腰带挂着布施袋的白袍少女;要不然就是英吉利命妇的无名画像,金黄发环,戴圆草帽,睁开又大又亮的眼睛望你。有的命妇歪靠马车,驰骋草地,马前有一只猎犬跳跃,两个白裤小僮驭马。有的命妇坐在沙发上,身旁一封开口的信,仰首凝思,遥望月亮,窗户半开,还让黑幔挡住一半。天真烂漫的命妇,脸上一滴眼泪,隔着哥特式鸟笼的小柱,引逗一只斑鸠,要不然就是,一脸微笑,头侧向一边,十指尖尖,翘起来如波兰式鞋②,掐雏菊的花瓣,画上还有吸长烟袋的苏丹③,

---

① 内海(Lagunes)指威尼斯附近的内海而言。
甘道里耶(gondoliers)是威尼斯船夫的称呼。
② 波兰鞋是中世纪一种朝上翘的长尖尖头鞋,十四、十五世纪从波兰传入法国。
③ 苏丹是土耳其皇帝和王公的称号。

在凉棚底下巴雅黛尔①的怀里晕了过去;还有吉阿屋尔②、土耳其刀、希腊帽;特别是酒神故乡的苍白风景③,我们经常在这里看到棕榈、冷杉,右边几只老虎,左边一只狮子,天边几座鞑靼尖塔,前方几堆罗马遗址,再前又是几只蹲在地上的骆驼;——一片洁净的处女森林,像框子一样,环绕四周,同时一大道阳光,笔直下来,在水中荡漾,或远或近,青灰的湖面露出一些白色的伤痕,表示有几只天鹅正在游泳。

挂在墙上的甘该灯④,正在爱玛头上,罩子聚下光来,照亮这些寰球图解,一幅一幅,从眼前经过,寝室静悄悄的,远远传来一辆马车的响声,马车回来晚了,还在马路上走动。

母亲死的头几天,她哭得十分伤心。她拿死者头发给自己编了一个纪念片;她写了一封家信,满纸人生辛酸,要求日后把她也埋在母亲坟里。老头子以为她病了,赶去看她。人生灰暗的稀有理想,庸人永远达不到,她一下子就觉得自己来到这种境界,未免踌躇满志。所以她由着自己滑入拉马丁的蜿蜒细流⑤,谛听湖上的竖琴、天鹅死时的种种哀鸣、落叶的种种响声、升天的贞女和在溪谷布道的天父的声音。她感到腻烦,却又绝口否认,先靠习惯,后靠虚荣心,总算撑持下来;她最后觉得自己平复了,心中没有忧愁,就像额头没有皱纹一样,不

---

① 巴雅黛尔(bayadères)是一种印度舞女。
② 吉阿屋尔(djaours)意思是"金牛人"、"邪教徒",伊斯兰教人这样称呼外教人,特别是基督教人。爱玛错以为是什么东西。
③ "酒神故乡"指希腊。
④ 甘该(quinquet)灯是一种煤油灯,有两个风眼,"甘该"是制造商的名字。
⑤ 拉马丁(Lamartine;1790—1869)是法国天主教浪漫主义诗人,他的《孤独》、《绝望》、《回忆》、《湖上》、《秋天》、《将死的诗人》、《祷告》等诗,足可说明这一段文字。

由自己大吃一惊。

女修士们从前一直认为卢欧小姐应神召,有前程,如今发现她似乎辜负她们的爱护,惊奇万分。她们也确实在她身上尽了心的,一再要她参加日课、静修、九日敬礼①、布道,一再宣讲应当尊敬先圣与殉教者,也谆谆劝诲应当克制肉体、拯救灵魂,可是她就像马一样,你拉紧缰绳,以为不会出事,岂知马猛然站住,马衔滑出嘴来了。她是热狂而又实际,爱教堂为了教堂的花卉,爱音乐为了歌的词句,爱文学为了文学的热情刺激,反抗信仰的神秘,好像院规同她的性情格格不入,她也越来越愤恨院规。所以父亲接她出院,大家并不惜别。院长甚至于发觉,她在末期,不尊重修道院的共同生活。

爱玛回家,起先还高兴管管仆人,过后讨厌田野,又想念她的修道院了。查理初来拜尔斗,她自以为万念俱灰,没有东西可学,也没有东西值得感受。

但是对新生活的热望,或者也许是由于这个男人的存在而起的刺激,足以使她相信:她终于得到了那种不可思议的爱情。在这以前,爱情仿佛一只玫瑰色羽毛的巨鸟,可望而不可即。在诗的灿烂的天空翱翔;——可是现在她也不能想象,这

---

① "九日敬礼"(neuvaines)是一种天主教仪式,连续九天,通过祷告、弥撒、忏悔等等功事,求圣母赐恩。

种安静生活就是她早先梦想的幸福①。

7

她有时候寻思,她一生最美好的时日,也就只有所谓蜜月。领略蜜月味道,不用说,就该去那些名字响亮的地方,新婚夫妇在这些地方有最可人意的闲散②!人坐在驿车里,头上是蓝绸活动车篷,道路崎岖,一步一蹬,听驿夫的歌曲、山羊的铃铛和瀑布的喧豗,在大山之中,响成一片。夕阳西下,人在海湾岸边,吸着柠檬树的香味;过后天黑了,只有他们两个人,站在别墅平台,手指交错,一边作计划,一边眺望繁星。她觉得某些地点应当出产幸福,就像一棵因地而异的植物一样,换了地方,便长不好。她怎么就不能胳膊肘支着瑞士小木房的阳台,或者把她的忧愁关在一所苏格兰茅庐,丈夫穿一件花边袖口、长裾青绒燕尾服,踏一双软靴,戴一顶尖帽!

她也许想对一个什么人,说说这些知心活。可是这种不安的心情,捉摸不定,云一样变幻,风一样旋转,怎么出口呢?

---

① 巴尔扎克在《婚姻生理学》的"沉思第六",有些话可以移作本章的注脚:"一个姑娘从她的寄宿学校出来,也许是处女,然而决不贞节。她在瞒人的秘密所在,不止一次,讨论情人的重要问题,心灵或者头脑(也不见其就两不可兼),必然受害。"他进一步指出普通人家女儿进修道院的祸害:"大革命前,有些贵族家庭,送女儿入修道院。许多人跟着学,心想里头有大贵人的小姐,女儿送去,就会学到她们的谈吐、仪态。这种攀高的谬举,首先妨害家庭幸福,还不说修道院具有寄宿的一切不方便处。长年无所事事。幽闭的栅栏刺激想象。……有的姑娘,由于过去耽好空想,就要引起一些多多令人感到莫名其妙的误会。有的姑娘,由于过去夸大结婚的幸福,嫁夫之后,就要对自己说:什么!不过尔尔!……"

② 指南欧意大利等地。

她缺乏字句，也缺乏机会、胆量。

不过假使查理愿意的话、诧异的话、看穿她的心思的话，哪怕一次也罢，她觉得，她的心头就会立时涌出滔滔不绝的话来，好比手一碰墙边果木树，熟了的果子纷纷下坠一样。可是他们生活上越相近，她精神上离他却越远了。

查理的谈吐就像人行道一样平板，见解庸俗，如同来往行人一般，衣着寻常，激不起情绪，也激不起笑或者梦想。他说，他在鲁昂居住的时候，从未动过念头，上剧场看看巴黎的演员。他不会游泳，不会比剑，不会放手枪，有一天，她在一部传奇小说，遇到一个骑马的术语问他，他瞠目不知所对。

正相反，一个男子难道不该无所不知，无所不能，启发你领会热情的力量、生命的奥妙、一切秘密吗？可是这位先生，一无所教，一无所知，一无所期。他相信她快乐；然而她恨他的正是他这种稳如磐石的安定、这种心平气和的迟钝，甚至于她带给他的幸福。

有时候，她画素描，查理把这当作重要娱乐，直挺挺站在一旁，看她俯向画册，眨动眼睛，酌量她的作品，要不然就是，在大拇指上，拿面包心子揉成小球①。说到钢琴，她的手越弹得快，他越觉得出奇。她弹音键，信心在握，上上下下，打遍键盘，停也不停。这架旧乐器，钢丝倚里歪斜，经她一弹，响声震耳，只要窗户开开，村头也听得真切；承发吏的练习生，走过大路，光着头，穿着布鞋，手里拿着公文，也站住了听她弹琴。

另一方面，爱玛懂得料理家务。她送账单给病人，附一封信，措词婉转，不露索欠痕迹。星期六，有邻人用饭，她想方

---

① 充橡皮用。

法烧一盘精致的菜,还会拿青梅在葡萄叶上摞成金字塔,蜜饯罐倒放在盘子上端出来,她甚至于说起为用果点买几只漱口杯。凡此种种,影响所及,提高人对包法利的敬重。

娶到这样一位太太,查理临了也自视甚高了。她有两小幅铅画稿,他配上很宽的框子,用绿长绳挂在厅房墙上,傲形于色,指给人看。大家做完弥撒出来,就见他站在门口,穿一双漂亮绣花拖鞋。

他回家晚,十点钟,有时候半夜。他要东西吃,女仆睡了,只有爱玛伺候他。他要晚饭吃得自在,脱掉大衣。他一个一个说起他遇见的人、去过的村子、开过的药方,心满意足,吃完洋葱烧牛肉,剥去干酪外皮,啃掉一只苹果,喝光他的水晶瓶,然后上床,身子一挺,打起鼾来了。

他长久养成戴睡帽睡觉的习惯,包头帕子在耳边扣不牢实,一到早晨,头发就乱蓬蓬散了一脸,枕头带子又夜晚松了,鸭绒搅白了他的头发。他总穿一双笨重靴子,脚背两个厚褶子,斜趋踝骨,靴筒笔直向上,紧绷绷的,活像一只木头脚。他说:"这在乡下很够好的啦。"

他的母亲赞成他这样俭省;因为,自己家里吵凶了,她待不住,像往常一样来看他;可是老太太对儿媳妇似乎有成见。她觉得"他们的家境不衬她这种作风";柴呀、糖呀、还有蜡烛,"就像高门大户一样糟蹋",光是厨房烧的木炭,足可以上二十五盘菜!她帮她整理衣橱,教她监视屠户送肉。爱玛拜领这些教训,老太太的教训反而多了;两个人整天"媳妇呀"、"妈呀"呼来唤去,嘴唇微微发抖,话甜甜的,声音颤悠悠的,显着生气。

杜比克夫人在此时节,老太太觉得自己还受儿子爱戴;可是现在,查理对爱玛的恩情,在她看来,分明等于一种对她的慈爱的捐弃行为，一种取而代之的侵占行为；她注视儿子幸福，闷不作声，仿佛一个人破了产，隔着玻璃窗，望见别人坐在自己的旧宅吃饭。她用回想当年的方式，向他提起她的辛苦和她的牺牲，爱玛心粗气浮，相形之下，单宠她一个人，显然不合理。

查理不知道怎么样回答才好；他尊敬母亲，爱极了太太；他觉得前者判断正确，但是后者无可贬责。老太太说过的最不痛不痒的指责，他在她走后，用同样话，畏畏缩缩，冒昧说了一两句；爱玛一句话就证明他错，打发他看病人去了。

不过她根据自以为正确的原则，愿意表示自己恩爱。于是月光皎洁，她在花园，一首一首吟诵她记得起来的情诗，一面叹息，一面为他唱一些忧郁的慢调；可是吟唱之后，她发现自己如同吟唱之前一样平静，查理也似乎并不因而爱情加重，感动加深。

仿佛火刀敲石子，她这样敲了一阵自己的心，不见冒出一颗火星来，而且经验不到的东西，她没有能力了解，正如不经传统形式表现的东西，也没有能力相信一样，她轻易就认定了查理的热情毫无惊人之处。感情流露，在他成了例行公事；他吻抱她，有一定时间。这是许多习惯之中的一个习惯，就像晚饭单调乏味，吃过以后，先晓得要上什么果点一样。

有一个猎警①，害肺炎，经他医好，送了他的太太一只意大利种小母猎犬；她带它散步，因为她有时候出去走走，独自待上一时，避免老看日久生厌的花园和尘土飞扬的大路。

她一直走到巴恩镇的山毛榉林子、田边墙角的荒亭子附近。深沟乱草之中，有叶子锋利的高芦苇。

---

① 猎警的职司是：禁止违法行猎，保护动物，不得损害田产。

她先望望周围,看和她上次来,有没有什么变动,她又在原来地点看到毛地黄和桂竹香,荨麻一丛一丛环绕大石块,地衣一片一片沿着三个窗户。窗版永远关闭,腐烂的木屑落满了生锈的铁档。她的思想起初漫无目的,忽来忽去,就像她的猎犬一样,在田野兜圈子,吠黄蝴蝶,追鼩鼱,咬小麦地边的野罂粟。随后,观念渐渐集中了,于是爱玛坐在草地,拿阳伞尖尖头轻轻刨土,向自己重复道:

"我的上帝!我为什么结婚?"

她问自己,她有没有方法,在其他巧合的机会,邂逅另外一个男子。她试着想象那些可能发生的事件、那种不同的生活、那个她不相识的丈夫。人人一定不如他。他想必漂亮、聪明、英俊、夺目,不用说,就像他们一样、她那些修道院的老同学嫁的那些人一样。她们如今在干什么?住在城里,市声喧杂,剧场一片音响,舞会灯火辉煌,她们过着心旷神怡的生活。可是她呀,生活好似天窗朝北的阁楼那样冷,而烦闷就像默不作声的蜘蛛,在暗地结网,爬过她的心的每个角落。她想起发奖的日子,她走上讲台,接受她的小花冠。她梳辫子,穿白袍子,脚上是开口黑毛线鞋,一副可爱模样;回到座位,男宾斜过身子向她致贺;满院车辆,大家在车门口同她话别,音乐教员挟着他的小提琴匣,边走,边打招呼。这一切都多远啊!多远啊!

她喊加里过来,抱在膝盖当中,摸着它的细长头,对它道:

"来,无忧无虑的东西,吻吻女主人。"

随后小狗慢悠悠打呵欠,她望着它的忧郁的嘴脸,心软了,于是把它当成自己,好像安慰一个受苦人一样,大声同它说话。

有时候，狂飚骤起，海风一跃而过荀地的高原，就连远方田地、空气也有了盐水味道。灯芯草伏在地面，簌簌作响，山毛榉的叶子立即打寒噤，发出响声，而树梢也总在摇来摆去，呼啸不已。爱玛拉紧披肩站起来。

林阴道的树叶，密密层层，映下一片绿光，照亮地面的青苔。青苔在她的脚底下，细声细气喊喳。夕阳西下，树枝之间的天变成红颜色，树身一般模样，排成一条直线，仿佛金色底子托着一排棕色圆柱。她怕起来了，呼喊加里，急忙走大路奔回道特，倒进扶手椅，整夜未曾开口。

但是九月梢左右，她的生活出了一件大事：昂代尔维利耶侯爵邀她去渥毕萨尔。

复辟时期①，侯爵是国务卿，现在希望再过政治生涯，许久以来，就在进行众议院选举的准备工作。冬天他分批大量馈送木柴；他在县议会总是慷慨激昂，为本区要求多修道路。大夏天他害口疮，查理凑巧一竹叶刀，奇迹似的，治好了他。管家到道特送手术费，当天黄昏回来，说起他在医生小花园看见上品樱桃。而樱桃树在渥毕萨尔就长不好，侯爵向包法利讨了一些接枝，觉得理应亲身道谢，恰巧看见爱玛，觉得她身材窈窕，行起礼来，决不似乡下女人；因为印象好，他相信请年轻夫妇到庄园来，既不有失身分，而另一方面，也不至于给自己造成困难。

有一天星期三，三点钟，包法利夫妇坐上他们的包克，去了渥毕萨尔，车后捆了老大一件行李，脚篷前面放了一个帽盒。查理腿当中，还夹着一个纸匣。

---

① 复辟时期（1814—1830），指拿破仑帝国崩溃之后，旧王室（长支）复位这段时期。

他们来到,正好天黑,有人在草地点起油灯,给马车照亮道路。

8

庄园是近代建筑,意大利风格,两翼前伸,三座台阶,贴连一片大草坪,有几只母牛在吃草,一丛一丛大树,距离相等,分列两旁,同时一簇一簇灌木、山踯躅、紫丁香和雪球,大小不等,沿着曲曲折折的沙砾小道,密密匝匝,朝外拱出它们的枝叶。桥下流过一条小河;人隔着雾,隐约望见几所泥草房顶建筑物,在草地零星散开;两座山冈,坡度不大,树木翁郁,环绕草地;再往里去,绿阴翳翳,车房和马厩,平列两线:它们是拆毁的旧庄园的残余部分。

查理的包克停在当中台阶前面;听差们露面了;侯爵向前,挎起医生太太的胳膊,领她走进过厅。

过厅很高,大理石地,脚步响动和说话声音,像在教堂一样有回声。正面笔直一座楼梯,左手一道走廊,对着花园,通到弹子间,人在门口,听见象牙球碰来碰去的响声。她穿过弹子间,走向客厅,看见几个男人,围住球台,面孔严肃,下巴贴着高领结,个个挂勋章,一脸微笑,不声不响,推动他们的球杆。板壁发暗,挂着几个镀金大框,框边靠下,黑字写着他们的名姓,上面是:"约翰·安乐·昂代尔维利耶·伊外尔本维耳、渥毕萨尔伯爵、福赖奈叶男爵,一八五七年十月二十日,殉于古特拉司之役。"① 另一个写着:"约翰·安东·亨利·该·昂

---

① 古特拉司(Coutras)在法国西南部加隆河上游,1587 年 10 月 20 日,法国天主教军队南下,和胡格诺教军队内战,在这里全军覆败。

代尔维利耶·渥毕萨尔、法兰西海军总司令、圣·米迦勒骑士勋章，一六九二年五月二十九日，虎格·圣·法之战① 负伤，一六九三年一月二十三日，在渥毕萨尔逝世。"再下去就辨认不清了，因为灯光聚在球台绿毡上，房间别的地方，阴影重重，灯光偶尔照到画像，碰上油漆裂口，分成一道一道细线，把画像变成棕色。所有这些金边大黑方幅，东一块，西一块，露出画上一些较亮的部分：一张苍白的额头，两只望人的眼睛，披在红燕尾服有粉的肩头的假发，或者丰满的小腿的上部的一只吊袜带扣子。

侯爵推开客厅门；一位命妇（侯爵夫人本人）站起来迎接爱玛，请她靠近自己，坐在双人沙发上，和她亲亲热热谈话，如同旧相识一般。她是一个四十岁上下的女人，肩膀很好看，鹰嘴鼻子，声音拖长，栗色头发，当天夜晚，头上蒙了一条素花边肩巾，三角样式，垂在后背。一个金黄色头发女孩子，坐在旁边一张高背椅上；有几位绅士，翻领缀一朵小花，围着壁炉，和命妇们闲谈。

七点钟入席。男宾较多，坐在过厅第一桌；女宾坐在饭厅第二桌，有侯爵夫妇相陪。

爱玛一进去，就感到四周一股热气，兼有花香、肉香、口蘑味道和漂亮桌布气味的热气。烛焰映在银罩上，比原来显得长了；多面水晶蒙了一层厚汽，对放苍白光线；桌上一丛一丛花，排成一条直线；饭巾摆在宽边盘子里，叠成主教帽样式，

---

① 圣·米迦勒十字骑士勋章，1469 年颁布，大革命时代废除，专为赏赐朝廷大臣之用。

虎格·圣·法（Hougue Saint-Vaast）是法国西部瑟堡附近小海湾，一六九二年五月二十九日，英、荷联合舰队在这里打败法国舰队。

每个折缝放着小小一块椭圆面包。龙虾的红爪伸出盘子;大水果一层又一层,压着敞口筐子的青苔;鹌鹑热气腾腾,连毛烧。司膳是丝袜、短裤、白领结、镶花边衬衫,严肃如同法官,在宾客肩膀空间,端上切好的菜,一匙子就把你选的那块东西送到面前。小铜柱大磁炉上,有一座女雕像,衣服宽宽适适的,从下巴裹起,一动不动,望着满屋的人。

包法利夫人注意到,有几位命妇,没有拿自己的手套放进她们的玻璃盏①。

酒席上座是一个老头子,独自坐在全体妇女中间,伏在他的满盘菜上,饭巾挽在后背,仿佛一个小孩子,一面吃,一面嘴里一滴一滴流汤汁。眼睛有红丝。他戴的小假发,用一条黑带子系牢。他是侯爵的岳父拉外笛耶尔老公爵,贡夫朗侯爵在渥得诺伊举行猎会,他曾经一度得到达尔杜伯爵的宠幸,据说他在古瓦尼与楼染两位先生之间,也做过王后马丽·安托涅达的情人②。他一辈子荒唐,声名狼藉,不是决斗、打赌,就是抢夺妇女,荡尽财产,害得全家人担惊受怕。他期期艾艾,指着盘子问;椅后一个听差,对着他的耳朵,大声告诉他菜的名目。爱玛不由自主,时时刻刻,望着这搭拉嘴唇的老头子,像望着什么了不起的庄严东西一样。他在宫里待过,后妃床上睡

---

① 这在当时开始流行,所以特别引起爱玛注意。
② 达尔杜(D'Artois)伯爵(1757—1836)是法国复辟时期国王查理十世即位之前的爵号。他是路易十六的兄弟。
贡夫朗(Conflans)是路易十六治下的阀阅世家。
古瓦尼(Coigny)是另一个法国西部的阀阅世家。
楼染(Lauzun)是法国一个出名的阀阅世家。这里的楼染公爵和毕隆(Biron)是一个人,1793年,死在断头台上。
马丽·安托涅达(Marie-Antoinette)是路易十六的王后,1793年,和他一同死在断头台上。

过!

　　香槟酒冰镇过，爱玛经不起嘴里那么凉，浑身上下打颤。她从来没有见过石榴，也没有吃过菠萝蜜。就连沙糖，她觉得也比别的地方的沙糖更白更细。

　　晚饭用过，命妇们上楼，回到房间，准备参加舞会。

　　爱玛重新梳妆，小心在意，仔细从事，好像一个女演员初次登台一样。她照理发师的建议理好头发，穿上搭在床上的细呢袍。查理嫌裤腰紧，说：

　　"鞋底下的带子要妨碍我跳舞的。"

　　爱玛回答道：

　　"跳舞？"

　　"是啊！"

　　"你发痴啦！人家会笑话你的，待着好啦。"

　　她添上一句话道：

　　"再说，这更合医生身分。"

　　查理住了口，走来走去，等爱玛穿衣服。

　　他从后背看她，镜子照着她，一边一支蜡烛。她的黑眼睛似乎更黑了。靠耳朵那边，头发有一点蓬起来，放出一道蓝光；髻子插了一朵玫瑰，小枝子摇来摇去，花跟着晃荡，叶尖上有几滴人造露水。她穿一件淡郁金香袍，上面点缀三簇有绿叶相衬的小玫瑰花。查理过去吻抱她的肩膀。她说：

　　"走开！当心弄皱我的衣裳。"

　　他们听见小提琴的前奏曲和喇叭的声音。她走下楼梯，想跑下去，总算克制住了。

　　对舞已经开始。人们纷至沓来，向前拥挤。她坐在门边一条长凳上。

　　对舞结束，舞场只有男人留下来，一群一群站着说话，听差穿着制服,端着大盘子,穿来穿去。妇女坐成一排,摇动画扇,花遮住一半脸的微笑,白手套显出指甲的形态,紧紧扣住腕上的肉,手松松攥着一个金塞鼻烟壶,在手心转来转去。花边缀饰、金刚钻别针、镶人像镯子,在上身的衣服上颤摆、胸前闪烁、光胳膊上响动。头发贴在额头,盘在后颈,插着勿忘草、素馨花、石榴花、黍穗或者矢车菊,有王冠样子、花簇样子、树枝样子。母亲们裹着红包头巾①,颦蹙着脸,安安详详,待在她们的座位里。

邀爱玛跳舞的男子,用手指尖搂着她;她过去站好,等候音乐开始:这期间她有一点心跳。不过她很快就心不乱了,随着乐队的节奏,左右摇曳,脚向前滑,颈项微微摆动。有时候,别的乐器停止,只有小提琴演奏,她听到妙处,嘴唇露出微笑;隔壁传来金路易②倒在桌毯上的叮当响声;随后,乐器又全响了,铜号吹出嘹亮的声音。脚再合上拍子,裙子飘开,蹭了过去,手时而握在一起,时而分开,眼睛原来在你面前低下去,现在又仰起来,望你的眼睛。

有些男子(十四五位),二十五岁到四十岁,在舞客中间散开,或者在门口闲谈,年龄、衣着或面貌纵然各别,由于家世近似,一眼望去,就显出了和大家不一样来。

他们的燕尾服,缝工分外考究,料子也特别柔软;头发一圈一圈压在太阳穴,亮光光的,抹了更好的生发油。肤色是阔人肤色,白白的,其所以能这样白而又白,显然是饮食讲究、善于摄生的结果,而瓷器的青白、锦缎的闪光、上等木器的油

---

① 模仿近东装束,流行于第一帝国时期,参看司塔艾耳(Stael)夫人画像,在本书已近过时,仅母亲一代还用红巾包头。
② 路易是一种金币,值二十四法郎。

漆,越发衬白了肤色。领结低低的,颈项旋转自如;领子朝下翻,络腮胡须长长的,搭在上头;他们揩嘴唇的手绢,有一股香气散出,上面绣着姓名的第一个字母,绣得大大的。开始走向老境的人,模样透着年轻,而年轻人的脸显着老成。热情天天得到满足,所以他们的视线,有一种漠不关心、恬适的神情,他们运用暴力,满足虚荣心,控制比较容易控制的事物,驰骋骏马,追逐荡妇,因而举止虽然温文尔雅,隐隐之中,却也透出一种特有的粗暴气息。

　　离爱玛三步远,有一位绅士,穿蓝燕尾服,和一位戴珍珠花钏、面色苍白的年轻妇女,闲谈意大利。他们称赞圣·彼得教堂柱子的粗大、热那亚的玫瑰、月光下的可里西,也称赞帝渥里、维苏威、加斯太拉马尔和加辛①。爱玛另一只耳朵听来的话,有许多字句她听不懂。大家围着一个年纪轻轻的男子:他在上星期赛马,赢了礁芽小姐和罗慕路②,在英吉利跳一道沟,赚了两千路易。一个人埋怨他赛跑的马长膘,另一个人埋怨错印了他的马的名字。

　　舞场空气窒闷;灯暗下来了。人朝弹子间走。有一个听差,踩上椅子,砸破两块玻璃;包法利夫人听见玻璃碎,回过头去,望见花园有乡下人,脸贴住窗户小柱,往里张望。她不

---

①　圣·彼得教堂在梵蒂冈广场,两侧游廊有 284 根大圆柱。
　　热那亚是意大利重要商埠。
　　可里西是罗马大圆剧场,容纳十万观众,废墟现在还保存着。
　　帝渥里（Tivoli）在罗马东北,以瀑布出名。
　　维苏威火山,在那不勒斯附近。
　　加斯太拉马尔（Castellamare）,在那不勒斯海湾,以温泉闻名。
　　加辛（Cassines）是佛罗伦萨的著名林道,在西部河滨。
②　礁芽（arabelle）是一种环节动物,这里借用为马名。
　　罗慕路（Romulus）是传说中的罗马创建人,这里借用为马名。

由想起拜尔斗。她又看见田庄、泥泞的池塘、苹果树下穿工人服的父亲；她也看见自己，像往常一样，在牛奶棚揭掉瓦盆里的乳皮。她的过去生活，虽然像在眼前一样，可是在现时五光十色之下，也就完全消逝了，她几乎不相信自己这样生活过。她在舞厅；舞厅之外，朦胧一片，统统盖在黑影底下。她当时左手握着一只镀银介壳，正在吃里面的樱桃酒刨冰，眼睛闭一半，匙子放在口中。

旁边一位命妇，掉了扇子，正好过来一位舞客。命妇道："先生，我的扇子掉在这张沙发后头，好不好劳驾拾起来！"

绅士弯下腰去，伸出胳膊，爱玛就见少妇乘机往他的帽子扔进一点白东西，叠成三角形。他捡起扇子，恭恭敬敬，献给命妇；她点点头，谢了谢他，开始嗅她的花。

宵夜有大量西班牙酒和莱茵葡萄酒，虾糊汤和杏仁汤，特拉发耳卡的布丁①，还有各色冷肉，四边冻子直在盘里颤索。用过宵夜之后，马车开始一辆一辆走动。掀起一角纱帘，你就看见车灯的亮光，星星点点，在黑夜里消逝。长凳空了；有几个赌徒，还没有走；乐师拿手指尖放在舌头上取凉；查理后背靠住一扇门，有一半睡着了。

早晨三点钟，开始花色舞。爱玛不会回旋舞。人人跳回旋舞，侯爵夫人，就连昂代尔维利耶小姐②，也跳回旋舞。留下来的，只有住宿的客人，一共不过十二三位。

---

① "布丁"是一种英国果馅点心。1805 年，英国舰队在特拉发耳卡摧毁了法国舰队。
龚古尔（Goncourt）兄弟告诉我们：从大革命时代起，法国上流社会时尚很受交战国影响，特别是英国。参阅《法兰西执政时代社会史》第十三章。
② 一般认为女孩子跳回旋舞，不大相宜。

有一位跳回旋舞的，背心敞得开开的，就像照胸脯裁成的一样，大家顺口称他"子爵"，邀包法利夫人跳过一次舞，现在又来邀她，答应教她，还说她会跳得好的。

他们开始慢，后来快了。他们旋转，样样东西围着他们旋转，灯、木器、板壁和花地板，就像一个圆盘在轴上旋转一样。走过门边，爱玛的袍子，靠下飘了起来，蹭着对方的裤管；他们的腿，一来一去，轮流捯动；他朝下看她，她朝上看他；她觉得头昏眼花，连忙停住。他们又跳起来，子爵转得越发快了，一直把她带到走廊尽头，离开众人；她气喘吁吁，险些跌倒，有一时，头倚着他的胸脯。随后，他仍然转下去，不过慢了一些，送她回到原来座位；她朝墙一靠，手蒙住眼睛。

她睁开眼睛，就见客厅当中，有一位命妇，坐在一张小凳上，三个跳回旋舞的男子跪在面前。她挑选子爵，小提琴又响起来了。

大家望着他们。他们来了又去，去了又来，她低下头，身子一动不动，他也一直是一个姿势，身子有些类似一张弓，胳膊肘放圆，下巴向前。这个女人，会跳回旋舞！他们跳了许久，人人累了，他们还在跳。

客人们又闲谈了一阵，说过再会，或者不如说是早安，这才走开睡觉。

查理扶着楼梯，累得腿也站不直了，一步一拖。一连五小时，他站在牌桌前面，看人斗牌，自己一窍不通。所以临到他脱靴子，如获大赦，长叹了一口气。

爱玛拿一条披肩盖住肩膀，打开窗户，胳膊肘支在上头。

黑漆漆的夜晚，细雨蒙蒙。她吸着湿润空气，风吹凉她的眼皮。跳舞的音乐还在她的耳边响来响去。她尽力挣扎不睡，延长这种豪华生活的境界，因为她没有多久，就非放弃不可。

天开始亮。她望庄园窗户望了许久,试着猜测她这一夜注意的那些人睡在哪些房间。她巴不得知道他们的生平事迹,渗进去,打成一片。

但是她直打寒噤。她脱去衣服,缩进被窝,躺在睡了的查理一旁。

早饭有许多人用,十分钟了事;任何酒也没有,医生诧异了①。饭后,昂代尔维利耶小姐捡了一些蛋糕屑,放进一只小盘,带给池塘的天鹅吃。大家散步,来到花坞,就见古怪植物长着一身刺,一层一层搁在架子上,像金字塔一样,上面挂了一些花盆,仿佛蛇窟的蛇太多了,滴里搭拉,垂下几条绿油油的长枝子,盘在一起。花坞过去,就是橘林,密密层层,直到庄园的堆房。侯爵要少妇开心,带她去看马厩。马槽是篮子形状,上空挂了一些磁板,用黑字写着马的名字。每一匹马,见人走过,打舌头响,就在枥间骚动起来。马具间地板如同客厅花地板一样耀眼。当中两根柱子,可以旋转,上面放着鞍鞯,沿墙是一长排马衔、马鞭、马镫和马勒。

查理这期间,烦劳一个听差,驾好他的包克。车停在台阶前面,包裹一件一件塞上车,包法利夫妇向侯爵夫妇辞过行,向道特出发了。

爱玛默不作声,望着车轮滚动。查理坐在长凳外沿,伸开两只胳膊赶车。马小,车辕太宽,马在当中,放开蹄子跑,缰绳软搭搭的,浸在汗水里,直打屁股。盒子捆在包克后头,不时撞着车箱,咕咚咕咚响。

他们上到狄布尔镇高坡,眼前忽然来了几个骑马的人,噙

---

① 查理"不管谁来,总请他喝酒"(第二章),同时早晨出门看病,病人家也会请他先饮一杯酒,挡挡寒气。

着雪茄笑。爱玛自以为认出了里面有子爵；她扭回头看，仅仅望见天边人头或高或低，依照奔驰快慢，起伏无定而已。

又走了四分之一古里远，马鞭断了，他们只得停下来，用绳子接好。

但是查理最后查看一眼马具，发现马腿之间，地上有什么东西；他捡起一只雪茄匣，绿绸镶边，当中家徽，好像大户马车的车门一样。他说：

"里头还有两支雪茄，正好今天晚饭后用。"

她问道：

"瞎说，你吸烟吗？"

"有时候，也看机会。"

他拿拾来的东西放进衣袋，抽打小马。

他们回到家，发现晚饭还没有烧好。太太发脾气了，娜丝达席顶嘴。爱玛说：

"滚！岂有此理，你给我走。"

晚饭是葱汤和一块酸模小牛肉。查理坐在爱玛对面，一副快乐神气，搓着手道：

"回到家里，开心多了！"

他们听见娜丝达席哭。他有一点爱这可怜的女仆。从前鳏居无聊，她陪他消磨过许多黄昏。她是他的第一个病人、当地最早的熟人。他终于道：

"你当真打发她走？"

她答道：

"是啊。谁拦我不成？"

过后女仆归理卧室，他们来到厨房取暖。查理开始吸烟。他伸长嘴唇吸，不住吐痰，吐一口烟，闪开一回。她显出鄙夷的样子道：

"你要把自己弄病了。"

他放下雪茄，跑到水龙头跟前，喝了一口冷水。爱玛抓起雪茄匣，顺手丢到碗橱里。

第二天，日子长悠悠的。她在她的小花园散步，老在几条小径走来走去，站在花畦前面、贴墙的果树前面、石膏神甫像前面：样样东西，往日非常熟识，如今看在眼里，感到诧异。舞会似乎已经离她很远！前天早晨和今天黄昏，到底中间出了什么事，相隔如此遥远？渥毕萨尔之行，在她的生活上，凿了一个洞眼，如同山上那些大裂缝，一阵狂风暴雨，只一夜工夫，就成了这般模样。她无可奈何，只得看开些，不过她的漂亮衣着，甚至于她的缎鞋，——花地板滑溜的蜡磨黄了鞋底，她都虔心虔意放入五斗柜。她的心也像它们一样，和财富有过接触之后，添了一些磨蹭不掉的东西。

所以舞会的回忆，对爱玛成了排遣。每逢星期三，她醒过来，就问自己道："啊！一星期以前……两星期以前……三星期以前，我在那边！"然而在她的记忆之中，面貌渐渐混淆；她忘却对舞的调子；她不再那样清清楚楚想得起制服和房间；若干细节失散了，可是心头留下了怅惘。

9

查理不在家，她常常走到碗橱跟前，取出绿绸雪茄匣，她先前丢在叠好了的饭巾一类东西当中。

她看了又看，开了又开，甚至于还闻了闻衬里的味道：一种杂有美女樱与烟草的味道。是谁的？……子爵的。说不定是他的情妇用红木绷子绣出来，作为纪念送他的。绷子是一件细巧物件，藏起来不给人看，绣的人满腹心事，轻柔的发鬟搭在

461

上面，一绣就好几小时。爱情的气息透过线网，每一针扎下去，不在这里扎下希望，也在这里扎下回忆：这些交错的丝线，只是同一缄默的热情的延续。绣成了，有一天早晨，子爵带走，放在宽炉架上，花瓶和彭帕杜尔座钟①之间。他们这时候谈些什么？她在道特。他呀，如今在巴黎；在巴黎！巴黎是个什么样子？名气多大！她寻开心，声音低低的，重复这两个字，它们像礼拜堂的钟声一样在耳边响，就连她的生发油瓶商标，也成了巴黎化身，灼烁照眼。

夜晚，海鱼贩子驾着大车，走过她的窗户底下，唱着牛至草②歌子，铁轱辘转出村庄，很快就声音小了，她醒过来，听了听，自言自语道：

"他们明天就到了那边！"

于是心之所至，她跟了他们上坡下岭，穿村越庄，星光稀微，顺着大路跋涉。走过一段似近又远的道路，总有一个地点，模模糊糊，打断她的梦想。

她买了一张巴黎地图，手指指指点点，游览纸上的京城。她走到大街，逗留在每个角落、街与街之间、表示房屋的白方块前面。最后，她看累了，闭住眼睛，又见煤气灯在黑地随风摇曳，马车的车凳哗啦一声，在剧场廊前放下。

她订了一份妇女刊物《花篮》，又订了一份《沙龙仙女》。她一字不漏，读完赛马、晚会和初次公演的全部报道，关怀一个女歌唱家的初次献唱、一家店铺开张。她知道时装新样式、

---

① 彭帕杜尔（Pompadour）是路易十五的宠姬（1721—1764）。在她问政的期间，艺术风格趋向柔丽、纤巧。座钟就是这种风格。复辟期间，由于贝利（Berry）公爵夫人的倡导，这种风格的家具又得以盛行一时。

② 牛至草，生长在石灰质硬地，红花，唇形，表示幸福。

上等裁缝的地址、树林① 和歌剧院的日程。她研究欧仁·苏的小说② 中关于家具的描绘；她读巴尔扎克和乔治·桑的小说，寻找想象的愉快，满足本人的渴望。甚至于用饭，她也带了书看，同时查理一边吃饭，一边同她谈话。她一读书，总要想到子爵。她虚构了一些他和小说人物的关系。但是以他为中心的圆圈逐渐扩大，他有的这种圆光也离开他的脸，到更远的地方，照亮别的梦想。

所以在爱玛看来，巴黎比大洋还大，一片绯红氛围，光芒四射。芸芸众生，动乱无常，不过物以类聚，景因情异，还是可以区别开的。爱玛在这方面，仅仅看到两三种，便以为代表人类全部活动，其实尽有不同，只是都让这两三种形象遮住罢了。一种是外交家社会：客厅四面全是镜子，椭圆桌面蒙一条金缕天鹅绒桌毯，人在周围，穿了后摆长长的袍子，踩着闪亮的花地板，这里有重大的秘密，有用微笑来掩饰的忧灼。其次是公爵夫人社会，面色苍白，四点钟起床：妇女们，可怜的天使！裙子的下摆镶一道英吉利花边；男子们，外表平平，有才而不为人知，追寻欢乐，马跑死了也不在乎，夏天到巴登避暑③，临了，四十岁左右，娶一位女继承人拉倒。最后是饭馆房间：一群文人和女演员，五颜六色，过了半夜来用饭，烛光辉映，纵声狂笑。他们这些人，挥霍如王侯，一腔没有着落的野心和荒唐无稽的热情，生活于天地之间、狂风暴雨之中，脾

---

① 树林指巴黎近郊布劳涅树林（Bois de Boulogne）。巴黎仕女常在这里举行赛马会、音乐会。
② 欧仁·苏（Eugène Sue；1804—1857）是法国小说家。包法利夫人读的，应当是他刻划上流社会的早期作品，约1838、1839年。
③ 巴登（Bade）是法国城市，有温泉，十九世纪初叶以来，成了一个消夏的胜地。

睨众人，不可一世。此外人世，不知去向，没有明确的位置，就像不存在一样。而且事物越接近日常生活，她也越怕去想。眼边的一切，无论是沉闷的田野也好，愚蠢的小资产阶级也好，庸俗的存在也好，依她看来，在世上是一种例外，一种她不走运，偶然遇见的特殊情况，然而离开现实，浩渺无边，便是幸福和热情的广大地域。由于欲望强烈，她混淆了物质享受与精神愉悦、举止高雅与感情细致。难道爱情不像印度植物一样，需要适宜的土地、特殊的气候？所以月下的叹息、长久的搂抱、流在伸出来的手上的眼泪、肉体的种种不安和情意的种种缠绵，不但离不开长日悠闲的大庄园的阳台、铺着厚实地毯和有活动帘的绣房、枝叶茂密的盆景、放在台上的宝榻，也离不开珠玉的晶莹和制服的缨縌。

驿站小伙计，每天早晨来刷洗母马，大木头套鞋在过道穿出穿进，工人服有窟窿，光脚穿一双布鞋。他就是她应当知足的短裤马僮！他做完活，一天就不来了，因为查理回来，亲自把马牵到马棚，卸下鞍子，戴上马笼头，女仆这期间抱来一捆草，使劲扔进槽头。

爱玛找了一个十四岁小姑娘，面相善良的孤女，替代娜丝达席（她哭得像开了河一样，终于离开了道特）。她不许她戴软布帽，教她用第三人称①回话，端一杯水要用盘子，进来以前要先敲门，又教她浆衣服、烫衣服、伺候她穿衣服，一心一意，要把她训练成为她的随身使女。新女仆怕被辞，服服帖帖，没有半点怨言；太太经常留下钥匙，不锁菜橱，全福每天晚晌偷一小包糖，做完祷告，一个人躺在床上吃。

下午有时候，她到对面和驿夫们闲谈。太太待在楼上自己

---

① 用第三人称"他"，代替第二人称"你"，是尊敬地位高贵的人们的方式。

的房间。

她穿一件敞口便服，披肩料子的翻领底下，露出一件打褶子的衬衫，有三粒金扣子。腰带是一根坠着大流苏的绦带。石榴红小拖鞋，一簇宽带子披在脚面。她给自己买了一本吸墨纸、一匣信纸、一支笔管和一些信封，虽然她没有一个人可以写信；她拂拭干净她的摆设架①，照照镜子，拿起一本书，然后看着看着，想到别处，书掉在膝盖上。她直想旅行，或者回到她的修道院。她希望死，又希望住到巴黎。

查理风里来，雨里去，骑着马，四乡奔波。他就田庄桌子吃炒鸡蛋；胳膊伸进湿床；给人放血，热血溅到脸上；听快死的人喘哮；检查洗脸盆；卷起许多脏单子。但是每天黄昏回家，他就看到一炉旺火、饭菜摆好、家具舒服，还有一个衣着讲究的秀媚女人，一股清香，也不知道这种气味是从什么地方来的，说不定是她的皮肤熏香了她的衬衫。

她有许多别出心裁的地方使他入迷：她有时候，花样翻新，给蜡烛剪些纸托盘，给她的袍子换一道压边，或者给简单的菜肴取一个动听的名字，女仆烧坏了，可是查理欢欢喜喜，一扫而光。她在鲁昂看见有些命妇，表链来一串小玩艺；她买了一串小玩艺。她要壁炉上摆一对碧琉璃大花瓶，过了一阵，她又要一个象牙针盒和一枚镀银顶针。查理越不懂这些考究物品，越觉得可爱。它们增加他的官能的愉快和家室的安乐，仿佛金沙，一路洒遍他的生命小径。

他身体好，气色好，名誉也完全稳定了。乡下人喜欢他，因为他不骄傲。他抚摸小孩子，从来不进酒店，而且他的人品

---

① 摆设架兴于路易十六末年，帝国时代不加重视，复辟时期复兴，多学中国格式。

得到大家信任。他的特长是治轻重伤风和胸腔内诸般炎症。查理怕治死他的病人，实际开出来的方子，只是一些止痛剂，偶尔来一副呕吐剂，要不就是烫烫脚，或者放放血。他不畏惧外科，给人放血，好像给马放血一样，拔牙的手劲仿佛"铁腕子"。

他最后想赶上潮流，订了一份新刊物《医林》，他收到过要出版的广告。他用罢晚饭，读上一页两页，但是食物正在消化，加上房间热，不出五分钟，他就睡着了；于是他坐在那边，一双手托住下巴，头发披散下来，鬣毛一般，一直披散到灯座前头。爱玛一见他这般模样，就耸肩膀。单说嫁丈夫吧，她怎么连那样一个人也嫁不到：勤奋寡言，夜晚埋头著述，最后熬到六十岁上，风湿病的年龄来了，可是不合身的青燕尾服挂着一串勋章。她巴不得包法利这个姓——她现在姓这个姓，赫赫有名，在书店公开陈列，在报上经常出现，全法兰西知道。可是查理没有野心！伊如斗一个医生，新近会诊，简直就在病人床前，当着病人家属，多少给他难堪来的。查理夜晚讲给爱玛听，她气坏了，大骂这位同业。查理受了感动，挂着眼泪吻她。可是她羞死了，恨不得打他一顿。她走到过道，打开窗户，吸新鲜空气，好让自己平下气来。她咬住嘴唇，低声道：

"世上会有这种人！会有这种人！"

再说，她越看他，越觉得有气。年纪一大，他举动也粗俗不文了：用果点的时候，他切空瓶的塞子；吃过东西，他拿舌头舔牙；喝起汤来，他咽一口，咕噜一声；而且他开始发福，眼睛本来就小，脸蛋胖虚虚的，像拿眼睛朝太阳穴挤。

有时候，爱玛拿他的编结汗衫的红边披到背心底下，帮他打好领结，或者手套旧了，他还想戴，她给扔开了；她这样做,并非像他想的,为了他,而是为了她自己,由于过分想着自己,由于嫌烦。有时候,她也同他谈谈她读过的东西,类如一节小说、一出新戏或者副页上刊登的上流社会逸闻;因为话说回来,查理到底是一个人,总有耳朵听,总有嘴唯唯诺诺。她对她的猎犬不就无话不讲!即使是对钟摆和壁炉的木柴,她也一样会讲的。

然而在她的灵魂深处,她一直期待意外发生。她睁大一双绝望的眼睛,观看她的生活的寂寞,好像沉了船的水手一样,在雾蒙蒙的天边,遥遥寻找白帆的踪影。她不知道什么地方有机会,哪一阵好风把机会吹到跟前,把她带到什么岸边,是划子还是三层甲板大船,满载忧虑还是幸福。但是每天早晨,她醒过来,希望当天就会实现,细听种种响声,一骨碌跳下床,纳闷怎么还不见来,于是夕阳西下,永远愁上加愁,她又想往明天。

春天又来了,梨树开花,暖洋洋的天气使她呼吸有些艰难。

一入七月,她就掐指计算,还有多少星期,才到十月,心想昂代尔维利耶侯爵,也许还会在渥毕萨尔举行舞会。然而整个九月过去了,不见信息,也不见有人拜访。

失望之下,百无聊赖,她的心又空虚起来了,于是类似的日子,一个连一个,重新开始。

日复一日,如今仿佛不断头的线,真要这样继续下去,永远一模一样,数又数不清,什么也带不来!别人的生活,再平板,起码也有机会碰到意外。哪怕是一个偶然事件也好,有时候就会变化无穷,环境有了改动。可是上帝有意同她为难!她就什么事也碰不到。未来是一个过道,黑洞洞的,门在紧里关得严严的。

她不弹钢琴了。弹它做什么？有谁听啊？她没有机会穿短袖丝绒袍，到音乐会弹一架艾拉① 钢琴，十指灵活，打象牙键，听见众口啧啧，如同一阵微风，在身边荡来荡去。既然如此，犯不上破费精力去学。画册和刺绣，她丢在衣橱不管。有什么用？有什么用？缝纫惹她生气。她自言自语道：

"书我全念啦。"

于是闲来无事，她拿火钳烧得红红的，或者看下雨。

星期日，晚课钟声响了②，她多愁闷！她呆呆瞪瞪，细听钟声一下一下在响。日光黯淡，猫在屋顶耸起了背，慢条斯理走动。风在大路扬起一阵一阵尘土。有时候，远远传来一声犬吠；单调的钟声，按着均匀的拍子，响个不停，在田野里消散了。

人从教堂出来。妇女穿着涂了蜡的木套鞋，男子穿着新工人服，小孩子光着头，在他们前面蹦跳，一个一个，回到家里。有五六个男子，总是这几个人，在客店大门口玩瓶塞，一直玩到黑夜。

冬季严寒，每天早晨，玻璃窗凝一层霜，射过来的日光，灰灰的，像是从毛玻璃透过来的一样，有时候，整天不见变化。一到下午四点钟，就得掌灯。

每逢晴天，她下楼来到花园。露水在白菜上留下一些银线花边，有些长线明晃晃的，从这一棵白菜挂到另一棵白菜。听不见鸟声，好像全在睡觉一样，草盖住墙边的果树，葡萄仿佛一条大蛇，有了病，盘在墙檐底下。走近了，就见爬着多足的鼠妇。云杉底下，靠近篱笆，戴三角帽的堂长像掉了右脚，就

---

① 艾拉（Érard；1752—1831）是法国出色的钢琴制造家。
② 约下午三时。

连石膏也冻脱了皮,脸上留下一些白癣,还在读他的祷告书。

随后她又上楼,关了屋门,剔剔炭,火旺旺的,她浑身无力,觉得心中分外烦闷。她未尝不想下楼和女佣人谈谈话,不过体面攸关,也就只好作罢。

每天在同一时间,小学校长戴一顶青缎小帽,推开他的窗板;乡间警察走过,工人服上佩着他的刀。黄昏和早晨,驿站的马,穿街而过,三匹一起,到池塘饮水。一家酒馆门铃不时在响;理发师的小铜脸盆,用作铺子的招牌,起了风,就见在两根铁杆上,吱嘎乱响。一张旧时装画,给铺子作装潢,贴在窗玻璃上,还有一座黄头发女人半身蜡像。理发师也直在自嗟自叹,一筹莫展,前途黯淡,梦想在大城市开铺子,譬方说吧,鲁昂就好,在码头上,靠近剧场;他整天走来走去,从村公所走到教堂,愁眉苦脸,等待顾客。包法利夫人仰起头来,总见他待在那边,仿佛一个值班哨兵,歪戴希腊小帽,穿着呢上身。

到了下午,有时候,厅房窗户外边,出现了一个男人脑壳,脸晒得焦黄,黑络腮胡须,微笑起来,又慢,又随便,又柔和,露出一嘴白牙。回旋舞跟着就开始了;风琴上面,有一个小小客厅,里头是手指般高的舞俑、裹着玫瑰红包头巾的妇女、穿着背心的狄洛人①、穿着青燕尾服的猴子、穿着短裤的绅士,在扶手椅、大沙发和几子之间,转来转去,一道一道金纸接牢的碎镜片,映出他们的舞姿。这人一面旋转摇手,一面向左、向右、向窗户张望。他不时朝界石吐一口又长又黏的老黄痰。乐器的硬皮带挂久了肩膀,肩膀支不住,他拿膝盖顶住乐器。一个叶形铜钩吊起一幅玫瑰红缎幕,匣子里头传出呜哝

---

① 狄洛人(Tyroliens)是奥地利山民,擅长歌舞。

呜哝的音乐,一时悲伤、迂徐,一时喜悦、急促,全是别处舞台上演奏的曲调、客厅歌唱的曲调、夜晚烛光下伴舞的曲调:这些社会回声,就这样一直传到爱玛耳边。萨那邦德① 舞曲,无尽无休,在她的脑内起伏。他的思想随着音符跳跃,飘忽无定,一个梦去,一个梦来,旧忧未消,新忧又起,好像巴雅黛尔,在地毯的花卉上,舞来舞去一样。他摘下鸭舌帽,敛过了钱,拉下一幅旧蓝呢,蒙好风琴,扛在后背,拖着沉重的脚步走开。她望着他走。

但是特别是用饭时间,她最忍受不了:楼下这间小厅房,壁炉冒烟,门吱嘎响。墙上渗水,石板地潮湿。她觉得人生的辛酸统统盛在她的盘子,肉香从她的灵魂深处,仿佛勾起别的恶泛泛的气味。查理吃饭吃得慢;她不是嘎叭一声咬榛子,就是支起胳膊肘,用刀子尖尖,在油布上划小道道。

家事她如今听其自然;四旬斋② 期间,婆婆来道特住了几天。见她改了样,很是诧异。说实话,她从前那样经心在意,如今整天乱头粗服,穿一双灰布袜,点一根脂油烛③。她一来就说,他们不是有钱人家,应该省吃俭用,还说什么她很称心,她很快活,她非常喜欢道特和一些别的新调调,来堵老太太的口。而且爱玛似乎没有听劝的意思;甚至于有一回,老太太兴之所至,信口说起主人应当监视佣人信教,她唯一的回答就是怒目而视,连声冷笑,老太太吓得再也不说起这类话了。

---

① 萨那邦德(sarabandes)是一种双人舞曲,十七、十八世纪,盛行于贵族社会。
② 四旬斋指复活节前,四十天的斋戒期间。
③ 土烛,"有臭味"(见于作者的书信,——1853年8月14日)。

爱玛越来越乖戾任性。她要了几样菜，菜来了，动也不动；今天光喝新鲜牛奶，明天就来几杯淡茶。她常常赌气不出门，随后又嫌气闷，打开窗户，穿一件薄薄袍子。万一恶声恶气申斥了女佣人的话，她不送她礼物，就打发她到邻居家散心去，好比她有时候，口袋的银币统统给了穷人，一个不剩一样，虽然她并不心软，也不容易就受别人感动，正如大多数农村出身的士大夫，灵魂之中，一直保留着父亲手上的膙子一样。

二月梢左右，卢欧老爹纪念女婿医好他的腿，亲自送来一只肥大的母火鸡，在道特住了三天。查理料理病人，只有爱玛陪他。他在卧室吸烟，朝火篦吐痰，说起庄稼、小牛、母牛、家禽和乡行政委员会，左说右说，临到他走，她把门一关，觉得松快，连她自己都没有想到。再说，她看不起任何事、任何人的心情，也没有意思隐瞒；有时候，故意表示见解特别，别人称道的，她偏指摘，要不然就称道恶行败德：丈夫听了，睁大一双眼睛。

这可怜的情形，真就永远下去？她有没有跳出的一日？其实，生活快乐的妇女，她哪一个比不上！她在渥毕萨尔，也曾见过几个公爵夫人，腰身比她粗笨，举止比她伧俗；她恨上帝不公道，头顶住墙哭；她歆羡动乱的生涯、戴假面具的晚会、闻所未闻的欢娱、一切她没有经历然而应当经历的疯狂爱情。

她脸色苍白，心跳也不正常。查理要她服败酱汤①，洗樟脑澡，种种努力，似乎只是使她格外有气罢了。

有些天，她像发高烧，说胡话一样，絮叨不完；兴奋过了，紧接着又像失去知觉一样，不言不动。于是她要自己再有

---

① 败酱（la valériane）是多年生草本，根可入药，镇挛止痉，一般服法是煎熬成汤。

生气，拿起一瓶科伦香水①，就朝胳膊上洒。

因为她一直抱怨道特不好，查理心想，她生病一定是受了当地气候感应的缘故；他存了这种心思，当真想着换一个地方行医了。

她从这时候起，喝醋要自己瘦，得了干咳小毛病，一点胃口也没有了。

住过四年，正熬出了头，查理离开道特，并不合算。可是万一势在必行的话，也就顾不得了！他把她带到鲁昂，去看他的老师。她害的是一种神经病：应该换换空气才是。

查理几方面进行打听，后来听说，新堡②区有一个殷实大镇叫永镇寺，医生是一个波兰难民③，前一星期去了别处。他听到这话，写信给当地药剂师，询问人口数目、最近的同业的距离、前任每年进益等等；答复满意，爱玛的健康如果还不见好的话，他决计开春迁徙。

有一天，预备动身，她归理抽屉，有什么东西扎了手指。原来是一根铁丝，捆扎她的结婚的花用的。橘花已经在灰尘之中变黄了，银滚条缎带沿边也绽了线。她拿花扔进火里。它烧起来，比干草还快，随后在灰烬里，仿佛一堆小红树，慢慢销毁。她望着它燃烧。小纸果裂开，铜丝弯弯扭扭，金银花带溶解；纸花瓣烧硬了，好像一只一只黑蝴蝶，沿着壁炉，飘飘摇摇，最后，飞出烟筒去了。

临到三月，他们离开道特，包法利夫人这期间有了身孕。

---

① 科伦（Cologne）是德国城市，以香水出名。
② 新堡（Neufchâtel-en-Bray）在鲁昂和道特东北，在第厄普通巴黎的大路上，以干酪出名。
③ 1830年，波兰人民反抗俄罗斯沙皇统治，进行革命失败，大多逃往法国。

中 卷

1

永镇寺（从前有一座方济各① 寺，所以才这样称呼，现在连遗址也看不见了）是一个离鲁昂有八古里远的村镇，在阿柏镇大路和包外大路之间，紧靠利鹅河灌溉的一个盆地。小河在河口附近，推动三座水磨，然后流入昂代耳河②；水里有些鳟鱼，到了星期天，男孩子们就来钓鱼玩。

人在布瓦席耶尔离开大路，顺着平地，走到狼岭高头，就望见了盆地。河在中间流过，盆地一分为二，成了两块面貌不同的土地：左岸全是牧场，右岸全是农田。丘陵绵绵，草原迤逦蔓衍，从山脚绕到后山，接上柏赖③ 地区的牧场，同时平原在东边，一点一点高上去，向外扩展，金黄麦畦，一望无际。水在草边流过，仿佛一条白线，分开草地的颜色和田垅的颜色，整个田野，望过去，就像镶一条银压边绿绒领子的大斗篷摊平了一样。

---

① 方济各是意大利天主教一个支派，1573 年，传入法国，教士的风帽宽而又尖，异于寻常，又称风帽教士（capucins）。
② 昂代耳河（Andelle）流入塞纳河。利鹅河有人认为就是克洛封（Crevon）。
③ 柏赖（Bray）地区在塞纳河以北，苟以东。农产情况，大致和苟地区相同。新堡是它的政治中心。永镇寺有人认为就是利（Ry），在柏赖地区南端、首邑鲁昂以东。

走到天边尽头，就有阿尔格意森林①的栎树和圣·约翰岭的巉岩，挡住去路。山坡自上而下，显出一些或宽或窄、又长又红的条纹，全是雨水冲洗的痕迹；许多含有铁质的泉水，朝四处流，流成那些红砖颜色，一道细线又一道细线，衬着山的灰底子，分外触目。

这里是诺曼底、毕伽底和法兰西岛②交界所在，一个三不管区，语音没有高低轻重，就像风景没有特色一样。新堡全区干酪，数这地方做得最坏，另一方面，耕种费钱，因为土地充满沙砾、石子，毫无黏性，要施大量肥料才成。

直到一八三五年以前，人去永镇，没有好路可走；然而也就是在这期间，当地修了一条交通要道，连接阿柏镇大路和亚眠大路，车夫有时候从鲁昂送货到福朗德③，也走这条要道。永镇寺虽然有了新出路，不过照样驻足不前。他们不改良土壤，只是死守定牧场，不管收入坏到什么地步。懒惰的村镇，一成不变，看也不看平原一眼，继续朝河那边开拓，人从远处望去，就见合身躺在岸上，好像一个放牛的，在水边睡午觉一样。

过了桥，就在山脚，辟了一条垫高的堰路，栽着小白杨树，一直把你带到村子的头几家。院子周围有一道篱笆，当中

---

① 阿尔格意（Argueil）森林在永镇寺（利）东北，约十五公里距离。有人认为就是圣·代尼（Saint-Denis）。

② 诺曼底应当是高·诺曼底（Haute Normandie），指塞纳河以北地带，实际也就是塞纳河下游州而言。河以南地带为低·诺曼底（Basse Normandie）。

法兰西岛（Ile de France）雄踞塞纳河中游，首府巴黎，河心有小岛，古时以法兰西为名，衍成法兰西国家的发祥地。

③ 福朗德（Flandre）是法国西北沿海、比利时和荷兰一部地域的统称。

是住宅，还有许多零星小屋、压榨间、车棚、蒸馏间①，在树木底下散开，枝叶茂密，中间挂着梯子、杆子或者镰刀。窗矮矮的，玻璃又厚又臢，仿佛瓶底，当中有一个圆疙瘩。泥草房顶遮住窗户，几乎遮住了三分之一，好像皮帽拉到眼睛上面一样。几根乌黑的龙骨，扯斜穿过石灰墙，偶尔有一棵瘦小的梨树，挂在墙头；小鸡站在楼底下的门槛上，啄着泡过苹果酒的黑面包屑，门道有一个活动小栅栏，防它们进屋里去。再往前走，就见房屋密了，院子小了，篱笆不见了；窗户底下有一捆羊齿草②，绑在扫帚把子的尖尖头，摇来摆去。过了一家马掌铺，就是一家车厂，外头搁着两三辆新车，堵住了路。再过去，有一个栅栏门，望进去是一块圆草坪，点缀着一个小爱神，手指放在嘴上；再往里去，就是一所白房子，台阶两头一边一个铜瓶，门上钉着一块亮晶晶的事务所小牌：这是公证人的住宅，当地数它漂亮。

教堂在街的斜对面，离事务所有二十步远近，把着广场入口。公墓不大，环绕教堂，墙有大半个人高，里面墓冢垒垒，旧墓石倒在地上，连续不断，倒像铺的石板地一样，草长在夹缝，四四方方，绿茵成畦。查理十世在位的末年，教堂翻修一新③，现在木头屋顶高处，开始腐烂，上面涂的蓝颜色，有些地方陷下去，成了黑颜色。门上头搁风琴的地方，变成男子聚会的楼台，有一道楼梯盘旋而上，木头套鞋一踩，就咯噔咯噔直响。

---

① 为了蒸馏苹果酒。
② 羊齿草晒干，可以做药材。
③ 查理十世在位（1824—1830）期间，年久失修的教堂，大都有了翻修的机会。

阳光透过匀净的玻璃窗,迤斜照亮顺墙排列的板凳:有的板凳放上一张草垫,钉牢了,底下写着几个大字:"某先生之凳"。再往里去,在大厅狭窄的地方,有一个忏悔间,正和一座圣母小像相对。圣母穿一件缎袍,头上蒙一幅银星点点的面网,朱红颜色脸蛋,活像夏威夷群岛一尊神像;最后,靠里有一帧复制的"神圣家庭",写明"内政部部长赠",挂在圣坛上四支蜡烛当中,视野也就到此为止。唱经堂是枞木做的,一直没有上过油漆。

菜场本身占了永镇广场一半大小,其实也就是二十来根柱子撑起的一个瓦棚罢了。村公所是"按照巴黎一位建筑师的图样"盖起来的,好似一座希腊神庙,紧连着药房犄角,底层有三根爱奥尼亚圆柱,二楼是一个半圆穹窿画廊①,横楣画了一只高卢公鸡,一个爪子踩住约法②,一个爪子举起公道天秤。

不过最引人注意的,却是金狮客店对面,郝麦先生③的药房!特别是夜晚,甘该灯点起来,装潢铺面的红、绿药瓶,朝地面投出两道彩色奕奕的亮光,便见影影绰绰,隔着亮光,如同隔着孟加拉烟火④一样,出现了药剂师伏几而坐的影子。他的住宅,由上到下,贴满招贴,有的是行书字体,有的是圆环字体,有的是铅印字体,写着:"维希水、塞测水、巴赖吉

---

① 爱奥尼亚圆柱以典雅著称,但是半圆穹窿是罗马建筑特征,和希腊神庙风格并不相干。

② 高卢公鸡是法国国徽之一,大革命时代,用作军旗标志,1830年,代替百合花(旧王国国徽),成为国徽。拿破仑三世即位,取消不用。

1814年,路易十八复辟,订立约法,后来没有实行;1830年七月革命。路易·腓立普即位,加以修改,宣誓"遵守"约法。

③ "郝麦(Homais)这个名字,来自郝莫(homo),意思是'人'。"作者有这样一条札记,见于《包法利夫人》新版本118页。

④ 孟加拉分隶印度和巴基斯坦,烟火具有各种颜色。

水、清血汁、拉斯巴意药水、阿拉伯健身粉、达尔塞药糖、罗纽药膏、绷带、蒸馏器、卫生巧克力"等等①,不一而足。招牌像铺面一样长短,金字写着:"郝麦药剂师"。几架大天秤,钉死在柜台上,天秤后头,铺子顶里,一扇玻璃门上,在一半高地方,黑底金字,"郝麦"这个名字又出现一次,同时横楣上,还写了"实验室"三个字。

　　此外,永镇也就没有什么可看的了。街(唯一的一条街),有子弹射程那样长,两边几家店铺,在大路拐弯地方,收了形迹。出了街,往左转,沿圣·约翰岭山脚走,很快就到了公墓。

　　有一时期,霍乱流行②,教堂扩大坟地,推倒一堵墙,在旁边买了三亩地;可是这块新开拓出来的地区,难得有人用,墓冢照常朝大门那边堆积。看守人,又管掘坟,又当教堂管事(这样就从教区死人身上得到两笔利润),利用空地,种了一些马铃薯。不过他的田地本来就小,加之年复一年的收缩,所以他遇到传染病盛行的季节,左右为难,不知道死人多了,应当开心,还是坟墓多了,应当难过才是。堂长先生终于有一天发话了:

---

① 维希(Vichy)在法国中部,以矿泉水著名。
　塞测(Seltz)在德国南部,以矿泉水著名,不过应市的多属人工汽水。
　巴赖吉(Barèges)在法国西南部,邻近西班牙,以硫磺泉水著名,治各种皮肤病。
　拉斯巴意(Raspail;1794—1878)是法国政治活动家,后来研究人体寄生虫,配药水医治。不过这是1842年以后的事,在小说这段期间,他还没有配出药水来。而且当时人把他看成政治上可疑的人物,郝麦不见得会代销他的药水。
　健身粉(racahout)有滋补作用。
　达尔塞(Darcet;1725—1801)是法国化学家,兼著名医生。
　罗纽(Rognault;1810—1878)是法国物理学家兼化学家。
② 1832年初复,欧洲霍乱盛行,三个月内,仅巴黎就死了两万人。

"赖斯地布都瓦,你吃死人呢!"

他听了这句话,觉得阴风惨惨,寻思之下,有一时期也就住了手,可是他今天照旧种他的块根,还硬说是野生的哩。

自从下文说起的事故发生以来,事实上,永镇就没有什么改变。马口铁三色旗,在教堂钟楼顶尖,旋转如故;布庄两幅印花布幌子,依然迎风招展;药房的胎儿,仿佛一捆一捆白火绒,泡在浑浊的火酒里面,日渐腐烂;还有客店大门上头的老金狮子,风吹雨打,颜色褪掉,活像长毛狗一样,向过往行人露出鬈鬈毛。

包法利夫妇要来永镇的那天黄昏,女店家勒福朗丝瓦寡妇,正忙得不可开交,一面烧菜,一面直冒大汗。原来明天是镇上赶集的日子,必须先把肉切好,鸡膛开好,汤和咖啡煮好。另外,还要做出包饭人的饭、医生夫妇和他们女佣人的饭。弹子房传出一片震耳的笑声;小间有三位磨房老板,喊人给他们拿烧酒去;劈柴在燃,焦炭在响,有人在案板上剁菠菜;厨房长桌上,盘子摞得高高的,和整块生羊肉夹杂在一起,案板一动,盘子就晃荡。偏院家禽咯咯叫唤,女佣人在后头追赶,要宰它们。

一个男人穿绿皮拖鞋,有几颗细麻子,戴一顶金坠小绒帽,背向壁炉烤火。他是一脸洋洋自得的表情,神色就像挂在他的头上、柳条笼里的金翅雀那样,在生活中行所无事:这人就是药剂师。

女店家喊着:

"阿尔代蜜丝!撅些细枝子,给水晶瓶装水,送烧酒去,快呀!你等的客人,我单知道上什么果点,也就好了!老天爷!帮搬家的那伙人,又在弹子房闹开了!他们的大车停在大门底下!'燕子'来了,就许把它撞坏了!喊玻立特,把车搁好!……说说看,郝麦先生,打早上起,他们打了约摸有十五盘球,喝了有八坛苹果酒!……他们要杵坏我的台球毡子的!"

她拿着撇沫的勺子,边讲,边远远望他们。郝麦先生回答道:

"没有什么大不了,你买一张新的就是了。"

寡妇一听这话,叫了起来:

"再买一张台子!"

"勒福朗丝瓦太太,旧的不去,新的不来;我早就对你说过了,是你不该!是你大不该!再说,打弹子的人,如今讲究口袋窄,杆子重。人家不照老法子打啦;全变啦!必须跟着世道走!看看泰里耶,宁可……"

女店家气红了脸。药剂师说下去:

"他那张台子,随你怎么说,比你这张玲珑多了;好比说吧,人家就想得出来,帮波兰人募捐或者帮里昂遭水灾的人募捐①……"

女店家耸着她的胖肩膀,打断他的话道:

"像他那种叫化子,别想吓得了人!看吧!看吧!郝麦先生,'金狮'开一天,人来一天。我呀,有的是办法!你看好了,总有一天早上,法兰西咖啡馆关门大吉,窗版上贴封条的!……(她接下去,自言自语道)换掉我这张台子,可是搁搁我洗的衣服,有多方便!赶上打猎,我好让上头睡六个客人!……伊外尔这慢腾鬼怎么还不来!"

药剂师问道:

"你等他回来给客人开饭?"

---

① 波兰人指亡命法国的难民,由于1830年革命失败,逃到国外。里昂水灾在1840年。

"等他回来？毕耐先生先不答应！六点钟一敲，你看吧，他准进来，世上像他那样刻板的人，没有第二个。用饭也总要在小间用！死也别想他换换地方！又爱挑剔！又讲究喝好苹果酒！一点也不像赖昂先生；人家呀，有时候，七点钟来，连七点半钟的时候也有；有什么吃什么，看也不看一眼。年轻人真好！从来说话斯斯文文的。"

"这就因为呀，你明白，一个受过教育的人，和一个当过重骑兵的税务员，大有区别。"

六点钟响了。毕耐进来。

他穿一件蓝大衣，笔直下垂，裹住他的瘦身子，皮便帽的护耳，在顶门用小绳拴牢，帽檐朝上翻，底下露出一个秃额头，过去戴久了战盔，压出印子。他穿一件青呢背心、一条灰裤，戴一条硬领，一年四季，穿一双贼亮靴子，偏巧脚拇指跷，脚面一边高起一块。金黄络腮胡须，一根不乱，兜住他少光无色的长脸、小眼睛、鹰嘴鼻子，活像花圃的四边一样齐着下巴。他玩一手好牌，写一手好字，是一个打猎的好手，家里有一架旋床，闲来无事，他就旋饭巾环，堆满一屋，心眼像艺术家那样妒忌、资产者那样自私。

他朝小间走去；但是先得请出三位磨房老板；他坐在炉火旁边，默不作声，等人给他摆好刀叉，然后像平日一样，关了门，摘掉便帽。

药剂师一看就剩下他和女店家了，发话道：

"说上两句客气话，不见得就烂掉他的舌头！"

她回答道：

"他自来少言寡语；上星期，来了两个布贩；两个年轻人挺有才气，夜晚讲了许多笑话，可把我笑死啦，好，他呀，坐在那边，闷声不响，活活儿一条死鱼。"

药剂师道:

"是呀,没有想象,没有才情,连社交家一点气息都没有!"

女店家驳他道:

"可是人家说他有本事啊。"

郝麦回答道:

"本事!他!本事?"

他换了一种比较文静的语气,接下去道:

"在他那一行,也许是吧。"

于是他往下讲道:

"啊!一个场面大的商人,一个法学家,一个医生,一个药剂师,专心业务,人变古怪了,甚至于粗暴了,这我懂;历史上尽有这种事例!不过,那是因为,起码他们在想什么东西。我,好比说吧,我写标签,在写字台上找钢笔,有许多回,找来找去找不到,临了发现夹在我的耳朵上头!……"

勒福朗丝瓦太太走到门口,看看"燕子"到了没有。她慌张了。一个穿一身黑的男子,猛然走进厨房。黄昏一丝余光,照出他有一张赤红的脸和运动家的体格。

"堂长先生,有事要我做吗?"

女店家一面问,一面走向壁炉,去拿一支铜蜡烛台。铜蜡烛台和蜡烛并排摆在一起。

"你要不要吃一点东西?喝一小盅黑醋栗酒、一杯葡萄酒?"

教士十分客气地谢绝了。他是来寻找他的雨伞的:他前一天把雨伞忘在艾恩盂修道院了,所以拜托勒福朗丝瓦太太,派人替他取回来,夜晚送到住宅。晚祷的钟声在响,他回教堂去了。

药剂师一听他的皮鞋不在广场响动,就批评他说,方才他的行为,很不礼貌。喝一杯酒,算得了什么,也居然拒绝,在药剂师看来,就是最要不得的一种虚伪。教士个个偷偷摸摸,大吃大喝,企图再过那种什一税日子①。

女店家帮她的堂长说话:

"凭你怎么说,像你这样的男人,他在膝盖上,可以一撅四个。去年,他帮我们收麦秸,真结实啦,一趟扛六捆!"

药剂师道:

"妙啊!那么,打发你们的姑娘对有这样气质的壮实小伙子忏悔去!我呀,我要是政府的话,我要教士一个月抽一次血。是啊,勒福朗丝瓦太太,为了治安和风俗,每一个月,好好儿抽他们一回血!"

"住口吧,郝麦先生!你不敬神!你不信教!"

药剂师还口道:

"我信教,信我自己的教,别看他们假模假式,乔支乔张,我比他们哪一个也更相信!正相反,我崇拜上帝!我信奉上天,相信有一个造物主,随他是什么,我不在乎。他要我们活在人世,尽我们的公民责任、家长责任;但是我用不着走进教室,吻银盘子,拿钱养肥一群小丑:他们吃的比我们好!因为人在树林,在田地,或者甚至于就像古人一样,望着苍天,一样可以敬仰上帝。我的上帝,我所敬礼的上帝,就是苏格拉底的上帝、富兰克林的上帝、伏尔泰和贝朗瑞的上帝!我拥护

---

① 什一税是天主教规定教民缴纳的税款数字,合教民收入十分之一,大革命期间,1793年,政府通令废除,教会少了这笔庞大收入。

《萨伏衣教务协理的信仰宣言》和八九年的不朽原则[①]！所以我不承认一个糟老头子上帝，拄了拐杖，在他的花圃散步，让他的朋友住在鲸鱼肚子里，喊叫一声死去，三天之后再活过来[②]；这些事本身先就荒唐，还不说根本违反全部物理学原理；这顺便也就为我们证明：教士一向愚昧无知，厚颜无耻，还硬要世人也和他们一样。"

他住了口，目光炯炯，看周围有没有听众，因为药剂师一时兴起，忘其所以，竟以为自己是在乡行政委员会了。可是女店家已经心不在焉，伸长耳朵，听远处什么东西滚动的声音。她听出是马车响，还搀杂着松了的马掌叭啦叭哒打地的声音。"燕子"终于在门前停住了。

这是一只黄箱子，夹在两个大轱辘当中，轱辘有车篷那样高，旅客看不见路，肩膀还要吃土。窗户窄小，车门一关，玻璃就在框子中间震动，上头灰尘已经够厚的了，还左一块，右一块，沾了好些泥点子，即使倾盆大雨，也一时冲洗不掉。车套了三匹马，一匹打头，每逢下坡，车一颠簸，箱子底就碰了地。

永镇有些资产者，也到了广场，同时说话，七嘴八舌，问消息，要解释，找鸡鸭筐子，闹得伊外尔就不知道回答谁好。原因是他替本地人进城办货，到铺子买东西，给鞋匠带回几捆皮，给马掌匠带回一堆废铁，给店东家带回一桶鲱鱼，从女帽

[①] 《萨伏衣教务协理的信仰宣言》，见于卢梭的小说《爱弥儿》（1762）第四卷。
"八九年"指1789年，大革命爆发的第一年，"原则"指"人权宣言"，第十条宣布信仰自由。

[②] 参看《旧约》《约拿书》（Jonah）第一节："耶和华安排一条大鱼，吞了约拿，他在鱼腹中待了三日三夜。"

店带回几顶帽子，从理发店带回一些假发；他一路回来，一包一包分好，沿着各家的院墙扔进去，站在车座，扯嗓子嚷嚷，马也不管了，由它们走去。

　　发生意外，车回来迟了；包法利夫人的猎犬，在田地迷失了。大家足喊了一刻钟。伊外尔甚至于倒回了半古里路，时刻以为瞥见了，偏又不是；但是没有时间再找，非赶路不可。爱玛又是哭，又是生气，直抱怨查理不好。布商勒乐先生，凑巧同车，试着安慰她，举了许多例子：狗丢了，经过多年，又找到主人。他听人讲起一条狗，从君士坦丁堡回到巴黎。还有一条狗，照直走了五十古里路，泅过四条河；他的父亲有一条长毛狗，不见了十二年，有一天黄昏，他到城里用饭，狗在街头冷不防跳上他的后背。

2

　　爱玛头一个下车，全福、勒乐先生，还有一个奶妈，跟着也下了车；天一黑，查理就在他的角落睡着了，临到下车，不得不喊醒他。

　　郝麦上前，介绍自己，向夫人表示他的热忱，向先生表示他的敬意，说他能稍尽绵薄，于心甚得，接着就悾悾款款，说他擅作主张，陪他们一道用饭，再说，他的太太又不在家。

　　包法利夫人一进厨房，就走到壁炉跟前，伸出两个手指，在膝盖地方，把袍子提到踝骨上，露出一只穿黑靴子的脚，跨过烤来烤去的羊腿，伸向火焰。火光照亮整个身子。一道强光射透袍料纬线、白净皮肤的细寒毛孔甚至于时时眨动的眼皮。门开了一半，风吹进来，一大片红颜色罩住她的身子。

　　一个金黄头发青年，在壁炉另一边，不言不语望她。

赖昂·都普意先生（他是金狮客店第二个包饭的客人），在公证人居由曼那边做练习生，在永镇百无聊赖，推迟用饭的时间，希望客店来一位旅客，聊一黄昏。有些天，工作完毕，他不知道干什么好，只好准时前来，无可奈何，从头到尾，和毕耐一道吃饭。所以女店家提议，他陪新来的人们用饭，他就欢欢喜喜接受了。勒福朗丝瓦太太争体面，特意在大厅摆了四份刀叉。

大家走进大厅，郝麦怕伤风，请大家允许他戴他的希腊小帽，然后转向旁边的包法利夫人：

"夫人，不用说，有点累了吧？我们这辆'燕子'，真要把人颠死！"

爱玛答道：

"是啊；不过我一向就觉得变动好玩，我喜欢出门。"

练习生叹一口气，说：

"老待在一个地方，简直把人腻死！"

查理道：

"你要是也像我，经常非马来马去不可……"

赖昂转向包法利夫人，接下去道：

"可是，我觉得，再有意思不过……"

他添上一句话道：

"只要办得到。"

药剂师讲：

"其实，在我们这地方行医，并不怎么辛苦；因为道路平坦，马车来往无阻，而且一般说来，农民生活富裕，酬谢相当丰厚。就病而论，除去肠炎、气管炎、胆汁过多等等常见病例之外，我们也就是收获期间，偶尔害害疟疾，不过大体说来，情形并不严重，也没有特殊值得注意的地方，顶多爱生瘰疬罢了,这不用说,是我们乡下人居住不合卫生条件的缘故。啊!包法利先生,到时你就知道,种种偏见,需要排除;而且墨守成规,天天和你的一切科学努力冲突;因为他们宁可求救于九天敬礼、先圣骨头、教堂堂长,也不按照常情,来看医生或者药剂师。不过说实话,气候不坏,本乡就有几个九十岁的人。寒暑表(我观察过),冬季降到摄氏表四度,大夏天高到二十五度,顶多三十度,合成列氏表,最大限度也就是二十四度,或者华氏表(英国算法)五十四度①,不会再高啦!——而且实际上,我们一方面有阿尔格意森林,挡住北风,另一方面,又有圣·约翰岭,挡住西风;不过河水蒸发,变成水汽,草原又有许多牲畜存在,你们知道,牲畜呼出大量阿蒙尼亚,就是说,呼出氮气、氢气和氧气(不对,只有氮气和氢气),其所以热,就因为吸收了土地的腐烂植物,混合了所有这些不同种类的发散出来的东西,好比说,绑成一捆东西,遇到空气有电的时候,自动同电化合,时间久了,就像在热带一样,产生出来妨害卫生的瘴气②;——这种热,我说,在来的那边,或者不如说是可能来的那边,就是说,南方,经东南风一吹,也就好受了;风过塞纳河,已经凉爽了,有时候冷不防自天而降,就像俄罗斯小风一样。"

包法利夫人继续向年轻人道:

"附近总该有散步的地方吧?"

他回答道:

"简直没有!有一个地方,叫做牧场,在岭子高头,森林

---

① 摄氏表三十度,等于列氏表二十三度,等于华氏表八十七度。

② 兽粪含有阿蒙尼亚,但是不足以左右空气,而且同电化合,成为瘴气,更不正确。

一旁。星期天,我有时候去,带了一本书,待在那边看日落。"

她接下去道:

"我以为世上就数落日好看了,尤其是海边。"

赖昂道:

"我就爱海!"

包法利夫人回答道:

"汪洋一片,无边无涯,心游其上,你不觉得分外自由?同时一眼望去,精神高扬,不也引起你对无限、理想的憧憬?"

赖昂接下去道:

"山景也一样。我有一位表兄,去年在瑞士旅行,对我讲:湖泊的诗意、瀑布的瑰丽、冰河的巨观,人就不能想象得出。松树高大无比,挺立湍流当中;有些泥草房屋,挂在深谷之上;在你底下一千步的地方,层云微开,溪谷全部在望。这些景象一定使人感动,使人神往,使人想到祷告!所以那位出名的音乐家,为了激发想象,经常对着惊心动魄的景色弹琴,现在看来,也就不足为奇了。"

她问道:

"你是音乐家?"

他回答道:

"不是,不过我很爱好。"

郝麦一边俯向盘子,一边插话道:

"包法利夫人,别相信他,他说这话,完全由于谦虚。——怎么,好朋友!那一天,你在你的房间,唱《守护天使》①,实在好听。我在实验室就听见了;你像一位演员一样,

---

① 《守护天使》(L'Ange gardien) 是当时一首流行歌曲,作曲者是杜尚惹夫人(Duchanhge; 1778—1858)。

说收就收。"

赖昂的确住在药剂师家,三楼一间小屋,面对广场。听见房东这样恭维,他臊红了脸。郝麦已经转向医生,一个又一个,列举永镇的缙绅。他叙述逸事,提供说明。公证人的财产,没有人知道正确数字;还有"杜法赦那一家人",就爱摆架子。

爱玛问下去道:

"你喜欢什么音乐?"

"德国音乐;引人入梦的音乐。"

"你看过意大利歌剧吗?"

"还没有;不过明年我要住到巴黎,把法科读完了,那时候我就看到了。"

药剂师道:

"方才我正对你丈夫说起那个跑了的、可怜的亚诺达;亏他瞎讲究,回头你就知道,你住的房子是永镇最舒服的一所房子。一个做医生的,特别觉得方便的是:巷子有一扇门,出入没有人看见。再说,就居住而论,应有尽有:洗衣房、厨房带食具间、客厅、水果储藏室等等,不一而足。这家伙活活儿就是一位大爷,满不在乎!他在花园尽头近水的地方,搭了一座花棚,单单就为夏季喝喝啤酒!夫人要是爱好园艺的话,不妨……"

查理道:

"内人对这不感兴趣,人家劝她活动活动,可是她就爱老待在房间里看书。"

赖昂插话道:

"我也是这样的;说实话,风吹打玻璃窗,灯点着,晚上在火旁一坐,拿起一本书——还有什么比这趁心的?"

她睁大了她的大黑眼睛,看着他道:

"可不是?"

他继续道:

"你什么也不想,时间就过去了。你一步不移,就在你恍惚看见的地方散步,你的思想和小说打成一片,不是玩味细节,就是探索奇遇的轮廓。思想化入人物,就像是你的心在他们的服装里面跳动一样。"

她说:

"对!对!"

赖昂说下去:

"你有没有这种经验:有时候看书,模模糊糊,遇见你也有过的想法,或者人影幢幢,遇见一个来自远方的形象,就像陈列出来的,全是你的最入微的感情一样?"

她回答道:

"我有过这种体会。"

他说:

"所以我特别喜爱诗人。我觉得诗词比散文温柔,更容易感人泪下。"

爱玛道:

"可是读久了也起腻;如今我就爱一气呵成、惊心动魄的故事。我就恨人物庸俗、感情和缓,和日常见到的一样。"

练习生发表意见道:

"的确也是。这些作品既然不感动人,依我看来,就离开了艺术的真正目的。人生每多失望,能把思想寄托在高贵的性格、纯洁的感情和幸福的境界上,也就大可自慰了。就我来说,住在这偏僻地方,远离社会,读书成了我唯一的消遣;因为永镇是什么也拿不出来的!"

爱玛接下去道：

"还用说，和道特一样；所以我从前总向一家书店租书看。"

药剂师听见这末几句话，就说：

"我有一架书，都是最好的作家写的：伏尔泰啦、卢梭啦、德里耳①啦、渥特·司各脱啦、'副页回声'啦等等，而且我收到各种不同期刊，其中《鲁昂烽火》，天天送来，因为我是比实、佛尔吉、新堡、永镇和附近一带的通讯员，所以只要夫人赏光，我没有不乐意借的。"

他们的晚饭用了两小时半；因为女佣人阿尔代蜜丝，穿一双布条鞋②，懒懒散散，在石板地上拖来拖去，端了一个盘子，再端一个盘子，丢三落四的，样样不懂，弹子房的门，时时刻刻，开了不关，门插管的尖尖头直打墙响。

赖昂一面说话，一面心不在焉，拿脚踩着包法利夫人坐的椅子的横档。她系一条蓝缎小领带，兜紧圆褶细麻布领，像花领箍③那样硬挺；头上下一动，她的小下半个脸，也就跟着，文文雅雅，在领口出出进进。查理和药剂师闲聊中间，他们就这样靠近了，泛泛而谈，东扯一句，西扯一句，但是总回到一个起共鸣之感的中心。巴黎戏剧、小说标题、新式对舞、她住过的道特、他们现在住的永镇以及他们没有去过的社会，上天下地，无所不谈，一直谈到晚饭用罢，这才住口。

上咖啡的时候，全福去新宅布置寝室。客人们没有多久，

---

① 德里耳（Delille；1738—1813）是法国诗人，风格、内容近似拉马丁，在当时很有名气。

② 布的边幅，质料较坚，颜色不同，有些人用来编成鞋面。

③ 花领箍（fraise）是十六、十七世纪一种圆篷篷的裥褶领饰。

也就起席了。勒福朗丝瓦太太在将熄的炉火旁睡着了。马夫提了一盏灯,守在一旁,送包法利夫妇去他们的新居,红头发沾着碎麦秸,左腿瘸着。大家等他另一只手拿好堂长先生的雨伞,就出发了。

全镇入睡。菜场的柱子投下长长的影子。地像在夏天夜晚一样,全是灰的。

不过医生住宅离客店只有五十步远,大家差不多紧跟着就互道晚安分手了。

爱玛一进门道,就觉得冰冷的石灰,好像湿布一样,落在她的肩头。墙是新刷的,木头梯子嘎吱直响。窗户没有挂窗帘,一道淡淡的白光射进二楼房间。她影影绰绰,望见树梢,再往远去,还望见有一半没在雾里的草原,月光皎洁,雾顺着河道冒汽。房间里面,横七竖八,随地放着五斗柜的抽屉、瓶子、帐杆、镀金小棒,椅子上搁着褥垫,花地板上搁着脸盆,——搬家具的两个男人,漫不经心,信手扔了一地。

这是第四次,她睡在一个陌生地方。第一次是她进修道院的那一天;第二次是她到道特的那一天;第三次是她去渥毕萨尔的那一天;如今是第四次。每次都像在她生命中间开始一个新局面。她不相信事物在不同地方,老是一个面目;活过的一部分既然坏,没有活过的一部分,当然会好多了。

3

第二天,她一下床,就望见练习生在广场。她穿的是梳妆衣。他仰起头,向她致敬。她赶快点了点头,关上窗户。

赖昂整天在盼下午六点钟到,但是走进客店,仅仅看见毕耐坐在饭桌一旁。

493

昨天那顿晚饭,对他来说,是一件大事;一连两小时,同一位太太谈话,他还从来没有过。这许多事,往常他说都说不清楚,他和她一谈,怎么就会那样娓娓动听?他一向胆怯,庄重自持,一半也是害羞,一半也是作假。永镇上人,认为他举止得体。成人高谈阔论,他洗耳恭听,不发一言,似乎并不热衷政治:对于一个年轻人说来,确实难得。而且多才多艺,他画水彩画,能看乐谱,晚饭后不玩牌的时候,他就钻研文学。郝麦先生看重他有知识;郝麦太太喜欢他为人随和;因为他常在花园陪伴那些小郝麦:这些小家伙,一向邋遢,缺欠管教,有一点气色萎顿,如同他们的母亲。他们除去女佣人照料之外,还有药房伙计玉斯旦照料他们:他是郝麦先生的远亲,郝麦先生行好,把他收留下来,同时当佣人使唤。

　　为了表示他是最好的邻居,药剂师指点包法利夫人买谁家东西,特地把他照顾的苹果酒贩叫来,亲自尝酒,监视酒桶在地窖摆好。他又教她怎样买到便宜的牛油。教堂管事赖斯地布都瓦,除去教会和埋葬两样职务之外,还随各家喜好,按年或者按钟点料理永镇的主要花园,药剂师也为她的花园接好了头。

　　药剂师曲意奉承,并非单为关怀别人,其中还有别的文章。

　　十一年风月① 十九日法律,第一条规定:任何人没有执照,不得行医。他严重违反这一条法律,经人暗中告发,皇家检查官传他到鲁昂问话②。司法官穿了公服,肩膀上披一条白

---

① 风月(ventôse)是大革命时代共和国的六月,从2月19日到3月19日。
② 根据高蓝(Alfred Colling)的注解:共和国十一年的法律,对冒名行医的惩处相当宽大。管这种事的,不是皇家检查官,而是州长。

鼬皮，头上戴一顶瓜皮小帽，站着在办公室见他。这在早晨开庭以前。他听见过道有宪兵的笨重靴子走动，远处像有大锁关闭的声音。药剂师耳朵轰隆轰隆的，眼看自己像要中风一样；他恍惚看见自己被拘禁在地牢深处，一家大小号啕，药房出让，瓶瓶罐罐丢了一地，所以离开法院，他不得不走进一家咖啡馆，喝一杯搀塞测水的甘蔗酒，恢复他的神志。

　　日子一久，训斥的回忆渐渐淡了，他像往常一样，在铺面后间看病，开上一些无关重要的方子。但是他有村长作对，同行妒忌，必须加意小心；他之所以礼数频频，讨好包法利先生，就是为了使他感激在心，万一日后有所觉察，也就难以出口。所以每天早晨，郝麦送报纸给他看，下午常有一时离开药房，到医生那边聊天。

　　查理愁眉不展：顾客不见上门。他不言不语，一坐好几小时，不是在他的诊室睡觉，就是看他的太太缝东西。他为了消遣，在家里学做苦力，甚至于拿漆匠用剩下来的油漆，试着油漆阁楼。不过他念念不忘的，只有银钱事务。修葺道特房屋，太太添置化妆品，还有搬家，三千多艾居嫁资，两年下来，全花光了。再说，从道特搬到永镇，东西不是损坏，就是遗失，还不算石膏堂长像，有一次车颠得太厉害，滚到大车底下，在甘冈普瓦的石路上摔碎了！

　　有一件事，虽然担心，却也分忧，就是太太有喜了。分娩期越近，他越疼她。另外一种血肉联系在建立，像是不断提醒一种更为复杂的结合。他远远望见她，走起路来，懒洋洋的，不穿束腰，身子软绵绵的，在屁股上扭来扭去，要不然就是，坐在扶手椅里，一副慵倦模样，面对面，尽他饱看，他太幸福，再也憋不住了，站起来，搂住她，摸她的脸，叫她小妈妈，想同她跳舞，于是半笑半哭，尽他想得起来的柔情蜜意的戏言戏语，说个不停。他想到生孩子，心花怒放。他现在什么也不缺了。他经历到全部人生，于是坐在人生一旁，悠然自得，尽情享受。

爱玛起先觉得很惊奇，后来想知道做母亲是怎么一回事，也就急于分娩。不过她不能由着她的心思用钱，好比说，买一只玫瑰红缎帐摇篮、几顶绣花小帽，所以她一怄气，不加挑选，不和人讨论，什么也不料理，统统交给村里一个女工去做。这样一来，引起母爱的准备工作的乐趣，她就体会不到了；也许是由于这个缘故吧，她的感情，从开头起，就欠深厚。

不过查理顿顿饭说起小把戏，她慢慢也就老想着这事。她希望养一个儿子，身子结实，棕色头发，名字叫做乔治①：她过去毫无作为，这种生一个男孩子的想法，就像预先弥补了似的。男人少说也是自由的；他可以尝遍热情，周游天下，克服困难，享受天涯海角的欢乐。可是一个女人，就不断受到阻挠。她没有生气，没有主见，身体脆弱不说，还要处处受到法律拘束。她的意志就像面网一样，一条细绳拴在帽子上头，随风飘荡。总有欲望引诱，却也总有礼防限制。

星期天早晨，六点钟左右，太阳正出来，她分娩了。查理道：

"是一个女孩子！"

她转过头，晕过去了。

---

① 爱玛看重这个名字，不是由于它的本义"农夫"，而是由于它给她带来强壮和浪漫的启示。公元四世纪，有一个殉难的基督徒，叫这个名字。他是一个军官，小亚细亚人，传说在北非洲除过一条有害于民的恶龙。许多地方把他奉为护圣，英国即是。法国浪漫主义运动很受英国影响。

郝麦太太差不多跟着就跑过来吻她，勒福朗丝瓦太太离开"金狮"，也来了。药剂师不便进屋，只在门缝说了几句临时道喜的话。他希望看看婴儿；他觉得相貌端正。

休养期间，她费了不少心思，给女儿想名字。她最先考虑所有那些有意大利字尾的名字，类如克娜拉、路易莎、阿芒达、阿达娜；她相当喜欢嘉耳徐安德这个名字，尤其喜欢意色和莱奥卡狄这两个名字①。查理愿意小孩子叫母亲的名字；爱玛不赞成。他们上下查历书②，还向外人请教。

药剂师道：

"我和赖昂先生前一天说起这事，他奇怪你们为什么不取玛德兰这个名字，眼下非常时髦。"

但是包法利老太太坚决反对用这有罪女人的名字③。至于郝麦先生，凡足以纪念大人物、光荣事件或者高贵思想的，他都特别喜爱；他给四个孩子取名字，根据的就是这种原理。所以一个叫拿破仑，代表光荣；一个叫富兰克林，代表自由；一个叫伊尔玛，也许是对浪漫主义的一种让步④；一个叫阿达

---

① 嘉耳徐安德（Galsuinde；532左右—568）是西班牙哥特王国的公主，嫁给法兰克国王石耳派立克（Chilpéric）。在鲁昂举行婚礼，不久就被丈夫缢死。

意色（Iseult）是中世纪故事诗《特里斯唐与意色》（Tristan et Iseult）的女主人公。

莱奥卡狄（Léocadie）是西班牙一个女基督徒，304年殉教。

② 天主教历书纪念死难的信徒，每天一个圣者，注明名字，可供参考。

③ 玛德兰（Madeleine）旧译"抹大拉"，是地名，全名应当是"抹大拉的马利亚"，后人把抹大拉用成人名。《路加福音》第八章："曾有七个鬼从她身上赶出来"。她不是一个"有罪女人"，一般人错把她看成第七章说起的抹香膏女人，"那城里有一个女人，是一个罪人"。

④ 伊尔玛（Irma）是一部同名通俗历史小说的女主人公；小说是早期浪漫主义（1830年以前）的产物。

莉,却是对法兰西戏剧最不朽之作的敬礼①。因为他的哲学信念并不妨碍他的艺术欣赏;他的思想家成分,也决不抑制感情流露;他懂得怎么样加以区别,把想象和热狂的信仰分开。就拿《阿达莉》这出悲剧来说,他指摘思想,但是欣赏风格;他诅咒概念,但是称道全部细节;他厌恶人物,然而热爱他们的对话。他读伟大篇什,神魂颠倒;但是一想到戴黑瓜皮帽之流②,当作生意经用,他就伤心;于是百感交集,心困神惑,他一方面希望自己能亲手给拉辛戴上桂冠,一方面却也希望和他正正经经讨论一番。

最后还是爱玛想起,她在渥毕萨尔庄园,听见侯爵夫人喊一个年轻女人白尔特③,就选定了这个名字。卢欧老爹不能来,他们请郝麦先生做教父。他的礼物全是他的药房的出品,类如:六匣黑枣、一整瓶健身粉、三筒药用蜀葵片,还有在壁橱里找到的六根冰糖棍。举行洗礼的当天晚晌,摆了一桌酒席;教堂堂长也在座。大家兴高采烈,临到行酒,郝麦先生唱《好人们的上帝》④,赖昂先生来了一首船夫曲,包法利老太太是教母,也唱了一首帝国时代流行的恋歌;闹到后来,老包法利硬要抱小孩子下来,举起一杯香槟酒,说是给她行洗礼,朝头上浇。布尔尼贤院长见他取笑第一条圣事⑤,未免有气;老

---

① 阿达莉(Athalie)是十七世纪古典主义悲剧家拉辛的同名杰作的女主人公。她是公元前九世纪犹太国的女王。
② 指教士而言,日常头上戴一顶黑瓜皮帽。
③ 白尔特(Berthe)的字义是"明亮",来自日耳曼语言。这个名字常见于早期法国历史,最著名的是查理曼大帝的母亲"大脚白尔特"。中世纪关于她的传说很多。
④ 《好人们的上帝》(Le Dieu des bonnes gens)是贝朗瑞的作品,每节叠句是:"手里拿着酒杯,我快快活活把自己交给好人们的上帝。"
⑤ 圣事(sacrement)共有七条。

包法利的答复就是引证一句《众神之战》①；堂长离席要走；太太们央求，郝麦解劝，才算留住教士又坐下来：他端起碟子，心平气和，又喝着他喝了一半的小杯咖啡。

老包法利在永镇住了一个月之久。早晨他到广场吸烟斗，戴一顶漂亮的银箍船形帽，居民真还让他给唬住了。他喝烧酒有瘾，一来就差女佣人，到"金狮"替他买一瓶，写在儿子账上；他要手帕有香味，用光儿媳妇储藏的全部科伦水。

儿媳妇并不讨厌他。他有阅历，讲起柏林、维也纳、斯特拉斯堡，还有他当军官的时期、他有过的情妇、他摆过的盛大午宴。而且他显出一副可爱模样，有时候甚至于在楼梯上或者花园内，搂住她的腰，喊道：

"查理，当心啊！"

这样一来，老太太不放心了，生怕丈夫会有一天对年轻女人起坏影响，连累儿子的幸福，急于要早走。她也许有更严重的顾虑吧。老包法利是一个无法无天的人。

小女儿交给木匠女人乳养，有一天，爱玛忽然动了看她的心思，也不看看历书，圣母的六个星期过了没有②，就朝罗莱住的地方走去。他住在岭下村子尽头，在大路和草原之间。

正是中午，家家下了窗版，碧空烈日，青石板屋顶明光闪闪，山墙头好像在冒火花。一阵热风吹来。爱玛觉得行走乏力；人行道的石子磨脚；她拿不定主意回家好，还是进谁家歇歇好。

---

① 《众神之战》（La Guerre des dieus）是法国诗人巴尔尼（Parny；1753—1814）的作品（1799），叙述基督教战胜外教，语多嘲讽，信徒认为侮辱。

② 根据《包法利夫人》新版本（269页），作者紧跟着有一句话解释："这是圣母产后需要养息的时间，就是从圣诞节（12月25日）到圣母节（2月2日）。这是指一般产妇需要养息的时间。

正在这时，赖昂先生胳膊底下夹着一卷文件，从邻近一家大门出来。他走过来问候她，站在勒乐铺子前面，灰帐篷底下的阴凉里。

包法利夫人说她去看她的孩子，不过她已经觉得累了。

"如果……"

赖昂嗫嚅一声，不敢再讲下去了。

她问他：

"你有事忙吗？"

练习生说他没有事，她求他陪她一道去。一到黄昏，永镇传遍这事，村长太太杜法赦夫人，当着女佣人的面讲："包法利太太惹火烧身。"

去奶妈家的路，就像去公墓的路一样，出了街，必须朝左转，穿过一些窄小的房屋和院落，走一条小径。道旁一排小女贞树，正在开花，还有威灵仙、野蔷薇、荨麻和在灌木丛上亭亭玉立的木莓，也不甘落后。从篱笆窟窿望进去，就见草棚周围，不是猪在粪堆上爬，就是脖子套着夹板的母牛，拿犄角在蹭树身。两个人，并肩漫步，她靠住他，他照她的脚步，放慢步子；空气燥热，一群苍蝇在他们前头，飞来飞去，嘤嘤作响。

他们看见一棵老胡桃树，知道到了。老胡桃树阴下，有一所棕色瓦房，矮矮的，阁楼天窗底下挂着一串大葱。一捆一捆小树枝，竖直了，靠住荆棘篱笆，圈着一畦生菜、一小片香草，架子支起正在开花的豌豆。泼在草上的脏水，东一摊、西一摊，房子周围有几件叫不出名堂的破衣烂裤，编织的袜子、一件红印花布短袖女袄和一大幅晾在篱笆上的厚帆布。奶妈听见栅栏响，抱着一个吃奶的孩子出来，另一只手还牵着一个可怜的小瘦家伙，一脸瘰疬：鲁昂一个帽商的儿子，父母忙于做生意,把他留在乡下。

她说:

"进来吧,你的孩子在那边睡着呐。"

全楼唯一的卧室,就是下面的房间,紧里贴墙,有一张大床,不挂钩子;沿窗放着面盆;玻璃有一块裂开,拿蓝纸剪成一颗星星,粘在一道。门后角落,水槽石板底下,摆着几只高筒靴子,靴底钉子发亮,旁边有一只瓶子,盛满了油,瓶口插着一根羽毛;炉架全是灰尘,上面扔着一本《马太·朗斯拜尔格》①,夹杂在打火石、蜡烛头和零星火绒当中。这间屋子最用不着的奢侈品是一幅画,画的是名誉女神吹喇叭,不用说,一定是从什么香料广告画上,剪了下来,拿六个木头套鞋钉子,钉在墙上。

爱玛的小孩子睡在地上一个柳条摇篮里。她连被窝一道抱起来,一边摇晃身子,一边低声歌唱。

赖昂在屋里踱来踱去;这位漂亮太太,穿一件南京布②袍子,周围一片穷苦景象,他越看越觉得不伦不类。包法利夫人脸红了;他转开身子,心想他这样看她,也许有些失礼。小孩子吐奶吐到她的领子上,她放她躺回去。奶妈赶忙过来就揩,直说不会留下印子。她说:

"她净朝我身上吐奶,我除去洗她,就甭想再干别的!你可不可以吩咐杂货店卡穆一声,我缺肥皂用,许我拿上一块两块?往后我用不着吵扰你。对你也方便多了。"

---

① 《马太·朗斯拜尔格》(Matthieu Laensberg) 是一本万宝全书式的历书,从1636年起,通行民间,十九世纪中叶,由新历书代替。

② 南京布,浅黄发亮,当时法国人喜欢用作夏装,特别是裤子、背心一类衣服,郝麦在第八章就穿这样一条裤子。

爱玛道：

"好吧！好吧！罗莱嫂子，再见！"

她出来在门槛上揩了揩脚。

乡下女人陪她一直陪到院子尽头，诉说她夜晚不得不起床的苦处。

"我有时候累得要命，好端端坐在椅子上就睡着了；所以再不怎么，你也应该赏我一磅磨好的咖啡，一磅够我一个月用的，早上我兑牛奶喝。"

包法利夫人勉强听完她的道谢，拔脚就走，眼看在小径已经走了一程，就见传来一片木头套鞋响声，回头一望：原来又是奶妈赶来了。

"又是什么事？"

于是乡下女人把她揪到一棵榆树后头，唠唠叨叨，说她的丈夫，干那行营生，一年六法郎，船长还……

爱玛道：

"快说吧。"

奶妈说一个字，叹一口气，接下去道：

"可不，单我一个人有咖啡喝，我怕他看了会难过的；你知道，男人家……"

爱玛一连几次道：

"少不了你的，我给你就是了！……别跟我蘑菇！"

"唉！我的善心太太，都只为他先前受伤，胸口死抽着疼。他讲，就连苹果酒也不顶事。"

"罗莱嫂子，有话快讲！"

后者行了一个大礼，接下去道：

"那，你不嫌我太贫气……"

她又行了一个大礼：

"你乐意的话……"

一双眼睛哀求着,她终于说出了口:

"一小坛烧酒,我拿它揩小姐的脚,她那小脚丫呀,嫩得就像舌头一样。"

爱玛打发掉奶妈,又挎上赖昂先生的胳膊。她放快脚步,走上一阵,又慢了下来,眼睛朝前望来望去,望到年轻人的肩膀。他的大衣有一条黑绒领子。栗色头发,梳得又平又齐,搭在领子上。她看出他的指甲,永镇谁也没有他长。练习生一件大事,就是培养指甲:他的文具箱有一把小刀,专修指甲用。

他们沿河岸回到永镇。到了夏季,河岸宽了,花园墙连墙基也露在外头①。花园有一道台阶,通到水边。河水静静流着,望过去觉得又快又凉;水草细长,顺流俯伏,仿佛不要了的绿头发,在清澈的水里摊开了一样。有时候,一只细脚虫,在灯芯草尖端或者荷叶上面,爬来爬去,要不然就是待着不动。波纹粼粼,一道阳光,细丝一样,穿过小蓝泡;小蓝泡一个接一个,朝前趱赶,稍一趱赶,就又裂碎。少条断枝的老柳树,在水里映出它们的灰树皮。四周草原,远远望去,空空落落,好像一无所有。现在是田庄用饭的时辰,万籁无声,少妇和她的同伴就只听见他们自己的谈话、他们在小径行走的整齐步伐和爱玛袍子的綷縩响声。

花园墙顶砌着碎玻璃,墙像暖房玻璃窗那样烫。砖缝长着桂竹香,有些花开败了,包法利夫人从旁走过,阳伞撑开,伞边一碰,就有黄粉撒了下来;要不然就是,有什么金银花和铁

---

① 根据《包法利夫人》新版本(272页),我们知道:"到了夏季,河有一点浅,在岸低的地方和花园墙之间,踩出一条人带牲口到牧场吃草去的小路;花园是砖墙,筑成望台,靠近水边,全有一个栅栏门。"

线莲的枝子，挂在墙外，和流苏绞在一起，在缎面上拖了一阵。

他们谈起一家西班牙舞蹈团，不久要在鲁昂的剧场表演。她问道：

"你去不去看？"

他答道：

"看情形。"

难道他们就没有别的话讲？然而他们的眼睛，有的是更传情的语言；每逢他们竭力搜寻空泛字句，两个人就全感到一种相同的懒散心情，好像灵魂还有一种深沉、持久的呢喃，驾乎声音的呢喃之上一样。他们想不到自己会有这种甜蜜感受，惊愕之下，没有想到点破它的存在，或者寻找它的原因。未来的幸福好像热带的河岸，天性仁厚，滋润两旁的大地一样，放出阵阵香风，由他们尽情享受，他们也如醉如痴，乐在其中，什么顾虑都不搁在心上。

有一个地方，牲畜踩来踩去，路陷下去，烂泥里搁着几块大绿石头，他们必须蹬着过去。她一来就停住，看看下一步在什么地方落脚，——于是石头活动，身子摇摆，胳膊伸在半空，胸脯朝前，眼睛犹疑不定，生怕掉进水坑，她笑了起来。

包法利夫人走到自己花园前面，推开小栅栏门，跑上台阶，就进去了。

赖昂回到办公室。上司不在；他望了一眼案卷，然后修了一管鹅毛笔，临了戴上帽子走掉。

他来到阿尔格意岭上的牧场，躺在森林旁边冷杉底下，隔着手指望天。他自言自语道：

"简直无聊！简直无聊！"

住这种村子，和郝麦做朋友，拜居由曼先生作上司，他觉得倒霉。后者心上只有事务,戴一副金丝眼镜,留一圈红络腮胡须,系一条白领带,摆出一副死板的英吉利派头,开头唬住了练习生,其实,毫无精神生活。至于药剂师的女人,她是诺曼底最贤德的太太,绵羊一般柔顺,爱护她的子女、她的父亲、她的母亲、她的亲戚,听见别人家出事就哭,家事概不过问,就恨穿束腰;——但是行动那样迟缓,听她讲话那样乏味,面貌那样寻常,谈吐那样干巴巴的,虽然她三十岁,他二十岁,他们睡觉门对门;他每天同她说话,他从来没有想到她对任何男子也是一个女人,除去袍子,还有别的东西表示她是女性。

此外,还有谁?毕耐、几个生意人、两三个开小酒馆的、教堂堂长,最后还有,村长杜法赦先生和他的两个儿子:他们是粗暴、愚蠢的阔人,亲自下地,在家大吃大喝,而且虔心信教。根本没有可能待在一起。

但是在所有这些面目形成的共同背景之上,爱玛的形象,孤零零的,离他只有更远;因为他觉得在他和她之间,就像隔着好些一片模糊的深渊一样。

起初他有几回,和药剂师一道到她家去。查理似乎并不特别欢迎他;赖昂也不知道怎么样才好,一面唯恐自己冒昧,一面却又希图亲近,然而说到亲近,照他估计起来,几乎就没有指望。

4

天气一冷,爱玛就离开原来卧室,住到楼下厅房:一间长屋,天花板低低的,壁炉镜子前面,有一盆多枝珊瑚。她坐在窗边扶手椅里,看村人从人行道走过。

赖昂每天两趟,从事务所走到"金狮"。爱玛远远听见他来,斜过身子听脚步响;年轻人老是那么一身衣裳,在窗帘外,头也不回,溜了过去。傍晚,开了头的彩绣,她丢在膝盖上,左手支起下巴,正在出神,看见这个影子突然溜开,常常心里一紧。她站起来,吩咐开饭。

正吃晚饭,郝麦先生来了。他怕吵了他们,潜脚进来,手里拿着希腊小帽,永远重复这句话:"各位晚安!"然后他挨近桌子,在他们夫妇之间的老位子一坐,向医生问起病人消息,同时医生向他请教,诊费该多该少。他们接下来就谈报纸上的新闻。郝麦整天看报,赶到掌灯时分;差不多把新闻背也背下来了,讲起来有头有尾,一直讲到记者的议论、国内外个别人士的灾难,说到无可再说,就立时调转话头,谈论眼前的菜肴。他甚至于有时候体贴入微,探起身子,给夫人指出最嫩的一块肉,要不然就转向女佣人,教她烧菜的规程与合乎卫生的调味方法;他说起香料、味精、肉汁和胶质一类东西,头头是道。而且郝麦满脑方子,比他的药房的瓶子还多,擅长酿造各色蜜饯、醋和香油,也知道种种新出的省煤的锅釜和保存干酪、料理坏酒的方法。

一到八点,玉斯旦就来找他回去上门。郝麦看出他的学徒好来医生家,所以就显出嘲弄的眼神望他,特别是碰到全福也在的时候。他说:

"我这小伙子,开始懂事啦,我敢说,他爱上了你们的丫头,不是才怪!"

但是他责备他的,还有一个更大的过失,就是:老待下来听人谈话。譬如说,星期天,在郝麦家的晚会上,孩子们在扶手椅里睡着了,椅子布套太宽,让后背拖得歪歪拧拧的,郝麦夫人把他叫了来,要他抱走,他愣在客厅,就没有方法让他离开。

　　药剂师这些晚会，没有多少人参加，仕绅怕听他的闲言闲语和他的政治见解，陆陆续续，也就避而不来了。但是练习生决不错过。他一听门铃响，就跑去迎接包法利夫人，接过她的披肩；碰到下雪，她在鞋上套一双布条大拖鞋，他也接过来，放在药房书桌底下。

　　大家先玩几回"三十一"，接着郝麦先生就和爱玛玩"调换"①，赖昂站在背后，帮她指点，手搭在椅背上，看着她的插在发髻上的梳子。她每回出牌，右边袍子就往高里耸。头发向上卷，后背映成一片棕色，越来越淡，逐渐没入黑影。她出过牌，往回一坐，衣服蓬蓬松松，全是褶子，搭在椅子两旁，垂到地上。赖昂有时候觉出他的靴底踩到上头，连忙挪开，就像踩了别人一样。

　　斗过扑克，药剂师就和医生玩牙牌，爱玛换了座位，胳膊支着桌子，翻看《画报》②。时装杂志是她带来的。赖昂坐在旁边，和她一道看图，谁先看完，谁就等另一个人看完了再往下翻。她一来就求他读几首诗给她听；赖昂拉长声音朗诵，念到爱情段落，用心煞尾。但是牙牌的声音吵他；郝麦先生是个中能手，查理输得一塌糊涂。他们打满三个一百分，两个人全在壁炉前，伸直身子，很快也就睡着了。火灭了，茶壶空了，赖昂还在念。爱玛一边听他念，一边心不在焉，随手转动灯

---

①　"三十一"是扑克牌一种玩法：五十二张牌，人数不拘，三十一点最大。
　　"调换"(écarté)是一种两个人玩的扑克牌，三十二张牌，从国王到七，每人五张，得对方允许，可以换牌。
②　《画报》(L'Illustration) 是一种周刊，1843 年创刊，以图画说明政治以及一般社会活动。

罩；纱罩上面，画了几个乘车的皮艾罗①和拿着平衡棒的走索姑娘。赖昂住口不念，指着他的睡熟了的听众。于是他们低声说话，因为没有别人听，觉得谈话分外甜蜜。

他们之间，就这样建立了一种密契，不断交换书籍和歌曲；包法利先生难得妒忌，并不引以为怪。

生日那天，他收到一颗骨相学的漂亮人头，涂成蓝颜色，上上下下，写遍数字，连胸口也有。这是练习生送得一份厚礼。盛情不止于此，他甚至于还替医生到鲁昂买东西。有一部小说，引起爱好仙人掌科植物的风气，赖昂买了一盆，送医生太太，坐在"燕子"里面，捧在膝盖上，硬刺扎破他的手指。

她靠窗装了一个有栏杆的小木架，盛她的小花盆。练习生也安了一个悬空的小花圃；他们彼此望见在窗口养花。

全村有一家窗户，望过去分外透着忙碌：因为如果天气晴和的话，每天下午，星期日甚至于从早到晚，就见一家阁楼的天窗，露出毕耐先生半张瘦脸，身子朝他的旋床弯着。旋床的单调的响声，就连"金狮"那边也听得见。

有一天黄昏，赖昂回来，发现屋里有一条呢绒毯子，白底，树叶图案。他喊郝麦太太、郝麦先生、玉斯旦、小孩子、女厨子；他告诉他的上司；人人想见识见识这条毯子；医生太太为什么送练习生礼物？未免出奇；大家肯定她是他的女相好。

也不由人不相信。他不住口夸她美貌多才，夸到后来，毕耐有一回老实不客气回他道：

"关我什么事，我同她又没有来往！"

---

① 皮艾罗（pierrot）是十六世纪意大利职业喜剧的一个定型小丑，十八世纪常在欧洲舞台出现。

他绞尽脑汁,寻思对她表白心事的方法;他一方面怕她不欢喜,一方面惭愧自己懦弱,瞻前顾后,永远迟迟不前,又是胆怯,又是相思,简直哭也要哭出来了。他后来横了心,拿定主意,可是信写了,他又撕掉,时间确定了,他又延宕。他常常迈步向前,跃跃欲试,然而来到爱玛面前,这种决心很快也就烟消云散,不知去向。查理蓦地出现,邀他坐上他的包克,一同到附近看看病人,他满口应承,向女主人一鞠躬,也就去了。她的丈夫,不也几乎等于她了吗?

至于爱玛,她并不希望知道她是否爱他。她以为爱情应当骤然来临,电光闪闪,雷声隆隆,仿佛九霄云外的狂飚,吹过人世,颠覆生命,席卷意志,如同席卷落叶一般,把心整个带往深渊。她不晓得,承溜堵塞,淫雨可以把房顶的平台变成湖泊。她这样住下去,自以为安全无事,不料事出意外,忽然发现墙上有了一条裂缝。

5

二月,星期日,一个落雪的下午,包法利夫妇、郝麦和赖昂先生,全到离永镇半古里远的盆地,参观一家新建的麻纺厂。药剂师要拿破仑和阿达莉活动活动,也带了去,玉斯旦照管他们,肩头扛着雨伞。

其实,他们要看的地方,根本不值得一看。一大片空地,乱七八糟,东一堆沙,西一堆石子,旁边撂着几个已经长锈的齿轮,当中一座长方建筑,开着许多小窗,还没有盖好,隔着房椽,望见了天。山墙小梁绑着一捆搀杂麦穗的秸秆,尖头三色带子,迎风招展,呼呼直响。

郝麦高谈阔论,向同伴解释这家厂房的重要性,计算地板的力量，墙壁的厚度，连声后悔没有带一管尺来，毕耐先生就有一管，供本人不时之需。

爱玛挎住他的胳膊，微微靠着他的肩膀，遥望圆圆的太阳，在雾里射出耀眼的白光，但是她一转脸，就看见了查理。他的便帽低低盖住眉；上下厚嘴唇微微颤抖，脸格外显得蠢；就连他的背，他的安详的背，也不顺眼；甚至于他穿的大衣，也如其人，俗不可耐。

她这样打量他，觉得有气，可是心头也起了一种变质的快感，赖昂这期间正好迈前一步。由于天冷，他的脸变白了，似乎也更显得少气无力，温柔动人。衬衫领子有一点点松，在领带和颈项中间，露出皮肉；一绺头发盖住耳朵，耳朵尖露在外头，同时他的大蓝眼睛，望着浮云，爱玛觉得比起那些群山环绕、映照天日的湖泊，还要清，还要美。

药剂师忽然喊了起来：
"坏东西！"

他的儿子正跳到石灰堆，打算把鞋抹白。他跑过去责备，拿破仑嚎叫起来。玉斯旦找了一把麦秸帮他揩鞋，不过还需要一把小刀；查理掏出小刀，借给他用。

她向自己道："啊！他像庄稼汉一样，衣服口袋里搁一把小刀！"

下霜了，他们走回永镇。

当天黄昏，包法利夫人没有去邻居家，就只查理去了。她觉得就是她一个人，对比又在心头涌起，一方面固然是一转眼的事，历历在目；一方面到底是回忆，中间隔着一段距离。她躺在床上，望着明亮的旺火，就像还在那边一样，看见赖昂站着，一只手弄弯他的细手杖，另一只手领着阿达莉。阿达莉安安静静，咂一块冰。她觉得他可爱，就连不想也不成；她记起

他在别的日子别的姿态、他说过的话、他说话的声音、他的一切,于是嘴唇向前,好像接吻一样,她重复道:

"是啊,可爱!可爱!"

她问自己道:

"他有心爱的人吗?是谁?…是我呀!"

全部证据同时摊开,她心跳了。壁炉的火焰放出一道亮光,欢欢腾腾,在天花板上摇晃。她背转身子,伸出胳膊。

于是无终无了的哀怨开始了:"唉!只要天从人愿,也就好了!凭什么不?谁拦着来了?……"

查理半夜回来,她装出才醒的模样,他脱衣服起了响声,她诉说头疼,然后随随便便,打听晚会的情形。他说,

"赖昂先生老早就上楼了。"

她不禁有了笑意,于是灵魂充满新的喜悦,她沉沉入睡了。

第二天傍晚,时装商人勒乐看她来了。这位掌柜精明强干,是一个做生意的能手。

他生在南方加斯康尼,本来就爱说话,之后在诺曼底定居,又添上苟地的狡黠。虚虚的胖脸,不留胡须,仿佛抹了一道稀薄甘草汁子;一双贼亮小黑眼睛,衬上白头发,越发显得灵活。人们不清楚他的来历;有人说是背包贩子,又有人说是鲁斗① 开钱庄的。确实的是,工于心计,就连毕耐也怕。礼貌多,胁肩谄笑,腰一直哈着,姿势又像鞠躬,又像邀请。

帽子滚一道绉纱,他把毡帽留在门道,然后走进屋来,往桌子上放下一个绿厚纸匣,满嘴客套话,一开口就表示遗憾,说他直到现在,还没有承蒙太太赏光,像他开的那样小铺,吸

---

① 鲁斗(Routot)在鲁昂西南,属欧尔(Eure)州。

引风雅妇女(他加重口气),本来不配。其实只要太太吩咐一声,他会尽心尽意,供应她的需要,不管是针线、衬衣、帽子或者新衣料,全有办法,因为他每月规定进城四趟。他和最大的行庄有联系。在"三兄弟"、"金胡须"或者"大野人"那边,提起他来,家家掌柜晓得,就像他们口袋里的东西一样熟!所以他今天顺便给太太看几样货色,机会难得,偏巧他有。说着说着,他从纸匣取出半打绣花领子。

包法利夫人看了看,就说:

"我都用不着。"

勒乐先生听了这话,经心经意,取出三条阿尔及利亚围巾①、几包英吉利针、一双草拖鞋,最后,四只囚犯精镂细雕的吃蛋用的椰子小杯,然后他张开嘴,两只手搭在桌面,伸长脖子,身子向前,随着爱玛的犯疑不决的视线,浏览这些货物。围巾长长的,整个摊开,他似乎为了掸掉浮尘,不时拿指甲弹一下缎面,于是围巾窸窸窣窣,映着黄昏发绿的亮光,微微一动,就见上面的金点子,仿佛一颗一颗小星星,闪闪灼灼。

"卖多少钱?"

他回答道:

"没有几个钱,没有几个钱,也不必急着就给,随你方便;我们不是犹太人!"

她沉吟了一下,结局还是不买。勒乐先生满不在乎,答话道:

"好吧:我们以后会相熟的;我一向凑和太太们,不过贱内可不在内!"

---

① 阿尔及利亚围巾是直道道,多色,光彩夺目。

爱玛微笑了。

他说过这句趣话，就做出一副老实人模样，接下去道：

"我讲这话，就是说，我不拿钱搁在心上……你要是钱不凑手的话，我先借你也行。"

她听了这话，不由一惊。他连忙低声道：

"啊！你用钱，近处就好周转；放心好了！"

他转过话头，问起法兰西咖啡馆的老板泰里耶老爹的消息，包法利当时正在给他看病。

"泰里耶老爹到底是怎么一回事？……他一咳嗽，整个房子摇晃，我担心他过不了几天，不穿法兰绒内衣，会穿松木大衣的①。年轻时候，他拚命荒唐！这种人呀，太太，一点儿也没有条理！光喝酒也把他喝干了！不过眼睁睁看着相识的人死，不管怎么样，总不好过。"

他一面扣厚纸匣，一面就这样议论医生的病人。他望着玻璃窗，一脸不愉快的神情，说：

"自然喽，时令不正，就生这些病。我呀，我就不觉得自己怎么适意；我的后背有一个地方疼，改一天，我也许来看看大夫。可不，再见啦，包法利太太；有事尽管吩咐，小的一定伺候！"

他轻轻把门带上。

爱玛叫人把饭开到卧室，放在盘子里头；她坐在炉边，慢慢腾腾用饭；她觉得事事如意。她想着围巾，自言自语道：

"我真叫乖啦！"

她听见楼梯有脚步响：赖昂来了。她站起来，五斗柜上放了几条抹布，等着缭边，她拿起头一条，他进来，她显得很

---

① 指棺材而言。

忙。

　　谈话无精打采,包法利夫人有一句没一句,时时停顿,他自己也像有话难以出口。他坐在炉边一张矮椅上,手里拿着象牙针盒,转来转去;她不是穿针引线,就是不时拿指甲压压布褶子。她不说话。他作不得声,她的沉默迷住了他,就像先前她的语言迷住了他一样。

　　她心里想:"可怜的孩子!"

　　他问自己:"她嫌我什么?"

　　临了还是赖昂说起,他有一天要去鲁昂,办理一件业务上的事。

　　"你订的音乐刊物满期了,要不要我续下去?"

　　她回道:

　　"不要。"

　　"为什么?"

　　"因为……"

　　她闭紧嘴唇,慢条斯理,抽出一根长长的灰线。

　　赖昂看着这件女活有气。爱玛的手指尖都像扎破了似的;他想起一句漂亮话,可是又不敢说出来。他接下去道:

　　"你不学啦?"

　　"什么?"

　　她赶快改口道:

　　"音乐?啊!我的上帝,是啊!难道我不要管家,不要照料丈夫,总之,手边不有一大堆活儿,许许多多分内事,要我先操心?"

　　她望望钟。查理回来迟了。她不放心。她重复了两三遍:

　　"他人真好!"

　　练习生喜欢包法利先生。可是他想不到她待他这样深情,

听着未免别扭;不过他照样恭维他,他说,他听见人人夸他,尤其是药剂师。爱玛接下去道:

"啊!他是一位好人!"

练习生接下去道:

"当然。"

他调转话头,讲郝麦夫人,他们平时一来就笑她不修边幅。爱玛打断道:

"这有什么关系?做慈母的,就没有心思打扮自己。"

说过这话,她又默不作声了。

一连几天,都是如此;她的谈话、她的姿态,统统变了。大家见她关心家务,按时上教堂,对女佣人也管得更严了。

她从奶妈那边接回白尔特。家里一有客人,全福就带她过来,包法利夫人撩起孩子的衣服,叫人看看她的小胳膊、小腿。她讲她就爱小孩子;这是她的安慰、她的喜悦、她的迷恋;她的爱抚带有感情,除去永镇人,任何人看了,都会想到《巴黎圣母院》的小口袋①。

查理回家,发现拖鞋放在炉火一旁,烤得暖暖的。现在,他的背心不再缺里子了,衬衫不再短纽扣了。甚至于他的睡帽,也一顶一顶,整整齐齐,在橱里摆好,他看在眼里,觉得开心。她不像往常,花园转转,就皱眉头;他有建议,她总同意,即使她猜不透他的意思,她也百依百顺,不露一丝抱怨;——赖昂看见他坐在炉边,用罢了饭,一双手搭在肚子

---

① 小口袋(Sachette)是雨果的小说《巴黎圣母院》(1831)的人物,是一个穷无所归的隐修妇女,所以才有小口袋(隐修教士的一种民间称呼)的别名,见于第六卷第三章;"她亲自喂奶,拿她仅有的被单给她做尿布;如今她不觉得冷,也不觉得饿。"

上，两只脚搁在火笼上，脸蛋由于消化也发红了，眼睛由于幸福也润泽了，孩子在地毯上爬着，而这位细腰女子，就着椅背，吻她的额头。他向自己道：

"简直胡闹！怎么接近得了她？"

所以在他看来，她十分端庄，亲近不得，他连一星半点的希望也不存了。

可是意有所舍，心犹未甘，他只好把她放在非凡的境界。他在肉身方面既然一无所得，所以对他说来，她不具肉身，在他的心头扶摇直上，仿佛成仙得道，云脚冉冉，气象万千。这是一种纯洁感情，并不妨碍日常生活，有了它，心里快活，一旦丢了，就会特别难过，正因为这种感情可贵，人才加以培养。

爱玛瘦了，面色苍白，脸也长了。大眼睛，直鼻子，一绺一绺黑头发，走路像鸟飞一样轻，而且现在永远静默：难道她不像亭亭玉立，经浊世而不染，额头隐隐约约，打着使命崇高的印记的？她十分忧郁，而又十分安详，十分温柔，而又十分矜持，人在旁边，感到一种冷冰冰的魅力，仿佛走进教堂，花香香的，大理石凉凉的，不禁寒颤起来。就连别人也逃不出这种诱惑。药剂师就说：

"她是一个天资卓绝的女子，做县长夫人也不过分。"

太太们称赞她节省，病人们称赞她有礼貌，穷人们称赞她仁慈。

但是她却满腹贪婪、愤怒和怨恨。衣褶平平正正，里头包藏着一颗骚乱的心；嘴唇娴静，并不讲出内心的苦恼。她爱赖昂，追寻寂寞，为了能更自由自在玩味他的形象。真人当面，反而扰乱沉思的快感。听见他的脚步，她就心跳；但是待在一起，心就沉下去了，她有的只是莫大的惊奇，临了又陷入忧郁。

赖昂走出她家，心灰意懒，却不知道她跟踪而起，看他在街上走动。她关心他的行止，窥伺他的脸色；她找借口看看他的房间，编了一个有头有尾的故事。药剂师女人和他住在同一房顶底下，在她看来，幸运之至。她一想就想到这家房屋，好像"金狮"的鸽子，一飞就飞到这家承溜，在里头洗净它们的玫瑰红爪子和它们的白翅膀。可是爱玛越觉得自己有爱情，越加以抑制，为的是减弱它的声势，不要流露出来。她巴不得赖昂猜破，也设想了一些作成赖昂猜破的机会、变故。她没有放手去做，不用说，是由于懒散或者畏惧的缘故。还有羞耻的缘故。她寻思自己太拒人于千里之外，时机不再，无从补救了。她自以为牺牲很大，什么也安慰不了她，后来只有说说："我是贞节女子"，还有摆出听天由命的姿态，照照镜子，显出一脸的骄傲和喜悦，心头才有一点点好受的味道。

于是肉体的需要、银钱的欠缺和热情的悒郁，揉成一团痛苦；——可是她不但不丢开了不想，反而越发念兹在兹，到处寻找机会，加深她的悲痛。一盘菜做坏了，或者一扇门没有关严，她就有气；想起自己没有丝绒衣着，幸福插翅飞过，悬想太高，居室太窄，她就难过。

顶气人的是，她受活罪，查理似乎就没有觉察到。是他使她幸福的信念，在她看来，就是一种岂有此理的侮辱；他那方面心安理得，就是忘恩负义。请问，她为谁贤惠？难道不正是他，作成一切幸福的障碍、一切灾难的因由，就像身上皮带的尖插头一样，把她扣得牢牢的，气也出不来一口？

所以种种怨恨，她不管是不是从自己的烦闷来的，统统算在他的账上；她未尝不想减轻怨恨，可是回回努力，回回扑空，不但没有减轻，反而更深了。她这样白白辛苦一场，已经于心不快,加上痛苦早已存在的其他原因,彼此之间的隔膜,也就越发大了。她对自己的柔顺起了反感。家庭生活的庸俗使她神往奢华;夫妇之间的恩爱使她缅想奸淫。她巴不得查理打她一顿,她好抓住理由恨他、报复他。面对着自己想起的一些残酷的假设,她有时候不由一惊。然而她必须继续笑脸相向,听见自己重复说:她很快乐,而且装模作样,要人相信自己快乐。

可是她厌恶这种虚伪行为。她有心和赖昂逃之夭夭,到天涯海角试试新的命运;不过她一想到这上头,立刻就觉得有一道黑压压的大沟横在面前。她寻思道:

"而且,他已经不爱我了;怎么办?指望谁帮助、谁安慰、谁搭救?"

她心碎了,气喘吁吁,痴痴呆呆,低声呜咽,满脸眼泪。

人有时候进来,赶上她犯病,就问她道:

"为什么不告诉老爷?"

爱玛回答道:

"我心烦;别告诉他,他要难过的。"

全福接下去道:

"啊!是啊,你就像小盖兰一样,波莱① 的渔夫盖兰老爹的闺女,我来你家以前,在第厄普认识的。她呀,一天到晚,愁眉不展,站在她家门槛,你看见了,真还以为是一条裹死人的布,挂在门前头。她害的病,看上去,就像脑子里头有了雾一样,大夫治不了,堂长也没有办法。病狠了,她就一个人到海边待着,海关上的官儿巡逻,常常看见她脸朝下,爬在石子上头哭。后来,据说,嫁人以后,她就好啦。"

---

① 波莱(Pollet)在第厄普之北,分据河口。

爱玛接下去道:
"不过,我呀,我是嫁人以后得的。"

6

有一天傍晚,开开窗户,她坐在窗口,起先还望见教堂管事赖斯地布都瓦修剪黄杨,忽然就听见晚祷的钟声响了。

正当四月初旬,樱草开花,一阵煦风吹过新掘的花畦,花园如同妇女,着意修饰,迎接夏季的节日。人从花棚的空隙望出去,就见河水曲曲折折,漫不经心,流过草原。黄昏的雾气,在枯落的白杨中间浮过,仿佛细纱挂在树枝,却比细纱还要白,还要透明,颍蒙一片,把白杨的轮廓勾成了堇色。远处有牲畜走动,听不见脚步响,也听不见叫唤。钟总在响,安安静静,哀号似的,在空中一直响个不停。

钟声悠悠荡荡,重来复去,勾起少妇的记忆,回到童年和寄宿时期。她想起圣坛的蜡烛台,高出花瓶和细柱神龛之上。修女们伏在跪凳,左一顶硬风帽,右一顶硬风帽,仿佛黑点子,夹在一长排白面网当中:她真愿意像往常一样,戴上白面网,再在里头厮混。星期日,做弥撒,她一抬头,就望见淡蓝香云,环绕圣母慈容,媛媛上升。这样一想,她感动了,觉得自己柔荏少力,四无着落,好像一根鸟毛一样,在狂风暴雨之中打转。她于是身不由己,不知不觉,去了教堂,准备虔心信教,什么方式也行,只求她的灵魂俯首帖耳,人间烦恼不再存在。

她在广场碰见赖斯地布都瓦回来;因为他宁可打断工作,接着再来,也不肯少却一样不做,所以什么时候晚祷敲钟,只有凭他方便。再说,提早敲钟,正好警告顽童:教理问答的时间到了。

有些孩子已经来了,在公墓的石地玩弹子。有的骑在墙上,腿荡来荡去,拿木头套鞋割着墙和新坟之间的高荨麻玩。这块小空间是唯一的绿地方;此外都是石头,圣库的扫帚扫来扫去,总挡不住上头老有一层浮土。

似乎这就是孩子们的花地板,他们穿着布鞋,在里头跑来跑去,钟声再响,也听得见他们叫嚣如雷。钟楼高空垂下一根粗绳,有一头搭在地上,摆幅缩短,钟声也就跟着小了下来。燕子一面啁啾,一面掠空而过,迅速飞回檐瓦底下的黄窠。教堂紧里,点着一盏灯,就是说,玻璃盏挂在半空,里头有一根灯芯子。远远望去,亮光仿佛一个灰白点子,漂在油上晃荡。一道细长阳光,穿过教堂中部,相形之下,两侧和四周越发显得阴沉。

活挡的桩子已经松动了,有一个小孩子还在摇着玩。包法利夫人问他道:

"堂长在哪儿?"

他回答道:

"就快来啦。"

的确,门格吱在响,布尔尼贤院长走出住宅;孩子们一窝蜂似的逃进教室。教士唧咕道:

"这些小家伙!总是这样!"

脚碰到一本破烂教理问答,他拾起来:

"什么也不敬重!"

他一瞥见包法利夫人,就说:

"对不住,我没有认出你来。"

他把教理问答塞进衣袋,收住脚步,圣库的钥匙沉甸甸的,夹在两个手指当中,一直来回摇晃。

夕阳西下,余辉照亮他的整个脸,道袍下摆脱线,胳膊肘底下透亮,阳光掠过,毛呢颜色显得淡了。胸脯宽阔,沿着上面一排小纽扣上上下下,全是油渍、烟污,越离拉巴① 远,也就越多。颈项的红肉褶子搭在拉巴上。皮肤上沥沥拉拉,撒着一些黄点子,直到鬣毛似的灰白胡须,才算看不见。他刚用过晚饭,气咻咻的。他问道:

"你好啊?"

爱玛回答道:

"不好;我难受。"

教士接下去道:

"可不!我也是。这些日子,古里古怪,天才一热,人就四肢无力,你说对不对?不过你要怎么着?圣·保罗说得好,我们生下来就为受罪。倒是包法利先生,他是什么看法?"

她做了一个轻蔑的手势,说:

"他呀!"

老好人大吃一惊,连忙道:

"什么!他不给你开方子,配一点药吃?"

爱玛道:

"啊!我要的不是人世的药。"

但是堂长不时朝教堂张望。孩子们全在里头跪着,你拿肩膀推我,我拿肩膀推你,好像一排纸人,倒了头一个,连串往下倒。

她接下去道:

"我想知道……"

---

① 拉巴(rabat)是教士道袍前胸领口底下一种装饰:一小幅黑布,分成两个相等的方形,四周滚一道小白边。

教士声音带怒，喊叫道：

"好，好，立布代，看我不打你耳光，捣蛋鬼！"

随后转向爱玛道：

"他是木匠布代的儿子；父母有钱，惯坏了他。不过只要他用功，他会学得快的，因为他很聪明。我呢，有时候打趣，就叫他立布代（去马洛默经过的岭子这样叫），我甚至于说：'蒙·立布代'。啊！啊！蒙·立布代①！前一天，我把这话讲给主教听，他笑起来了……居然赏脸，笑起来了。——倒是，包法利先生，他好吗？"

她仿佛没有听见。他继续道：

"不用说，总在忙喽？因为他跟我的确是本教区最忙的两个人了。不过他呀，是身体的医生（他放声笑着），而我呀，是灵魂的医生！"

她显出一种哀求的眼神盯着教士道：

"是啊……你解除所有的苦难。"

"啊！说的就是呀，包法利太太！就是今天早晨，有一条母牛吃了飞虫②，我不得不去低·狄欧镇一趟；他们以为牛中了邪。他们的母牛，我不晓得是怎么一回事，头头……不过，对不起！龙格马尔，还有布代！家伙！你们有完没有完？"

他于是一步跳进教堂。

顽童们正兜着大讲经台，前推后拥，打开弥撒书，爬上唱经队领队的凳子；有的潜手潜脚，眼看就要溜进忏悔小间。但

---

① 马洛默（Maromme）镇，在鲁昂西北。"蒙·立布代"是谐音双关语：一个意思是"我的立布代（mon Riboudet）"，指小孩子而言；一个意思是"立布代岭（Mont-Riboudet）"，指鲁昂西郊的小山而言。

② 牛误吃萤等鞘翅类小虫，肠腹绞痛。

是堂长冷不防赏了大家一顿巴掌。他抓起他们的上衣领子,提到半空,使劲往唱经堂的石板地一摔,他们双膝下跪,像要被活栽进去一样。

他回到爱玛一旁,摊开他的大印花布手帕,拿一个犄角塞到他的上下牙中间,说:

"真的,庄稼人实在可怜!"

她回答道:

"还有别人。"

"当然!譬方说,城市的工人。"

"我说的不是他们……"

"你说得对!我就晓得有些可怜的母亲,身边一堆孩子,全是贤德妇女,你听我说,全是道地女圣人,连面包也没有。"

爱玛(说话之间,嘴角抽搐)接下去道:

"不过有些人,有些人,堂长先生,有面包,却没有……"

教士道:

"冬天没有火。"

"哎呀!有什么关系?"

"怎么!有什么关系?我觉得,一个人只要温、饱,就……因为,说到临了……"

她叹气道:

"我的上帝!我的上帝!"

他显出关心,走前一步,问道:

"你觉得难过?想必是,消化不良吧?包法利太太,你应当回家,喝一点茶;这你就有精神了;要不然,喝一杯新鲜水,放一点土糖也行。"

"为什么?"

她的模样如同一个人做梦才醒。

"因为你拿手搁在额头上。我以为你头晕来的。"

随后改变话题道:

"不过你有话要问我来的?到底是什么?我忘记啦。"

爱玛重复道:

"我?没有……没有……"

她的眼睛望着四周,慢悠悠落在穿道袍的老年人身上。他们面对面,不言不语,两个人互相打量,最后他道:

"那么,包法利太太,原谅我,你知道,责任第一;我得伺候我那些宝贝家伙。孩子们的第一次圣体瞻礼,眼看就要到了。我们又要临时抓瞎啦,我还真怕!所以从升天节起,我要他们准备每星期三多上一小时课。这些可怜的孩子!指点他们走上我主的大道,只有嫌晚,其实,他自己就用他的圣子的口,这样劝我们来的……希望你身体好,太太;替我向你的丈夫致意。"

他走进教堂,才到门口,就做了一个下跪的姿势。

爱玛看他脚步沉重,头朝一边歪,两只手张开一半,手心朝外,在两排长凳中间不见了。

她接着转移脚跟,又笨又重,如同一座雕像顺着中轴挪动一样,走上回家的道路。但是堂长的严肃而又洪亮的声音、顽童们的尖锐的声音,依然传到她的耳朵,在背后继续响着:

"你是基督徒?"

"是,我是基督徒。"

"什么叫作基督徒?"

"基督徒就是一个人领了洗……领了洗……领了洗……领了洗。"

她抓住栏杆,一步一步蹭上楼梯,走进卧室,合身倒在一张扶手椅里。

玻璃窗映过来的夕照，漪澜成波，悠悠下降。家具待在原来地方，似乎越发死板了，阴影重重笼罩，好像进了黑水洋一样。壁炉熄了，钟总在敲打，爱玛心绪异常不宁，看见事物这样安静，感到说不上来的惊愕。但是小白尔特站在窗户和女红桌子中间，穿着编织的小靴，摇摇晃晃，打算来到母亲跟前，揪她的围裙带子。母亲拿手一推，说：

"走开！"

没有多久，小姑娘又来了，越发靠近母亲的膝盖；她拿胳膊支在上面，朝她仰起她的大蓝眼睛，嘴里流下一道干净口水，滴在绸围裙上。少妇烦了，重复道：

"走开！"

小孩子望着她的脸，一害怕，哭起来了。她拿胳膊肘把孩子往外一搡，道：

"哎呀！倒是走开啊！"

白尔特一跤摔在五斗柜前头，脸蛋碰到抽屉的铜拉手，划破了，流血。包法利夫人赶上前去，扶起她来，揪断叫铃的绳子，拚命喊女佣人，正要咒骂自己，就见查理出现了。晚饭时辰到了，他回转家来。爱玛就像没有出事似的，声音平平静静，向他道：

"看呀，亲爱的朋友，小东西玩着玩着，就在地上摔破了脸。"

查理叫她放心，情形并不严重，说完话，就找橡皮膏去了。

包法利夫人愿意一个人看守她的孩子，没有下楼用饭。她看她睡熟了，这才一点一点放下心来。这么丁点小事，她方才乱了半晌，回想起来，觉得自己又善良，又好笑。的确也是，白尔特已经不哭了。现在已经看不大出她的呼吸掀动棉被。大颗泪珠停在眼角,眼皮闭了一半,睫毛当中,露出两个深黝黝的没有光彩的瞳孔。橡皮膏贴在脸上,紧绷绷的,把脸蛋拉歪了。爱玛寻思道:

"也真怪气,这孩子多丑!"

夜里十一点钟,查理从药房回来(他饭后去归还用剩下来的橡皮膏),发现太太站在摇篮一旁。他吻她的额头道:

"我不是叫你放心,说没有什么来的;别心焦,小可怜,你这样要病下来的!"

原来他在药房待了许久。他没有显出很着急的样子,可是郝麦先生照样鼓舞他,要他打起精神来。于是他们说起种种威胁儿童的危险和佣人的鲁莽。郝麦夫人知道这是怎么一回事:从前她做女儿的时候,有一个女厨子,炖一碗汤,打翻在自己的小围嘴上,现在胸脯还有印子。所以她的慈爱的双亲,也就处处当心,小刀从来不磨,地板从来不打蜡。窗户装上铁栏杆,壁炉前头按上结实柱子。郝麦的小孩子,别看是无拘无束的,也一动就有人跟在后头;一点点伤风,父亲就灌他们药汁子,直到四岁多了,也不可怜他们,还让他们一人戴一顶棉籦①。说实话,这是郝麦夫人的怪主意;她的丈夫私下发愁,怕戴久了,可能理智器官受伤,所以不免脱口向她道:

"难道你真要他们做喀拉伊伯人或者包陶库道斯人②?"

其实,查理有好几次,试着打断谈话来的。练习生上楼,走在前头,查理低声对着他的耳朵道:

"我想同你谈谈。"

---

① 形状仿佛救生圈,套在头上,防止小孩子摔伤脑壳。
② 喀拉伊伯人(Caraibes)是西印度群岛土著。包陶库道斯人(Botocudos)是巴西的印第安人。

赖昂心跳了,左猜右想,纳闷道:难道他看出什么破绽来啦?

查理最后关上门,央他本人到鲁昂打听一下一个好的暗匣摄影机①,值多少钱;他想照一张青燕尾服肖像,送给他的太太,这是一件表示感情的礼物、一种细心的体贴。不过他愿意先有一个数目账;这大概不会给赖昂多添麻烦的,因为他差不多每星期总进一趟城。

进城干什么?郝麦疑心他年轻荒唐,搞女人关系。不过他猜错了;赖昂并不拈花惹草。他反而更忧郁了,留在盘里的菜,现在也多起来了,勒福朗丝瓦太太一眼就看出来。她想知道底细,问税务员;毕耐显出一副傲慢的样子,粗声粗气回答道:"警察没有支薪水"给他。

可是他觉得他的餐伴十分古怪;因为赖昂常常摊开胳膊,人朝椅背一仰,泛泛抱怨人生。税务员说:

"这是因为你消遣不够。"

"什么消遣?"

"我是你呀,就来一架旋床!"

练习生回答道:

"可是我不会旋东西。"

"这倒是真的!"

对方摸摸下巴,显出蔑视而又满意的神气。

空爱一场,赖昂疲倦了;再说,没有兴趣指引,没有希望支持,生活重来复去,千篇一律,他开始感到苦闷。他讨厌永镇和永镇人,有些人、有些房屋,他一看就有气,简直耐不下

---

① 暗匣摄影机(daguerréotype)是照相机的初型,发明者是法国人达盖尔(Daguerre;1789—1851),1839 年,政府承购发明权,公开出售。

去；药剂师为人再好，他也完全忍受不了。另一方面，改变环境的远景固然引诱他，却也使他畏惧。

害怕很快变成了烦躁：巴黎遥遥向他招手，化妆舞会的铜乐吹动了，姑娘们的笑声起来了。他既然要到那边读完法科，为什么不去？谁拦着他？他心里开始筹划，预作远游期间的生活安排。他设想自己那边有一间屋子，布置家具。他要在那边过艺术家生活！他要在那边学六弦琴！他要穿一件室内穿的长便服，戴一顶巴司克人戴的圆便帽①，拖一双蓝绒拖鞋！壁炉墙上交叉插着两把花剑，再往高去，就是六弦琴和一颗死人脑壳，而且他已然在赞赏了。

困难却在母亲是否同意；不过，看上去，也没有比这再合理的了。连他的上司也劝他换事务所，提高认识。于是赖昂采取折衷办法，到鲁昂谋一个二等练习生的职位，但是又没有成功，最后他给母亲写了一封长信，详详细细，说明他立刻要去巴黎住的理由。她同意了。

他并不急着要去。足有一个月，伊外尔每天从永镇到鲁昂，从鲁昂到永镇，帮他运送箱箧包裹。赖昂添置衣服，修理三只扶手椅，选购大批手绢，总而言之，准备的东西，周游世界也嫌多，但是他一星期又一星期，拖延行期，直到后来，母亲两次来信，催他动身，这才下了决心，因为他原来希望在放假之前考试完的。

辞行的时间到了，郝麦夫人啼哭，玉斯旦呜咽，郝麦是男子汉，藏起悲痛，要亲自拿着朋友的大衣，送到公证人门口。公证人乘自己的车，送赖昂到鲁昂去。留下的时间，正够向包

---

① 巴司克人（Basque）是居住法兰西与西班牙之间的山民。他们戴的圆便帽，我们一般叫法兰西帽。

法利先生告别。

走到楼梯高头,他觉得自己气喘吁吁,只好停步。他一进来,包法利夫人连忙立起。赖昂道:

"我又来啦!"

"我早已料到了!"

她咬紧嘴唇,血往上涌,脸一直红到耳朵梢。她站直了,肩膀靠住墙壁。他接下去道:

"先生不在家?"

"他出去了。"

她又说一遍:

"他出去了。"

于是你望我,我望你,沉默下来。他们的思想,感到同一痛苦,好像两个上下起伏的胸脯,紧紧搂在一起。赖昂道:

"我挺想亲亲白尔特。"

爱玛走下几级楼梯,呼唤全福。

他向周围迅速扫视,一眼望过墙壁、摆设架、壁炉,依依不舍,像是样样东西全想钻进去,全想带走。

但是她又进来了,女佣人带着白尔特。孩子甩动一根绳子,绳子一头是一架风车,尖头朝下。

赖昂吻了几遍她的颈项。

"再会。好孩子!再会,小宝贝,再会!"

他把她交还给她的母亲。后者说:

"带她下楼吧。"

就留下他们两个人了。

包法利夫人背过脸去,贴住一块窗玻璃;赖昂拿起他的便帽,轻轻拍打他的屁股。爱玛道:

"就要下雨。"

他回答：

"我有斗篷。"

"啊！"

她转回身来，额头向前，下巴朝下。阳光掠过额头，照到眉毛的弧线，犹如一块大理石，猜不出爱玛望天边望见了什么，也猜不出她心里到底在想什么。他叹气道：

"好，再会！"

头骤然一扬，她说：

"是啊，再会……你走吧！"

两个人全朝前走，他伸出手，她迟疑了一下，这才伸过手去，勉强笑着说：

"照英国人规矩。"

赖昂觉出他的手指握住她的手，似乎他的全部生命，顺着胳膊，集中在这只湿津津的手心。

他随后松开手；他们的眼睛又遇在一起；他走了。

他在菜场站住，躲到柱子后头，最后一次，望望这所白房子和它的四个绿活动窗帘。他依稀望见卧室窗口有一个人影；但是窗幔似乎没有人碰，就离开钩子，扯斜的长褶，慢慢移动，一下子就全平整了，比一堵石灰墙还要硬挺。赖昂只好跑开。

他远远望见他的上司的轻便马车，停在大路，旁边有一个男人，前胸系一条粗布围裙，手拉住马。郝麦和居由曼先生一边闲谈，一边在等他来。药剂师眼泪汪汪，说：

"搂搂我。这是你的大衣，我的好朋友，当心别着凉！保重身体！凡事经心！"

公证人道：

"来吧，赖昂，上车！"

郝麦弯在防泥板上,声音夹杂呜咽,好不容易说了这四个伤心的字眼:
"一路平安!"
居由曼先生回答道:
"晚安。放马!走!"
他们出发了,郝麦也一直回家去了。

包法利夫人开开面向花园的窗户,眺望浮云。
西天鲁昂那边,起了乌云,波涛汹涌,前推后拥,太阳放出长线,却又金箭一般,赶过云头,同时天空别的地方,空空落落,如同瓷器一般白净。一阵狂风吹来,白杨弯腰,骤雨急降,滴滴答答,敲打绿叶。太阳跟着就又出来,母鸡啼叫。麻雀在湿漉漉的小树丛拍打翅膀,沙地小水滩朝低处流,带走一棵合欢树的粉红颜色的落花。她寻思道:
"啊!他一定已经走远啦!"
郝麦先生照旧在六点半钟用晚饭的时间过来。他坐下来道:
"好!我们的年轻人,这回总算上路了吧?"
医生回答道:
"像是!"
然后他在椅子上转过身子:
"府上没有什么?"
"没有什么。也就是我的太太,今天下午,有一点难过。你知道,妇女们,芝麻大的小事,也驾不住!尤其是我那一口子!这也不能怪她们,因为她们的脑神经组织,本来就比我们脆弱。"
查理道:

"可怜的赖昂!他在巴黎怎么过得来!……他待得惯吗?"

包法利夫人叹了一口气。

药剂师响了一下舌头,道:

"没有的话!聚餐游戏呀!化妆舞会呀!香槟酒呀!你听我讲,样样趁心!"

包法利反驳道:

"我不相信他会胡闹。"

郝麦先生连忙接下去道:

"我也不相信!不过,除非他不怕别人把他看成耶稣会教士①,否则,他将来就得同流合污。你就不知道这些小荒唐鬼在拉丁区②,和女戏子过的是什么生活!再说,学生在巴黎很吃香。只要他们有一点点作乐的才分,上流社会就欢迎他们,甚至于圣·日耳曼关厢③的贵妇们也爱他们,机会到手,岂可错过,他们自然就当上了权门贵婿。"

医生道:

"不过我担心他……在那边……"

药剂师打断他道:

"你说得对,这就是那见不得人的一面!人到了那边,不得不老拿手攥住腰包。好比说吧,你在一家公园,来了一个陌生人,衣着考究,甚至于挂着勋章,你以为是一位外交家;他走到你跟前;你们聊起来了,他摸熟你的脾气,请你吸鼻烟,或者替你拾帽子。后来两个人谈出了交情,他带你上咖啡馆,请你去他的别墅,喝酒之间,介绍各色人等和你相识,大多时

---

① 耶稣会教士(jesuite)往往被人看成伪君子。
② 拉丁区包括第五、第六两区,重要教育机构多在本区。
③ 圣·日耳曼关厢是巴黎贵族居住所在,邻近拉丁区。

间,也就是抢你的钱口袋,要不然也是拉你去干坏事。"

查理回答道:

"话是对的;不过我担心的,倒是生病,譬如说,伤寒,外省去的学生就爱害这种病。"

爱玛不寒而栗了。药剂师继续道:

"这是由于饮食改变,和一般体气因此而起的紊乱的缘故①。再说,巴黎的水,你晓得是怎么一回事!还有饭馆的菜,样样吃食加香料,临了把你的血烧得滚烫,其实,说什么也抵不上一锅肉汤。我这方面,一向就喜欢家常菜:卫生多了!所以过去我在鲁昂念药剂学,我就住到私人家里吃包饭,和教师们一道用饭。"

他就这样继续发表他的一般意见和他的个别爱好,直到玉斯旦来,找他回去配制蛋黄橘汁糖水,这才喊道:

"就没有一时休息!永远拴得牢牢的!我就不能走开一分钟!像下地的马一样,累死了也得做!多苦的命哟!"

已经走到门口了,他道:

"倒说,你听见消息没有?"

"什么消息?"

郝麦竖起眉毛,一脸煞有介事的表情,接下去道:

"塞纳河下游州的农业展览会,今年要在永镇寺举行。至少,有这种风声。今天早晨,报上还提起来的。这对本县太重要了!不过我们改天谈吧。谢谢你,我看得见;玉斯旦有灯。"

---

① 并非伤寒病的起因。

7

第二天对爱玛成了一个死气沉沉的日子。她觉得一片愁云惨雾,弥漫天空,乱乱腾腾,浮游无定,而悲痛沉入心底,低哭轻号,仿佛冬天的风,在荒凉的庄园啸叫。这好像韶光一去不返,魂牵梦萦,又像做完一件事,身心疲劳,也更像习惯动作中断,或者经久不停的摆动,骤然停止。

她的心情好像往年从渥毕萨尔回来、对舞还在脑子里转来转去一样,悒悒寡欢,昏昏沉沉,只是一味难受。赖昂似乎又出现了,人也显得更高、更美、更温柔、更模糊;他虽然走了,可是没有离开她,就在眼前,房子的墙好像把他的影子留下来了一样。她看不厌他走过的地毯、他坐过的空椅子。河水一直在流,顺着滑溜溜的河堤,慢慢悠悠,涟漪成纹。他们有许多次在这里散步,石子遍体青苔,水波流过,照样潺湲作响。头上太阳多好!下午单单两个人待在花园尽头有阴凉的地方,多有意思!他坐在一张干木条凳子上,光着头,高声朗诵;草原清风徐来,书页颤动,棚上的旱金莲摇摆……啊!他走了,她的生命的唯一的欢乐、幸福的唯一有可能实现的希望!幸福当前,她怎么就不抓住!眼看幸福远扬,为什么就不双手伸出,双膝下跪,一把揪牢?她诅咒自己没有向赖昂表示爱情;她想念他的嘴唇。她恨不得追上他,扑进他的胸怀,对他说:"是我;我是你的!"可是爱玛想到困难重重,先失了张支;她一起懊恼之心,欲望因而越发活跃了。

从这时候起,回忆赖昂成了她的愁闷的中心;旅客在俄罗斯大草原雪地上留下来的火堆,噼里啪啦,也跟不上他在她的回忆里那样亮。她跑过去,蹲在一旁,小心在意,拨弄这要灭的火,前后左右寻找,看有没有东西能把火弄旺;于是最远的回忆和最近的会晤、她感觉到的和她想象到的、她对欢愉的落空的殷望、她对幸福的枯枝一般在风地哽噎的计划、她的劳而无获的道德、她的幻灭的希望、家庭的牺牲;细大不捐,她全拣过来,拾起来,聚在一起,烘暖她的忧郁。然而不知道是供应不足,还是堆积过多,火焰旺不起来。别离渐渐吹灭了爱情,久而久之,怅惘也就窒息了。这道火光先前照亮她的灰灰的天空,如今越来越暗,慢慢小了下来。头脑昏昏沉沉,甚至于厌恶丈夫的心,她也颠三倒四,当作思念情人的表现;甚至于憎恨的炙伤,她也糊里糊涂,看成恩爱的缠绵。可是狂风一直在吹,热情烧成灰烬,没有人救,也不见太阳出来,黑漆漆的夜晚,四面八方,重锁密布,她觉得自己无路可走,寒气逼人,彻骨发冷。

于是道特的坏日子又开始了。现在她看自己越发糟不可言,因为她经过伤心事,而且确信要一直伤心下去。

一个女人强迫自己作出这样大的牺牲,生活上很可以看破些。她买了一只哥特式跪凳;她一个月花十四法郎买柠檬,洗指甲;她写信给鲁昂,要一件克什米尔① 蓝呢袍;她到勒乐那边,挑了一条顶好的围巾,当腰扎在室内穿的便服上,然后关上屋里的窗版,拿起一本书,就这样一身装束,躺在一张大沙发上。

她常常改换头发样式;她照中国样式梳头,不是柔软的圈圈,就是辫子;头发靠旁边挑一条缝,像男人一样朝下卷。

她想学意大利文,买了几本字典、一本文法、一叠白纸。她试着看正经书:历史和哲学。查理夜晚睡得沉沉的,有时候

---

① 克什米尔(Cachemire)呢,印度出品。法国有仿制品。

惊醒了，跳下床来，以为有人找他看病，唧哝道："我就去。"原来只是爱玛擦火柴，在点灯的响声。不过她念书就像她刺绣一样，开了一个头，就全丢进衣橱了。她拿起来，放下去，又换别的活做、别的书读。

赶上怄气，别人不过三言两语，她就失了分寸。有一天，她和丈夫打赌，一定说她可以喝大半杯烧酒，查理一时糊涂，说他不信，她一口气喝光。

爱玛虽说风度轻狂（永镇的太太们这样说她），不过并不见得快活。她的嘴角常有一条纹路，骏骏呆呆，像老姑娘，也像失意政客，由于这条纹路，脸都皱了。她面无血色，布单一般白，鼻子的皮朝鼻孔抽搐，眼睛望着你，一副神不守舍的模样。她在鬓角见到三根灰头发，谈起她的老境。

她常常晕倒。有一天，她甚至于咯出一口血来，查理一急，显出焦灼不安，她回答道：

"得啦！这算得了什么？"

查理躲到他的诊室，坐在他的大靠背扶手椅上，两只胳膊肘拄着桌子，对着骨相学人头，哭了起来。

他只得给母亲捎信，求她来一趟。他们谈起爱玛，一道商量了许久。

打什么主意？她拒绝医治，怎么办？老太太接下去道：

"你知道你女人需要什么？就是逼她操劳，手不闲着！只要她多少像别人一样，非自食其力不可，她就不会犯神经了。这都是因为她整天没事干，脑子净胡思乱想的缘故。"

查理道：

"可是她在操劳呀！"

"啊！操劳！操劳什么？看小说；看坏书；看反对宗教的书；看用伏尔泰的话，讥笑教士的书。不过，我的可怜的孩子,糟的还在后头,不信教的人,结局总是坏的。"

于是他们决定阻止爱玛看小说。进行似乎并不容易。老太太承担下来:她路过鲁昂,可以亲自到租书的地方,声明爱玛停止订阅。万一书局坚持这种害人的生意,难道他们没有权利通知警察?

婆媳并不惜别。她们在一起待了三星期,没有说过几句话,除去饭时和睡前的问讯和问候。

老太太星期三走,这一天是永镇有集的日子。

从早晨起,广场堆满大车,个个车辕朝天,由教堂到客店,顺着房屋,摆了一排。对面是帆布摊子,出卖布帛、被褥、毛袜、马络和成包的蓝带子;带子露出一头,随风飘扬。地上是粗笨的铜铁器皿,一边是高高撂起的鸡蛋,一边是小柳条筐,里头放着干酪,干酪外皮还有黏黏的草。好些母鸡,靠近打麦机,头探出笼子,咯咯叫唤。群众有时候险些挤破药房门面,聚在一个地点,谁也不肯走动。星期三,药房整天不空,人挤进去,说是为了买药,不如说是为了看病,郝麦先生的名气传遍四村。他的坚定的口吻迷住了乡下佬。他们把他看成一个比任何医生全都伟大的医生。

爱玛靠住她的窗户(她常常靠在上头,外省窗户有代替看戏和散步的作用),望着乱哄哄的乡下佬,正在有趣,就见一位绅士,穿一件绿绒大衣,戴一副黄手套,却又套着一双厚皮护腿,——一直走向医生住宅,后面跟着一个庄稼汉,搭拉着头,显出一副深思的模样。

他问在门口和全福闲谈的玉斯旦道:
"医生在家吗?"
他把他看成医生的男佣人:
"你就说徐敕特的罗道耳弗·布朗皆先生见他。"

新来的人并非为了夸耀他有土地，才拿徐赦特放在姓名前头，不过是让人好知道他罢了。徐赦特确实是永镇附近的产业，他新近买下庄园，有两块庄田，亲自耕种，可是并不过分经心。他过的是独身生活，据说一年起码有一万五千法郎收入!

查理走进厅房。布朗皆先生向他解说，他的佣人想放放血，因为他觉得"浑身痒痒"。别人怎么劝说，他也反对，只是讲：

"出出血，我就干净啦。"

包法利听了这话，先取来一捆绑带和一只脸盆。他央求玉斯旦端好脸盆，然后转向面色已经发白的乡下人道：

"老乡，别害怕。"

另一位回答道：

"不，不，你动手好啦!"

他伸出他的粗胳膊，摆出一种若无其事的姿势。竹叶刀刺了一下，血涌出来，溅到镜子上。查理喊道：

"盆子端到跟前!"

乡下人道：

"瞅! 活像一道小泉眼在流! 我的血多红! 这该是好表示，对不对？"

医生接下去道：

"有时候，开头不觉得怎么样，过后说昏倒就昏倒，尤其是像这种人，身子骨儿结实。"

乡下佬手指夹着竹叶刀的匣子，转来转去，一听这话，松开了。

肩膀猛然一动，椅背嘎吱响。帽子掉下去了。包法利拿手指捺住血管，道：

"我说什么来的。"

玉斯旦两手直抖,脸盆开始摇晃;脸成了白的,腿也站立不住。查理喊道:

"太太!太太!"

她一步跳下楼梯。他嚷道:

"拿醋来!啊!我的上帝!一下子两个人!"

他一激动,连紧压布也几乎放不平稳。布朗皆先生抱平玉斯旦,十分安详道:

"没有事。"

他叫他背靠墙,坐在桌子上。

包法利夫人解开他的领带。衬衫绳子挽了一个死结;她的灵活的手指,在年轻人的颈项,停了几分钟;然后她拿醋倒在她的麻纱手绢,轻轻拍湿他的太阳穴,还小心在意,嘘气过去。

赶大车的乡下人醒过来了;但是玉斯旦仍然不省人事,瞳仁在眼白中间消散,就像蓝花在牛乳中间消散一样。查理道:

"别叫他看见这个。"

包法利夫人拿起脸盆,放到桌子底下;她一弯腰,袍子(一件夏天袍子,滚了四道花边,黄颜色,腰身长,裙幅宽大)就在周围的方石板地上摊开;同时,爱玛弯腰,伸开胳膊,有一点摇晃,衣服本来鼓鼓囊囊的,有些地方随着腰身的曲线,陷下去了。她接着取来一瓶水,溶化几块搏。药剂师到了。女佣人找他,他正在大发雷霆。看见学徒睁开眼睛,他这才放心。跟着他就兜过来,兜过去,上上下下,打量他道:

"蠢才!一点不差,小蠢才!道地蠢才!放放血,算得了什么!一个顶天立地的汉子!你们看呀,这就是那只松鼠,不怕头晕,爬到树梢摇核桃。啊!是的,说呀,夸嘴呀!这可好啦,赶明天还做药剂师;因为,情形严重,兴许有一天,法院传你,要你指点指点法官们的良心;可是你这期间,就该头脑冷静,说长道短,像一个男子汉大丈夫,不然的话,只好让人当傻瓜看!"

玉斯旦不回答。药剂师继续道:

"谁请你来的?你总在麻烦包法利先生和包法利太太!再说,星期三,我离不开你。药房现在就有一大堆人。为了你的缘故,我会丢到旁边不管。好啦,滚!跑!等我来,看好瓶子!"

玉斯旦穿好衣服,走了以后,大家谈起晕倒来。包法利夫人从来没有晕倒过。布朗皆先生道:

"女人能不晕倒,的确了不起!其实,有些人就很娇脆。有一回决斗,我见到一位见证人,听见手枪装子弹,就失了知觉。"

药剂师道:

"我呀,看见别人淌血,一点也不在乎;可是单只一想自己淌血,要是想过了头,我就难免会晕过去。"

布朗皆先生打发走他的听差,劝他安心,好在已经照他的想法放过血了。他接下去道:

"有机会认识你们,我很高兴。"

说这句话的时候,他望着爱玛。

然后他在桌角放下三法郎,随便一鞠躬,扬长去了。

过了一刻,他走到河对岸(他回徐敖特的小路);爱玛望见他在草原白杨底下行走,仿佛一个人想心事,走着走着,就走慢了。他自言自语道:

"她很可爱!这位医生太太,很可爱!牙齿美,眼睛黑,脚轻俏,长得如同一个巴黎女子。家伙,她打哪儿来的?那笨小子打哪儿找到她的?"

罗道耳弗·布朗皆先生,三十四岁,性情粗暴,思路敏捷,而且常和妇女往来,是一位风月老手。他觉得这个女人标致,所以一心思念她和她的丈夫。

"我想,他一定很蠢。不用说,她讨厌他。指甲长,三天不刮胡子。他在外头跑来跑去看病人,她待在家里补短袜子。她一定闷居无聊!一定愿意住到城里,每天夜晚跳波兰舞!小可怜儿!巴望爱情,活像厨房桌子上一条鲤鱼巴望水。来上三句情话,我拿稳了她会膜拜你!一定温柔!销魂!……是的,不过事后怎么摔掉?"

想到寻欢作乐,却又阻碍多端,他只好掉转方向,回味自己的情妇。她是他贴养的一个鲁昂女戏子;单单一想,他就对这女人感到腻味。他寻思道:"啊!包法利夫人比她漂亮多了,尤其是,鲜妍多了。维尔吉妮显然是在发胖。她玩也玩得那样乏味!再说,吃斑节虾吃成了瘾!"

田野空旷,罗道耳弗四顾无人,仅仅听见草拂打鞋,动作有致,蟋蟀远远伏在荞麦底下,唧唧鸣叫。他恍惚又在厅房看见爱玛,穿的衣服和他方才见到的一模一样;他脱掉她的衣服。他抡起手杖,敲碎前面一块土,喊道:

"我一定要把她弄到手!"

他立即考虑进行的策略。他问自己道:"到什么地方相会?用什么方法?小孩子死钉在后头,女佣人、邻居、丈夫、形形色色的麻烦。——去它妈的!"他说:"太糟蹋时间!"

"她那双眼睛就像钻子一样,一直旋进你的心。还有脸色发白……我就爱脸色发白的妇女!"

上到阿尔格意岭,他下了决心:"问题只在寻找机会。好啦!我偶尔拜访两趟,送他们几只野味、几只家禽;必要的话,我去放放血;我们变成朋友,我请他们到家里来……啊!有啦!"他灵机一动,道:"展览会不久就要举行;她会来的、我会看见她的。趁热打铁,勇往直前,一定成功。"

8

这有名的展览会确实到了!从节日早晨起,居民就全站在门口,谈论应有的准备工作;村公所正面缀着常春藤;草地搭起一座帐棚摆酒席;广场当中,教堂前面,有一架旧炮,到时宣告州长驾到和得奖的农民的姓名。比实的国民军(永镇没有)开来参加毕耐率领的消防队。他这一天戴一条比平日还高的领子;制服紧绷绷的,上身直挺挺的,一动不动,就像气血统统移到下边两条腿里一样;他按照节奏,抬高两条腿,步伐合拍,起落一致。税务员和联队长,争强好胜,炫耀才能,分别率领部下,在一旁操练,就见红肩章和黑胸甲①,过来过去,川流不息,简直没完没了!如此庄严景象,从未见过!有些人家,前一天刷洗干净房屋;窗户开开一半,三色旗挂在外头;家家酒店客满;天气晴和,上浆的帽子、金十字架和花肩巾,仿佛比雪还白,照着亮晶晶的太阳,熠熠发光,同时五颜六色,星星点点,衬得一般颜色较深的大衣和蓝布工人服也醒目了。四乡佃农妇女,生怕袍子沾上泥点,兜身撩起,拿大别针别好,临到下马,再解下来;丈夫相反,爱惜帽子,用手绢从上包住,拿牙咬牢手绢的一个犄角。

人从村子两头涌进大街。小巷、夹道、远房近舍,到处有人出来;门环时刻响动,太太们戴上线手套,去看热闹。一对

---

① 国民军有红肩章,消防队有黑胸甲。

尖塔似的长三角架,立在司令台两侧,上上下下全是花灯,特别为人称道。此外还有四根竿子,绑在公所四根圆柱上①,各自挑起一幅淡绿小布幡,金字标语,一幅写着:"商业";另一幅写着:"农业";第三幅写着:"工业";第四幅写着:"艺术"。

人人喜笑颜开,但是只有女店家勒福朗丝瓦太太,显得愁眉苦脸,站在厨房台阶,嘴里咕咕哝哝道:

"简直胡闹!帆布摊子,简直胡闹!难道他们以为州长也像一个卖艺的,喜欢坐在帐棚底下吃饭吗?这些碍手碍脚的东西,也好说成给本乡增光!所以啊,根本就犯不上到新堡找一个糟厨子来!而且为谁找?为些放牛的!一些叫化子!"

药剂师过来了。他穿一件青燕尾服、一条南京布裤、一双海狸皮鞋,还戴一顶毡帽——一顶矮筒毡帽,真正难得②。他说:

"你好!对不住,我有急事。"

胖寡妇问他去什么地方,他回答道:

"你觉得好笑,是不是?我一直关在我的实验室,比老鼠在好好先生的干酪里③,待得还久。"

女店家道:

"什么干酪?"

郝麦接下去道:

---

① 中卷第一章,说公所"底层有三根爱奥尼亚圆柱"。

② 郝麦平日总戴一顶希腊小帽,所以现在改戴一顶毡帽,"真正难得"。海狸皮鞋流行于十九世纪,不过当时是夏季,并不相宜。

③ 见于拉·封丹(La Fontaine)的寓言(卷七,寓言第三)《退隐的老鼠》(Le rat qui s'est retiré du monde),说有一个老鼠,钻在一块干酪里,不问世事,长得又肥又胖。"好好先生"是拉·封丹的绰号,与老鼠无关。

"没有什么!没有什么!我只是对你讲,勒福朗丝瓦太太,我经常闭门不出,可是今天,情形特殊,我必须……"

她显出一副蔑视的神气道:

"啊!你到那边去?"

药剂师诧异了,回答道:

"是呀,那边去;我不是咨询委员会的委员吗?"

勒福朗丝瓦太太打量了他几分钟,最后笑吟吟回答道:

"原来这样!不过耕地管你什么事?难道你懂这个?"

"当然我懂,因为我是药剂师,就是说,化学家!而化学,勒福朗丝瓦太太,目的就在认识自然界一切物体的分子的相互作用,农业自然也就包括在它的范围内!事实上,肥料的配合、酒的发酵、煤气的分析和瘴气的影响,我问你,这一切,不是化学,又是什么?"

女店家并不回答。郝麦继续道:

"难道你以为做农学家,本人就该耕田、喂家禽吗?他首先应当知道的,倒是有关物质的成分,地层的次序,大气的作用,土地、矿石和雨水的性质,不同物体的密度和它们的毛细管现象!等等,等等。他应该彻底掌握全部卫生原则,以便指导、批评房屋的构造、牲畜的管理、仆人的饮食!勒福朗丝瓦太太,还应当掌握植物学,学会辨别草木。你明白不?哪些对身体有益,哪些对身体有害;哪些产量低,哪些有营养;是否应该一面拔,一面再种;还是一面繁殖,一面取消;总而言之,应当读小册子,看出版物,迎头赶上科学潮流,永远有准备,随时指出改良的道路……"

女店家的眼睛就不离开法兰西咖啡馆的门。药剂师继续发挥道:

"但愿我们的农民都是化学家,或者起码多听听科学建议,也就好了!所以我最近写了一部出色的小书,一篇七十二页之多的论文,题目是:《论苹果酒及其酿造与效用,附有新见解》,我送到鲁昂农学会去了;他们接受我当会员,分在农学组果学类;是啊,我的作品如果公之于世……"

但是药剂师一看勒福朗丝瓦太太心在别处,也就住了口。她道:

"看他们哎!简直不像话!成了饭摊子!"

她一耸肩膀,胸脯上毛衣的网眼也绷开了。她的对头酒馆传出歌唱的声音。她伸出一双手,边指点,边接下去道:

"其实,也长久不了;不到一星期,整个完蛋。"

郝麦听了这话,大吃一惊,往后倒退。她走下三层台阶,俯耳向他道:

"怎么!你不知道?本星期就要执行扣押。是勒乐坑的他。他出借票害了他。"

世上任何情况,只要想得出来,药剂师总有词句配合,所以他就嚷道:

"有这等惊人的祸事!"

女店家于是对他叙起这件事来。她是听居由曼先生的听差代奥道说的。她恨泰里耶,可是她也怪罪勒乐:他是一个佞口骗子、一个卑鄙小人。她道:

"啊!你看,他在菜场,冲包法利太太行礼。包法利太太戴一顶绿帽子,还挎着布朗皆先生的胳膊。"

郝麦道:

"包法利太太!我要赶过去,表示一下我的敬意。她也许高兴在近处廊子底下来一个座位。"

勒福朗丝瓦太太喊他回来,还要一五一十讲下去,可是药剂师不理睬,快步走开。他左一躬,右一躬,笑容可掬,后腿弯子蹬直,青燕尾服的大小摆在后头随风飘荡,占了好大地方。

罗道耳弗远远望见他来,也走快了,不过包法利夫人气喘,他只好放慢步子。粗声粗气,笑微微向她道:

"我是为了避开那个胖家伙,你知道,药剂师。"

她拿胳膊肘捅了他一下。他问自己:她这是什么意思?他边走,边也斜眼睛打量她。

看她的侧脸,十分安详,简直什么也看不出来。她戴的帽子是椭圆形,白帽带仿佛芦苇叶子,阳光灿烂,把脸照得特别清楚。长睫毛弯弯的,眼睛虽然睁开了朝前望,可是由于血在白净皮肤底下轻轻跳动的缘故,看上去睁得还不够痛快,有一点像是颧骨在拘着眼睛似的。一道玫瑰红颜色照亮鼻孔之间的中隔。头朝一边歪,嘴唇当中露出皓白牙齿的珍珠似的尖梢。

罗道耳弗心想:难道她是讥笑我?

其实,爱玛捅他,只是一种警告;因为勒乐先生陪伴他们,像煞有意搭话似的,不时插上一句:"今天可真好!""人人上街!""风打东来!"包法利夫人,还有罗道耳弗,并不理他,可是他们稍微一动,他就碰碰帽子,凑到近边,说:"什么?"

来到马掌铺前面,罗道耳弗不沿大路去栅栏门,却骤然带了包法利夫人,拐进小径,喊道:

"晚安,勒乐先生!再见!"

她笑道:

"你怎么这样打发他!"

他接下去道:

"为什么由人打搅?何况今天,我有福分同你……"

爱玛红了脸。他掉转话头,说起天气晴好和草地上散步的愉快。有些春白菊又长出来了。他说：

"这里有好看的延命菊，大可以供本地全部害相思病的姑娘们问神了①。"

紧跟着他又说：

"要是我也掐一朵，你看怎么样？"

她微微咳嗽道：

"你闹恋爱？"

罗道耳弗回答道：

"哎！哎！谁知道？"

草地上开始拥挤。管家婆挟着大雨伞，提着盒子，拖着孩子，朝你身上撞。还得经常回避一长列乡下妇人、女佣人，她们穿蓝袜子、平底鞋，戴银戒指，你从旁边走过，闻见一股牛奶气味。她们走路手拉手，从那排山杨起，到宴会的帐棚为止，熙熙攘攘，一草原全是。不过审查时间到了，农民一个跟一个，走进一个赛马场似的地点：一条长绳，拴在桩子上，圈出这样一块空地。

里头是牲口，鼻子冲着绳子，屁股有大有小，乱乱腾腾，排一长条。猪昏头昏脑，拿嘴拱土；牛犊叫；羊羔咩；母牛曲起后腿弯子，肚皮贴着草地，也不管牛蝇围住身子嗡嗡乱飞，眨巴着沉重的眼皮，慢条斯理，来回嚼嘴里的东西。种马尥起蹶子，朝着母马扯嗓子嘶鸣，赶大车的光着胳膊，揪住种马的络绳。母马安安静静，伸长头和搭拉下来的鬃毛，马驹不是躺在母马身影里，就是偶尔凑到底下吮奶。这些牲口挤作一团，起伏无定，不是雪白的鬃毛波涛一般随风扬起，就是东露出一

---

① 根据花瓣数目，推断对方是否相爱。延命菊 billis perennis 和春白菊 chrysanthemum leucanthemum 属于同科，但有差异。

堆尖犄角，西露出一堆人头。人在里头跑来跑去。围场外边，百步远近，单有一只大黑公牛，戴上嘴套，鼻孔挂着一个铁环环，像青铜铸出来的，站着一动不动。一个衣服破烂的小孩子牵着它，揪住一条绳子。

　　大人先生们，夹在两排牲口当中，步伐沉重，一面前进，一面一只一只检查，检查过后，就彼此会商，声音相当低。其中有一位，似乎地位更高，边走边记。他是评判委员会主席、邦镇的德洛日赖先生。他一看见罗道耳弗，就快步向前，和颜悦色，笑吟吟向他道：

　　"布郎皆先生，你怎么放下大家伙儿的事不管？"

　　罗道耳弗保证他来。可是主席才一不见，他就接着讲道："家伙，我才不去，同你在一道，足抵得过同他在一道。"

　　罗道耳弗一面打趣展览会，一面却也为了通行无阻起见，掏出他的蓝帖子给宪兵看，有时候甚至于看见一件好展览品，停住脚步。可是他一见包法利夫人不感兴趣，就拿装束作题目，取笑永镇的太太们。跟着他就为他的衣着马虎道歉。他的衣着又随俗，又考究，显出不协和的情调，俗人看在眼里，有的喜爱，有的却又嫌弃，因为他们通常总觉得这种装束，表示生活离奇、感情纷乱、艺术的强大影响以及某种永远蔑视社会习俗的心思。细麻布衬衫的袖口缀着褶纹纱，风吹过来，衬衫就在灰夏布背心领口地方膨了起来；宽道道裤子，脚踝地方，露出一双南京布靴子，靴筒底下有一圈漆皮，亮堂堂的，草也照了出来。他穿着这样一双靴子，践踏马粪，一只手插在上衣口袋，草帽歪戴一旁。他接下去道：

　　"再说，一个人住在乡下……"

　　爱玛道：

　　"什么也是枉然。"

罗道耳弗回答道：

"说得是呀！想想看，这些老好人，就连燕尾服的式样，也没有一个人能懂！"

于是他们谈起内地的庸俗、生活的窒闷、理想的毁灭。罗道耳弗道：

"所以我郁闷到了极点……"

她诧异道：

"你！我一直以为你很快活来的，不是吗？"

"啊！是的，单看外表；因为我对社会戴了一副玩世不恭的面具。其实，月光之下，看见公墓，有多少回，我问自己：我是不是顶好还是追踪那些长眠地下的人……"

她道：

"唉呀！你那些朋友呢？你就不想想他们？"

"我那些朋友？都是谁？我有朋友吗？谁关心我？"

说到末一句话，嘴里同时吹出一种类似口哨的声音。

不过后头走来一个人，抱了高高一摞椅子，他们只好分在两下。左也椅子，右也椅子，除去他的木头套鞋的尖尖头露在外面以外，就只看见他的胳膊伸得开开的，露出两只手来。原来是那个掘坟的赖斯地布都瓦，把教堂椅子搬到外头。他唯利是图，结果就想出这种利用展览会的方法，而且想法成功，因为生意兴隆，他应付不过来了。说实话，乡下人热得不得了，全抢椅子坐，草垫有香料气味，厚椅背沾着蜡渍，他们恭而敬之，往上一靠。

包法利夫人又挽起罗道耳弗的胳膊。他像是自言自语，继续道：

"是啊！我错过许多机会！总是一个人，啊！我活着要是有一个目的，我要是遇到真心相待的人，我要是发现有人……

哎呀！我会用尽我的全部能力，我会克服一切困难，粉碎一切困难！"

爱玛道：

"不过我觉得你不该让人可怜。"

罗道耳弗道：

"啊！你觉得？"

她接下去道：

"因为说到临了……你自由。"

她迟疑了一下：

"有钱。"

他回答道：

"别取笑我啦。"

她赌咒不是取笑，这期间就见轰然一声炮响，大家立刻你拥我挤，乱乱腾腾，往村里跑。

原来炮发错了。州长大人并没有来；这就开会，还是再等下去，评判委员们左右为难，不知道怎么办才好。

最后，广场尽头，来了一辆前后有活篷的四轮出租大马车，驾着两匹瘦马，一个白帽车夫，狠命抽打。毕耐急忙喊："举枪！"联队长急忙学他。人人朝枪位跑。人人向前抢。有些人连硬领也忘记戴了。但是州长的马车，似乎意会到这种困难局面，两匹并驾的羸马，拉起辕木小链，左右摇摆，慢步紧跑，来到公所前面，正好赶上国民军和消防队打着鼓，大踏步，摆队相迎。毕耐喊着：

"走齐！"

联队长喊着：

"立正！向左看齐！"

接着就是举枪敬礼，枪箍扳开，踢里堂啷，响声好似一只铜锅滚下楼梯。敬礼已毕,枪又统统放下。

于是就见一位先生,穿一件银线绣花短燕尾服,秃额头,后脑梢一撮头发,脸色灰白,外貌极其和善,走下马车。眼睛很大,打量群众,他的厚眼皮闭了一半,同时仰起他的尖鼻子,瘪嘴还露出一丝笑意。村长系着绶带,他认出他来,对他解说:州长有事来不了,本人是州行政委员,接着还讲了几句抱歉的话。杜法赦的回答只是一味恭维,另一位表示愧不敢当;两个人就这样站着,面对面,额头几乎碰额头,周围是评判委员、乡行政委员、缙绅、国民军和群众。州行政委员先生,三角小黑帽贴住胸脯①,频频还礼,同时杜法赦,哈下腰来,仿佛一张弓,也是笑盈盈的,结结巴巴,寻找字句,一面表示自己忠心王室②,一面为永镇得到的荣誉表示感激。

客店伙计伊玻立特走到车夫跟前,接过缰绳,一只脚跛着,把马牵到"金狮"门廊底下。许多乡下人,聚在门廊,瞻仰马车。鼓在敲,炮在响,先生们鱼贯而行,走上司令台,坐在杜法赦夫人借出来的乌特勒支③红绒大扶手椅上。

这些人像是一个模子出来的。软搭搭的脸,新苹果酒颜色,亮堂堂的,太阳晒得有点发黑,络腮胡须尨尨茸茸,拱出高硬领外;白领带箍紧硬领,匀匀停停,结着一个膨囊囊的领花。背心有压边,全是丝绒料子,表有一根长带,尖尖头全坠

---

① 万松(Paul Vinson)在《不符事实的包法利大人》文中指出:州行政委员戴的是两角帽,从来不戴"三角帽",穿的是蓝线绣花长燕尾服,不是"银线绣花短燕尾服"。
② "王室"指七月革命之后布尔本的幼支奥尔良系。路易·腓立普利用七月革命,在1830年登位,1848年革命发生,退位逃亡。
③ 乌特勒支(Utrecht)是荷兰一个省会,十七世纪末叶,一个移居荷兰的法国人,发明了一种廉价呢绒做沙发面,用山羊毛织成,代替丝绒。

着一颗深红玛瑙椭圆印章；人人是一双手搭在两条大腿上，仔细分开裤裆，裤的料子没有磨掉光泽，比靴子的厚皮还亮。

上流妇女坐在后头过厅底下和圆柱中间，大多数群众站在对面，或者坐在椅子上。说实话，赖斯地布都瓦把椅子全从草原搬过来了，甚至于时时刻刻跑进教堂去找椅子。人想靠近司令台的小梯子，因为他这样一做生意，交通堵塞，也就很难过去。

勒乐先生向药剂师（到他的座位上去）道：

"我以为应当竖两根威尼斯旗竿，弄点新鲜东西挂在上头，又富丽，又有一点威严，望过去，就很美观了。"

郝麦回答道：

"的确是的。不过有什么办法！这是村长一手包办的结果。可怜的杜法赦，这人没有多少欣赏力，根本缺乏所谓艺术天分。"

罗道耳弗这时陪伴包法利夫人，走上公所二楼，来到会议厅，看见没有一个人，就讲：他们在这里瞭望，尽兴多了，国王半身像底下有一张椭圆桌子，他到旁边搬了三张凳子，放到一个窗口跟前，然后他们挨挨挤挤，并肩坐下。

司令台上起了一阵骚动：长久耳语和交换意见。最后还是州行政委员先生站起。大家现在晓得他姓廖万，群众一个传一个，说起他的名姓。于是他掏出几张纸，凑近眼睛细看了看，这才开口道：

诸位先生：

首先允许我（在没有和你们谈起今天的盛会之前；——我相信，你们全有这种感情），我说，首先允许我赞扬一下最高当局、政府、国君，诸位先生，赞扬一下我们的主上、万民爱戴的国王。大家知道，事关繁荣，不问公私，圣上一律关怀，即使是怒海狂涛，危险百出，圣上也坚定审慎，稳步行车，何况圣上请求和平，重视战争、工业、商业、农业与艺术。

罗道耳弗道：
"我该退后一点坐。"
爱玛道：
"为什么？"
不过州行政委员的声音分外高了，他朗诵道：

  诸位先生：兄弟阋于墙，血染公众广场的时期，已经一去而不复返了；业主、商人，甚至于工人，夜晚安眠，听见警钟齐鸣，忽然惊醒的时期，已经一去而不复返了；邪说横行，擅敢颠覆社稷的时期，已经一去而不复返了……

罗道耳弗接下去道：
"因为下面也许有人望见我；这样一来，我就要一连两星期道歉，像我这样的坏名声……"
爱玛道：
"哎呀！你成心糟踏自己。"
"不，不，你听我讲，坏极了。"
州行政委员继续道：

  可是，诸位先生，放下这些暗无天日的画面不去回想，转过眼睛，浏览一下我们美丽祖国的现状，我又看见了什么？处处商业繁盛，艺术发达，处处兴修新的道路，仿佛国家舔了许多新的动脉，构成新的联系；我们伟大的工业中心又活跃起来；宗教加强巩固，法光普照；我们的码头堆满货物，信心再起，法兰西终于得到了新生……

罗道耳弗又道：
"其实，就社会观点看来，他们也许就有道理。"
她道：
"什么道理？"
他道：
"怎么！难道你不知道，有人无时无刻不在苦恼？他们一时需要梦想，一时需要行动，一时需要最纯洁的热情，一时需要最疯狂的欢乐，人就这样来来去去，过着形形色色的荒唐、怪诞的生活。"
于是她看着他，就像一个人打量一个到过奇土异方的旅客一样，接下去道：
"我们这些可怜的妇女，就连这种消遣也没有！"
"微不足道的消遣，因为人们在这里找不到幸福。"
她问道：
"可是人们找得到吗？"
他回答道：
"是的，会有一天遇到的。"
州行政委员道：

你们明白这个。你们是农民和田野的工人；你们是真正为文化而工作的和平的先驱！你们是进步和道德人士！我说，你们明白，政治冲突，比起大气凌乱来，确实要可怕多了……

罗道耳弗重复道：

"有一天，有一天赶巧万念俱灰，会忽然遇到的。于是天色开朗，就像有一个声音在喊：'这就是！'你觉得需要向这个人诉说衷情，把一切给他，为他牺牲一切！用不着烦言解释，彼此就一见如故，似曾梦里相逢。（他看着她。）总之，就在眼前，四处寻觅的珠宝就在眼前，明光万道，火星四射。可是仍然怀疑，仍然不敢相信；眼花缭乱，好像走出黑暗，乍见亮光一样。"

罗道耳弗说到末了这几句话，添上手势。他拿一只手放在脸上，就像一个人晕眩一样，然后下来搭在爱玛手上。她抽回她的手。可是州行政委员总在读着：

诸位先生，有谁惊奇吗？也只有他们惊奇：就是那种瞎了眼的人，那种迷恋于（我不怕说出口来）前一世纪偏见、照旧否认农民是有头脑的人。说实话，寻找爱国精神、热心公众事业，一言以蔽之，智慧，除去田野，还有什么地方更多？诸位先生，我说的不是那种表面的智慧、那种闲汉的点缀。我说的是那种深刻、稳健的智慧，专心致志于追求那些有用之物，因而有助于个人福利、一般改善与支援国家，它是——尊重法律和完成任务的收获……

罗道耳弗道：

"啊！又是这个。总是任务，我听也听腻了。他们是一堆穿法兰绒背心的老昏聩，一堆离不开脚炉和念珠的假道婆，不住口在我们的耳梢唠叨：'任务！任务！'哎！家伙！任务呀，任务是感受高贵事物，珍爱美丽事物，并非接受社会全部约束和硬加在我们身上的种种耻辱。"

包法利夫人反驳道：

"不过……不过……"

"哎，不！凭什么反对热情？难道它不是世上唯一美丽的东西？难道它不是英勇、热忱、诗歌、音乐、艺术以及其他一切的根源？"

爱玛道：

"可是也该听取听取世人的意见、遵守一般立身处世之道。"

他回答道：

"啊！立身处世之道有两种。一种是众人公认的琐细之道，因时而异，目光如豆，喊叫连天，跳上跳下，脚不着地，就像眼前这群蠢家伙一样。另一种是万古长存之道，在周围，也在上空，风景一般环绕我们，碧天一般照耀我们。"

廖万先生方才掏出手绢揩过嘴，接下去道：

诸位先生，农业的重要，还用得着我这里向你们指出来吗？请问，谁供应我们的需要？谁接济我们的生活？难道不是农民？诸位先生，农民拿一双勤劳的手，把种子下在肥沃的田亩，种子长成麦子，麦子用精巧的机器磨成细末，以面粉的名称运到城市，没有多久，就进了面包房，制成食品，不分贫富，一概供应。为了我们有衣服穿，难道不又是农民养肥牧场众多的羊群？因为没有农民，我们穿什么，我们吃什么?诸位先生,我们有必要到老远的地方寻找例证吗?谁不常常想到那只怯羞的动物、我们家禽群里值得骄傲的珍品?它一方面长毛给我们做绵软的枕头用,一方面有丰美的肉给我们吃,一方面还下蛋。地耕好了,出产种种物品,好比慈母心疼儿女,尽量供应,我要是一一枚举的话,就要不胜其举了。这边是葡萄树;那边是苹果树;远望,是油菜;再往远望,是干酪;还有麻,诸位先生,千万不要忘记麻①!近年以来,麻的产量增了许多,我特别希望你们注意。

他不必希望;因为群众个个张大了嘴,好像要喝掉他的话一样。杜法赦在他一旁,睁大了眼睛听;德洛日赖先生,有时候,微微合上眼皮;再过去,药剂师两腿夹住他的儿子拿破仑,拿手张在耳边,一个字音不叫漏掉。别的评判委员表示赞同,慢慢悠悠,上下摇摆背心里的下巴。消防队员站在司令台底下,靠住他们的刺刀;毕耐一丝不动,胳膊肘朝外,刀尖向上。他也许在听,不过他一定什么也看不见,由于他的盔檐太低,一直罩到鼻子。副队长是杜法赦先生的小儿子,盔檐还要低得出奇!因为他戴了一顶绝大的战盔,在头上晃来晃去,而花布手绢垫在底下,也有一头露出来了。他在战盔底下,笑嘻嘻的,一副小孩子的可爱模样,小白脸蛋淌着汗,流露出一种欢愉、疲倦和睡眠的表情。

广场连两边房屋都挤满了人。家家有人靠着窗户,有人站在门口。玉斯旦站在药房前面,似乎看愣了,移动不得。虽说

---

① 路易·腓立普重视工业,所以州行政委员也有同样表示。参看中卷第五章,永镇寺新建麻纺厂。

安静，廖万先生的声音照样听不清楚：群众中间、椅子出了响声，东一打岔，西一打岔，截断演说，只有一句半句传到耳朵；接着就是背后，冷不防起了漫长一声牛鸣，或者就是街角羊羔咩咩叫唤。说实话，放牛的和放羊的，一直把牲口赶到这边，它们有时候你一声，我一声，一面还吐长舌头，拉曳挂在脸上的三两片叶子。

　　罗道耳弗更挨近爱玛了，声音放低、放快道：

　　"人世这种阴谋，你不愤恨？哪一样感情它不谴责？最高贵的本能、最纯洁的同情，也逃不脱迫害、诽谤；一对可怜虫要是碰在一起的话，就组织一切力量来拆散他们。不过他们偏要试试，扇扇翅膀，你呼唤我，我呼唤你：是啊，迟早有什么关系，半年，十年，他们照样结合，照样相爱，因为命里注定这样，彼此天生就是一对。"

　　两只胳膊横在膝盖上，他仰起脸，凑到近边，死盯着看爱玛。她看见纤细的金光，一道又一道，兜着他的黑瞳仁，从眼睛里面朝外放射。她甚至于闻见他抹亮头发的生发油的香味，于是心荡神驰，不由想起在渥毕萨尔陪她跳回旋舞的子爵，他的胡须就像这些头发，放出这种华尼拉①和柠檬气息；她不由自己，闭了一半眼皮往里吸。但是她坐在椅子②上，身子往后一仰，恍惚远远望见驿车"燕子"，在天边尽头，慢慢腾腾，走下狼岭，车后扬起长悠悠的灰尘。赖昂就是乘了这辆黄车，时刻来到她的身边；也就是经这条路，他又一去不回！她仿佛看见他在对面窗口，接着就又一片模糊，满天浮云，她觉

---

　　① 华尼拉（vanille）是生长在非洲、美洲的热带植物华尼拉树的果实。
　　② 前文说罗道耳弗"搬了三张凳子，放到一个窗口跟前，然后他们挨挨挤挤，并肩坐下"。并非"椅子"。

得吊灯照耀,她还像在跳回旋舞,挎着子爵的胳膊,同时赖昂离得也不远,眼看就要过来……但是她总意会罗道耳弗的头在她旁边。这种甜蜜的感觉就这样渗透从前她那些欲望,好像一阵狂飚,掀起了沙粒,香风习习,吹遍她的灵魂,幽渺的氤氲卷起了欲望旋转。她好几回用力张开鼻孔,吸入柱头常春藤的清新气息。她摘去手套,揩了揩手,然后拿起手绢扇脸,太阳穴虽说跳动,她照样听见群众叽里咕噜、州行政委员说来说去的单调声音:

继续下去!坚持下去!不要专听日常习惯的暗示,也不要专听一种莽撞的江湖论调的过分急躁的建议!尤其要致力于改良土地、上等肥料以及马种、牛种、羊种与猪种的发展!让展览会对你们成为充满和平景象的比武场,胜利者向战败者伸出友爱之手,希望他下一次竞赛成功!可敬的仆役!你们是谦逊的下人,辛勤劳苦,往日得不到任何政府重视,现在就来接受你们默默无闻的道德的酬劳吧。而且你们相信政府从今以后,一定会注视你们,鼓励你们,保护你们,满足你们的正当要求,竭尽一切,减轻你们的痛苦的牺牲的负担!

廖万先生终于坐下。德洛日赖先生站起,开始另一篇演说。他的讲演也许不像州行政委员的讲演那样富丽;不过他也有他的特征:风格切实,就是说,学识比较专门,议论比较高超,少了一些颂扬政府的话,宗教和农业分到更多的地位,二者息息相关,一向就同心协力,促进文化。罗道耳弗和包法利夫人谈着梦、预感、催眠术。演说家追溯到社会原始,形容野蛮时代，人在树林深处，靠栎子过活；后来人就扔掉兽皮，改穿布帛，耕田犁地，栽葡萄树。这算不算幸福？这种发现会不会弊多于利？德洛日赖先生对自己提出这个问题。罗道耳弗由催眠术一点一点谈到同感。主席引证：秦齐纳土斯掌犁，戴克里先种菜①，中国皇帝立春播种。年轻人这期间向少妇解释：吸引之所以难以抗拒，就是前生的缘故。他说：

"所以就拿你我来说，我们为什么相识？出于什么机缘？我们个自的天性，你朝我推，我朝你推，毫无疑问，像两条河一样，经过千山万水，合流为一。"

他握住她的手：她没有抽回手去。

主席喊道："一般种植奖！"

"譬方说，方才我到府上……"

"甘冈普瓦的毕日先生。"

"我怎么晓得我会陪你？"

"七十法郎！"

"有许多回，我想走开，可是我跟着你，待了下来。"

"肥料奖。"

"既然今天黄昏会待了下来，明天、别的日子、我一辈子，也会待了下来！"

"阿尔格意的卡隆先生，金质奖章一枚！"

"因为我和别人在一道，从来没有感到这样大的魅力。"

"伊如里·圣·马尔旦的班先生！"

---

① 秦齐纳土斯（Cincinnatus）是罗马共和国的执政官（公元前460年），当选之后，官员往迎，见他正在耕田。

戴克里先（Dioclétien：245—313）是罗马帝国的皇帝，305年退隐，相传公卿请他复位，他正在种植生菜。

"所以我呢,我要永远想念你的。"

"一只'麦里漏斯'种公牛……"

"不过你要忘记我的,我要像一个影子过去的。"

"圣母……的柏劳先生。"

"哎呀!不会的。我会不会成为你的思想、你的生命的一部分?"

"猪种奖两名:勒害里塞先生与居朗布尔先生;平分六十法郎!"

罗道耳弗捏住她的手,觉得又温暖,又颤抖,如同一只斑鸠,虽然被捉住了,还想飞走;但是不知道是她试着抽出手来,还是响应这种压抑,她动了动手指;他喊道:

"谢谢!你不拒绝我!你真好!你明白我是你的!让我看你,让我端详你!"

一阵风飘进窗户,吹皱了桌毯,同时底下广场,乡下女人的大帽子,像白蝴蝶扇动翅膀一样,个个翘了起来。

主席继续道:"豆饼的使用。"

他加快道:"养粪池,——种麻,——排水,长期租赁,——家庭服务。"

罗道耳弗不再说话。两个人你望我,我望你,欲火如焚,干嘴唇直打哆嗦,于是心旌摇摇,手指不用力,就揉在一道。

"萨司陶·拉·该里耶尔的卡特琳·妮开丝·艾莉萨白·勒鲁,在一家田庄连续服务五十四年,银质奖章一枚——值二十五法郎!"

州行政委员重复道:"卡特琳·勒鲁,在什么地方?"

不见她的踪影。只听见好些声音窃窃私语道:

"去呀!"

"不。"

"左边走!"

"别害怕!"

"啊!看她多蠢!"

杜法赦喊道:"她到底在不在?"

"在!……那不是!"

"那么,到前面来呀!"

于是就见一个矮老妇人,走上司令台,神色畏缩,好像和身上的破烂衣服皱成了一团一样。脚上蹬一双大木头套鞋;腰里系一条大蓝围裙;一顶没有镶边的小风帽兜住她的瘦脸;一脸老皱纹,干了的坏苹果也没有她多。红上衣的袖筒出来两只长手,关节疙里疙瘩;谷仓的灰尘、洗衣服的碱水、羊毛的油脂在手上留下一层厚皮,全是裂缝,指节发僵;清水再洗,也显着肮脏;苦干多年,闭也闭不拢来;好像明摆着这一双手,就是千辛万苦的卑微的凭证一样。脸上的表情,如同一个修行的道姑那样呆滞。任何哀、乐事件也软化不了她那黯淡的视线。她和牲畜待在一起,也像它们一样喑哑、安详。她还是第一次看见自己在这样大的一群人当中,眼前又是旗,又是鼓,又是青燕尾服的先生们,又是州行政委员的十字勋章,心中惶惧,一步不敢移动,不知道该往前去,还是该向后逃,也不知道群众为什么推她,审查员为什么朝她微笑。这干了半世纪劳役的苦婆子,就这样站在这些喜笑颜开的资产者之前。

州行政委员从主席手上接过得奖人员的名单,然后道:

"过来,可敬的卡特琳·妮开丝·艾莉萨白·勒鲁!"

他看一遍名单,看一遍老妇人,用慈父的声音,重复道:

"过来,过来!"

杜法赦在扶手椅上跳道:

"你聋了吗?"

他朝她的耳朵喊道:
"五十四年服务!银质奖章一枚!二十五法郎!是给你的。"

她接过奖章,仔细打量,随即一脸幸福的微笑,径自走开;大家听见她咕哝道:

"我拿这送给我们的教堂堂长,给我做弥撒。"

药剂师朝公证人俯过身子,喊道:

"信教信到这步田地!"

大会开完,群众散去;现在,演说词读过了,人人回到原来地位,一切照旧:主子谩骂下人,下人鞭打牲畜;得奖的牲畜,犄角挂着一顶绿冠,漠不关心,又回槽头去了。

国民军这期间上到公所二楼,刺刀扎了一串点心,大队鼓手提着一篮酒瓶。包法利夫人挎着罗道耳弗的胳膊;他送她回家;他们在她的门前分手;然后他一个人在田野散步,等候时间到了入席。

宴会又长又闹,而且侍奉不周;根本就人山人海,移动不得,窄木板变成临时条凳,人坐多了,险些压断。菜肴丰盛,人人狠命吃喝自己名下的一份,个个额头冒汗。桌面上挂着甘该灯,中间浮起白蒙蒙一片热气,好像秋天早晨河水的雾气一样。罗道耳弗一心在想爱玛,背靠布棚,什么也没有听见。背后好些听差,在草地上摆脏盘子;邻座同他讲话,他不回答;有人给他斟酒;嘈杂的声音越来越响,可是他心里静悄悄的,追想她说过的话和她的嘴唇的形态;军帽的徽章仿佛一面照妖镜,照出她的脸来;她的打褶的袍子恍惚沿墙而下;遥望未来,恩爱的日月悠悠展开,好像没有尽期一样。

夜晚放烟火,他又见到她;但是她和丈夫,还有郝麦夫妇在一起。火花四射,药剂师十分担心会出危险,他时刻走开,过去关照毕耐几句。

爆竹送到杜法赦先生那边，他过分小心，放在他的地窖里，所以火药受潮，根本点不着，而主要节目应当表现一条龙咬自己的尾巴，又完全失败。天空偶尔出现一串不值一看的罗马蜡烛①，群众张口凝望，喊成一片，里面还搀杂着在黑地里腰让胳肢了的妇女的叫唤。爱玛悄不作声，缩成一团，轻轻靠住查理的肩膀，然后仰起下巴，望着射出来的火花在黑黝黝的天空掠过。罗道耳弗借着花灯亮光张望她。

花灯渐渐熄灭。天上出来星星。飘下一丝半点细雨。她拿肩巾挽在头上。

就在这时，州行政委员的马车走出客店。车夫喝醉了酒，立刻昏昏沉沉，打起盹来了。大家远远望见他，坐在两盏车灯中间，大半个身子耸出车篷，车厢前后一动，也就左右摇晃起来。药剂师道：

"真的，应当严厉反对酗酒！我希望公所门口，每星期专挂一块牌子，写出这一星期喝酒喝醉了的人的名姓。再说，有统计报告，好比年鉴一类东西，遇到必要，不妨拿来参考参考……对不住。"

他又朝队长跑过去了。

队长惦记他的旋床，正要回家看看。郝麦向他道："也许碍不了你什么事，打发你的部下，要不你就亲自去……"

税务员回答道：

"什么事也没有，你就别跟我捣乱了吧！"

药剂师回到他的朋友旁边，道：

---

① 罗马蜡烛是一串星形爆竹。

"你们放心好啦。毕耐先生告诉我,已经有了防备。火花不会落下来的。水龙装得满满的。我们睡觉去吧。"

郝麦夫人大打呵欠,道:

"说的是呀!我尽想睡;不过没有关系,我们这一天过得好极啦。"

罗道耳弗放低声音,眼睛充满感情,道:

"是啊!好极啦!"

大家道过晚安,各走各的。

两天以后,《鲁昂烽火》登出一篇报道展览会的大文章。郝麦兴之所至,第二天就把它写出来了:

> 为什么张灯?为什么悬花?为什么结彩?一种热带的太阳,直射我们的阡陌。这群人仿佛怒海巨涛,冒着头上的热流,朝什么地方跑?

接着他就谈起农民的情况。政府的确尽了大力,但是不够!他向政府呼喊道:"勇敢!千千万万的改革需要着手,我们就来完成这些改革吧。"随后他写到州行政委员驾到,没有忘记"我们的军队的武士气概",也没有忘记"我们的最活泼的乡村妇女",也没有忘记秃了头的老年人,"仿佛古代族长,岸然而立,其中有几位,曾经置身于我们的不朽的行伍,听见雄壮的鼓声,觉得心还在跳"。他列举重要的评判委员,还说到自己;甚至于他在一个小注里,也提醒读者:药剂师郝麦先生,曾经给农学会送去一篇关于苹果酒的论文。他写到赠奖,形容得奖者的喜悦,出之以抒情笔调:"父亲吻抱儿子,哥哥吻抱兄弟,丈夫吻抱妻子。许多人傲形于色,指着他们的小小奖章,不用说,回到家中,在贤内助身旁,边哭,边拿它挂到茅庐的缄默的墙头。"

六点钟左右,酒席摆在索艾加尔先生的牧场,参加大会的主要人物聚在一道,自始至终,充满着发自衷心的最大热忱。宴会中间,不时举杯致敬:廖万先生提议,为国君的健康干杯!杜法赦先生提议,为州长的健康干杯!德洛日赖先生提议,为农业干杯!郝麦先生提议,为工业和艺术这一对姊妹干杯!勒普里谢先生提议,为改善干杯!到了夜晚,明光四射,烟火忽然照亮天空。这简直可以说成真正的万花筒、真实的歌剧布景。当时我们这小地方,还以为是处在《天方夜谭》的梦境。

"这次家庭集合,我们可以说,没有任何憾事扰乱。"

他还讲:"教士不露面,特别惹人注意。不用说,教会对进步别有一种看法。罗耀拉的信徒们①,请便!"

9

六个星期过去了,还不见罗道耳弗来。最后有一天黄昏,他露面了。展览会的第二天,他对自己讲:

"别去早了;去早了反而坏事。"

头一个星期,过到末尾,他打猎去了。打过猎,他一想,去也太晚了,接着他又这样理论道:

"不过如果头一天她就爱上了我的话,她一定盼望我去,她越情急,越会爱我。还是继续下去吧!"

他走进厅房,望见爱玛脸色变白,明白他划算对了。

只她一个人。天色向晚,小纱窗帘遮着玻璃,越发显得阴

---

① 罗耀拉(Roycla;1491—1556)是西班牙人,耶稣会的创建者。

暗。阳光一线，照亮晴雨计的镀金；金光闪闪，穿过珊瑚杈桠的空隙，在镜子里变成了一团火。

罗道耳弗一直站着；爱玛几乎等于没有回答他的问候。他说：

"我呀，有事忙，又害了一场病。"

她着急道：

"病重吗？"

罗道耳弗坐到她身旁一张凳子上，道：

"啊！不！……其实是我不想来就是了。"

"为什么？"

"你猜不出来？"

他又看了她一眼，但是神色热烈，她涨红了脸，低下头去。他接下去道：

"爱玛……"

她稍稍走开，道：

"先生！"

他用一种忧伤的声音对答道：

"啊！你看，我不想来，我有道理；因为你这名字，你这名字充满我的灵魂，可是脱口而出，你又禁止！包法利太太！……哎！人人这样称呼你！……其实，这不是你的姓；这是别人的姓！"

他重复一遍：

"别人的姓！"

他拿脸藏到两只手里。

"是的，我时时刻刻想你！……我一想到你就难过！啊！对不住！……我离开你……永别了！……我要到远地方去……远到你再也不会听见有人说起我来！……可是……今天……我不知道又是什么力量把我朝你推过来！因为人斗不过天，人扭不过天使们的微笑！人不由自主，就跟着美丽、愉快、值得热爱的事物走！"

爱玛还是第一次听见这种话，她的骄傲好似一个人在蒸气浴室，养息精神，伸开四肢，驱除疲劳，把自己整个儿交给这热雾腾腾的语言。他继续道：

"可是就算我不来，就算我不来看你，啊！至少你周围的东西，我尽饱看来的。夜晚，每天夜晚，我爬起床，一直走到这儿，望着你的房屋：月光照亮屋顶，花园树木在你的窗前摇来摇去，窗玻璃里，阴影中间，点着一盏小灯，透出一丝亮光。啊！你说什么也不知道，那边有一个可怜人，说近也算近，说远可真远……"

她朝他转过身子，呜咽道：

"啊！你真好！"

"不对，我爱你，就是这个！你相信我！说给我听；一句话！只一句话也就成了！"

罗道耳弗不知不觉，就从凳子溜到地上；厨房传来木头套鞋的响声，同时他望见厅房门也没有关。他站起来，讲下去道：

"我有一个怪心思，你行行好，满足满足吧！"

原来是带他看看房屋；他想熟识熟识；包法利夫人看不出有什么不方便，两下方才站起，正好查理进来。罗道耳弗向他道：

"你好，博士。"

医生听了这天外飞来的头衔，受宠若惊，殷勤趋奉。另一位利用这期间定了定神，就说：

"尊夫人同我谈起她的健康……"

查理插话道：他的确担心到了万分；他的女人又开始感到郁闷。罗道耳弗于是就问，骑马有没有用处。

"当然！很好，正对！……这倒是一个好办法！你应当照这话做。"

她说困难在没有马。罗道耳弗愿意借她一匹，她谢绝了，他也并不坚持。他随后解释他的来意，说他的赶大车的、前次放血的那个家伙，总觉得头晕眼花。包法利道：

"改一天我去看看。"

"不，不，我打发他来；我们来，你方便多了。"

"啊！很好。我谢谢你啦。"

罗道耳弗一走，查理就说：

"布朗皆先生好意借马，你为什么不应下来？"

她摆出撅嘴模样，找了许多话推托，最后才讲："这也许会惹人笑话。"

查理打了一个转身，道：

"啊！我不在乎！健康第一！你错啦！"

"哎呀！我没有骑马衣服，你怎么也好叫我骑马呀？"

他回答道：

"你就该添置一身！"

她看在骑马衣服份上，同意了。

衣服做成，查理写信给布朗皆先生，说：盛意可感，拙荆待命，不胜翘企。

第二天正午，罗道耳弗带了两匹鞍辔齐备的马，来到查理门前。有一匹耳朵还系着玫瑰红小绒球，背上搭了一副鹿皮女鞍。

罗道耳弗穿了一双软皮长靴，心想这样东西，她从前一定没有见过；事实上，他在楼梯口一出现，身上是丝绒长燕尾服，腿上是灯芯绒白裤，爱玛就已经在欣赏他的翩翩风度了。她打扮停当，正等他来。

玉斯旦溜出药房看她，连药剂师也惊动出来了。他一再叮咛布朗皆先生：

"意外说来就来！千万当心！你的马也许性烈！"

她听见头上有响声：原来是全福哄小白尔特，敲打玻璃窗。小孩子远远递了她一个吻；母亲的回答是摇摇鞭子把儿。郝麦先生喊道：

"一路快乐！千万小心！小心！"

他摇动他的报纸，望着他们走远。

爱玛的马一出村落，就小跑起来了。罗道耳弗的马跟在一旁。他们偶尔交谈一句。她坐在鞍子上，脸微微向下，手举起来，右胳膊伸开了，由着马上下颠簸。

来到岭下，罗道耳弗放松缰绳，他们一道驰骋；随后跑上岭，马猛然站住，她的大蓝面网坠了下来。

正当十月初旬，田野有雾。水汽弥漫天边，笼罩着丘陵的轮廓；有的水汽裂开，升在天空发散。有时候，一道阳光破云而出，他们远远望见永镇的屋顶、水边的花园、院落、墙壁和教堂的钟楼。爱玛眯着眼睛，寻认她的住宅；她住在这可怜的村子，从来没有想到会这样小。他们站在高处，觉得整个盆地就像一座白茫茫的大湖，在半空化成水汽。左一丛树木，右一丛树木，黑岩似的，兀立一侧；白杨高耸雾上，齐齐一排，好像风卷沙移的海滩一样。

他们旁边，冷杉蓊郁，中间一块草坪，上空有一道褐光，在温暖的大气里游来游去。土像烟草屑一样的颜色，近似红褐，马走上去，听不见蹄子响。马朝前走，铁掌踢开遍地的松实。

罗道耳弗和爱玛就这样兜着树林边沿。她回避他的视线,不时转过头去,可是这样一来,就只看见一排一排冷杉树干,络绎不绝,看到后来,未免头晕眼花。马在喘气。鞍皮咯吱咯吱在响。

他们走进森林,太阳正好出来。罗道耳弗道:

"上帝保佑我们!"

她道:

"你相信?"

他接下去道:

"前进!前进!"

他打舌头响;两匹马跑开了。

道旁的羊齿草,横拦竖遮,一来就卷进爱玛的脚镫。罗道耳弗一面尽马跑,一面斜过身子,一根又一根,把羊齿草抽出来。别的时候,他靠近了,推开树枝,爱玛觉得他的膝盖蹭到她的腿。天变成蓝的。树叶一动不动。许多空地长满正在开花的映山红。树木丛薄,枝叶各异,有的受影响,成了灰色,有的成了灰褐色,有的成了金黄色,或前或后,又是一摊一摊堇菜,交相辉映。他们时时听见矮小树丛底下,翅膀轻轻扑扇,或者乌鸦在栎树之间盘旋,哑哑哀啼。

他们下了马。罗道耳弗拴马,她在车辙之间的青苔上漫步前行。

但是袍子太长,她虽说撩起后摆,仍然妨碍走路。罗道耳弗跟在后头,望着她的细致的白袜,在黑衣料和黑靴之间,像是她的一部分光光的皮肉似的。她站住道:

"我累啦。"

他回答谙:

"来,再走走看!加油!"

再走了百步来远,她又站住。她戴一顶男人帽子,面网坠下来,斜搭在屁股上,如同她在碧波底下游泳一样,隔着透明的浅蓝颜色,他依稀认出她的脸相。

"我们到底去什么地方?"

他不回答。她的呼吸急促了。罗道耳弗向周围扫了一眼,咬着上嘴唇的髭。

他们来到一个地点,小树砍去,比较宽阔。他们坐在一个放倒了的树干上,罗道耳弗对她谈起他的爱情。

他生怕吓了她,一入手,先收掉恭维词句不说。他安静,严肃,忧郁。

爱玛低着头听,一边还拿脚尖翻动地上的碎木片。

"难道我们的命运如今不是同一个?"

她一听这话,就驳道:

"不是同一个!你清楚的。不可能。"

她站起来要走。他揪住她的手腕。她只好站住。然后她用湿润的媚眼打量了他几分钟,急忙道:

"啊!好,别说下去啦……马在什么地方?回去吧。"

他做了一个又生气又苦恼的手势。她重复道:

"马在什么地方?马在什么地方?"

他于是目不转睛,咬紧牙关,透出一种奇怪的微笑,伸开胳膊,逼向她来。她一边哆嗦,一边倒退,期期艾艾道:

"你让我害怕!你让我难过!走吧!"

他改变面貌,回答道:

"你一定要走……"

他立时就又变得敬重、温存、懦怯。她挎住他的胳膊。他们往回走。他说:

"你到底怎么啦?为什么?我不明白。想来你是误会吧?

你在我的心里,就像一位圣母娘娘,高高待在像座上,又坚固,又纯洁。不过没有你,我活不下去!我需要你的眼睛、你的声音、你的思想。做我的朋友、我的妹妹、我的天使吧!"

他于是伸长胳膊,搂住她的腰肢。她半推半就,试着挣扎出来。他边走,边这样撑着她。

他们听见两匹马在吃树叶。罗道耳弗道:

"再待一会儿!别就走!停下来吧!"

他把她带到更远的地方,兜着一口小水塘转悠。满地浮萍,绿波如茵。残荷安安静静,夹在灯芯草中间。他们走在草上,青蛙听见脚步,跳开了躲藏起来。她道:

"我错了,我错了,我不该听你的话。"

"为什么?……爱玛!爱玛!"

少妇一面倒向他的肩膀,一面慢悠悠道:

"唉!罗道耳弗!……"

她的布袍贴牢他的丝绒燕尾服。她仰起白生生的颈项,颈项由于叹息,也涨圆了。她于是软弱无力,满脸眼泪,浑身打颤,将脸藏起,依顺了他。

天已薄暮,落日穿过树枝,照花她的眼睛。周围或远或近,有些亮点子在树叶当中或者地面晃来晃去,好像蜂鸟飞翔,抖落羽毛。一片幽静,树木像有香气散到外头。她觉得心又开始跳跃,血液仿佛一条奶河,在皮肤底下流动。她听见一种模糊而又悠长的叫喊,一种拉长的声音,从树林外面、别的丘陵传出,她静静听来,就像音乐一样,配合她的神经的最后激动。断了一根络绳,罗道耳弗噙着雪茄,拿小刀修理。

他们走原路回到永镇。他们又在泥地看见马的并排蹄印,又看见小树丛和草里的石子。周围什么也没有改变;可是就她来说,好像比大山移动还要重大的事,忽然发生了一样。罗道耳弗不时斜过身子，举起她的手吻。

她骑在马上，婀娜多姿！挺直细腰，膝盖齐着马鬣弯下去，晚霞和新鲜空气在脸上薄薄敷了一层颜色。

走进永镇，马打着石头地，左右回旋。

大家在窗口望她。

晚饭时节，她的丈夫觉得她气色好，但是问起出游情形，她做出没有听见的模样，胳膊肘拄在盘子一旁，两边一边点着一支蜡烛。他道：

"爱玛！"

"什么事？"

"你听，今天下午，我是在亚力山大先生家里过的；他有一匹老母马，看上去还很英挺，只有膝盖磕掉一小块皮，不长毛，我拿稳了，出一百艾居，也就买下来了……"

他接下去道：

"我一想，你会喜欢的，我就留下它……把它买过来了……我办得好吧？说给我听听看。"

她点了点头，表示赞成，然后她过了一刻钟，问道：

"你晚响出去吗？"

"出去。你问这干什么？"

"啊！好人，没有什么，没有什么。"

她打发掉查理，上楼来到卧室，把门关了。

开头就像头晕眼花了一样，她又看见树木、小道、沟渠、罗道耳弗，照样感到他的搂抱，听见树叶摇摆、灯芯草呼呼吹动。

但是脸一照镜子，她惊异起来了。她从来没有见过她的眼睛这样大，这样黑，这样深。她像服过什么仙方一样，人变美了。

她三番两次自言自语道:"我有一个情人!一个情人!"她一想到这上头,就心花怒放,好像刹那之间,又返老还童了一样。她想不到的那种神仙欢愉、那种风月乐趣,终于就要到手。她走进一个只有热情、销魂、酩酊的神奇世界,周围是一望无涯的碧空,感情的极峰在心头明光闪闪,而日常生活只在遥远、低洼、阴暗的山隙出现。

她于是想起她读过的书的女主人公,这些淫妇多感善歌,开始成群结队,在她的记忆之中咏唱,声气相投,入耳受听,就像自己变成这些想象的真正一部分一样,实现了少女时期的长梦,从前神往的情女典型,如今她也成为了其中一个。再说,爱玛感到报复的满足。难道她没有受够活罪!可是现在,她胜利了。久经压制的感情,一涌而出,欢跃沸腾。她领略到了爱情,不后悔,不担忧,不心乱。

第二天,整天沉入新的欢乐。他们海誓山盟。她对他说起她的种种哀愁。罗道耳弗用吻打断她;她闭住一半眼皮,目不转睛,要他再叫一遍她的名字,再说一遍他爱她。他们像昨天一样,走进森林,待在一个做木头套鞋的人的小屋。墙是草堆成的,屋顶低极了,他们不得不弯下腰来。他们相倚相偎,坐在一张干树叶床上。

从这一天起,他们没有例外,天天晚晌写信。爱玛来到花园尽头,把信放在河边墙缝。罗道耳弗拿到信,另放一封进去。她总嫌他的信太短。

有一天早晨,不等天亮,查理就出门了,她起了立刻看见罗道耳弗的怪心思。她可以赶到徐赦特,待一小时,回到永镇,人人还在睡梦之中。她这样一想,心急欲炽,气也短促了,她没有多久,就到了草原,头也不回,只是快步趱行。

天方破晓,爱玛远远望到情人的住宅。两只燕尾风标,迎

575

着白蒙蒙的曙光，显得黑忽忽的。

穿过院落，便是一所房子，想必就是庄邸。她走进去。墙壁一见她来，像是自动闪到一旁一样。一座大楼梯笔直通到过道。爱玛挑起门插管，骤然望见一个男人，在屋子紧里睡觉。原来就是罗道耳弗。她叫了起来。他说了几遍：

"是你！是你！你怎么来的？……啊！你的袍子也湿啦！"

她拿胳膊搂住他的颈项，回答道：

"我爱你！"

这大胆举动，头一次成功，以后每逢查理早出，爱玛就连忙穿好衣服，潜起脚步，走下通到水边的台阶。

但是遇到牛走的便桥抽掉，就得沿着河旁的墙走，堤是滑的，她抓住一把残了的桂竹香，生怕跌倒。她随后穿越犁过的田，陷在里头，绊了脚，好不容易这才拔出她的小靴。风吹动她的包头帕子，在牧场翻来卷去。遇到了牛，她又害怕，提脚就跑，跑到了，直喘气，脸庞通红，浑身发出一种树液、青草和新鲜空气的清香气味。罗道耳弗这期间还在睡觉。她像春天早晨一样来到他的房间。

沿窗黄幔悄悄放进一道沉重的金光。爱玛眨巴眼睛，边走边摸索，露珠挂在头发上，一圈黄玉圆光似的，环绕脸蛋。罗道耳弗一面笑，一面把她拉到身边，抱在胸前。

过后，她就检查房间，打开抽屉，用他的梳子梳头，用他刮脸的镜子刮脸。床几上放着柠檬和方糖，靠近水瓶，还有一管大烟斗，她经常叼在嘴里。

他们分手足足需要一刻钟。爱玛哭着，希望永不离开罗道耳弗。有什么东西把她朝他推过来，一点由不得她，连他也嫌欠妥。有一天，他见她不期而至，皱起眉头，模样像是很不以为然。

她道：

"你怎么啦？难过吗？说给我听！"

他最后神色严肃，对她言道：她来看他，粗心大意，会给自己惹乱子的。

10

她也像罗道耳弗一样，渐渐有了畏惧心思。她起初什么也不在心上，一味陶醉在爱情之中。可是如今她的生命少不了它，她生怕失落一星半点，或者甚至于受到意外骚扰。所以她走出他的庄园，东张西望，忐忑不安，天边走过的每一个身影、村里可能望见她的每一个天窗，也要看一个明白，脚步、叫喊、犁的响声，也要听一个分晓：她站住不动，头上白杨叶子摇来摇去，也不及她脸色白，也不像她身子抖得厉害。

有一天早晨，她正提心吊胆，转回家去，眼睛一晃，忽然看见一管猎枪似乎瞄准了她。枪筒长长的，扯斜露在一只小木桶的外沿。小木桶有一半埋在沟边草里。爱玛吓得魂飞魄散，正待朝前走去，就见一个男人爬出桶来，活像盒子打开，弹簧人往上一跳。皮护腿裹到膝盖，便帽盖住眼睛，鼻子通红，嘴唇颤抖；原来是毕耐队长埋伏好了等野鸭打。他嚷嚷道：

"你老远就该出声！望见枪，总得叫住才好。"

税务员说这话，打算遮盖方才他害怕来的。因为州长有令，除去船上许可猎鸭以外，禁止在别处猎鸭，毕耐先生虽然守法，在这上头，偏巧违禁。所以他心中有鬼，时时刻刻，以为听见猎警过来。但是这种杌陧心情刺激他的乐趣，一个人缩在木桶，妙计在握，自以为得。

他看见爱玛，一块石头落地，显得松快了，跟着就闲谈起来：

"天不暖和，刺皮刺肉的！"

爱玛一句话也不回答。他讲下去：

"你出门真早啊？"

她结结巴巴道：

"是的；小孩在奶妈家，我才看她来着。"

"啊！很好！很好！拿我来说，你看见的，天刚一亮，就到了这儿。不过天气死沉沉的，除非飞到枪口……"

她转过脚跟，打断他道：

"毕耐先生，再会。"

他冷冷回了一句：

"请便，太太。"

就又钻回木桶去了。

爱玛后悔这样干巴巴就离开了税务员。不用说，他要往坏事上想的。永镇上人人晓得，包法利小女孩子，接回家来，已经一年了，去看奶妈的话，糟不可言。再说，周围没有人家，这条小道只通徐敕特；这样一来，毕耐猜出她从什么地方回来，不会秘而不言的；逢人就讲，是必然的了！直到天黑，她还在煞费苦心，前思后想，编排种种谎话，可是这挂猎囊的蠢人，总在眼前晃来晃去。

查理用罢晚饭，见她愁眉不展，提议带她到药剂师家消遣消遣。她在药房遇见的头一个人，偏偏又是税务员！他站在柜台前面，红药瓶的亮光照着，他说：

"请你给我半两矾。"

药剂师喊道：

"玉斯旦，拿硫酸来。"

爱玛想上楼去看郝麦夫人。他拦住道：

"不必了，用不着，她就下来，还是在底下坐吧。你在炉子那边烤烤火，等她下来……对不住……好啊，博士（因为药剂师非常爱说博士这两个字，好像这样称呼另一个人，自己也就跟着体面了似的）……当心打翻那些臼！到小房间搬些椅子来；客厅的扶手椅不许乱动，你不是不知道。"

药剂师正要跑出柜台，放好他的扶手椅，就见毕耐问他要半两糖酸。药剂师鄙夷道：

"糖酸？我不晓得，我没有听人说过！你要的也许是草酸吧？是莠，不是糖，对不对？"

毕耐解释，他要一种腐蚀剂，配成一种搽铜药水，去掉各种猎具的锈。爱玛听了这话，直打哆嗦。药剂师道：

"的确也是，天湿，不相宜。"

税务员透出狡黠的神色，回答道：

"不过有人就不在乎。"

她连气也不敢出。

"再给我……"

她想：他就永远不走！

"半两松香和树胶，四两黄蜡，请你再给我一两半骨炭，搽我的装备上的漆皮用。"

药剂师正在切蜡，郝麦太太出现了，怀里抱着伊尔玛，旁边走着拿破仑，后头跟着阿达莉。她过去坐到窗边丝绒长凳上，男孩子蹲到一张凳子上，大姊兜着她的小爸爸旁边的枣匣转悠。后者灌漏斗，封瓶口，贴标签，打小包。周围鸦雀无声，仅仅不时听见天秤的砝码响，还有药剂师吩咐他学徒，偶尔唧咕几句。

郝麦太太忽然问道：

"你的小宝宝好吗?"

她的丈夫正在流水簿上写账,喊道:

"别作声!"

她低声又道:

"你怎么不带她来呀?"

爱玛指着药剂师道:

"嘘!嘘!"

不过毕耐一心都在看账,大概什么也没有听见。他终于出去了。爱玛如释重负,出了一大口气。

郝麦夫人道:

"你出气出得好粗!"

她回答道:

"啊!因为天热呀。"

这样一来,他们的幽会地点,第二天只好另作打算。爱玛想送一件礼物,把女佣人收买过来;不过顶好还是在永镇找一所稳便的房子。罗道耳弗答应去找。

一整冬天,每星期有三四回,他趁黑夜来到花园。爱玛故意拿掉栅栏门的钥匙,查理还当丢了。

罗道耳弗抓起一把沙子朝上扔,打百叶窗,说他来了。她跳下床;不过有时候,她必须等待,因为查理喜欢围炉闲谈,谈起来就没完没了。

她急死了:假如她的眼睛办得到的话,一定会让他从窗户跳进来的。她最后开始卸装,接着就拿起一本书,心平气和,继续安安静静读下去,好像津津有味一样。但是查理躺在床上,喊她睡觉。他道:

"来呀,爱玛,是时候啦。"

她回答道:

"是啊,就来啦!"

不过蜡烛耀眼,他转向墙壁睡着了。她屏住呼吸,微笑着,心跳着,不穿衣服,溜了出去。

罗道耳弗披一件大斗篷,上下裹好了她,然后胳膊搂住她的腰,不言不语,把她带到花园深处。

他们来到花棚底下,坐在那张烂木条长凳上,从前夏天黄昏,赖昂就在这里,情意绵绵望她。她现在想不到他了。

星光闪闪,映照素馨的枯枝。他们听见背后河水潺湲,堤上枯苇不时拉瑟嘶鸣。黑地影影绰绰,东朦一堆,西朦一堆,有时候不约而同,摇曳披拂,忽而竖直,忽而倾斜,仿佛巨大的黑浪,翻滚向前,要淹没他们。夜晚寒冷,他们越发搂紧,叹起气来,也像更响了,眼睛隐约可辨,彼此觉得似乎更大了。万籁无声,有些话低低说出,落在心头,水晶声音似的那样响亮,上下回旋,震颤不止。

夜晚落雨,他们避到车房马棚之间的诊室。厨房的蜡烛,她先在书后藏好,这时取出一支来点亮。罗道耳弗坐在这里,如同待在家里一样。书架、书桌,总而言之,整个房间,在他看来,好笑异常,不由自己,就大开查理的玩笑。爱玛听了,未免窘蹙,她希望他分外严肃,甚至于必要时,分外紧张,就像有一回,她觉得小巷有脚步走近的响声,言道:

"有人来!"

他吹灭蜡烛。

"你带手枪了没有?"

"做什么?"

爱玛回答道:

"可……保护你自己。"

"防备你丈夫?啊!可怜的孩子!"

说完这句话，罗道耳弗做了一个手势，意思是："我一弹手指，他就完蛋。"

他的勇敢使她惊倒，可是口气不文，出语粗野，她也嫌难听。

手枪这句话，罗道耳弗寻思了许久，心想：万一她说话当真，这就非常可笑甚至于可憎了，因为他本人毫无理由怨恨善良的查理，他不是那类妒忌成性的人；——爱玛说起他不妒忌，怕他不信，还赌了大咒，他也嫌她有伤大雅。

而且她越来越重感情。先前一定要交换小照，剪一绺头发相送；现在她要一枚戒指，一枚真结婚戒指，表示百年和好。她一来就同他谈起晚钟或者自然的声音，接着就又说到自己的母亲，问起他的母亲。罗道耳弗的母亲已经死了二十年了。爱玛还要巧言哄慰，好像说给一个弃儿听一样，甚至于有时候，望着月亮对他道：

"我拿稳了，她们在天上全都赞成我们相爱。"

可是她长得也真标致！他玩过的女人，像她这样爽快的，也少有过！就他来说，这种不放荡的恋爱，不但新鲜，而且逼他走出老一套习惯，让他又骄傲又动兴。爱玛的兴奋，根据他的资产阶级常识，他看不上眼，可是这是朝他来的，所以心下又觉得味道好受。于是他拿稳了她爱他，大意之下，不知不觉，变了态度。他不像往常那样，一来就甜言蜜语，感动得她直哭，也不像往常那样，一来就热吻紧抱，使她发疯。他们的伟大爱情，从前仿佛长江大河，她在里面优游自得，现在一天涸似一天，河床少水，她看见了污泥。她不肯相信，加倍温存。罗道耳弗却越来越不掩饰他的冷淡。

她不知道，她后悔不该依顺了她，还是相反，她不希望爱他再爱下去。她嫌自己软弱；羞愧慢慢变成怨恨；癫狂又减轻了怨恨。这不是热恋,倒像一种长远的诱惑。他制住了她。她简直怕起他来了。

罗道耳弗按照自己的想法,领导淫行,因为进展顺利,所以表面也就分外平静。一晃半年,到了春天,他们发现自己,面对面,好像一对夫妇,家居无事,但求爱火不灭一样。

又到了卢欧老爹纪念治好他的腿,送母火鸡的时期。礼物之外,总有一封信。爱玛剪掉筐子上拴着的绳子,读着下面的词句:

我亲爱的孩子们:

我希望信到时,你们身体康强,这只火鸡有往年一样好;因为如果我敢这么说的话,我觉得它更嫩一点,个儿也大些。不过下一次,变变花样,我要送你们一只公的,除非你们偏喜欢母的。请你们拿鸡筐子送还我,还有两只旧的。有一晚上,起了大风,我不走运,车房的顶子给刮到树林里去了。收成也不太争气。总之,我不知道我什么时候去看你们。自从我成了一个人以来,我可怜的爱玛,我如今就很难离开家啦!

紧跟着两行之间,有一个空档,好像老头子想心事,笔掉下去了一样。

我本人,除去前不久到伊如斗赶集,着凉之外,身子倒也结实。我歇掉我那放羊的,原因是他太讲究吃食了,所以我才去伊如斗,另雇一个。人就对付不了这些家伙,个个全是强盗!再说,他也不老实。

有一个小贩，去冬在你们那地方跑生意，拔掉一只牙，我听他讲，包法利总在辛苦。我不觉得奇怪。他拿牙给我看；我们一道喝了一杯咖啡。我问他看见你没有，他说没有，不过他看见马棚有两匹牲口，这样看来，生意还有起色。这就好，我亲爱的孩子们，人间至福，愿上帝全给你们。

　　直到如今，我还不认识我心爱的小外孙女白尔特·包法利，难过就不必说了。我在花园你的屋子窗户底下，栽了一棵"奥尔良"种李子树。我不许人碰树上的李子，除非将来摘下来给她做蜜饯，就是蜜饯，我也留在橱里，单单等她来吃。

　　再见，我亲爱的孩子们。我吻你，我的女儿，还有你，我的女婿，还有宝宝，吻两个脸蛋儿。

　　愿你们快乐。

你们慈爱的父亲
代奥道·卢欧。

　　这张粗纸，她捏在手心，捏了好几分钟。连篇错字，可是思想厚道，在字里行间，揪着爱玛的心，仿佛一只母鸡，躲躲闪闪，藏在荆棘篱笆里头，咯咯叫唤。墨水是炉灰吸干的，因为信上有一些灰颜色屑子，落在她的袍子上。她差不多隐约望见父亲，朝灶头弯下了腰，去拿火钳。她好久不在他跟前了！黄刺条噼里啪啦，冒出老高的火焰，她坐在壁炉角落的方凳上，拿起一根木柴，就着火烧……她想起夏季黄昏，阳光灿烂。有人走过，马驹全在嘶叫，奔驰，奔驰……她的窗户底下有一个蜂房，有时候，蜜蜂在阳光里飞来飞去，碰着玻璃窗，好像金球一样跳跃。当时多幸福！多自由！多少希望！多少绮梦!现在什么也没有!她已经把它们耗光了,耗在她灵魂的高低波澜上、环境的前后变动上、处女、婚姻和恋爱的各个阶段上;——它们就这样跟着她的生命,一路丢光,好像一位旅客,在沿途家家小店,留下一点他的财物一样。

那么,她怎么会这样不快乐呢?出了什么大变动,把她翻到苦海里的?她于是仰起头来,四下眺望,像在寻找她落难的原因似的。

一道四月的阳光,照着摆设架的瓷器,晶莹耀眼。炉火燃烧。她穿着拖鞋,觉出地毯的绵软。天气晴和,她听见她的小孩子扯嗓子大笑。

说实话,草割下来要晒,她正在上面打滚。她爬在草堆高头,脸朝下,女佣人揪住她的下摆。赖斯地布都瓦在旁边除草,每次他一凑近,她就斜过身子,抡起两只胳膊,在空里乱打。

她的母亲跑过去吻她,道:

"带她过来!我多爱你,我的小可怜儿!我多爱你!"

她随后看见她的耳梢有一点脏,赶快拉铃,要来热水,帮她洗干净,给她换衬衫,换袜子,换鞋,问起她的身子好坏,一遍又一遍,好像出远门才回来一样,最后又吻了一回,这才挂着眼泪,交还女佣人。女佣人看她疼孩子疼到这步田地,惊得话也说不出来了。

当天晚晌,罗道耳弗发现她比平时严肃多了。他盘算道:

"就会好的:她在闹脾气。"

他一连三天爽约。等他再来,她显出一副冷淡、差不多鄙夷的神情。

"啊!我的小心肝,你这叫白糟蹋时候⋯⋯"

他心里这样想着,同时装模作样,就像没有注意到她伤心叹气，掏她的手绢一样。

原来是爱玛忏悔了！

她甚至于问自己：她凭什么痛恨查理，是不是还是顶好想法子爱他。然而她改变心情，他并不理会，所以她虽然有心牺牲，可是他视而无睹，也就很难着手；她正在进退维谷，药剂师适逢其会，提供了她一个机会。

11

他新近读到一篇表扬新法治疗跛脚的文章；他一向拥护进步，所以就起了这种爱乡的想法：永镇为了看齐起见，也应当施行畸形足手术。他对爱玛道：

"因为，有什么不好？你就算算看（他用手指数着尝试的利益）：成功十拿九稳；病人消除痛苦，增加美观；施手术的人立时出名。譬方说，你丈夫为什么不救救'金狮'的伙计、可怜的伊玻立特？看吧，病治好了，他不会不对个个旅客讲的，再说（郝麦放低声音，四下张望），谁拦着我不往报上送一小段新闻，谈谈这事？是啊！我的上帝！人手一篇……个个说起……结局就名扬天下！谁知道？谁知道？"

包法利的确可以成功；爱玛还没有看见什么证明他行不了的手术；一件事名利双收，又是她撺掇他做的，她该怎么称心啊？靠在一些比爱情坚固的东西上面：她要的也只是这个。

经不起药剂师和她双管齐下，查理也就听从了。他托人到鲁昂取来都法耳博士的论文[①]，每天晚晌，手夹住头，用心研

[①] 都法耳（Vinceut Duval；1796—1876），法国医学博士，以研究畸形矫正知名，著有《跛脚矫正论》（Traité pratique du pied bot）（1839 年）。

读。

他研究马蹄型、外拐型、里拐型,就是说,趾畸形足、内畸形足、外畸形足(或者说明白些,就是形形色色的跷脚:跷后跟、里跷、外跷),以及底畸形足和踵畸形足(也就是平脚底板和跷脚尖),同时郝麦先生千方百计怂恿客店伙计动手术。

"你也许连一点点疼都觉不出来;也就是像放血一样,扎一下子,比去脚膙子还好受。"

伊玻立特沉吟不语,傻瓜似的,转动眼睛。药剂师接下去道:

"其实不关我的事!为的是你!纯粹是人道观点!一瘸一拐的,走路难看,后腰摆过来摆过去,你再嘴硬,干起活儿来,也一定很碍事,我的朋友,我就是指望你好。"

郝麦于是帮他指出:好了以后,他会觉得自己更快活,更灵活的;甚至于还暗示:他博女人欢心,也会容易。马夫听了这话,不由就一脸蠢相,有了笑意。郝麦接着就拿话激他道:

"家伙!你是不是男子汉?万一祖国要你应征,到前线打仗的话,你怎么着?……啊!伊玻立特!"

郝麦边走开边讲:一个人拒绝科学的恩典,居然这样固执,这样盲目,他不明白怎么会的。

可怜虫应了,因为不应也不行,好像有阴谋对付他一样。从来闭门不问外事的毕耐,还有勒福朗丝瓦太太、阿尔代蜜丝、邻居们,甚至于村长杜法赦先生,也伙在一起,个个劝他,说他,臊他;不过最后决定他的,却是:这不要花他一个钱。包法利甚至于答应供应手术机器。做好事是爱玛的主意;查理同意了,私下直说他女人是一位天使。

于是他结合药剂师的意见,叫木匠做了一个盒子样式的东西,开头做错了两回,还有锁匠帮忙,第三回总算做成了,约摸八磅重,铁、木、皮、铅皮、螺丝钉和螺丝口,应有尽有,决不节省。

但是割哪一条筋,先该知道伊玻立特是哪一类跷脚。

他的脚差不多和腿成为一条直线,同时还朝里歪,看上去是马蹄型,兼一点外拐型,或者也可以说成轻微的外拐型,结合严重的马蹄型。这只马蹄型脚,确实也有马蹄大小,疙瘩皮、硬筋、粗脚指,脚指甲黑得像马掌钉子一样,可是跛子从早到晚,快步如飞。大家看见他,时刻在广场跳跳蹦蹦,兜着大车转。这条坏腿朝前一丢,简直像比那条好腿还要得力。侍应日久,它通达灵性,养成忍耐和刚强的品质,赶上重活,他信赖的,总归是它。

既然是马蹄型,就该切断"端肠"部位的大腱;医治外拐型,要动前胫筋,只有留到以后再做:因为医生不敢一下子冒险开两次刀,其实行第一次手术①,他已经打哆嗦了,直怕伤着什么他不清楚的重要部位。

自从塞耳斯行医以来,经一千五百年而有昂柏瓦斯·巴莱,他第一次紧急接合动脉,或者如都浦谈,穿过老厚一层脑髓,割治脓疮,或者如让苏,第一次移动上颚骨②,都没有像包法

---

① 像包法利这样普通考试出身的医生(Officier de santé),平时行重大手术,须有医学博士在旁,会同进行。

② 塞耳斯(Celse)是罗马帝国初年大医学家,著有《医学论》等书。

昂柏瓦斯·巴莱(Ambroise Paré;1517—1590),法国著名外科医生,影响极大。

都浦谈(Dupuytren;1777—1858),法国外科医生,以行危险手术闻名。

让苏(Gensoul;1797—1858),法国外科医生,在医学上首先移去上颚骨成功。

利拿着他的截腱刀来到伊玻立特跟前,心那样跳,手那样抖,人那样紧张。好像在医院一样,就见旁边桌子上,放着一堆旧布线、蜡线、许多绷带——金字塔一般高的绷带、药房的全部绷带。郝麦先生从早晨起,就在擘划一切,一方面为了炫耀群众,一方面却也为了自己心上受用。查理扎破肉皮,只听嘎吱一声,腱就断了,手术完成。伊玻立特还在心飞肉跳,不料已经完事大吉;他朝包法利弯过身子,吻他的手。药剂师道:

"好啦,放安静吧,改天谢你的恩人不迟!"

院子站着五六个好事的,告诉他们结果,原来他们满以为伊玻立特会像常人一样走出来。查理接着就把病人的腿装进机关,回家去了。爱玛焦灼不安,正在门口盼他。她搂住他的脖子。饭开上来,他饱吃一顿,简直还想在饭后喝一杯咖啡:这样贪嘴,除非是星期天人多,他才偶一为之。

愉快的夜晚,他们谈空说有,闲话共同的梦想、未来的财富、家中应有的改良。他看见自己名扬四海,生活稳定,太太永远相爱;她也发觉自己心旷神怡,通过更健康、更美好的感情,取得新生,对这爱她的可怜的孩子,终于有了若干恩情。她偶尔想到罗道耳弗,并不留恋,望着查理,甚至于发现他的牙齿并不难看,未免一惊。

他们还在床上,郝麦先生不顾女佣人阻拦,就突然走进卧室,拿着一张方才写成的稿纸。原来是他给《鲁昂烽火》写的宣传文章。他带过来给他们看。包法利说:

"你自己念。"

他读道:"成见好似一张网,依然盖着欧洲一部分土地,可是尽管如此,光明却也开始照到我们的田野。例如我们永镇小镇,就在星期二,看到试验外科手术,同时还是高尚的人道行为。我们一位最知名的手术家包法利先生……"

查理好生激动,连说:
"啊!言过其实!言过其实!"
"不!一点也不!正该这样!……'割治一个跷脚……'我没有用科学名词,因为你知道,报纸……不见其人人都懂;群众必须……"
包法利道:
"当然。念吧。"
药剂师道:
"我接下去念……'我们一位最知名的手术家包法利先生割治一个跷脚患者。他是寡妇勒福朗丝瓦太太在阅兵广场开的金狮饭店用了二十年的马夫,名字叫伊玻立特·豆旦。无数居民由于事属创举,与对病人的关心,聚在饭店门首,前拥后挤,水泄不通。施行手术,好像仙家作法一样,几乎就没有血冒出来,证明倔强的大腱,终于向技艺之门纳降。说来也怪,病人并不感到疼痛(我们亲眼看见,可以作证)。到现在为止,情形良好,相信他不久就会复元。下次镇上过节,谁能说我们看不见我们勇敢的伊玻立特,夹在寻欢作乐的伴当中间,大跳其酒神之舞,兴会淋漓,步伐便捷,向众人证明,脚完全治好了呢?所以光荣属于高贵的学者!光荣属于夜以继日、增进同胞的幸福或者减轻同胞的痛苦的那些人!光荣!三倍光荣!难道我们不该高声呐喊:瞎子将要看见,聋子将要听见,跛子将要行走如常①?上天先前许给它的选民的,科学如今为全人类完成!这不可思议的医治的经过,我们将随时向读者报告。'"
这挡不住五天以后,勒福朗丝瓦太太惊惶失措,走来叫

---

① 见于《旧约·以赛亚书》第三十五章第五节:"那时瞎子的眼必睁开,聋子的耳必开通,那时瘸子必跳跃像鹿,哑巴的声音必能歌唱。"

喊：

"救命呀！他要死啦！……我不晓得怎么办才好！"

查理拔腿就朝"金狮"跑；药剂师望见他走过广场，不戴帽子，也离开药房。他赶到了，喘着气，脸通红，不放心，问起个个上楼的人：

"我们的畸形足患者，到底怎么啦？"

畸形足患者正在疯狂抽搐，裹腿的机关打着墙，简直要把墙打穿了。

他们不移动腿的部位，小心翼翼，去掉盒子，看到一种可怕的景象。脚肿得连脚样都没有了，整个肉皮像要胀破了似的，上面全是有名的机器弄出来的瘀血点子。伊玻立特早就喊疼了，没有人在意。现在他们不得不承认，他叫喊，也有部分道理。他们让腿晾了几小时。可是浮肿刚有一点消散，两位学者认为应当再拿腿装进机关，而且为了促进治疗效果，捆得还要紧些。过了三天，伊玻立特最后说什么也受不住了，他们又挪开机器，面对结果，触目惊心。腿肿成铅皮似的，东一个水泡，西一个水泡，往外冒黑水。情况显然严重。伊玻立特心焦了，勒福朗丝瓦太太把他搬进挨近厨房的小间，好歹也能散心。

不过税务员，天天在这里用饭，坚决反对，只好又把伊玻立特移到弹子房。

他躺在这里，哼哼唧唧，蒙着他的厚被窝，面无血色，胡须长长的，眼睛陷下去，头盲冒汗，不时在落苍蝇的脏枕头上来回挪动。包法利夫人看望他，还给他带了敷药的布来，一边安慰他，一边鼓励他。其实他不缺人陪伴，尤其是赶集的日子，乡下人在他的周围打弹子，拿起杆子比剑，吸着烟，喝着酒，又唱歌，又嚷嚷。他们拍着他的肩膀道：

"怎么样？啊！看样子，你不见得神气！不过是你不对。你该这么的，那么的。"

于是他们同他讲起别人，不用他的法子，用旁的法子，都治好了，接着就安慰他的模样，又讲道：

"你太心疼自己啦！起来吧！你把自己娇养得活像一位国王！啊！坏小子！反正有你好看的！"

痈确实越来越往上走。包法利自己也像病了一样。他时时刻刻来。伊玻立特望着他，一双眼睛惊恐万分，期期艾艾，呜呜咽咽道：

"我什么时候可以好？……啊！救救我！……我真倒楣！我真倒楣！"

医生临走，总劝他少吃东西。

勒福朗丝瓦太太等他走了，就说：

"别听他的话，我的孩子；他们已经把你害够了！那你只有再弱下去。来，大口吃吧！"

她于是给他端来好肉汤、几片羊肉、几块腌肉，偶尔还来几小杯酒，不过他没有勇气端到嘴唇跟前。

布尔尼贤院长听说他病转重了，希望看看他。开头他表示同情，不过又讲：既然"主"要他病，他就该欢喜才是，同时就该赶快利用机会，请求上天饶恕。教士用严父口吻道：

"因为你不怎么尽本分；我很少看见你做圣事；你领圣体以来，又有多少年没有来啦？我晓得你生活忙碌，尘事纷扰，你一时想不到修福。不过现在，该是想想这个的时候了。可是也不必难过；我就认识好些人，犯过大罪，快到上帝面前受审了（我知道，你还没有到这一步），再三求他开恩，过后当然也就心到福到，安安宁宁咽了气。希望你像他们一样，也给我们做一个好榜样！所以就该早作准备才是。那么，谁拦着你每天早晚,先说一遍,'敬礼玛利亚'和'我们的天上的父'①来的?是啊,做吧!就算为了我,为了讨我欢喜!这又费得了什么?……你答应不答应?"

可怜虫答应了。堂长接连来了几天。他和女店家闲话三七,甚至于还讲掌故,加杂一些逗哏的话和伊玻立特听不懂的双关语。情形一许可,他就接着换上一副合适的脸相,又谈宗教问题。

他的热心似乎有了收获;因为畸形足患者不久表示:他要是病好了的话,愿意朝拜普济②去。布尔尼贤先生听了这话,回答:他看不出有什么不应该;许两个愿,总比许一个强。"反正没有什么不好。"

药剂师愤恨他所谓的"教士策略",认为妨碍伊玻立特复元,再三劝勒福朗丝瓦太太道:

"别吵他!别吵他!你的神秘主义只有扰乱他的精神!"

但是善心的太太不理会他这一套。他是祸根。她有意作对,在病人床头挂了一个满满的圣水瓶,里头插一枝黄杨。

然而宗教也像外科一样,似乎无能为力,坏疽所向无敌,一直在朝肚子蔓延。改药水,换药膏,一无用处,眼看筋一天比一天脱落,最后,勒福朗丝瓦太太请教查理:她好不好尽尽人事,邀一下新堡的名医卡尼外?查理只好点点头,表示赞成。

这位同业是一位医学博士,五十岁,有地位,自信心强,

---

① 这是两篇祷告。前者关于耶稣降生,由教会拟制;后者见于《马太福音》第六章,是耶稣拟制的。

② 普济(Bon Secours)指鲁昂东郊普济山上的普济教堂(建于1840年,1842年落成)而言。

发现这条腿一直烂到膝盖,满不在乎,发出鄙夷的笑声。他接着讲了一句要拿腿割掉,就去了药房,臭骂那些蠢才,把一个倒楣蛋坑到这步田地。他抓住郝麦先生的大衣纽扣,边摇,边在药房谩骂道:

"这就是巴黎的发明!京城先生们的高见!这和斜视、麻醉药、膀胱石扫除手术① 一样,荒诞不经,政府应该加以禁止!可是人家假装内行,不问结果,乱塞药给你吃!我们不像人家那样有本领;我们不是学者;我们不会异想天开,给大好一个常人行手术!治好跷脚?谁能治好跷脚?简直就像,好比说,叫驼背挺直脊梁骨!"

郝麦听这篇演说,起了一身鸡皮疙瘩,不过心里尽管七上八落,照样笑眯眯,一脸佞相,因为卡尼外先生的药方有时候也在永镇出现,非拉拢不可;所以他也就不帮包法利辩护,甚至于不发一言,放弃原则,为了商业上更重大的利益,牺牲他的尊严。

卡尼外博士割大腿,成了村里一件大事!这一天,个个居民早起。大街挤满了人,不过景象有些凄惨,好像观看大辟一样。杂货铺有人讨论伊玻立特的病;商店停止营业;村长太太杜法赦夫人,害怕看不到外科医生路过,守着窗户,只是不走。

他亲自吆着他的轻便马车来了。但是马车走起来,有一点歪斜,原因是他身子沉重,日子久了,右边弹簧压下去了。旁

---

① "斜视"(strabisme)在这里应作"正眼术"(strabotomie)。
麻醉药的发现在 1831 年。
"膀胱石扫除手术"(lithotritie)于 1823 年施行,使用夹碎机(lithotriteur),得到成功。

边另一只座垫,就见放着一个老大盒子,上面盖着红羊皮,三个铜攀攀,亮光光的,威仪凛凛。

马车旋风似的,进了"金狮"门道,博士大喊大叫,要人卸马,然后走进马棚,看是不是喂它荞麦;因为他看病人,首先在心的,总是他的母马和他的轻便马车。提起这话,大家就说:"啊!卡尼外先生呀,他是一个怪人!"你别看他泰然自若,旁若无人,可是大家反而更敬重他。世上人即使死绝人,他也老模老样,不会改变他的最小的习惯的。

郝麦露面了,博士道:

"我正要你。齐备了吧?开步走!"

但是药剂师面红耳赤,不打自招,说他过于敏感,不便参与这种手术。他讲:

"一个人光在旁边看,你知道,想象容易受到刺激!再说,我的神经组织非常……"

卡尼外打断道:

"得啦!依我看,恰巧相反,容易中风。其实,不足为奇;因为你们药剂师先生,经常钻到厨房,久而久之,气质必然改变。你倒看看我:天天四点钟起床,拿凉水刮胡子(我从来不怕冷),不穿法兰绒,也不害感冒,身子骨儿才叫棒!东一顿,西一顿,有什么吃什么,决不挑剔。所以我也就不像你们这样娇嫩,拿刀割起基督徒来,也才像宰鸡宰鸭子一样,根本就不搁在心上。你们听了这话,要说啦,习惯……习惯……"

于是两位先生一点也不管伊玻立特在被窝里头,焦急出汗,大谈特谈起来。一位外科医生,在药剂师看来,就和一位将军同样冷静。卡尼外爱听这种比较,滔滔不绝,谈论行医的条件,把医道看成一种神圣事业,虽然普通考试出身的医生玷辱了它。最后,谈到眼前病人,他检查郝麦带来的绷带、做跷脚手术用过的绷带，要一个人帮他捧住坏腿。他们派人去找赖斯地布都瓦来。卡尼外先生卷起袖管，走进弹子房，药剂师在这期间，和阿尔代蜜丝、女店家待在一起。两个女人全拿耳朵贴住门，脸比她们的围裙还白。

　　包法利在这期间，一步不敢走出家门。他坐在底下厅房，靠近没有生火的壁炉，下巴搭在胸口，手握在一起，两眼发直。他寻思道：真不走运！真是失望！其实，事前的预防工作，应有尽有，他也全做到了。命该如此。有什么关系？万一伊玻立特死了的话，害他的还不就是自己？再说，看病中间，有人问起，他拿什么话对答？难道他真有什么地方错了不成？左思右想，他想不出错在什么地方。名望最高的外科医生，照样也犯错误。可是人就偏偏不肯相信！而且相反，人家要笑他，骂他！话会传到佛尔吉！新堡！鲁昂！天涯海角！谁知道同业中间，不有人写文章攻击他？笔战一出现，他就得在报上回答。伊玻立特很可能告他一状。他看见自己出丑、破产、毁灭！心里左一个假定，右一个假定，他的想象在中间忽上忽下，仿佛一只空桶，随波逐浪，翻来滚去。

　　爱玛坐在对面望他；她并不感到他的耻辱，她感到的是另一种耻辱：这样一个人，她先前怎么会设想成材来的，好像他庸碌无能，她看了二十回，还没有看透一样。

　　查理在房间踱来踱去。靴子嘎吱直响。她道：

　　"坐下吧，把人烦死！"

　　他又坐下。

　　她怎么会（她这样聪明的人！）又做错了事的？再说，她怎么会天差地错，痴心妄想，就这样一而再，再而三，白白牺牲了她的一生的？她想起她爱好奢华的种种本能、她心灵上享受不到的种种东西、婚姻和家庭生活的猥贱、她的像受伤的燕子跌进泥淖似的绮梦、她向往的一切、她放弃的一切、她可能得到的一切!为什么她得不到,为什么?

村中静静落落,破空起了一声尖叫。包法利脸色转白,险些晕倒。她做了一个心烦的手势,皱起眉头,接着就又寻思下去。然而就是为了他,为了这家伙,为了这个什么也不懂、什么也不感觉到的男子!因为他坐在那边,安安静静,想也不想,从今以后,他的可笑的名姓不但玷辱他,而且还玷辱她。她曾经试着爱他来的,她曾经哭哭啼啼,后悔顺从另一个男子来的。

包法利出神冥想,忽然喊道:

"也许是里拐型吧?"

这句话脱口而出,冲撞她的思想,如同一颗铅球落在一只银盘,爱玛大吃一惊,仰起头来,猜他是什么意思。于是他们悄不作声,你望我,我望你,也正因为各想各的,忽然发觉身边有人,就几乎惊呆了。查理打量她,仿佛一个醉鬼,视线模糊,同时一动不动,听着病人割腿,发出最后的嘶喊,好像屠宰什么牲口一样,远远吼号,拉长声音,冷不防中间来一声尖叫。爱玛咬着她青灰的嘴唇,掰断一个珊瑚枝子,在手心搓来搓去,瞳仁亮晃晃的,仿佛两支就要射出去的火箭,目光炯炯,盯牢查理。他的脸、他的衣服、他不说出来的话、他的整个身子,总而言之,他的存在,如今她样样看了有气。她后悔早先不该守身如玉,像后悔不该犯罪一样,残留的一点妇德,禁不住她的骄傲狂抽乱打,也在最后倒塌了。她欣赏胜利的奸淫的种种恶意揶揄。情人的形象回到她的心头,光采奕奕,销魂动魄,一种新的热心从旁推挽,不由她不献出她的灵魂。她觉得查理离开她的生命,永远走出,不再回来,渺无形迹,就像她眼睁睁看着他确实在死、在咽气一样。

便道起了脚步响声。查理从放下来的活动窗帘望出去,就见卡尼外医生在菜场一旁太阳地,拿手绢揩额头的汗。郝麦跟在后面,捧着一个大红盒子。两个人全朝药房走去。于是查理心灰意懒,觉得自己忽然需要温暖,转向他的女人道:

"好人,亲亲我!"

她心头火起,气红了脸道:

"走开!"

他一惊之下,作声不得,一遍又一遍重复道:

"你怎么啦?你怎么啦?别急!想想看!你知道我爱你……来!"

她气势汹汹,大声嚷道:

"够啦!"

爱玛溜出厅房,使劲拿门一带,墙上的晴雨计也震到地上摔碎了。

查理倒进扶手椅,凄凄惶惶,寻思个中缘故,以为她是神经失常,眼泪纵横,觉得周围阴风惨惨,像有什么不可了解的东西影影忽忽,游来游去一样。

罗道耳弗晚上来到花园,发现他的情妇在台阶底下第一级等他。他们搂成一团,怨恨像雪一样,在热吻之下消融了。

12

他们又开始相爱。甚至于大白天,爱玛也心血来潮,一来就给他写信;信写好了,她隔着玻璃窗,朝玉斯旦做手势。玉斯旦连忙解开粗布围裙,飞也似的去了徐赦特。罗道耳弗来了;原来就为告诉他:日子过得气闷,丈夫可憎,生活太不称心!

他有一天不耐烦了,喊道:

"我有什么可以效劳的地方吗?"

"啊!只要你肯!……"

她坐在地上他的两腿当中,头发辫子解开,视线恍恍惚惚。罗道耳弗问道:

"肯什么?"

她叹气道:

"我们去别的地方过活……随便一个地方……"

他笑道:

"真的,你疯啦!这怎么成?"

她第二回又谈这话,他假装不懂,另找话讲。恋爱这事,再简单不过,他不明白怎么也会这样混乱。原来她另有一种动机、原因;这仿佛一支援军,接应她的眷恋。

这种恩情的确每天见长。缘故是她厌恶丈夫。她越倒向这一个,就越憎恨另一个;她同罗道耳弗幽会之后,再和查理在一起,分外嫌他讨厌,指甲特别显得粗,人特别显得笨,举止特别显得庸俗。所以她虽然装出贤妻模样,可是想到另一个男子,她就淫心荡漾,按纳不住。人家是黑乌乌头发,梳成一个圈圈,朝太阳晒黑了的额头鬈过去,腰身又结实,又俊雅,总而言之,判事富有经验,情之所至,却又如醉如痴!也就是为了他,她才像錾匠一样,细心修剪指甲,皮肤上的冷霜,手帕上的巴竖里①,永远嫌少。她戴镯子、戒指、项圈。她估量他要来了,两只碧琉璃大花瓶插满玫瑰花,收拾房间,打扮身体,活像一个妓女等候一位大贵人一样。女佣人一天到晚洗呀浆的。全福从早到晚待在厨房,小玉斯旦常来陪她,看她做

---

① 巴竖里(Patchouli)是一种类似薄荷的植物,产于亚洲热带,分泌香油。

活。

　　胳膊肘支着她熨衣服的长木板，他瞪直了眼，打量这些扔在四周的妇女物什：方格线呢裙子、肩巾、领披、连裤带的女裤，大屁股，窄裤管。

　　小伙计拿手摸着硬布或者挂钩，问道：
　　"这做什么用？"
　　全福带笑回答道：
　　"你真就从来没有见过？倒像你的女东家，郝麦太太不穿这些东西似的。"
　　"啊！是的，郝麦太太！"
　　他想了想，又道：
　　"难道她像你的太太，也是贵夫人？"
　　但是全福见他这样兜着自己打转，直不耐烦。她比他大六岁多，居由曼的听差代奥道开始向她求爱。她挪开浆糊缸道：
　　"别搅我！你还不如捣你的杏子去；你总是夹在女人群里捣乱；小坏蛋，你想在女人群里混呀，等你下巴磕长了胡子再说。"
　　"得啦，别生气，我替你揩干净她的小靴子去。"
　　他立时从架子上拿下爱玛的鞋来，上面沾满了泥——幽会的泥，他拿手一掰，就掉下来了，他望着屑子在阳光里慢慢上扬。女厨子道：
　　"你可真怕弄坏了鞋！"
　　轮到她揩鞋，决不在意，因为太太一看料子发旧，就送她穿。

　　爱玛的衣橱放着一大堆鞋，她一双一双糟蹋，查理从来没有说过半句闲话。

　　她认为应当送伊玻立特一条木腿，他同样没有作声，就掏出三百法郎,买了一条木腿。木腿是一个复杂机器,橡皮包头,弹簧关节,外头罩了一条黑裤,底下是一只漆皮靴子。可是这样漂亮的一条腿,伊玻立特不敢天天用,所以就求包法利夫人,帮他另弄一条经常好用的。当然又是医生出钱买了。

马夫渐渐又忙活起来,只见他像早先一样,在村子里跑来跑去。查理一听见他的木腿顿石头道响,就赶快换一条路走。

商人勒乐先生自告奋勇,接受木腿定货:这给他带来接近爱玛的机会。他同她谈起巴黎新出品、形形色色的妇女饰物,态度非常谦和,从不开口要钱。爱玛一时一种喜好,因为容易得到满足,也就由它去了。例如鲁昂一家伞庄,有一条极其漂亮的马鞭,她直想买下来,送罗道耳弗。一星期后,勒乐先生就把马鞭放在她的桌子上。

但是第二天,他送过来一份账单,二百七十法郎,尾数不计。爱玛窘极了:只只抽屉是空的;他们还欠赖斯地布都瓦半个月工资、女佣人半年工资,有许多还不算计在内;包法利盼望德洛日赖先生送钱,盼得两眼发直,因为他每年付清诊费,照例总在圣·彼得节① 前后。

开头她总算把勒乐对付开了,可是后来他发急了,说是有人逼他,他缺现款,现款如果收不回一部分来,她买下来的货物,他就只好全部取走。爱玛道:

"取走好了!"

他回答道:

"我是说着玩儿的!其实我也就是舍不得马鞭。好吧!我向先生讨好了。"

她道:

---

① 节日是 6 月 29 日。

"不!别向他讨!"

勒乐寻思道:这下子你跑不了啦!他于是成竹在胸,抓住她的把柄,一面朝外走,一面低声重复,照老习惯,嘴里发出轻微嘘嘘的响声:

"就这么着!再说吧!再说吧!"

她正在寻思解围办法,女佣人进来,拿一小卷蓝纸放在壁炉上:"德洛日赖先生送来的。"爱玛扑过去,打开了,里面是他的诊费,十五块拿破仑①。她听见查理走上楼梯;她拿钱丢进她的抽屉,锁好了,拔去钥匙。

三天之后,勒乐又出现了。他说:

"我有一个办法告诉你;过去的账付不出就付不出,只要你肯借……"

她往手里放下十四块拿破仑,道:

"这不是!"

商人惊呆了,于是掩饰失望,连声道歉,请她赏光。爱玛完全拒绝,然后手放在围裙袋里,摸着找回来的两个五法郎一枚的辅币,决心节省,将来好还……她转念道:

"啊!由它去!他想不到这上头的。"

除去银头镀金马鞭之外,罗道耳弗还收下一颗印章,上面刻着这句格言:"心心相印"②;另外还有一条围巾料子,最后还有一只雪茄匣,和子爵的雪茄匣一般模样,查理先前在路上捡到的,爱玛还保存着。不过这些礼物使他难堪,有几件就谢绝了,她一坚持,罗道耳弗结局收是收了,不过嫌她盛气凌

---

① 一种值二十法郎的金币。
② "心心相印",原文是意大利文:Amor nel cor。

人,过分强人所难。

再说,她净是一些古怪念头。她说:

"半夜听见钟响,你要想着我!"

万一他老实说他没有想她的话,她就百般责备,临了总是这么一句话收场:

"你爱我吗?"

他回答道:

"是呀,我爱你!"

"爱得厉害?"

"当然!"

"你没有爱过别的女人,嗯?"

他笑嚷道:

"你以为我当初是童男啊?"

爱玛哭了;他竭力安慰她,一面对天明心,一面说些双关语,调剂空气。她讲道:

"因为我爱你啊!爱到离开你,我就活不成,你可知道?有时候,我一心就想再看到你,心里酸溜溜的,好不难过。我问自己:'他如今在什么地方?也许在同别的女人说话吧?她们笑嘻嘻看着他,他走过去……'不,你哪一个女人也不喜欢,对不对?比我好看的女人有的是,可是我呀,我懂得爱!我是你的奴才、你的姘头!你是我的王爷、我的偶像!你好!你美!你聪明!你强壮!"

他听这话听了千百遍,丝毫不觉新奇。爱玛类似所有的情妇;这像脱衣服一样,新鲜劲儿过去了,赤裸裸露出了热情,永远千篇一律,形象和语言老是那么一套。别看这位先生是斫轮老手,他辨别不出同一表现的不同感情。因为他听见放荡或者卖淫女子,唧唧哝哝,对他说过相同的话,她那些话是否出自本心,他也就不大相信了。在他看来,言词浮夸,感情贫乏,就该非议,倒像灵魂涨满,有时候就不免涌出最空洞的隐喻来。因为人对自己的需要、自己的理解、自己的痛苦,永远缺乏准确的尺寸,何况人类语言就像一只破锅,我们敲敲打打,希望音响铿锵,感动星宿,实际只有狗熊闻声起舞而已。

但是罗道耳弗如同一个人处处退让而又明若观火一样,发现这种爱情,奥藏还多,尽好享受。他嫌廉耻掣肘,待她不但没有礼貌,还把她训练成了一个又服帖、又淫荡的女人。这成了一种不可理喻的依恋,她对他一味倾倒,自己也是一个劲儿癫狂;一种极乐世界,她待在里头,昏昏沉沉;这类似一种酒,她喝多了,醉不可支,灵魂泡在里头,皱成一团,好像克拉伦斯公爵,泡在马耳法席酒桶里一样①。

包法利夫人纵情声色,积习难返,姿态也起了变化。视线更无忌惮,语言也更放肆恣纵;她甚至于甘冒不韪,和罗道耳弗先生一同散步,口嚼香烟,旁若无人;有一天,见她走下"燕子",学男人穿一件背心,最后就连还不相信的那些人,也不再不相信了。包法利老太太和丈夫大闹一场之后,躲到儿子家来,见她这般模样,反感已极。另外还有许多事,也不顺她的心思:首先,查理没有听劝,停止她看小说;其次,她不喜欢这种治家之道,不管三七二十一,说了几句,尤其有一回,说到全福,她们闹翻了。

吵架的前一晚上,老太太穿过道走,发现她和一个男人待在一起,一圈棕色胡须,四十岁上下,听见她的脚步,赶快从

---

① 克拉伦斯(Clarence;1449—1478)公爵是英国国王爱德华四世的兄弟,传说国王判他死刑,问他愿意怎么样死,他回答愿意泡在马耳法席酒桶里淹死。马耳法席在希腊斯巴达之南,以产葡萄酒出名。

厨房溜掉。爱玛一听这话,笑了起来,可是老太太动了肝火,就讲:一个人除非不拿规矩当事,否则就该监视佣人才是。

"你在哪儿长大的?"

儿媳妇说起这话,视线万分无礼,老太太不由就问,她是不是回护她自己的事。

少妇跳起来道:

"滚出去!"

查理在中间劝解,喊道:

"爱玛!……妈!……"

但是两个女人一赌气,全走开了。爱玛跺着脚,说过来说过去:

"啊!真懂规矩啊!活活一个庄稼女人!"

他跑到母亲跟前,她气糊涂了,结结巴巴道:

"目无尊长的东西!轻狂的东西!也许更坏!"

儿媳妇不对她赔不是,她要马上就走。查理回到太太跟前,求她让步;他下跪了。她临了回答道:

"好吧!我去!"

她的确拿手伸给婆婆,如同一位侯爵夫人那样尊严,向她道:

"原谅我,夫人。"

然后爱玛走上楼,合身倒在床上,脸朝下,顶住枕头,哭得就像一个小孩子一样。

她和罗道耳弗约好了,遇到大事,就在活动窗帘拴上一小张白纸,万一凑巧他在永镇的话,望见暗号,就跑到房后小巷会她。爱玛这样做了;她等了三刻钟,忽然望见罗道耳弗在菜场角落。她有心打开窗户喊他;可是他已经不见了。她一难过,又倒了下去。

不过没有多久，她觉得有人在人行道上走动。不用说，是他；她走下楼梯，穿过院落。他站在外头。她扑到他的怀里。他说：

"小心有人看见！"

她回答道：

"啊！你知道也就好啦！"

她一五一十，同他讲起，又急促，又不连气，夸张事实，还捏造了一些事实，添了不少按语，絮絮叨叨，讲到后来，他一句也没有听懂。

"得啦，我可怜的天使，拿出勇气来，看开些，凡事忍耐！"

"可是我已经忍耐、煎熬了四年！……像我们这样相爱，就该公之于世！他们快把我折磨死了。我受不下去！救救我！"

她贴紧罗道耳弗：满眼泪水，闪闪发光，就像波浪底下的火焰一样；胸脯一上一下喘气，又急又快。他从来没有这样爱过她；他失掉主张，向她道：

"该怎么办？你打算怎么着？"

她喊道：

"把我带走！抢走！……唉呀！我求你啦！"

她连忙凑到他的嘴跟前，好像要在这里捉住意想不到的同意一样。他用吻表示同意。罗道耳弗又讲：

"不过……"

"什么？"

"你的女儿怎么办？"

她沉吟了几分钟后，回答道：

"只好带她走！"

他望着她走开，向自己道："有这种女人！"

因为她朝花园溜过去了。原来是有人喊她。

一连几天，儿媳妇改了模样，老太太好生纳罕。爱玛的确和顺多了，甚至于低声下气，向她请教腌黄瓜的方法。

她这样做，是为了更好欺骗他们母子？还是就要分手了，她以一种无上的坚忍精神，愿意再进一步，体会体会生活的酸辛？可是正相反，她没有存这种心思。她想着她的幸福快到手了，醉醺醺的，就像预先闻到了酒味道一样。她和罗道耳弗谈话，三句不离本题。她靠着他的肩膀，嘀咕道：

"嗯！我们一上邮车呀！……你想到这上头没有？这会是真的？我觉得，车出发的一刹那间，我们就像乘了气球一样，就像要上九天云霄去。你知道我在计算日子吗？……你呢？"

包法利夫人从来没有像这期间这样好看过。这种难以形容的美丽，来自喜悦、热心和成功，只是环境和性情协调的结果。她的贪婪、她的苦恼、风月的经验和她的永远生气勃勃的空想，逐步发展她，就像风、雨、阳光和肥料逐步发展花木一样，本性丰满，最后就盛开了。眼皮像是特地为她的视线剪裁的，看出去又杳渺、又妩媚，瞳仁沉在里头，不见踪影。气出急了，玲珑的鼻孔分开，丰盈的嘴唇翘起，同时薄薄一层黑毛，影影绰绰，盖住她的嘴唇。头发盘在后颈，绕成一个肥驒驒的圆髻，你真还以为是一位专事打扮的巧匠放在上面的：随随便便，又因为幽会，天天散开。声音如今越发优柔动听，身材越发袅娜可爱，甚至于她的袍裙和她的高起的脚面，也妙不可言，像有东西使你沦肌浃髓一般。查理就像又在新婚期间一样，觉得她赏心悦目，难以抗拒。

他深夜回来，不敢叫醒她。过夜的瓷灯，哆哆嗦嗦，在天花板上，聚成一个亮圈圈；床边摇篮放下帐子，仿佛一间小白屋，在黑影里特别明显。查理望过去，恍惚听见孩子的细微呼吸。她如今正长个子，一季一蹿。他像已经看见日落西山，她放学回家，满脸的笑，衣服上有墨水点子，胳膊挎着她的小篮子。以后还得进寄宿学校，要花许多钱；怎么办？他不由沉吟上来。他想在附近佃一小块田，每天早晨去看病人，亲自监督。他省下田里收入，存在储蓄银行；然后买上一些股票，随便哪一家公司都成；再说，主顾会多起来的；他这样希望，因为他要白尔特受到良好教育，有才分，会弹钢琴。啊！等她长到十五岁，像她的母亲一样，也在夏天戴大草帽，该多好看！人会老远把她们看成一对姊妹花的。他想象她夜晚在灯光底下，靠近他们做活；她会为他绣拖鞋的；她会料理家务的；个个房间洋溢着她的可爱和她的快活。最后，他们会照料她的终身，为她挑一个殷实可靠的好丈夫；他会使她快乐，而且永远快乐。

爱玛没有睡，也就是装睡；他躺在旁边，昏昏沉沉，她却醒过来，做别的梦。

她乘了驿车，四匹马放开蹄子，驰往新国度，已经有一星期了；他们到了那边，不再回来。他们走呀走的，交起胳膊，不言不语。他们站在山头，常常意想不到，望见一座壮丽的大城，有圆顶，有桥，有船，有柠檬林和白大理石教堂，教堂的尖钟楼有鹳巢。大石板地，他们只好步行；妇女穿着红束腰，举起地上的花一把一把献给你。他们听见钟响、骡鸣、六弦琴低吟、泉水淙淙；白雕像笑微微立在喷泉底下，脚边摆着成堆的水果，摞得金字塔似的，水花溅上去，个个新鲜。随后，有一天黄昏，他们来到一个渔村，沿着峭壁和茅屋，在风地晾着一些棕色鱼网。他们就在这里待下来，在海边港湾深处，住一所平顶矮房，一棵棕榈树横在矮房上空。他们驾着划子游荡，躺在吊床上摇摆。生活又方便，又宽裕，就像他们的绸缎衣服一样,同时又暖和,又皎洁,就像他们观赏的温馨的星夜一样。不过她给自己设想的未来,浩瀚渺茫,绝少明确的形象出现:每天全都相仿,绚烂一片,起伏动荡,好像波浪一样,太阳照在上面,和望不到头的浅蓝天边遥相呼应。但是小孩子开始在摇篮里咳嗽,要不就是包法利鼾声更响了,直到早晨,爱玛这才入睡,玻璃窗已经发白,小玉斯旦已经在广场打开药房的窗版。

她把勒乐先生找来,向他道:

"我要一件斗篷,一件大斗篷,长领披,有夹里的。"

他问道:

"你出远门?"

"不是的!不过……管它呢,我信得过你,对不对?要快!"

他鞠躬。

她接下去道:

"我还要一只箱子……不要太重……要轻便的。"

"对,对,我懂,约摸九十二公分长,五十公分宽,眼下的新样子。"

"还要一只旅行袋。"

勒乐寻思道:"这里头一定有把戏。"

包法利夫人边解腰带上的表,边道:

"好,拿去,用这报账好了。"

可是商人嚷了起来!她这就不对了,他们彼此相识,难道她有什么不相信他的?真是想到哪儿去啦!她坚持他拿,少说也要拿链子去,眼看勒乐已把链子放进口袋要走了,她又喊他回来:

"你全留在铺子。至于斗篷(她显出思索的神情),也不用送来;你只要把裁缝住址给我,叫他们等我来取就是了。"

他们打算下月逃走。她离开永镇,装出上鲁昂买东西的模样。罗道耳弗先订好座位,办好护照,甚至于去信巴黎,包一辆直达马赛的驿车;到了马赛,他们买一辆有活动车篷的四轮敞车,马不停蹄,直奔热亚那而去。她的行李,她小心在意,先送到勒乐那边,再一直装上"燕子",这样一来,就免人疑心了。她左右安排,只有她的小孩子,她忘了安排。罗道耳弗避而不谈,她也许没有想到这上头。

有些布置,他要多两个星期结束;过了一个星期,他要再来两个星期;后来,说他有病;过后,他又出门有事;八月过去了。经过种种延宕,他们决定在九月四日、星期一出奔,再也不改日期。

星期六,出奔的前两天,终于到了。

天一黑,罗道耳弗就来了,比平日都早。她问他道:

"全齐备啦?"

"齐备啦。"

于是他们顺着花圃兜了一圈,过去坐到望台近旁的墙头。爱玛道:

"你怎么愁眉不展的?"

"没有。为什么呀?"

可是他怪样看她,一副多情的模样。她接着问道:

"是不是为了上路?为了抛弃你心爱的东西、你的生活?啊!我明白……可是我呀,我在世上就什么也没有!你是我的一切。所以我也要是你的一切,我也要是你的家、你的国:我照料你,我爱你。"

他搂紧了她道:

"你真可爱!"

她心花怒放一般笑着道：

"当真？你爱我吗？发发誓看！"

"我爱你不爱？爱你不爱？可是，我的心肝！我膜拜你哟！"

草原尽头，月亮就地升起，又圆又红，很快上到白杨树的枝叶当中，这些枝叶仿佛一面有破口的黑幕，左遮遮，右露露，月亮最后升到冷清清的天空，白晃晃一片晶莹，放慢脚走，朝河面撒下一个大点子，变成万千星宿。这道银光好似一条无头蛇，遍体明鳞，盘来盘去，一直盘到河底，又好似一支其大无比的蜡烛台，点点滴滴，流下不可胜计的金刚石颗粒。温馨的夜晚包住他们；树叶布满阴影。爱玛闭住一半眼睛，随着大声叹息，吸进吹来的清风。绮梦弥漫他们的心灵，两个人一时无话。过去的恩情，满满的，静静的，仿佛一条河，又流回他们的心来；同时香喷喷的，也像山梅花一样，芬芳醉人；同时又软溜溜的，朝回忆投下它的影子，比安静的柳树铺在草上的影子还要宽阔，还要忧悒。刺猬或者黄鼠狼，这类夜间动物，常常搅动树叶，追赶什么东西。他们不时还听见一只熟了的桃子，独自从墙边桃树掉下来。罗道耳弗道：

"啊！美丽的夜晚！"

爱玛回答道：

"我们以后有的是！"

于是她自言自语似的道："是啊，能旅行，再好没有……不过，为什么我感到怅惘？难道是怕生……是改变习惯的结果……还是别的什么？不，是太幸福的缘故！我真软弱，是不是？饶恕我吧！"

他喊道：

"还来得及！再想想看，你说不定要后悔的。"

她抢嘴道：

"决不！"

然后又靠近他道：

"我怕什么风险？沙漠、深渊、大洋，有你，我就过。我们在一起活下去，就像搂抱一样，一天比一天紧，一天比一天痛快！我们没有顾虑，没有困难，什么也搅扰不了我们！我们只有自己，除去你和我，就是你和我，永远这样……说话呀，回答我呀。"

他过一时回答一声："是呀……是呀……"她拿手摩挲他的头发，老大的眼泪往下淌，可是还用小孩子的声音一遍又一遍道：

"罗道耳弗！罗道耳弗！……啊！罗道耳弗，亲爱的小罗道耳弗！"

钟声在响。她道：

"半夜！好，我们明天走！还有一天！"

他站起来要走；他这一动，仿佛就是他们逃走的暗号，爱玛忽然显出一副快活的模样：

"你拿到护照了吗？"

"拿到啦。"

"你没有忘记什么？"

"没有。"

"你拿稳啦？"

"当然。"

"你在普洛旺斯旅馆等我，对不对？……正午？"

他点了点头。

爱玛最后吻了他一回道：

"好，明天见！"

她望着他走开。

他不回头。她追过去，站在乱草当中，身子弯在水边，喊道：

"明天见！"

他已经来到对岸，快步走进草原。

过了几分钟，罗道耳弗站住，看见她一身白，仿佛幽灵，在夜晚渐渐消逝，他觉得心扑腾扑腾直跳，唯恐摔倒，连忙靠住一棵树。

"我真蠢！"

他骂了一句脏话，又道：

"没关系，她是一个俏皮情妇！"

于是爱玛的美丽，以及这种恋爱的种种欢乐，一下子又涌到他的心头。起初他还心软，后来他又恨起她来，指手划脚嚷嚷道：

"因为话说回来，我不能远走高飞，再带一个小女孩子。"

他说这些话加强他的信心：

"再说，麻烦，开销……啊！不，不，一千个不！傻瓜才干这事！"

13

罗道耳弗一回到家，就急急忙忙坐到书桌前面，正好就在墙上胜利品似的公鹿头底下。可是他拿起笔来，想不出话写，只好靠住两个胳膊肘思索。他觉得爱玛仿佛退到遥远的过去，好像是他方才下的决心把他们忽然隔得老远一样。

为了追回一点她的印象，他走到床头，从衣橱取出一个蓝斯① 饼干旧匣子，里面平日放着妇女的书信。一股受潮的尘土和凋谢的玫瑰的气味散了出来。他首先看到一条有小暗点子的手绢。手绢是她的；有一回散步，她流鼻血用过。他已经忘记这回事了。旁边有爱玛送他的小像，犄角统统敲掉了；他嫌她装束不得当，斜眼看人的效果也极其糟糕；他想多看两眼肖像，帮他回忆本人的模样，可是他想起来的爱玛的面貌，反而越来越模糊，好像活人的脸和画出来的脸，彼此对衬，就这样抵消了似的。最后，他念她的信；信上全是关于他们旅行的解说，简短，实际，急促，倒像生意人的单子。他希望看看长信、先前的信；罗道耳弗到紧底找，翻乱所有的信。他在这堆纸张和什物里头，伸手乱摸，七颠八倒，摸出了几把花、一只袜带、一个黑面具、几根别针和几缕头发——头发！棕色的、金黄色的；有的挂在铁片上，开匣子的时候绞断了。

他就这样回忆过去，查看书信的字体和风格；它们和拼写一样错综复杂，意思温柔，要不就是愉快、滑稽、忧郁；有的书信要爱情，有的书信要钱。可是有时候，他什么也想不起来。

说实话，这些妇女同时跑进他的思想，互相妨碍，仿佛拘在同一爱情水平底下，截长补短，统统变小了。所以右手抓起一把弄乱了的书信，他好几分钟，看它们瀑布似的往下倾泻，再用左手接住玩。最后，罗道耳弗腻了，困了，又拿匣子放进衣橱，自言自语道：

"简直扯淡！"

这句话说明他的见解。因为他老于冶游，欢娱在他的心头踏来踏去，好像小学生在学校院子把地踏硬了一样，什么花草

---

① 蓝斯（Reims）是法国马恩省的省会，以制饼干出名。

也长不出来,妇女经过他的心头,比孩子们还冒失,就连名姓也没有留下一个,不像他们,还把姓名刻在墙上。他向自己道:

"好,写吧!"

他写道:

　　拿出勇气来,爱玛!拿出勇气来!我不希望害你一辈子……

罗道耳弗寻思道:

"其实,真是这样;我这是为她好;我这人再厚道不过。"

　　你下决心以前,可也好好儿想过?可怜的天使,你知道我把你拖到什么深渊吗?不知道,对不对?你满怀信心,不顾一切,只是相信幸福、未来……啊!我们真不幸!也真不懂事!

罗道耳弗写到这里,停住笔,寻找漂亮借口。

　　我告诉我破产了,怎么样?……啊!不好,再说,这不顶事。过后又要耍这一套了。谁能同这样的女人谈得通呢?

他想了想,续下去道:

　　相信我,我忘不了你;我将永远对你忠心到底。不过迟早有一天,不用说,这种热情(人间的事注定是这样的）要冷却的！我们会厌倦的。谁知道我会不痛苦万分，看到你有一天后悔，也看自己后悔，因为我是你后悔的原因。单单想到你要难过，爱玛！我就如坐针毡！忘了我吧！为什么我偏认识你啊？为什么你生得这样美啊？难道这是我的过错？我的上帝！不，不，怨也只好怨命！

他自言自语道：
"命这个字永远打动人。"

啊！如果你是一个水性杨花的女人的话，像常见的那些女人一样，当然，我就可以自私自利，照眼前的安排做，因为这就不会害你了。你的兴奋作成你的魅力，也作成你的苦恼，我看了固然生爱动怜，令人膜拜的女子，却也妨碍你了解我们将来地位的虚伪。我也一样，开头没有多加考虑。我躺在这种理想的幸福的影子里，就像躺在芒色尼耶树① 的影子里一样，安安逸逸，不管后果有多可怕。

"她也许以为我是舍不得花钱才不出走……啊！管它呢，她爱怎么样想就怎么样想，反正得散伙！"

爱玛，人世冷酷，我们走到天涯海角，也不会放过我们。你得忍受无礼的盘问、诽谤、蔑视甚至于侮

---

① 芒色尼耶树（mancenillier），意即"毒树"或者"死之树"，大戟科植物，产于西印度群岛一带，果实可食，但树液有毒。

辱。侮辱你！哦！……而我却要你坐上宝座！而我却在心目中把你看成护符！因为我要亡命异乡，这样来惩罚我带给你的一切祸殃。我走。去什么地方？我不知道。我疯啦！永别了！愿你永远善良！想着失去你的不幸的男子。让你的孩子记住我的名字，在祷告的时候再说一遍。

两支蜡烛芯子直在摇晃。罗道耳弗站起，过去关上窗户，又回来坐好了，道：
"我看，也就是这些了。啊，添两句话，免得再来找我捣乱。"

你读这封忧郁的信的期间，我已经走远了；因为我要尽快逃走，免得心思不定，再去看你。不要软弱！我会回来的；说不定将来有一天，我们会在一起，心如古井，谈起我们的旧情。永别了！

最后又来了一个"永别了"，分成两截："永——别了！"认为十分得体。他自言自语道：
"现在，落什么款好？'你的最忠心的'……不好。'你的朋友'？……对，就是它。"

你的朋友。

他又念了一遍信，觉得很好。他带着感情，寻思道：
"可怜的小女人！她以为我的心肠硬得像石头一样了；应当来几滴眼泪才对；不过我呀，我哭不出来；这不是我的过错。"

罗道耳弗于是倒了一杯水,沾湿手指,在半空丢下一大滴水,冲淡一个地方的墨水。随后,他封信找印盖,摸到的图章偏偏就是那颗"心心相印"。

"这不很协调……啊!算啦!有什么关系!"

盖过章,封好信,他吸了三烟斗烟,睡觉去了。

第二天,罗道耳弗起床(下午两点左右:他睡迟了),叫人摘了一篮杏子,信放在篮底,盖上几片葡萄叶,马上吩咐犁地的吉拉尔,小心在意,送给包法利夫人。他平日就是用这个方法和她通信的,依照季节,送她水果或者打猎得来的野味。他说:

"她要是问起我的消息的话,你就回答,我出远门去了。篮子一定要当面交给本人……去吧,当心!"

吉拉尔穿上新工人服,拿手帕兜住杏子挽了一个结,蹬起他的铁钉大木底皮鞋,迈开大步,从容不迫,去了永镇。

他来到包法利夫人家,见她正和全福在厨房桌子上料理一包要洗的东西。伙计就说:

"这是我们的主人送你的东西。"

她惶惑了,一面在衣袋摸零钱,一面瞪圆眼睛打量农夫,同时他纳罕这么一件礼物会使人那样感动,望定了她,也在吃惊。他终于走了。还有全福留在身边。爱玛憋不住了,跑进厅房,模样像要拿杏子搁过去。她倒翻篮子,抓去叶子,找到书信,拆开了,好像背后起了大火一样,爱玛惊惶失措,就朝她的卧室逃跑。

她望见查理在里头;他同她说话,她一句也听不见,急急忙忙,继续走上楼梯,气喘吁吁,慌里慌张,颠三倒四,总拿着那张可怕的信纸,信纸仿佛一张铁皮,窣窣缭缭,在手里直响。她上到三楼,在阁楼前面站住。门关着。

她这时打算静下心来。她想起了信;应该念完了信,可是她不敢。再说,到什么地方念?怎么念?人家会看见她的。她想道:

"啊!不,这儿就好。"

爱玛推开门,走进阁楼。

空气闷热:热气笔直从石瓦下来,压抑太阳穴,阻塞呼吸。她好不容易走到天窗跟前,拔去窗闩,打开窗户,阳光一涌而入,照花了眼。

隔着房顶,就见对面的原野,一望无际。下面广场空空落落,人行道的石子闪闪烁烁,房上风标一动不动,街角有一家二楼传出呜隆呜隆的响声,还夹杂一些刺耳的音响。那是毕耐先生在旋东西。

她靠住窗台,拿起信来又念,气得直发冷笑。不过她越用心看信,她越心乱。她恍惚又看见他,听他说话,两只胳膊还搂住她。心在胸脯跳得就像大杠子使劲撞城门一样,不但不匀,而且一次紧似一次。她向四周扫了一眼,恨不得地陷下去。为什么不死了拉倒?谁拦着她来的?只有她一个人。她朝前走,望着石头道,向自己说:

"跳吧!跳吧!"

明晃晃的阳光,从底下笔直反射上来,裹住她的身体,往深渊拉。她觉得广场土地晃晃悠悠,齐墙凸起,地板向一边倾斜,好像船只前后摆动一样。她站在窗口,仿佛挂在半空,四周一无所有。碧天近在身边,空气在她的空洞的头里流来流去,她只要就势一跳,朝前一纵,也就成了。旋床呜隆呜隆,并不中断,活像一个发怒的声音在叫她一样。

查理喊着:

"太太！太太！"

她站住了。

"你在哪儿？来呀！"

想起自己险些死掉，她一害怕，几乎晕倒。她闭住眼睛；有一只手拉她的衣袖，她打颤了：原来是全福。

"太太，老爷等你，汤端上啦。"

必须下楼！必须用饭！

她勉强吃了几口，东西堵着喉咙。于是她摊开饭巾，仿佛查看补缀好了没有，而且专心致志，当真数起上面的线来了。她忽然想到书信。难道她把它丢了？到哪儿找去？可是她觉得自己一百二十分劳累，就连捏造借口，离开饭桌，也没有这份心思。而且她变得胆怯起来，害怕查理：毫无疑问，他全知道！说实话，他这几句话就讲得古怪：

"看样子，我们有一阵子，要见不着罗道耳弗先生了。"

她颤索道：

"谁告诉你的？"

口吻尖利，他听了感到一点惊奇，抢白道：

"谁告诉我的？是吉拉尔呀。我方才在法兰西咖啡馆门口遇到的。他旅行去了，要不，也就快去了。"

她不由抽噎上来。

"这有什么好奇怪的？他一来就出门找消遣去，真的！我赞成。一个人有钱，又是单身汉！——再说，他玩得才欢，我们的朋友！他是一个浮浪子弟。朗格劳瓦先生告诉我……"

女佣人进来，他只好住口不讲。

杏子散在摆设架上，全福又全收到篮子里。查理没有注意太太脸红，叫她端过篮子，拿起一个咬着，还说：

"啊！好吃极啦！，来，尝尝。"

他递篮子给她,她轻轻推开了。他一连在她鼻子底下递了几回,说道:

"闻闻看:真香!"

她跳起来道:

"我出不来气!"

可是她使力一挣,这阵痉挛也就过去了。她道:

"没有什么!没有什么!是神经作怪!坐下吧,吃你的!"

因为她就怕他盘问她,照料她,不离开她。

查理听话,又坐下来了。他把杏核吐在手心,再搁到他的盘子里。

忽然就见一辆蓝色提耳玻里,驰过广场。爱玛喊了一声,直挺挺仰面倒在地上。

说实话,罗道耳弗经过再三考虑,决计还是到鲁昂去。可是由徐赦特去比实,除去永镇这条路之外,就没有别的路可走。他只好穿过村子。天色昏黑,车灯如电,一闪而过。爱玛借灯亮认出了他。

药剂师听见医生家乱成一片,跑了过来。桌子连同盘子,统统打翻;酱油、肉、刀子、盐瓶和油瓶,扔了一地;查理连声喊救;白尔特吓得直哭;全福手在哆嗦,给太太解衣服。爱玛浑身上下都在抽搐。药剂师道:

"我跑到我的实验室找一点香醋来。"

随后,她闻着小醋瓶,睁开眼睛。他道:

"我拿稳了有用;死人也一闻就醒。"

查理道:

"说话!说话!醒醒!是我,爱你的查理!你认得我吗?看,这是你的小女儿;亲亲她!"

小女孩子朝母亲伸出胳膊,想搂她的脖子。但是爱玛转开

了头,声音一喘一喘的:

"不,不,……什么人也不要!"

她又晕过去了。大家把她抬到床上。

她躺着动也不动,嘴张开,眼皮闭住,手放平,脸白白的,活像一座蜡像。两道眼泪慢慢流到枕头上。

查理直挺挺待在靠里床头,药剂师站在一旁,保持着人在重要关头应有的思维的静默。他拿胳膊肘杵了他一下道:

"放心好了,我想危险过去啦。"

查理看着她睡,回答道:

"是的,她现在安静多了!可怜的女人!……可怜的女人!……她又病啦!"

郝麦于是问起发病的原委。查理回答,她正吃杏子,病就突然发作了。药剂师道:

"怪事!……不过也很可能就是杏子引起昏迷的!有些人对某种气味,生来非常敏感!就病理学和生理学而言,这是一个值得研究的有趣题目。教士懂得它的重要性,举行仪式,总搀合香料。这也就是麻醉智慧,激发灵光而已,其实,女性比男性脆弱,收效也并不难。有人引证,妇女闻见烧过的鹿角气味、新鲜面包气味……就晕了过去。"

包法利低声道:

"当心吵醒她!"

药剂师继续道:

"不光人有这种反常现象,走兽也有。譬方说,你一定知道,有一种花草,学名 nepeta cataria①,俗名叫猫儿草,对猫类动物,具有强烈春药效果;另一方面,不妨举一个我保证确

---

① 即荆芥。

实的例子,柏里都(我的一个老同学,眼下住在马耳巴吕街)有一条狗,一见人掏鼻烟盒给它闻,就倒在地上抽搐。他常常当着朋友做实验,在他的居由默树林的别墅。谁相信普通一副催嚏嚏的药,居然会对四足动物的机构起这样大的破坏作用?真是奇闻,对不对?"

查理没有听,信口答道:

"对。"

药剂师显出一副洋洋自得的神气,笑吟吟道:

"这证明神经系统的不规则现象,数也无从数起。至于嫂夫人这方面,我承认,我一直觉得,属于真正的敏感型。所以,我的好朋友,那些自命不凡的方子,我一个也不劝你用,说是对症下药,其实也就是伤害体气。不,别乱吃药!注意饮食,就是这个!用镇静剂、缓和剂、糖剂就成。然后,也许需要刺激一下想象,你看怎么样?"

包法利道:

"用什么刺激?怎么刺激?"

"啊!问题就在这儿!这正是问题所在:That is the question! ① 像我新近在报上读到的。"

但是爱玛醒了,喊道:

"信呢?信呢?"

大家以为她精神错乱;从半夜起,她果然精神错乱了:她的脑神经有了病。

一连四十三天,查理不离开她。别的病人他全不看了,觉也不睡,总在听脉,贴芥子膏,换冷水布。他差玉斯旦到新堡去找冰;冰在路上化了;他差他再去。他约卡尼外先生会诊;

---

① 原文是英文,意即"这是问题",见于《哈姆雷特》一剧。

他派人到鲁昂请他的老师拉里维耶尔博士来；他万分焦急，最担心的是爱玛萎靡不振；因为她不言语，听不见，看样子甚至于并不痛苦，——好像她的身体和她的灵魂先前激动够了，现在一同在休息一样。

十月中旬前后，她可以靠住背后枕头，在床上坐起。查理看见她第一次吃一片面包抹果子酱，哭起来了。她有了气力；下午她起来几小时，有一天她觉得大好了，他试着让她挎起他的胳膊，兜着花园散步。枯落的树叶盖着小径的沙砾；她穿着拖鞋，悠悠走去，肩膀贴紧查理，一直是笑容满面。

他们这样走到望台一旁，花园尽头。她慢慢直起身子，手放在眼前眺望：她远远望去，朝最远的地方望；但是天边只有几大堆草，在岭上冒烟。包法利道：

"好人，你要累了。"

他轻轻推她走到花棚底下：

"坐到这条长凳上，你就适意了。"

声音没有力量，她说：

"啊！不，不去那儿，不去那儿！"

她觉得头晕。当天黄昏，病又犯了，而且情形暧昧，显见复杂了。她一时心里难过，一时胸口难过，一时头里难过，一时四肢难过；她添上了呕吐，查理以为这是癌初发的征象。

除此以外，可怜人还愁钱不够用！

14

郝麦先生药房的药，他用了许许多多，先就不知道怎么样补报才是；他是医生，固然可以不付钱，但是过分承情，他这方面到底有些难堪。其次就是家里的开销，如今女厨子当家，大得惊人;账单漫天飞来,生意人闲言闲语,直不满意,勒乐先生尤其纠缠不清。说实话,爱玛病危期间,后者利用机会,滥开账单,急忙送来斗篷、旅行袋、箱子两只(原定一只),还有许多别的东西。查理白说他用不着这些东西;商人声势凌人,还口道:全是定货,他拿不回去;再说,太太知道了,就许妨碍身子复元,先生再考虑考虑看;总而言之,他下定决心,宁可起诉,也不放弃权利,收回货物。查理事后吩咐全福,给他送回商店去;偏偏全福忘了,他愁着别的事,也没有往这上头想。勒乐先生又讨账来了,一会儿吓唬,一会儿诉苦,逼来逼去,包法利最后只得写了一张半年借据。但是他还没有在借据上签好名,就起了一个大胆的念头,向勒乐先生借一千法郎。他于是一副窘相,问他有没有方法弄到这笔钱,又说一年为期,利息听便。勒乐一听这话,跑回商店,取来现款,要他再写一张借据,包法利在这上面写明:来年九月一日,付清一千零七十法郎,加上先前议定一百八十法郎,正好一千二百五十法郎。这样一来,六分利,外加四分之一佣金,货物起码有三分之一可赚,一年下来,他有一百三十法郎横财好发,而且他并不指望就此结束:借据到期不付,就会延期,于是他的小小资本,在医生家就像在疗养院一样,足吃足喝,有一天,回到身边,肉弹弹的,撑破钱口袋。

而且他一帆风顺,凡事如意。他和新堡医院订立合同,由他供应苹果酒;居由曼先生答应他有格尼木尼泥炭矿的股票;他企图在阿尔格意和鲁昂之间再来一班车运,走得更快,票价更低,行李载得更多,这样一来,永镇的商业完全落入他的手心,不用说,"金狮"的破车也就跟着完蛋。

查理几次问自己,天大的债,来年他拿什么还,左思右想,一筹莫展。求父亲帮助,父亲不会答应;卖东西,他又没有东西可卖。他一看束手无策，寻思也寻思不出一个所以然来，反而越想越不愉快，很快也就丢开不想了。他责备自己分心外务，忘了爱玛，好像他的思想全部属于这个女人，不往她身上想，等于偷她什么东西一样。

冬季凄楚，太太慢慢悠悠复元，赶上天晴，她坐在扶手椅里，推到窗口，张望广场，因为她如今厌恶花园，那面的活动窗帘一直下着。她要人把马卖掉；往常她喜爱的东西，现在她样样讨厌。她一心似乎只是想着料理自己。她坐在床上用点心，揿铃叫女佣人来，问汤药煎好没有，或者就为和她聊聊家常。菜场棚顶的雪，朝屋里反射过来一片雅静的白光。过些日子，又是下雨。有些小事，到时必然重复，虽然同她毫无关系，她也仿佛望眼欲穿。最重大的事是"燕子"黄昏来到，女店家喊叫，别的声音回应，伊玻立特在车篷上寻找箱笼，手提灯在黑夜如同一颗星星。查理中午回来，接着就又出去；五点钟左右，日落西山，孩子们放学回家，在人行道上拖着木头套鞋，个个拿着尺，一扇又一扇，打窗版钩子响。

布尔尼贤先生就在这时，过来看她。他问起她的健康，谈起一些新闻，劝她信教，娓娓谈来，倒也委婉动听。单单看见他的道袍，她就感到安慰。

她有一天，病势危急，以为自己要死，请领圣体。大家在她的房间布置圣事，堆满药瓶的五斗柜改成圣坛，全福在地板上撒了一些大丽花，爱玛这期间，觉得就像有什么强有力的东西，飘过身体，帮她解除痛苦、一切知觉、一切情感一样。她的肉身轻松愉快，不再思想，开始新的生命；她觉得她的灵魂奔向上帝，仿佛香点着了，化成一道青烟，眼看就要融入天上的爱。床单洒了圣水；教士从圣盒取出白饼，送到她的嘴边；她伸出嘴唇，领受救主身体，感到无上的愉悦，停在昏迷的状态。床帏轻轻飘起,环绕四周,如同浮云;五斗柜上点着两支蜡烛,在她眼里,仿佛耀眼的圆光。于是她又倒下头去,恍惚听见空中仙乐铿锵,隐约望见天父坐在碧霄的金座,威仪万千,诸圣侍立两侧,拿着绿棕榈枝,只见天父摆了摆手,就有火焰翅膀的天使飞下地来,伸出两只胳膊,托她上天。

这种壮丽的景象,留在她的记忆,就像难得梦见的最美的梦一样;现在感觉继续存在,她努力追寻,味道照样隽永,不过不那样弥漫心灵。爱玛一向好胜,如今终于领会基督的谦逊精神,心平气和,体味凡事退让的愉快,欣赏意志在内心摧毁,腾出一片空地,迎接上天怜悯。原来幸福之外,还有更大的福祉,还有一种爱,凌驾世俗之爱,不间断,不结束,永远增长!希望给她带来幻境,她隐约看见她憧憬的极乐世界,浮游半空,和天成为一体。她愿意变成一位圣者。她买念珠,她戴符咒;她希望床头挂一个镶翡翠的圣骨匣,每天夜晚吻着。

爱玛这些心情,堂长看成奇迹,惊异不止,虽然他也嫌她的信仰热心过分,有一天可能走入邪道,甚至于狂悖违时。但是这些事,自己不太了然,掌握不住,所以他写信给主教的书商布拉尔先生,请他寄下"一些大作,供一位绝顶聪明的女子读"。书商漫不经心,就像给黑人寄铜铁器皿一样,把当时流行的善书,不管三七二十一,统统寄了过来。其中有问答手册,像德·麦斯特[①]先生那样口气傲慢的布道小书,还有一些类似小说的东西,玫瑰红封皮,风格近甜而俗,不是初级修道院学生诗人的手笔,就是洗心革面的所谓女作家的手笔,例如《三复斯言》、曾得各种奖章的德……先生写的《社交男子拜倒

[①] 德·麦斯特(De Maistre; 1753—1821)是法国一个十分反动的政论家,主张恢复三权(上帝、教皇与国王)。

玛利亚脚边》、少年读物《伏尔泰的谬论》等等。

包法利夫人的智力没有完全恢复，还不能认真读书；再说，她看这些书，也未免过于急促。她嫌教条苛细；她厌恶论战文字高高在上，攻击她不认识的那些人，毫不容情；宗教气息浓厚的世俗故事，在她看来，根本就不了解人生，她原来希望看到真理的具体事实，但是这样一来，她反而不知不觉离开了真理。可是她照样坚持下去，甚至于书离开手，一个纯洁的灵魂可能感到的最优美的正当忧郁，她也以为自己有了。

至于罗道耳弗，她已经不思念他了，他停在她的心灵深处，比一位国王的木乃伊尸体在陵墓还要尊严，还要安静。这伟大的爱情如同加了防腐香料一般，散出一股气味，透过一切，甚至于她愿意在里面过活的圣洁空气，也香喷喷的，有了柔情蜜意。她从前恋奸心热，甜言蜜语，唧唧哝哝，说给她的情人听，如今她跪在哥特式跪凳上，一丝不走，向救主重复。她这样做，为了滋生信念。可是不见天上有任何快乐来到心头，她又站了起来，四肢疲倦，影影忽忽，觉得像是上了大当。她想，她这样苦心向道，一定会有好报。于是爱玛自负信教心诚，拿自己和过去那些命妇相比，她先前对着一幅拉·法里耶尔的画像，曾经缅想她们的光荣来的：她们显出不可一世的庄严气象，曳起长袍的花团锦簇的后摆，谢却荣华，遁入寂门，把一颗受伤的心的怨望，都凭眼泪，倾泻在基督脚前。

她于是大行善事。她给穷人缝衣服，给产妇送木柴；查理有一天回来，看见三个无赖汉坐在厨房喝汤。她生病期间，丈夫把小女儿送到奶妈那边照管，她如今又接回家来。她想教她认字，白尔特再哭，她也不发脾气。她打定主意凡事退让，一概宽容。随便什么事，她说起来，也充满了理想的词句。她问她的小女儿：

"我的天使,你的肚子还疼不疼?"

婆婆无话可说,除非也许嫌她家事不理,一味给孤儿编织衣服。但是老太太在家吵嘴受气,却也喜欢儿子这边清静,她一直住到复活节,免得回去听包法利老爹挖苦,他不管斋戒不斋戒,每逢星期五,就要香肠吃。

婆婆判事正确,举止端庄,给了爱玛一点力量。除去婆婆作伴之外,她几乎天天有人相陪。其中有朗格耳瓦夫人、卡隆夫人、都柏洛意夫人、杜法赦夫人;还有善心的郝麦夫人,两点到五点,一定来看她,从来不肯相信任何关于女邻居的闲话。小郝麦们也来看她;玉斯旦陪他们来,一同上楼,走进她的房间。他站在门边,不言不语,安安静静。包法利夫人常常不在意,当着他梳头打扮。她猛一摇头,先取下梳子;他头一回看见她这一圈一圈的黑头发散开,全部下来,一直搭到膝盖,仿佛忽然走进什么新奇的世界,富丽堂皇,吓坏了这可怜的孩子。

爱玛当然不注意到他的默默的殷勤和他的懦怯。她一点也没有想到,花容月貌,风魔人心,爱情走出她的生命,却又来到近旁,穿着粗布衬衫,在这少年的心头跳动。而且她如今凡事漠不关心,言辞亲热,目光冷淡,姿态多变,人就区别不出自私和慈悲、恶行和美德。譬如有一天黄昏,女佣人请假出去,期期艾艾,寻找借口,她先在生气,忽然问道:

"你真就爱上了他?"

全福脸红了。她不等全福回答,就显出一副忧悒的神情,说下去道:

"好,快跑!开心去吧!"

开春前后,她不听查理劝说,叫人前前后后,把花园翻腾一过。查理见她终于有了振作的意思,倒也高兴。她一天比一天见好，也就一天比一天振作。在她养病的期间，奶妈罗莱女人，毫无忌讳，带了两个奶孩子，经常待在厨房，另外还带一个寄居的孩子，吃起饭来，狼吞虎咽，一扫而光。她先想办法把她撵走，然后摆脱郝麦一家大小，再陆续辞谢众人的看望，甚至于教堂，她去得也不怎么勤了。药剂师大加称道，当时表示好感，就对她讲：

"你先前有点迷过了分！"

布尔尼贤先生，像往常一样，上过教理问答，每天必来。他喜欢待在外边"林阴中间"，吸吸新鲜空气：他这样称呼花棚。查理正在这时回家。他们觉得天热，一道喝着新苹果酒，预祝太太完全康复。

毕耐也在，就是说，还要靠下，背靠着望台墙，打捞蝲蛄。包法利请他喝酒，开坛子他完全在行。他望了四周一眼，心满意足，一直望到天边，然后道：

"应当像这样，在桌子上拿直瓶子，绳子剪断以后，一点一点拔软木塞，轻轻地，轻轻地，就像人在饭后开塞测水一样。"

但是在他讲解中间，苹果酒常常溅了他们一脸，于是教士格格笑着，重复一遍这句趣话道：

"好酒打眼[①]！"

他的确是一个老好人，甚至于有一天，药剂师劝查理带太太散散心，到鲁昂剧场去听有名的男高音拉嘉尔狄，他也并不大惊小怪。郝麦见他默不作声，反而诧异了，问他有什么意见。教士讲：在他看来，音乐不像文学那样伤风败俗。

但是药剂师为文学辩护。他认为戏剧有益，不但责难偏

[①] "打眼"还有"一看便知"的双关意思。

见,而且利用娱乐,启迪道德。

"布尔尼贤先生,'在笑中移风易俗'①!例如,看看伏尔泰大部分的悲剧;他用巧妙手法,把哲学见解撒在戏里,因而这些悲剧就成了人民在道德上、外交上真正受教育的地方。"

毕耐道:

"我从前看过一出戏,名字叫《巴黎的野孩子》②,里面有老将军那么一个人物,简直妙绝!一位少爷勾引一个女工,挨了他一顿教训,女工后来……"

郝麦继续道:

"当然,有坏文学,就像有坏药房一样;不过,不问青红皂白,一笔抹杀最重要的艺术,我觉得是一种蠢行、一种过时的想法,可憎可恨,不亚于那些监禁伽利略的时代。"

堂长反驳道:

"我知道,世上有好作品、好作家;可是不分男女,聚在一个光怪陆离的房间,陈设浮华,人又打扮得妖形怪状,搽粉抹胭脂,点着灯,嗲声嗲气,结局必然使人想入非非,心思不正,受到非礼的诱惑。至少圣父们③ 全这样说来的。"他忽然换成神秘的声调,同时大拇指搓着一撮鼻烟,接下去道:"总之,教会谴责戏剧,有谴责的理由,旨令下来,我们就该服从才是。"

药剂师问道:

"教会为什么驱逐演员出教?因为他们从前曾经公开参加

---

① 这是近代拉丁诗人桑特耳(Jean de Santeul;1630—1697)为剧幕拟的一句拉丁文标语:Castigat ridendo mores。

② 《巴黎的野孩子》(1836)是望代尔比尔(Vanderburch;1794—1862)和巴雅尔(Bayard;1796—1853)的通俗喜剧。

③ "圣父们"指中世纪经院哲学的基督教学者。

宗教仪式来着。是的，他们在唱经堂当中搬演叫做圣迹剧的一类闹剧①，戏里一来就奚落礼法。"

教士作声不得，只好叹气了事。药剂师继续道：

"这像《圣经》一样；里头……你知道……不止一个地方……挑逗人心……简直……色情！"

他见布尔尼贤先生做了一个恼怒的手势，就说：

"啊！你同意吧，这不是一本女孩子应该看的书。我会难过的，我要是看见阿达莉……"

教士不耐烦了，喊道：

"可是劝人读《圣经》的是耶稣教教徒，不是我们天主教教徒！"

郝麦道：

"不管怎么样，一种精神娱乐，无害于人，而又劝善惩恶，有时候甚至于还对卫生有益，到了我们今天这个光明的世纪，还有人执意禁止去看，我觉得可怪。不是吗，博士？"

医生的想法不是一样，然而不愿意得罪人，就是什么想法也没有，所以勉强回答了一句：

"还用说。"

谈话似乎结束了，但是药剂师觉得不妨最后再踢一脚：

"我就认识有些教士，俗家打扮，去看舞女跳蹦。"

堂长道：

"瞎扯！"

---

① 圣迹剧（mystères）搬演耶稣生平事迹，在举行盛大宗教仪式的节日演出。闹剧（farces）的字义是"填入"。中世纪演宗教剧，空气沉闷，需要调剂，中间插进一段逗笑的表演，后来独立发展，衍成闹剧，十五、十六和十七世纪初叶，很受巴黎市民欢迎。郝麦错把闹剧和圣迹剧看成一个东西。

"啊！我就认识！"

郝麦一字一顿，重复道：

"我——就——认识。"

布尔尼贤逆来顺受，只好道：

"好吧！他们不对。"

药剂师喊道：

"家伙！他们还有别的花样！"

教士站起来道：

"先生！……"

同时眼睛冒火，连药剂师也害怕了，声调放柔，解释道：

"我不过是说，宽容才是使人信教的最稳当的方法。"

老实人又坐下来，让步道：

"这话对！这话对！"

但是他只待了两分钟就走了。他一走开，郝麦就向医生道：

"这就叫做斗嘴！你看见的，我老实不客气，咬了他几口！……话说回来，听我的话，带太太去看看戏吧，哪怕单为你这一辈子，气死一回一只这样的黑老鸹①，也是好的！要是有人能替我的话，我愿意亲自陪你们走走。快！拉嘉尔狄只演一场；英国出高薪约定了他。据说，很有两下子！发了大财！他随身就带三个姘头、一个厨子！大艺术家个个拿钱不当钱花；他们需要生活放荡不羁，刺激刺激想象。临了他们死在救济院，因为他们年轻的时候，不懂得攒钱。好，祝你晚饭用得好；明天见！"

看戏这个意思，很快在包法利心里生了根，他没有多久就

---

① 黑老鸹指教士而言，因为道袍是黑颜色。

说给太太知道。她起初反对，理由是疲倦、麻烦、花钱；但是出乎意外，查理并不让步，他以为看戏散心，对她有好处。他看不出有什么不方便；他已经不指望母亲给他们汇钱了，可是还汇了三百法郎来；眼前的债又不怎么大，勒乐先生的借据离到期还远，不必为这担心。尤其是，查理以为她不去看戏，只是为了他好，更坚持要去了；她最后经不起再三麻烦，只得答应。于是第二天，上午八点，他们上了"燕子"。

药剂师随时可以离开永镇，不过他自以为有事在身，离开不得，所以看见他们走，边叹气边道：

"好，一路平安！你们真有福气！"

随后看见爱玛穿一件有四道滚花的蓝缎袍，就说：

"你标致得活像一朵鲜花！你要轰动鲁昂啦。"

驿车停在报如瓦新广场的红十字旅馆。这家客店类似内地所有关厢的客店，马棚大，卧室小，站在屋里往外望，就见院子当中，放着推销员的轻便马车，浑身是泥，母鸡在车底下啄荞麦吃。舒舒服服的老屋子，虫蛀的木栏杆，冬季夜晚风吹着，嘎吱直响；里头总住满了人，喊叫喧天，要东要西；黑饭桌子黏黏的，沾满了光荣酒；苍蝇叮黄了厚玻璃窗；潮湿的饭巾，斑斑点点，都是坏酒印子。客店总有乡村气息，好像田庄的伙计穿上过节的衣服一样，靠街来一座咖啡馆，田野那边有一所菜园。查理一下车就去了剧场。他分不清花楼和楼座、前厅和包厢，请教完了，还是莫名其妙，票房请他去问经理室，回到客店，又去剧场，这样来回跑了几趟，从剧场到马路，跑熟了城南城北。

太太买了一顶帽子、一副手套、一把花。先生直怕错过开场戏；他们来不及喝汤，就赶到剧场门前。门还关着。

15

群众站在栏杆当中，靠墙排成两行①。邻街拐角地方，大幅广告写着奇形怪状的字体："吕席·德·拉麦尔穆尔②……拉嘉尔狄……歌剧"等等。天晴气暖，汗流进鬈鬈的头发，人人掏出手绢揩红额头。有时候，对河吹来一阵热风，轻轻吹动小咖啡馆门边细布帐子的外沿。但是再往下去，冷气袭人，发出脂肪、皮和油的味道，就又觉得凉了。这是大车街的气味，一街都是黑洞洞的大货栈，大桶在里头滚来滚去。

爱玛怕人笑话，要在进去以前，先到码头散散步。包法利小心翼翼，手捏住戏票，插在裤袋里，顶住他的肚皮。

她一进过厅就心跳，看见群众急急向右，走进另外一条过道，自己却踏上包厢的楼梯，不由眉飞色舞，有了笑容。门宽宽的，挂着幔子，她像一个小孩子一样，推开了门，觉得快乐。夹道的灰尘气味，她使劲往里吸。她坐在包厢里，微微前俯，潇洒自若，宛然就是一位公爵夫人。

剧场眼看要满。有人取出望远镜；长期观众，彼此望见，互相致敬。他们推销货物，忧心忡忡，虽然来向艺术寻找消

---

① 鲁昂的艺术剧场，在艺术广场，靠近塞纳河码头。
② 《吕席·德·拉麦尔穆尔》（Lucie de Lammermoor）是一出意大利歌剧（1835），故事采用司各脱的小说《拉麦尔穆尔的新娘》（The Bride of Lammermoor）(1819)。故事大意是：吕席和艾德嘉尔是一对相爱的青年，但是吕席的哥哥阿实屯讨好权贵，要把她嫁给一位贵公子阿尔色；阿实屯采用听差吉耳拜尔特的计谋，哄骗吕席，说艾德嘉尔已经不爱她了；她相信哥哥的假话，接受阿尔色的婚约，但是就在这时候，艾德嘉尔出现了，责备吕席负心；她疯了，在婚夕刺死丈夫；艾德嘉尔得知她正在死亡，也自杀了。

遣，但是并不忘记生意，谈的照样是棉花、酒精或者蓝靛。其中有些老人，脸上没有表情，模样安详，灰白头发，灰白皮肤，好像银质奖章，包着一层铅汽，失了光泽一样。包法利夫人往下望，欣赏前厅一些美少年：他们洋洋自得，背心领口露出玫瑰红或者苹果绿领带，黄手套绷紧手掌，身子靠住金头手杖。

乐队席的蜡烛点亮了；天花板的蜡烛台也放下来，上面的小玻璃片光芒四射，剧场忽然显出一番快活气象。乐师接着鱼贯而入，先是低音呜隆，跟着又是小提琴吱喳，小铜鱼滴滴达达，长笛和短笛咿咿唔唔，乱响了一大阵。但是舞台上连响三声，定音鼓咚咚敲了起来，接着就是铜乐合鸣，幕升上去，露出一片风景。

这是一座树林的十字路口，左边有一道喷泉，喷泉上面横着一棵栎树。农民和领主，肩膀搭着苏格兰式斗篷，不分贵贱，一同唱着猎歌；随后上来一位队长，朝天伸出胳膊，呼吁恶魔下凡；又来了一位：他们一走，猎人们就又唱起歌来。

她回到童年的读物中间，活在司各脱的氛围里。她隐约听见苏格兰风囊笛的声音，透过浓雾，飘过映山红，往复回环。她有传奇的底子，容易了解唱词，一句又一句，跟着唱词往下听。她那些朦胧的回忆，经不起音乐急吹猛打，没有多久，也就不知去向。她随着旋律摇曳，觉得自己上下震动，就像提琴的弓弦在拉她的神经一样。服装、风景、人物，还有人一走过就震动的画出来的树木，五光十色，她就不暇应接；小绒帽、斗篷、宝剑：所有这些想象物事，在音乐之中动荡，就像在另一个世界的气氛之中一样。但是一个年轻女子走向前来，拿钱包丢向一个穿绿衣服的盾士①。然后舞台上留下她一个人，就听见一只长笛在响，仿佛泉水潺湲，或者飞鸟啁啾。吕席神色严肃，唱着她的 G 大调短歌；她抱怨爱情，希望生长翅膀。爱玛同样希望离开人生，在相抱之中飞逝。忽然就见艾德嘉尔·拉嘉尔狄出现了。

他的肤色苍白，光采奕奕：一般说来，南方热情民族有了这种皮肤，看上去活像大理石雕像一样尊严。一件棕色紧上身裹着他的壮实的腰身；左臂挂着一把雕镂的小刺刀。他露出一口白牙，同时旋转眼睛，恹恹无力，仿佛爱情上受尽折磨。据说一位波兰公主，有一天黄昏，听见他在比阿里次海滨②唱着歌修理小艇，爱上了他。她为他抛弃一切。他丢了她，另爱别的女人：爱情上的名气越发提高他艺术上的声誉。擅长外交手腕的戏子，甚至于留意广告，经常添上一个诗意的句子，夸耀自己形象动目，心灵善感。一个好嗓子、一颗冷静的心，体质多于理智、夸张多于诗意，作成这位有理发师与斗牛人气息的江湖艺人的叫座本钱。

他一进场就激起观众的热情。他拥抱吕席，离开了，又走回来，像是难过到了极点。他一时暴怒，一时又无限温柔，唱挽歌似的呻吟：他光着颈项，音符从里面逃出来，一个又一个，不像呜咽就像吻。爱玛看他，身子向前，指甲抓挠包厢的丝绒。这些抑扬动听的哀歌，伴奏的低音提琴加以延长！就像狂风暴雨之中，翻了船的人呼救一样。她不但心里充满这些哀歌，而且根本就和种种沉醉、种种焦虑相熟，她从前险些死在

---

① 盾士（ècuyer）是中世纪品级最低的贵族，给骑士执盾。
② 比阿里次（Biarritz）海滨，在法国西南贝云附近，但是成为海滨盛地，却在小说时代——第二帝国成立之后。

这上头。女音在她听来,似乎只是她的内心的回声;她着迷的形象,也似乎只是她的生命的某一部分。可是世上就没有人这样爱过她。他们末一夜晚,月光溶溶,互相说起:"明天见!明天见!……"他就不像艾德嘉尔哭得这样伤心。剧场一片喊好的声音;末一节全部又唱了一遍;一对情人说起他们坟上的花、誓言、流放、恶运、希望,唱到最后告别,爱玛尖叫起来,和煞尾的音乐响成一片。包法利问道:

"这位贵人为什么欺负她?"

她回答道:

"不对;他是她的情人。"

"可是他赌咒复仇,害她一家人,而另一位、方才来过的那一位,又说:'我爱吕席,我相信她也爱我。'再说,他和她的父亲,胳膊挎胳膊,一道走出去。因为那是她的父亲,那个丑矮子,帽子插一根鸡毛,对不对?"

临到宣叙调二重唱,吉尔拜尔特对他的主人阿实屯讲起他狠毒的策略,查理看见欺骗吕席的假订婚戒指,爱玛左解说,右解说,他还是说成艾德嘉尔送来的爱情纪念品。他承认他听不明白故事,——由于音乐的缘故;对话不大听得出来。爱玛道:

"有什么关系?别说啦!"

他俯向她的肩膀,接下去道:

"原因是,你知道,我喜欢了解透彻。"

她不耐烦道:

"别说啦!别说啦!"

吕席一半靠住侍女们,走向前来,头上戴一顶橘花冠,脸色比她的白缎袍子还白。爱玛想起她的大喜日子,恍惚又看见自己在麦田当中,沿着小径,走向教堂。为什么她当时不像吕席,又是拒绝,又是哀求?正相反,她当时兴高采烈,根本不领会她在投入深渊……啊!在她如花似月的年龄,未曾跌入婚姻的泥淖,陷进通奸的幻灭之前,她要是能把终身许给一位心地坚定的伟大的灵魂,而贞操、恩情、欢愉和责任也集于一人之身,她决不至于从那样高的幸福上头摔了下来。毫无疑问,这种幸福只是一种谎言,编排出来,安定人心的。艺术夸大的热情,她如今知道何等渺小了。于是爱玛努力不朝这方面想:表现她的痛苦的扮演,她一意看成游戏之作,仅供耳目之娱,她甚至于看不上眼,兜起怜悯的心思,暗自好笑。这期间就见舞台紧里,绒门帘底下,走出一个披黑斗篷的男子。

他做了一个手势,他戴的宽边西班牙式帽子就掉下来了,乐器和歌手马上开始六重奏。艾德嘉尔大怒之下,声音分外嘹亮,压倒全场;阿实屯音调低沉,唱着凶话激他;吕席尖声诉苦;阿尔色闪在一旁,用中音歌唱;牧师的上低音,唔咿唔呀,好似一只风琴;侍女们的声音,合唱一般重复他的语言,十分悦耳。他们全都站在一排比手势,半张着嘴,同时倾吐愤怒、报复、妒忌、恐怖、慈悲和惊惧的语言。情人气愤不过,拔出宝剑挥舞;胸脯一动,花边领披就跟着上下起伏;他迈开大步,左走走,右走走,软皮靴在踝骨地方开口,朱红刺马距打着地板直响。她心想他的爱情一定用之不竭,才会这样向群众大量倾泄。她充满了角色的诗意,揶揄的心思完全不见了;通过人物的创造,她对演员本人发生好感,试着想象他的生活——那种轰动远近、世间少有的辉煌生活,机缘凑巧,她就许也能过它一过。这样一来,他们就会相识、相爱了!她同他在一起,游遍欧洲的王国,一个京城又一个京城,分享他的疲劳和他的骄傲,拾起那些朝他丢过来的花,亲自刺绣他的服装;然后每天夜晚,坐在包厢紧里,待在金栅栏后面,如醉如痴,领会这只为她一个人歌唱的心灵的倾诉;他在舞台上也边演边望她。但是她起了一种怪念头:他如今就在望她,一定的!她真想扑进他的胸怀,避到他的气力底下,如同避到爱情的肉身底下一样,对他说,对他喊:"把我抢走,把我带走,一同走!我是你的,你的!我的热情,我的梦想,全归你有!"

幕落了。

煤气灯的气味和呼气混在一道;扇子的风反而增加空气窒闷。爱玛想出去走走;群众拥在夹道,堵住了路;她倒进扶手椅,心跳得气也喘不过来。查理怕她晕倒,跑到茶食部,给她弄一杯杏仁露喝。

他费了老大气力,回到原来地方;因为他两只手捧着杯子,走一步路,都有人碰他的胳膊肘,甚至于有四分之三,他倒在一位穿短袖袍子的鲁昂女人的肩膀上。她觉得冷水往腰里流,叫得活像一只孔雀,如同有人杀她一般。丈夫是一个开纱厂的,对笨蛋大发脾气。她拿手绢揩着她的樱桃红的漂亮缎袍的水渍,他粗声粗气,唧唧哝哝,说起赔偿、开支、归还这些字眼。查理好不容易来到太太身旁,喘着气道:

"家伙!我以为我过不来了!到处是人!……是人!……"

他接下去道:

"你猜我在高头遇到谁?赖昂先生!"

"赖昂?"

"正是!他这就过来看你。"

他才说完话,永镇旧日的练习生就进了包厢。

他伸出手来,贵人一样爽快;包法利夫人不由自己,也伸出了手,不用说,由于一种更强有力的意志的吸引。自从春季那天黄昏,雨打着绿叶,他们站在窗边道别以来,她没有再碰到这只手。可是她很快就想到不该这样出神冷场,努力从回忆

之中提出自己,期期艾艾,说起一些简短的字句:

"啊!你好……怎么!你也在这儿?"

第三幕开始了,后厅有人喊道:

"别说话!"

"你又回到鲁昂啦?"

"是的。"

"什么时候回来的?"

"出去讲话!出去!"

大家朝他们望,他们只好住口。

但是从这时候起,她就听而不闻了;来宾的合唱、阿实屯和他的跟班的场面、伟大的 D 大调二重唱,在她看来,都离得很远,就像乐器不够响亮,人物退到远处一样。她想起药房斗牌、去奶妈家散步、花棚底下读书、炉边谈话、那可怜的恋爱,又安静,又悠长,又矜持,又温存,然而她全忘光了。他为什么回来?是什么机缘,他又走进她的生命?他站在背后,肩膀靠住板壁,鼻孔的热气正好下来进了她的头发,她不时感到一阵颤栗。他朝她弯过身子,凑近了,髭尖拂着她的脸蛋,问道:

"你爱看这个?"

她信口应道:

"我的上帝,不!不怎么爱看。"

他听见这话,提议到剧场外头饮冰水去。

包法利道:

"啊!别就走!待下来吧!她的头发散开啦,看样子要成苦戏。"

但是爱玛对发疯的场面不感兴趣,她嫌女歌手的表演过火,转向正在听戏的查理道:

"她叫得太厉害。"

他回答道:

"是的……也许……有一点。"

他一方面觉得真有意思,一方面又尊重太太的意见,说起话来,未免模棱两可。赖昂接着就叹息道:

"这儿热得……"

"就受不了!真是这样。"

包法利问道:

"你热得难过?"

"是啊,我出不来气;我们走吧。"

赖昂先生拿起她的长花边披肩,轻轻放在她的肩头。他们三个人走到码头,坐在一家咖啡馆外面的空地上。起初谈她的病,爱玛不时打断查理的话,她说,怕赖昂听了腻烦。后者告诉他们,他来鲁昂,在一家大事务所熟习两年,因为人在诺曼底处理业务,和巴黎大不相同。他接着问起白尔特、郝麦一家大小、勒福朗丝瓦太太;他们当着丈夫,没有多少话讲,谈话不久也就断了。

有些人看完戏,走过人行道,不是哼唧,就是乱喊:"美丽的天使,我的吕席!"于是赖昂表示他是行家,谈起音乐。他看过唐比里尼、吕毕尼、派尔席阿尼、格里西①;拉嘉尔狄同他们一比,虽然热情奔放,也就不值一文了。查理一小口,

---

① 唐比里尼(Antonio Tamburini;1800—1876)是意大利的低音歌剧演员。
吕毕尼(Giovanni Lubini;1795—1854)是意大利的高音歌剧演员。
派尔席阿尼(Giuseppe Persiani;1804—1869)是意大利作曲家,太太塔吉纳尔第(Tacchinradi;1812—1867)是歌剧演员。
格里西(Grisi)姊妹是意大利歌剧演员,这里指的应是妹妹吉屋莉雅(Giulia;1811—1869),从1832年起,在巴黎演唱十五年,享有盛誉。

一小口啜饮冰镇甘蔗酒,打断道:

"不过人家讲,他末一幕特别好。我后悔没有看完就走,因为我开始觉得好玩起来。"

练习生接下去道:

"其实,他不久还要再演一回。"

但是查理回答,他们明天就走。他转向太太,又道:

"除非是你愿意一个人留下来,我的小猫?"

年轻人想不到有这样一个机会迎合他的希望,改变策略,恭维拉嘉尔狄末一幕的成就。简直是出神入化,难以言传!查理一听这话,坚持道:

"你星期天回去。好,决定了吧!你只要觉得对你有一点点好处,你就不该不看。"

可是周围的桌子撤空了,过来一个伙计,意在言外,站到他们旁边。查理明白是催他们走,掏出钱包;练习生拉住他的胳膊,甚至于没有忘记外赏两枚银币,得朗朗丢在大理石桌面上。包法利呢喃道:

"真的,你不该付……"

练习生做了一个无所谓而又亲热的手势,拿起他的帽子:

"明天六点钟,讲定了,是不是?"

查理依然说起他不能久离,不过爱玛没有理由……

她显出一种奇怪的微笑,期期艾艾道:

"原因是……我不太知道……"

"好吧!你再想想看,睡上一夜,看好了,你就改了主意了……"

然后转向陪伴他们的赖昂:

"你如今回到家乡了,我希望,你随时会来舍下用用便饭吧?"

练习生说他会打扰的，而且事务所有一宗业务，他也非去永镇不可。他们在圣·艾尔柏朗夹道前面分手，礼拜堂的大钟正敲十一点半钟。

下 卷

下卷

1

赖昂先生一面钻研法律,准备学位考试,一面却也相当照顾茅庐①。他在这里得到绝大成功,爱漂亮的小女工觉得他气宇轩昂,另眼看待。学生里面,数他正派:头发不太长,也不太短;一季的钱,他不在月初花光;和教授保持友好关系。说到荒唐,他永远适可而止,不是为了害羞,就是由于怕事。

他待在房间读书,或者黄昏坐在卢森堡②菩提树底下,想起爱玛,他的法典常常掉在地上。但是日久天长,情感也就渐渐淡了,他有了别的欲望;不过尽管上面压着别的欲望,这种情感照样活了下来,因为赖昂并不死心,就像一线希望,在未来摇摇晃晃,又像一枚金果,挂在怪树枝头,还有到口的可能一样。

所以别离三年,他再看见她,热情又醒过来了。他寻思道:事不宜迟,现在必须决心下手。再说,常和轻浮子弟厮混,畏怯之心早已不知去向,回到内地,高视阔步,他根本就看不起那些没有穿过漆皮鞋、走过沥青马路的人们。待在一位

---

① 茅庐(Chaumière)或者大茅庐(La Grande Chaumière)是巴黎一个著名舞厅,创于1787年,地点在拉丁区,大革命后,成为学生聚会的一个中心,1855年停业。

② 卢森堡(Luxembourg)是巴黎一个有名的公园,在拉丁区。

名闻四海的博士（得过勋章，出门有车的人物）的客厅，挨近一位遍体绫罗的巴黎女子，毫无疑问，可怜的练习生，会像小孩子一样打哆嗦；不过如今是在鲁昂码头，眼前是这小医生的太太，他先拿稳了，胜利在握，自然也就觉得行若无事了。信心因际遇而异：人在大厅说话，和在阁楼说话不同；阔太太保护贞操，在他看来，似乎束腰夹里放满了钞票，就像披上了铠甲一样，无从下手。

头天夜晚，赖昂和包法利夫妇分手之后，远远跟着，看见他们走进"红十字"，他才转身回去，整整一夜，思索进行的计划。

所以第二天下午五点钟左右，他走进客店厨房，喉咙发紧，脸色发白，活像胆小鬼横了心，要硬干到底。有一个听差回答道：

"先生不在。"

这是吉兆。他上了楼。

她看见他来，并不感到慌乱。正相反，她向他道歉，他们忘记告诉他，他们的住址了。赖昂道：

"可是我猜出来了。"

"怎么会的？"

他说成有缘相会，本能引导。她听了这话，微微一笑。赖昂一看话笨，连忙改正，说他一上午都在找她，一家又一家，问遍全城旅馆。他接下去道：

"那么，你决定待下来啦？"

她道：

"是的。我真不应该。手边一大堆事，忙都忙不过来，就不该寻什么不切实际的娱乐……"

"啊！我心想……"

"哎呀!心想不来的,因为你呀,你就不是女人。"

不过男子也有男子的苦恼,谈话带上了哲理意味。爱玛大谈特谈人事无常,长年寂寞,心像活埋了一样。

年轻人为了取得好感,或者受了熏染,天真烂漫,模仿这种忧郁,讲起他在学校,一年四季,万分无聊。他嫌诉讼程序繁琐,直想改行,母亲写信给他,封封使他难过。他们谈到痛苦的原因,越谈越细致,倾筐倒箧,畅所欲言,说到后来,全无一点兴奋。不过他们没有把话全说出来,有时候就沉吟不语,寻思一句能表达他们的意思的话。她绝口不提她对另一个男子的热情;他也瞒住不说他曾经把她忘了。

他跳过舞,和奇装异服的妇女们用宵夜,他或许记不起来了;早晨她在草地奔向情人的庄园,不用说,往日那些幽会她也忘在九霄云外了。城市的喧嚣差不多传不到他们的耳朵;房间很小,仿佛特意造成这样,缩小他们的寂寞。爱玛穿一件条纹布梳头衣服,头发靠着扶手椅的椅背;黄墙纸像金底子似的托着她;镜子照出她头上梳的白线似的中缝,耳朵梢露在头发外面。她说:

"不过,对不住,我错了!我左诉苦,右诉苦,诉来诉去,你听也听腻烦了!"

"才不!决没有这种事!"

她仰起眼睛望天花板,眼睛包着一颗眼泪,接下去道:

"你知道我一向梦想些什么也就好了!"

"我也一样!唉呀!我受够了罪!我常常走出房间,来到街上,沿着河岸,一步一步拖着身子,想在嘈杂人群里忘记自己,可是心事重重,我就没有法子做到。马路有一家卖画的,窗户挂着一张意大利版画,上面画着一位文艺女神,披了一件贴身衣服,眼睛望着月亮,头发散开,簪着勿忘草。有什么东西不住地吸我过去；我在那边一待就是几小时。"

然后声音发颤，他说：

"她有一点像你。"

包法利夫人转过头去，因为她挡不住自己微笑，却又不希望他看见。他接下去道：

"我常常给你写信，写好了，又撕掉。"

她不回答。他继续道：

"我有时候心想，机缘凑巧我会遇见你。别人走过街角，我错以为是你；我追赶所有的马车，只要看见车门飘出一条披肩、一幅面网，和你的一样……"

她似乎打定主意，由他说去，并不打断。她交叉胳膊，垂下脸来，望着拖鞋的鞋花，偶尔脚尖在缎面里头微微一动。不过她叹了一口气：

"世上最伤心的事，难道不是像我一样，一辈子没有正经用处？我们的痛苦如果能对别人有用的话，想着是牺牲，倒也可以自慰了。"

他开始赞扬道德、责任和默默无闻的牺牲，说来也不见得相信，不过这是实情，他自己就有一片忠心，得不到机会满足。她说：

"我真愿意做一名医院的护士，看护病人。"

他回答道：

"嗐！男子就没有这一类神圣使命，我就看不出我有什么事好做……除非也许是，做做医生……"

爱玛轻轻耸了一下肩膀，打断他的话，抱怨自己害了一场大病，偏偏不死；真是可惜！死了的话，她现在也就不至于再受罪了。赖昂马上就说，他羡慕坟墓的宁静，甚至于有一晚响，他立遗嘱，要人用她送他的那条有绒道道的漂亮脚毯埋他。因为他们未尝不希望自己有过这样的生活,所以如今这才作出一种理想的安排,拿彼此的过去生活搭配在上头。再说,语言就是一架展延机,永远拉长感情。

但是听到关于盖脚毯的鬼话,她问道:

"这为什么?"

"为什么?"

他迟疑了一下:

"因为我爱你啊!"

赖昂一面庆幸自己跳过难关,一面也斜着眼睛,观察她的脸色。

她的脸色仿佛天空,一阵风刮走了乌云。黑压压的忧郁思想,似乎走出她的蓝眼睛①,整个脸熠熠发光。他等候反应。她最后回答道:

"我从前也一直这么觉得……"

于是他们谈起过去发生的那些琐细事件,其中或苦或乐,他们方才已经用一个字眼总括过了。他想起铁线莲的架子、她往常穿的袍子、她的卧室家具、她的全所房子。

"我们可怜的仙人掌怎么样了?"

"去年冬天冻死了。"

"啊!你知道我多想念它们吗?我常常看见它们像从前一样,夏天早晨,太阳照着活动帘子……我望见你的两只光胳膊,在花草当中,过来过去。"

"可怜的朋友!"

她朝他伸出手去,赖昂连忙凑上嘴唇,然后深深吸了一口

---

① 作者在上卷第二章告诉我们,她的眼睛"由于睫毛的缘故,棕颜色仿佛是黑颜色"。在其他各章,都说"眼睛是黑的"。

气道：

"就我来说，我不知道你当时有什么不可思议的力量把我俘了过去。有一回，好比说，我来到你家；不过，不用说，你不记得了吧？"

她说：

"记得。讲下去。"

"你在楼下前间，正要出门，站在末一道台阶；——你还戴了一顶小蓝花帽子；你没有约我，可是我不由自主，陪着你走。每一分钟，我一回味，就越觉出自己胡闹来了，可是我照样在你旁边走动，不敢跟下去，可又不愿意离开你。你走进铺子，我待在街上，隔着玻璃窗，看你摘掉手套，在柜台上数钱。过后你在杜法敕门口拉铃，有人给你开门，门又重又大，你一进去，就又关上了，我待在外头，活像一个傻瓜。"

包法利夫人听他讲，纳罕自己这样年老；这些花花絮絮的事情，她觉得再一出现，扩大她的生命，仿佛汪洋一片，尽着她的情感游来游去。她闭拢一半眼皮，不时低声道：

"是啊，真是这样！……真是这样！……真是这样！……"

报如瓦新区很有一些寄宿学校、教堂和无人居住的大公馆，形形色色的大钟在响。他们听见敲八点钟。他们不再言语；但是他们你看我，我看你，觉得脑子里扑扇扑扇的，像有什么出声的东西，顺着他们一动不动的瞳孔流过来流过去一样。他们握着手，就见过去、未来、回忆和梦想，全部融化在这销魂的优美境界。夜渐渐深了，墙上挂的四幅版画，画着《奈耳塔》四个场面①，底下有西班牙文和法文说明，在阴影

---

① 《奈耳塔》(la Tour de Nosle) 是大仲马和嘉雅尔代 (Gaillardet) 合写的一出五幕散文剧（1832）。

里，已经看不大清了，浓浓的颜色还在闪烁。从往上提的窗户望出去，尖房顶之间，露出一角黑天。

她站起来，点亮五斗柜上的两支蜡烛，回来坐下。赖昂道：

"什么？……"

她回答道：

"什么？……"

断了的谈话，他正寻思怎样才能接上，就见她对他道：

"截到现在为止，从来没有人对我表示过这种感情，又是什么缘故？"

练习生指出：人的精神活动是不容易理解的。他爱她就是一见钟情。如果天假良缘，他们得以早日相逢的话，彼此一定好合无间，恩爱到老，所以他一想到他们实现不了这种幸福，就万分痛苦。她接下去道：

"我有时候也这样想来着。"

赖昂呢喃道：

"多好的梦啊！"

他轻轻抚摸着她的又长又白的腰带的蓝压边，继续道：

"那么，有什么阻拦我们重新开始呢？……"

她回答道：

"不成，我的朋友。我太年老……你太年轻……忘了我吧！会有别人爱你……你也会爱她们的。"

他喊道：

"不像爱你一样！"

"你真成了小孩子！好啦，放乖吧，我要你这样！"

她指出他们不可能相爱，他们应当永远像往常一样，仅仅保持友谊关系。

她说这话认真不认真?毫无疑问,她心里充满了被诱惑的愉快,却又必须防止被他诱惑,连自己也不晓得是不是认真。他的手畏畏缩缩,试着抚摸她;她望着年轻人,眼睛充满怜惜,轻轻推开他的哆哆嗦嗦的手。他后退道:

"啊!对不住。"

爱玛觉得这种畏缩,比起罗道耳弗色胆包天、伸出胳膊搂她还要危险,不由起了一种无名的畏惧。她觉得从来没有一个男子,长得像他这样美。他的容色之间,有一种天真无邪的妙态流露出来。他低着他的又细又长的弯弯的睫毛。他的细皮嫩肉的脸庞,——她想,——也因为欲火如焚,红了上来,爱玛心荡神驰,恨不得贴上嘴唇。她于是看时间似的,朝钟弯过身子,道:

"我的上帝!我们尽说话,可不早啦!"

他听出她的意思,寻找帽子。

"我连戏也忘记看了!可怜的包法利,把我留下来,就为了看戏!大桥街的劳尔冒先生和他的太太陪我一道去。"

机会错过了,因为她明天就动身回乡下去。

赖昂道:

"当真?"

"是的。"

他接着就说:

"不过我还得和你见一面,我有话告诉你……"

"什么话?"

"一件事……又要紧,又重大。哎!不,可不,你不要走,千万走不得!你要是知道……听我讲……你真就不懂我的意思?你真就猜不出来?"

爱玛道:

"其实，你话说得很清楚。"

"哎呀！你还取笑人！够啦，够啦！你就可怜可怜我，让我和你再见一面……一面……只一面。"

"好吧！……"

她住了口，随后，仿佛想到什么：

"不在这儿！"

"什么地方，你说。"

"你愿不愿意……"

她想了想，一口气说完道：

"明天，十一点钟，在礼拜堂。"

他抓住她的手，喊了一声：

"我一定来！"

她抽出手，低下了头。两个人全站直了，他在她的背后，弯过身子，吻她的后颈，吻了许久。

"你疯啦！啊！你疯啦！"

她边说，边叽叽嘎嘎直笑。吻越发多了。

他于是拿头伸过她的肩膀，仿佛从她的眼睛寻找同意一般。她的眼睛望着他，冷冰冰的，充满庄严。

赖昂倒退三步，准备出去。他在门边停住，然后声音颤颤索索，细声细气道：

"明天见。"

她点点头，飞鸟一样去了里间。

爱玛当晚给练习生写了一封拖拖拉拉的长信，谢绝约会；往事如烟，他们如今为了自己的幸福，不该相会。但是封好了信，她才想起不知道赖昂的住址，无从投递。她为难了一时，向自己道：

"我当面给他。他会去的。"

第二天，赖昂打开窗户，在阳台上低声唱歌，亲自刷亮皮鞋，一连刷了几遍。他穿上白裤、上等短袜、绿燕尾服，把他所有的香水统统洒在手帕上，然后头发卷成鬈鬈，再打散了，让头发具有一种自然的优雅。他发现理发店的杜鹃鸣钟正指九点，思索道："还太早！"

他拿起一本旧时装杂志看了看，这才出去，吸着一支雪茄，荡过三条马路，心想是时候了，慢悠悠①朝礼拜堂走去。

夏季早晨，风和日丽。银楼的银器晶莹耀眼；阳光斜照礼拜堂，灰颜色石头的断口闪闪烁烁；一群鸟兜着三圜形建筑的小钟楼，在碧空飞来飞去；广场一片喧哗，花香扑鼻；石地四周有玫瑰花、素馨花、石竹花、水仙花和晚香玉，中间远近不等，夹杂着一些湿漉漉的绿叶、荆芥和喂鸟用的鹅肠菜；喷泉在当中淙淙琤琤直响；大伞底下有些妇女，光着头，站在摞成金字塔似的疙瘩皮西瓜当中，拿纸包扎成把的二月兰。

年轻人买了一把。他这是头一次为一个女人买花；他闻着花香，傲形于色，胸脯也鼓起来了，倒像他这花不是送别人而是送自己的。

不过他怕有人看见，只好硬起头皮，走进教堂。左门当中，"玛利亚娜"②底下，守卫当时正好站在门槛，头戴羽盔，腰挎长剑，手持拄杖，比红衣主教还庄严，像圣体盒那样闪耀。

他堆下一脸笑容，圆滑慈祥，仿佛教士盘问小孩子，走向赖昂：

---

① "慢悠悠"有的版本作"放快步子"。
② "玛利亚娜舞蹈"的玛利亚娜应当是莎乐美，一般市民误会成玛利亚娜。左门是圣·约翰门，门楣雕着他受难的经过。

"先生想必不是本地人吧？先生有意观光观光教堂？"

赖昂说：

"不要。"

他先沿着两侧，走了一匝，然后回到广场张望。他不见爱玛，又上来，一直走到唱经堂。

大殿屋顶、拱券上部和玻璃窗，倒映在满满的圣水盘里。花玻璃的反光，在大理石的边沿虽然断掉，反而射得更远了，摊在石地上，活像一条花花绿绿的地毯。强烈的阳光，顺着三座敞开的拱门，变成三道巨光，一直射到教堂里头。紧里不时走出一位司库，经过圣坛，斜身一跪，站起就走，好像行色匆忙的信士一样。水晶烛台，安安静静，挂在半空。唱经堂点着一盏银灯；偏殿、教堂的阴暗部分，有时候发出一声叹息，加上关栅栏门的声音，在高耸的穹窿底下，又变成回声，响来响去。

赖昂步伐严肃，在墙边徘徊。他觉得人生对他从来没有这样好过。再有一会儿，她就来了，她一定是一副俏皮模样，心神不宁，偷眼张望背后看她的男女，——穿着她的有花边道道的袍子，举着她的金丝眼镜，蹬着她的玲珑小靴；种种装饰，他见也没有见过，显出贞节将要失去的难以言传的魅力。教堂好似一间广大的绣房，迎她进来。穹窿弯下身子，在阴影里头，听取她的爱情的自白。花玻璃窗明光闪闪，就为照亮她的脸，而香炉燃烧，就为香云缭绕，她像天使一样出现。

然而就是不见她来。他坐在一张椅子上，望着一扇蓝玻璃窗，上面画了一些提筐携篮的船夫。他集中注意力，望了许久，计算鱼鳞和小领紧身短袄的纽孔的数目，思想却漫无目的，四下寻找爱玛。

守卫站在一旁，心里直生这人的气：他居然独自观赏礼拜堂。在守卫看来,他行事荒唐,近乎剽窃,几乎渎圣了。

但是石地起了丝绸窣窣的响声,半空露出一顶帽子的边沿、一件小黑披风……是她!赖昂一跃而起,奔了过去。

爱玛面无血色,快步走来。她递给他一张纸道:

"看吧!……啊!不!"

她急忙缩回手,走进圣母堂,靠住一张椅子跪下来,开始祷告。

年轻人气愤不过她这一时的虔诚,然而见她在幽会地点,仿佛安大路席的一位侯爵夫人①,一心一意都在祈祷,倒也感到一点风趣,没有多久,却又不耐烦了,因为她祷告下去,没完没了。

爱玛在祷告,或者不如说是努力在祷告,希望上天迅速帮她作出决定来;她为了得到神助,就望着光辉的圣龛,吸着插在大瓶里的开白花的南芥菜的香味,心和教堂的静默打成一片;结局反而心倒越发乱了。

她站起来。他们正要走出,就见守卫急忙凑近道:

"太太想必不是本地人吧?太太有意观光观光教堂吗?"

练习生喊道:

"不要!"

她回答道:

"为什么不?"

因为眼看贞节要守不住,她只好求助于圣母、雕像、墓冢、任何机缘。

于是"顺序"看起,守卫把他们一直领到靠近广场的入

---

① 安大路席(Andalousie)是西班牙南部通称。《安大路席女人》是缪塞的一首歌(1829),风行一时,因而诗里的侯爵夫人也就出了名。

口,手杖指着黑石头铺成的一个大圆圈,上面没有铭记,也没有花纹,摆出一副庄严的模样道:

"这儿就是昂布瓦斯大钟的钟口。钟重四万磅。全欧洲没有第二只。铸钟的工人一开心,闭过气去,死了……"

赖昂道:

"走吧。"

老好人往里走,回到圣母堂,伸出胳膊,做了一个概括的解释姿势,神气比乡绅带你看他的墙边果木还足:

"这块石头底下,埋着彼耶·德·柏来塞、法奈纳和布里萨卡的领主、普阿图大元帅和诺曼底总督,一千四百六十五年七月十六日,死于孟来里之役①。"

赖昂咬嘴唇,跺脚。

"右面这位贵人,全身铠甲,骑着一匹前腿举起的马,是他的孙子路易·德·柏来塞、柏奈法耳和孟收外的领主、莫勒如里耶伯爵、莫尼男爵、御前大臣、功勋骑士,也是诺曼底总督,碑文写着:死于一千五百三十一年七月二十三日,一个星期天;下面雕的这个男子,样子像要进坟,和本人长得一模一样②。雕塑死人雕塑到这步田地,世上找不出第二份了,是不是?"

包法利夫人举起单眼镜细看。赖昂看见一个口如悬河,一个冷若冰霜,执意作对,觉得自己心灰意懒,呆呆望她,话也懒得说了,手势也懒得做了。

---

① 彼耶·德·柏来塞(Pierre de Brézé)约生于1410年,1458年在诺曼底做总督。

② 路易·德·柏来塞(Louis de Brézé)的墓碑是一件著名艺术品,共分两层,上层是骑马雕像,下层是白玉平卧雕像。

絮絮叨叨的向导继续下去：

"旁边这个女人，跪在地上哭，是他的太太狄婀娜·德·普阿皆、柏奈塞伯爵夫人、法朗地鲁瓦公爵夫人，生于一千四百九十九年，死于一千五百六十六年①。左边抱小孩子的这个女人，是圣母娘娘。现在转到这边看：这儿就是昂布瓦斯的坟墓。他们两个人全是鲁昂的红衣主教和大主教。那一位是国王路易十二的一位大臣②。他给了礼拜堂许多好处。他在遗嘱里给穷人留下三万金艾居。"

他娓娓讲来，嘴也不停，又把他们推到一间堆放栏杆的偏殿，挪开几个栏杆，露出一块笨重东西，很可能是一座雕坏了的石像。他叹一口大气道：

"这当年放在英吉利国王和诺曼底公爵、'狮心'查理的陵墓③。先生，都是卡尔文信徒把它毁成这个样子④。他们不怀好心，把它埋在大主教宝座底下的地里。看，大主教回府，就走这座门。我们过去看看有毒蛇的花玻璃窗⑤。"

但是赖昂连忙从衣袋摸出一块银币丢给他，揪起爱玛的胳膊就走。守卫目瞪口呆，不明白为什么提早赏钱，因为还有许多东西值得外乡人观光。所以他喊道：

"喂！先生。宝塔！宝塔！……"

---

① 狄婀娜·德·普阿皆（Diane de Poitiers）是路易·德·柏来塞的续弦夫人，丈夫死后，从1536年起，成为亨利二世的情妇。
② 昂布瓦斯（George An boise；1460—1510）的墓碑也是文艺复兴时代的杰作，叔侄二人一前一后，跪在坟上。
③ "狮心"查理，即理查一世（1157—1199），尸体埋在别处，心由鲁昂礼拜堂保存。
④ 1562年，耶稣教教徒拆毁鲁昂礼拜堂，许多雕像遭受损坏。
⑤ 毒蛇（Cargouille）见于圣·罗曼的传说，据说鲁昂在七世纪有毒蛇为患，由主教圣·罗曼杀死。花玻璃窗绘制圣·罗曼生平事迹，是1521年作品。

赖昂道：

"不看啦。"

"先生不该不看！宝塔有四百四十尺高，比埃及的大金字塔才低九尺。整个儿是铁铸成的，宝塔……"

赖昂拔脚就跑；因为他觉得他的爱情，两小时以来，眼看在教堂就要变成石头，现在又要化成一道烟，穿过那个半截管子似的、长方鸟笼似的、有孔烟筒似的东西（居然不嫌难看，架在礼拜堂上头，倒像一个异想天开的锅匠，在做什么古怪试验）①，不知去向。她道：

"我们去什么地方啊？"

他不回答，继续快步走去；包法利夫人已经把手指泡在圣水里了，听见背后气喘吁吁，夹杂手杖顿地的有规律的响声。赖昂转回身子。

"先生！"

"什么事？"

原来是守卫，胳膊底下抱着二十来本装钉好的大书，顶住肚皮，怕掉下来。全是"关于礼拜堂"的著述。赖昂跑出教堂，咕哝道：

"浑蛋！"

一个野孩子在广场玩耍。

"去给我找一辆马车来！"

小孩子像皮球一样去了四风街；于是他们面对面，单独在一起待了几分钟，全有一点窘。

---

① 木制包铅的宝塔，建于十六世纪，1822年，遭电烧毁；1827年重建，改为铜铸，直到1877年，这才完工；1848年，曾经一度停工。在小说这段期间，宝塔四周搭了架子，正在重修，所以才有这样一段描写。

"啊！赖昂……真的……我不知道……我该不该……"

先是娇声娇气，故作媚态，接着就又摆出一副庄重的神气道：

"这很不相宜，你知道吗？"

练习生反驳道：

"有什么不相宜？巴黎就这样做！"

这句话仿佛无可辩驳的论据，说服了她。

马车还不见来。赖昂直怕她再进教堂。马车终于来了。守卫站在门槛，朝他们喊道：

"再怎么也该走北门出去！看看'复活'、'最后审判'、'天堂'、'大卫王'和'火焰地狱的罪人'。"

车夫问道：

"先生去什么地方？"

赖昂推爱玛上车道：

"随你！"

笨重的马车出发了。

它下了大桥街，走过艺术广场、拿破仑码头、新桥，在彼耶·高乃依的雕像前面停住①。

车里发出声音道：

"走下去！"

马车又走动，穿过拉·法耶特十字路口，走下坡路，一直奔到车站②。同一声音喊道：

"不，照直走！"

马车走出栅栏门，不久就来到林阴道，走进大榆树，放慢

---

① 法国十七世纪大悲剧家高乃依是鲁昂人。他的雕像在桥中心。
② 左岸西车站，在塞纳河之南。

速度。车夫揩揩额头,皮帽夹在腿当中,把车吆到草地一旁水边横道外头。

它沿河走着碎石纤路,岛屿落在后头,靠瓦塞耳这边走了许久。

但是它猛然放快速度,驰过四塘、扫特镇、大坝、艾耳玻夫街,在植物园前,第三次停了下来①。声音越发暴躁了,喊道:

"走啊!"

它立刻就又上路,走过圣·赛外尔、居朗第耶码头、磨石码头,再度过桥,走过校场,来到广济医院的花园后面:花园里有些穿黑上身的老年人,沿着绿藤弥漫的望台,在太阳地散步。它走上布如乐意路,驰过苟马路,兜了一圈立布代岭,一直来到德镇岭②。

它往回走,漫无目的,由着马走。有人在圣·波、莱斯居尔、嘉尔刚岭、红塘和快活林见到它;有人在癞病医院街、铜器街、圣·罗曼教堂前面、圣·维维言教堂前面、圣·马克路教堂前面、圣·尼该斯教堂前面、——海关前面、——下老三塔、三烟斗和纪念公墓见到它③。车夫坐在车座上,不时望望小酒馆,懊恼万状。他不明白,这两位乘客犯了什么转运迷,不要车停。他有时候想停停看,马上听见背后狂喊怒叫。于是他不管两匹驽马流不流汗,拚命抽打,也不管颠不颠,心不在焉,由着它东一撞,西一撞,垂头丧气,又渴,又倦,又愁,简直要哭出来了。

---

① 马车在南郊兜了一个大圈子。
② 马车过河而北,又在西郊兜了一个大圈子。
③ 右岸城市本部和东郊各地。

码头上，货车和大车之间，街头，拐角，市民睁大眼睛，望着这个内地罕见的怪物发愣：一辆马车，放下窗帘，一直这样行走，比坟墓还严密，像船一样摇晃①。

有一回，时当中午，马车来到田野，太阳直射着包银的旧灯，就见黄布小帘探出一只光手，扔掉一些碎纸片，随风散开，远远飘下，好像白蝴蝶落在绚烂一片的红三叶田上一样。

最后，六点钟左右，马车停在保如瓦新区一条小巷，下来一位妇人，面网下垂，头也不回，照直走了下去。

2

包法利夫人回到客店，一看驿车不在，大吃一惊。伊外尔等她等了五十三分钟，不见她来，只好出发了。

其实，她也不是非回去不可；不过她有话在先，说她当天黄昏到家。再说，查理在等她回来；她心里已经起了那种唯命是从的胆怯感觉：对于许多妇女，犯了奸淫，这种感觉就是惩罚，也就是赎罪。

她连忙收拾行李、算账，到院子雇了一辆轻便马车，又是催促，又是鼓励，时时刻刻向马夫打听：用了多少时间，走了

---

① 六小时走不了这些道路的。地名也不见得正好全是顺路。作者显然在夸张这段文字的艺术效果。

多少里路,终于在甘冈普瓦入口,追上"燕子"①。

她一坐到她的角落,立刻闭上眼睛,直到挨近岭下,才又睁开。她远远望见全福,站在马掌铺前瞭望。伊外尔把马勒住,女厨子耸身立在窗口,鬼鬼祟祟道:

"太太,你得马上去郝麦先生家一趟,有急事告诉你。"

村子静静落落,就和平日一样。街角有些玫瑰红小堆冒热气,因为眼下到了做果酱的时期,永镇家家在同一天酿造。但是大家称道药房前面那一堆,不但分外大,而且也特别考究,按说制药室也应当压倒寻常人家,公众需要也应当压倒个人爱好。

她走进药房,就见大扶手椅翻倒,连《鲁昂烽火》也扔在地上,摊在两只杵当中。她推开过道门,望见郝麦一家大小,全在厨房,个个拿着叉,系围裙系到下巴,周围有沙糖、方糖、装满一颗一颗红醋栗的棕色坛子,桌上有天秤,火上有锅。玉斯旦站直了,搭拉着头,药剂师喊道:

"谁叫你到堆置间找它的?"

"怎么啦?出了什么事?"

药剂师回答道:

"什么事?我们在做果酱,已经煮上了,可是汤太多,眼看要流到外头,我叫他另取一只锅来。他也不知道是不起劲呀,还是偷懒呀,走到我的实验室,把挂在钉子上的堆置间的

---

① "燕子"回到永镇,经常总在下午六点钟左右。而前章说包法利夫人回到客店,已经"六点钟左右"了。伊外尔即使等她"五十三分钟",按说她也不会在半路赶上"燕子"的,因为从鲁昂到永镇,驿车要走三小时,出发总在下午三点钟与四点钟之间。作者在下卷写包法利夫人回去的时间,往往和"燕子"离开鲁昂的时间不相符合。参阅包坡(Léon Bopp)的《包法利夫人诠解》(Commentaire sur Madame Bovary)第387页、第407页、第409页与第416页。

钥匙拿了下来!"

药剂师这样称呼房顶底下一间小屋,里头全是他的职业上的器皿和商品。他常常一个人待在里头,一待就是几小时,不是贴标签,就是倒瓶子,就是再捆扎。他不简简单单把它看成一间堆房,而是看成一间真正的内殿,出去的全是他亲手制成的形形色色的药品:丹药、丸药、煎药、洗药和水药,到四乡宣扬他的大名。谁也不许进去;他尊重它尊重到了这般地步,亲自打扫。总之,药房店面是他满足自尊心的地方,人人可得而入,然而堆置间却是郝麦隐居所在,他在这里聚精会神,玩味所好,凡事都从自己出发。所以玉斯旦轻举妄动,在他看来,便是绝大不敬。脸比红醋栗还红,他重复道:

"是啊,堆置间!锁着酸类和苛性碱类的钥匙!去取一只备而不用的锅!一只有盖的锅!一只我自己也许永远不用的锅!我们医学实验,奥妙入微,样样重要!家伙!一定要分清界限!家用东西就根本不该用在药学上!这就像拿手术刀宰填肥的子鸡一样,就像当官的……"

郝麦夫人道:

"你先平平气!"

同时阿达莉揪住他的大衣:

"爸爸!爸爸!"

药剂师继续发作道:

"不!走开!走开!妈的!倒像开杂货店,简直就像!好,来吧!什么也不尊重!砸吧!摔吧!放走蚂蟥!烧掉蜀葵!药瓶腌黄瓜!绷带撕烂了!"

爱玛道:

"不过你有话……"

"等一等!——你知道你惹了多大乱子?……你就没有看

见,左边犄角,第三橱架的东西?说呀,回话呀,哼唧一句话出来呀!"

年轻伙计结结巴巴道:

"我不……知道。"

"啊!你不知道。好!我呀,我知道!你没有看见一只蓝玻璃瓶子①,黄蜡封口,里头装着白粉,我亲自在外头写着:危险!你知道里头是什么吗?砒霜!你去碰这个!到旁边去拿一只锅!"

郝麦夫人合起双手,嚷道:

"旁边!砒霜?你简直要把我们统统毒死!"

孩子们又是哭,又是叫,好像他们已经觉得肠子疼得不得了。药剂师继续道:

"要不然就是毒死病人!你莫非是希望我站到刑事庭的罪人席?看我上断头台?难道你不知道,我轻车熟路,不也照样小心操作?想到我的责任,我都胆战心惊!因为政府迫害我们,管制我们的可笑的法规活活就是悬在达莫克来斯头上的一把宝剑②,挂在我们的头上!"

爱玛不再指望问清要她来做什么了,药剂师又是喘,又是急,一句紧跟一句道:

"这就是你报答我的恩德!我像父亲一样照料你,这就是你的酬谢!因为不是我,你在什么地方?你做什么?谁供你饮食、教育、衣着?谁供你种种便利,将来体体面面,置身于社

---

① 法令规定,装毒药须用蓝瓶,以便识别。
② 达莫克来斯(Damoclès)是公元前四世纪叙拉古的廷臣,日常称颂国王有福,国王让他试做一天国王。他在饮宴中间,发现头上有一根马鬃,系着一把沉重的脱鞘的宝剑,惊惧失色,不敢称孤道寡下去了。

667

会之中？可是为了这个呀，你就该吃苦耐劳，像人家说的，手上长膙子。Fabricando fit faber, age quod agis.①"

他在气头上，引证起拉丁文来了。他要是懂得中文和格陵兰文的话，他也会引证的。因为他已经无法控制自己，心中所有，倾囊吐出，就像大洋一样，遇到狂风暴雨，不但露出岸边的马尾藻，就连海底的沙砾也露出来了。他接下去道：

"我可真后悔不该照管你！我顶好还是让你像从前一样，回到你生长的脏地方，过穷日子！你呀一辈子不会有出息，顶多也就是放放牛！你没有一点点才分学科学！你连贴标签也干不好！你待在我家，养尊处优，倒像一个教士、一只大肥公鸡，光会吃喝玩乐！"

但是爱玛不耐烦等下去，转向郝麦夫人道：

"有人叫我来……"

这位太太神色悲伤，打断道：

"啊！我的上帝！我怎么对你说才好？……是一个坏消息！"

话没有说完，药剂师就打断她，吼声震天道：

"倒空它！洗干净！拿走！快呀！"

他抓住玉斯旦的衣领，摇了两摇，就见衣袋掉出一本书来。

年轻人弯下腰拾。郝麦比他快，抢过来一看，眼睛瞪圆，下巴也搭拉下来。他分成两截，慢慢读道：

"《夫妇……之爱》！啊！好极了！好极了！漂亮极了！还有图！……啊！太不像话啦！"

郝麦夫人走过来看。

---

① 这句拉丁文的意思是："夫匠者，心无二用，以工得名。"

"不！别动！"

孩子们想看看图。他气哄哄道：

"出去！"

他们出去了。

他起初迈开大步，来回乱走，手指挟着打开的书，转动眼睛，看上去，又像气闷，又像肿胀，又像中风。随后，他一直走到学徒跟前，交叉胳膊，当前一站：

"小坏蛋，原来你样样恶习都有啊？……当心滚到泥坑！难道你想也不想，这本坏书会落到我的孩子的手里，刺激他们的头脑，损伤阿达莉的纯洁，败坏拿破仑！眼看他就要长成大人了。至少，你拿得稳，他们没有看到？你能不能保证……"

爱玛问道：

"不过，先生，到底你有没有话同我讲……？"

"我有话讲，夫人……你的公公死了！"

老包法利饭后中风，的确在前天去世了；查理过分担心爱玛感情重，央求郝麦先生，把这可怕的消息婉转通知她。

他说什么，他也仔细想过；他要措词工整、润泽、富有节奏，成为一篇周密和转折、准确和委婉的杰作；但是愤怒战胜了修辞学。

爱玛一看听不到细情，便离开了药房；因为郝麦先生又数说起来了。不过他现在平下气来了，一面拿他的希腊小帽扇风，一面用严父的口吻唧咕道：

"并非我完全不赞成这本书！作者是医生。里头有些科学知识，人知道也是好的；我敢说，一个人也应当知道。不过，迟些日子，迟些日子！起码也要等你自己长大成人，气质稳定下来才成。"

查理在等爱玛回来，听见门环响，走上前去，伸出胳膊，

两眼含泪,向她道:

"啊!我的亲爱的朋友……"

他慢悠悠弯过身子吻她。但是她碰到他的嘴唇,想起另一个男子,摩挲着脸,颤抖起来。她同时回答他道:

"是啊,我晓得……我晓得……"

他掏出母亲的来信给她看:信上说起丧事,没有一点假惺惺哀恸的意思。他和几位旧日袍泽,在都得镇一家咖啡馆举行爱国聚餐,过后倒在门口街上死了。她唯一的遗憾是他没有接受宗教扶助。

爱玛拿信还给他。过后开上晚饭,她照顾人情,装出不要吃的样子。但是经不起他再三劝,她只好不管三七二十一,吃起来了,而查理坐在对面,没有动静,显出一副哀毁的姿势。

他不时仰起脸来看她,一看就是老半天,目光充满悲伤。他有一回叹气道:

"我真想再见他一面!"

她不作声。她最后明白自己非说话不可了,就问:

"你父亲多大年纪?"

"五十八岁!"

"啊!"

她没有话了。

他过了一刻钟又道:

"我的可怜的母亲?……她如今怎么办?"

她做了一个不知道的手势。

查理看她默默无言,以为她在难过,唯恐加深她的痛苦,压制自己不再说下去。他于是丢开自己的痛苦,问道:

"你昨天玩得开心吗?"

"开心。"

桌单拿掉,包法利没有站开,爱玛也没有;她常看他这种单调的形象,怜悯心也逐渐消失了。她嫌他寒酸、软弱、无能,总之,是一个道地可怜虫。怎么样才去得掉他?漫漫长夜,就完不了!有什么东西像鸦片气味一样在麻醉她。

他们听见一根棍子在门道顿地板响。原来是伊玻立特给太太送行李来了。

他用假腿好不容易画了一个四分之一的圆圈,才把行李放下,满头的红头发在淌汗。她望着可怜人向自己道:
"他已经忘了一干二净!"

包法利在钱包紧底摸一个小钱;伊玻立特站在眼前,如同当面谴责他的不可挽救的无能一样,可是他似乎并不感到耻辱,望着壁炉上赖昂的二月兰道:
"你这把花真好看!"

她信口答道:
"是啊;是我方才买的……一个女叫化子卖给我的。"

查理拿起二月蓝,小心在意,闻着香气,哭红了的眼睛也凑到上头。她赶快抢过来,放到水杯里。

第二天,包法利老太太来了。她和儿子哭了许久。爱玛借口有话吩咐,走开了。

过了这天,他们也该一道谈谈丧事了,就带了女红盒子,坐到水边花棚底下。

查理直在想念父亲;他纳闷自己对他感情会这样重,先前他以为自己爱他,也不过极其平常罢了。包法利老太太也在想念丈夫。往常最坏的年月,也像值得留连。日子久了,成了习惯,自然而然,也就没有怨望,只有悼念了。针缝来缝去,可是不时有一大颗眼泪,顺着鼻梁往下流,有一时还在半道停住不流。

爱玛却在想念：不到四十八小时以前，没有别人，只有他们自己待在一起，心荡神驰，恨不得多生几只眼睛对看才好。这一天追是追不回来了，她试着回忆当天最细微的末节。不过婆婆和丈夫的存在拘束她。她希望什么也听不见，什么也看不见，没有东西扰乱自己回味爱情，因为尽管集中力量，默思冥想，外来的感觉眼看就要把它挤掉了。

她在拆一件袍子夹里，周围全是零幅、断线；老太太低着眼睛剪裁；查理穿着他的布头拖鞋和他当便服用的棕色旧大衣，两只手插在衣袋，也不言语；白尔特系着小白围裙，拿起她的小铲，在旁边小径刮沙子。

忽然就见布商勒乐先生走进了栅栏门。

他们"遭逢大故"，他效劳来了。爱玛回答，她相信不要添置东西。商人并不认输，说：

"对不住，我有两句话，希望私下谈谈。"

接着就放低声音：

"关于那件事……你知道？"

查理红脸一直红到耳梢。

"啊！对……当然。"

他心慌意乱，转向太太道：

"你好不好……我的亲爱的？……"

她似乎领会他的意思，因为她站起来了。查理又对母亲道：

"没有什么！也不过是家里一些鸡毛蒜皮的事。"

他不愿意她知道借据的事，怕她训他一顿。

勒乐先生一见没有别人，就单刀直入，恭喜爱玛有遗产承继，接着就谈了一些不相干的事：墙边果木呀，收成呀，还有他本人的健康，总是"不好不歹"，"好上一阵，坏上一阵"。

说实在的,话由人说,可是他卖足了力气,什么也赚不到手,就连抹面包的牛油也吃不起。

爱玛尽他讲去。两天以来,她正闷得要死!他继续道:

"你现在大好啦?真的,你丈夫当时那份焦急,我可看见啦!他是一个好人,别看我们之间有点误会。"

她问什么误会,因为查理瞒她,没有讲起关于货物的争执。勒乐道:

"你再明白不过!就是你一时兴会,想要的那些旅行箱子啊。"

帽子压着眼睛,一双手搭在背后,他笑吟吟的,吹着口哨,做出一副令人难堪的神气,盯住她看。他疑心什么不成?她神不守舍,非常杌陧。可是他临了却改口道:

"我们又和好啦。我有一个新安排和他商量。"

"这就是延长包法利立的借据。当然,先生可以便宜行事;不过这样一来,他就不必在这方面操心了,特别是现在,他手上有许多事要办。"

"其实,他让别人担当,好比说,让你担当,也好多了;你有了代理人权力,方便多了,我们也好在一起打一些小交道……"

她听不懂他的意思,偏偏他又不作声。勒乐随后谈到生意,就说:太太不买他点东西也不成。他回头给她送一块青素呢来,十二公尺长,正好做一件袍子。

"你身上这件只好家里穿穿。出门作客,你该另来一件才好。我一进门,头一眼就看出来了。我的眼睛尖着哪。"

他不是派人送衣料,而是亲自带来。过后他又带尺来量;又找别的借口来,每回试着做出热心、效命的样子,或者学郝麦的说法,趋奉唯谨的样子,总在爱玛耳边来上一言半语,提醒代理人权力问题。他绝口不提借据。她也不往这上头想；查理在她复元初期，露出两句口风，可是她一脑子事由，早不记得了。再说，银钱事项，她有意避而不谈；老太太想不到她会这样不关心，把她的转变看成她病中信奉宗教的结果。

但是她一动身，包法利再也想不到，爱玛立刻显出她的实际的常识。应当多方打听，验明抵押物品，看看是否需要拍卖或者清算。

她随口引用专门名词，说起"程序"、"未来"、"预见"这些辉煌的字眼，不断夸大承继的困难，最后有一天，她掏出一张委托书样本给他看，上面写着"经营、处理他的事务，举行一切债款，签发所有票据，偿付全部银钱等等"。勒乐的指示，她算利用到了。

查理天真烂漫，问她这张字据哪儿来的。

"居由曼先生那边。"

她显出异常的镇静，继续道：

"我不太信任他。这些公证人，就没有好名声！也许应该请教……我们就只认识……唉！谁也不认识！"

查理沉吟了一下，回答道：

"除非是赖昂……"

不过写信不抵事。她建议她走一趟。他不要她去。她一定要去。两个人抢着表示好意。她最后用假模假式的反抗口吻嚷嚷道：

"得，我求你啦，我一定去。"

他吻着她的额头道：

"你真好！"

第二天，她乘"燕子"去了鲁昂，向赖昂先生请教；她一住就是三天。

3

　　这三天才是真正的蜜月,又丰满,又隽永,又辉煌。

　　他们住在靠码头的布劳涅旅馆,待在里头,闭了窗版,锁上了门,地上撒遍鲜花,冰镇果露清早就送过来。

　　将近黄昏,他们乘了一只遮蔽严密的游艇,到一座小岛用晚饭。

　　沿着船坞,这时正好听见一片嵌抹船缝的工人敲打船身的响声。柏油烟在树木空档,袅袅上升;太阳是绯红颜色,照耀河面,就见大油渍上下荡漾,好像佛罗棱萨的古铜奖章在漂浮一样。

　　他们穿过停泊的船只,游艇上部轻轻擦过长而又斜的缆索。

　　城里的喧嚣——大车的滚动、语声的嘈杂、甲板上的吠声,不知不觉就听不真切了。她摘下帽子,他们在小岛上岸。

　　他们坐在一家酒馆的低厅里,门口挂着黑网。他们吃煎胡瓜鱼、奶酪和樱桃。他们睡在草地,躲到白杨树底下吻抱。他们未尝不希望,一生一世,住在这小地方,就像两个鲁滨逊一样,心旷神怡,觉得这里福天洞地,不啻是世外桃源。他们不是头一回看见树木、蓝天、青草,也不是头一回听见水流、微风在枝叶之间吹拂,不过毫无疑问,他们从来没有加以赞赏,好像大自然先前并不存在,或者只在他们的欲望满足之后,才开始美丽一样。

　　他们夜晚回去,沿着岛屿行驶,两个人待在船心,躲在阴影里,不言不语。方桨在铁榫中间吱嘎响动,仿佛节奏计的敲打,表示静默,同时舵在船尾,不停不息,轻轻拍着水响。

有一回，月亮出来，他们不免搜索词句，加以形容，觉得充满诗意，悒郁感人；她甚至于唱着：

"你可记得，有一夜，我们摇船"等等。

她的柔和的歌声，散到水上，风带走颤音，从赖昂身边掠过，他听上去，仿佛翅膀扇动。

她坐在对面，靠着板壁，月光照进一面开着的窗版。她穿一件黑袍，褶幅摊开，如同一把扇子，衬得她更瘦，更高。她仰起了脸，合着手，眼睛望天。有时候，柳树影子完全遮住了她，忽而她又出现了，月光溶溶，恍若仙子。

赖昂坐在她的脚边，手底下碰到一条虞美人红的缎带。

船夫端详了一会儿道：

"啊！这也许是前一天我摇得那群人的。有男有女，一群年轻荒唐鬼，带着点心、香槟、短号，样样齐全！当中有一位先生，又高，又漂亮，一溜短髭，特别逗哏！他们一来就说：'来吧，给我们讲讲别的……阿道耳弗……道道耳弗……'我想他就叫这个名字吧。"

她哆嗦着。赖昂挨到旁边问道：

"你难过？"

"没有什么。一定是夜晚的寒气。"

老水手以为说话讨客人欢喜，就慢悠悠道：

"看样子，有的是女人迷他。"

他说过这话，唾唾手掌，又打起桨来。

可是好景不长，终有一别！分离是凄凉的。

他有信可以交罗莱嫂子转；她教他用两个信封装信，她的偷情打算，清楚明白，不由他五体投地，佩服之至。她最后吻他道：

"那么，你可以让我完全放心啦？"

"当然!"

他随后独自回家,在街上寻思道:"可是她为什么那样关心代理人权力这个问题啊?"

4

没有多久,赖昂在朋友面前,神气十足,不但疏远了他们,就连业务也丢开不管了。

他盼信来;信来了,他左看右看,看个没完。他写回信,他用全部欲望和回忆的力量唤起她的形象。那种再见她的心愿,非但不因为别离淡薄,反而越来越强,他熬耐不过,有一天星期六早晨,溜出了事务所。

他在岭上望见盆地教堂的钟楼,还有它的马口铁做的旗子,随风旋转,就像百万富翁荣归故里一样,心头涌起一股喜悦之情,里头有诗意,也有感慨。

他围绕她的住宅徘徊。厨房闪出一道亮光。他等候窗帘后头露出她的影子。什么也没有出来。

勒福朗丝瓦太太一看见他,就大喊大叫,觉得他"高啦,瘦啦",不过阿尔代蜜丝不这样想,觉得他"壮啦,黑啦"。

他像往常一样,在小间用饭,不过只有一个人,没有税务员;因为毕耐等"燕子"等累了,决定提前一小时用饭,如今他准五点钟用晚饭,可是照样一来就说:"破车到晚了。"

赖昂下定决心去敲医生的门。太太在卧室,要一刻钟以后下楼。老爷似乎高兴又见到他;但是他一整黄昏不见动静,第二天又是一天待在家里。

第二天黄昏,很晚了,他才在花园后头小巷,单独见到她;——小巷,像和另一个男子一样! 赶上雷雨,电光一闪一闪的,照着他们在一把雨伞底下谈话。

他们难割难舍,爱玛道:

"宁可死!"

她边哭,边在他的胸前扭来扭去:

"再见!……再见!……我什么时候再见到你啊?"

他们走开了又回转来吻抱;这一回,她答应他,不拘什么方法,她不久会想出一个长远的机会,自由相会,起码也要每星期一次,爱玛相信有办法。而且她满怀希望。她就要有钱了。

所以她给卧室买了一对宽道道的黄窗帘,勒乐先生早就对她吹嘘便宜来着。她梦想有一条地毯,勒乐说:"这又不是月中桂",彬彬多礼,决定帮她弄一条来。他成了她的左右手。一天里头,她尽叫人找他;他听说她找,丢下手边的事,马上奔了过去,不出一句怨言。大家也不明白,罗莱嫂子为什么天天在她家用午饭,甚至于还私下看望她。

也就是在这期间,就是说,交冬前后,她对音乐似乎有了热烈感情。

有一天傍晚,查理听她弹琴,同一琴谱,她一连弹了四次,一次比一次生气,然而他看不出有什么不同,却喊道:

"真好!……好极了!……你不该停下来!弹吧!"

"嗐!不成!糟不可言!我的手指全像长了锈一样!"

第二天,他求她"再弹点什么给他听"。

"好吧,你要听,我弹给你听!"

查理承认她有一点生疏。她弹错琴键,东碰碰,西碰碰,最后干脆住了手:

"啊!没有救!我应该跟人学琴去,不过……"

她咬了咬嘴唇,接下去道:

"二十法郎一次,太贵啦!"

查理似笑非笑,蠢模蠢样道:

"是啊,的确……有一点……其实,少出些钱,我看,也许一样好学;因为有些艺术家,别看没有名气,往往就比名流高多了。"

爱玛道:

"你打听打听看。"

第二天,他回到家,一副狡黠模样打量她,临了憋不住,还是把话说出来了:

"你有时候可真固执!今天我到巴尔佛骱尔来的。好!李耶雅尔太太对我讲:她那二位小姐,在慈悲修道院学琴,教一次两个半法郎,还是一位有名的女教师!"

她耸耸肩膀,索性琴也不弹了。

但是她从钢琴旁边走过(万一包法利也在旁边的话),她就叹气道:

"哎!我可怜的钢琴!"

你去看望她,她少不了告诉你,她早已放弃音乐不学了,由于环境关系,现在也不可能再学了。她得到外人的同情。真可惜!她那样有才分!有人甚至同包法利谈起,还说他不该不让她学,特别是药剂师:

"这就是你的不是了!一个人有天分,说什么也不该耽搁。再说,你想想看,我的好朋友,放太太去学琴,以后你的孩子的音乐教育,不就替你省下来了嘛!我认为母亲应当亲自教育子女。这是卢梭的见解,也许眼下还有一点新,不过我拿稳了,迟早会盛行的,就像母亲喂奶和种牛痘一样。"

所以查理再度谈起学钢琴的问题。爱玛一听这话,就酸溜溜回答道:顶好拿它卖掉。这架可怜的钢琴,曾经多次满足她

的虚荣心,如今卖掉,在包法利看来,就像她亲手处死她的某一部分一样,他说:

"万一你愿意的话……偶尔学一次钢琴,话说回来,也不见其就大破费。"

她就这样设法得到丈夫允许,每星期进城一趟,会晤她的情人。一个月下来,居然有人以为她弹琴很有进步。

5

她每星期四去,从床上爬起来,悄不作声,穿好衣服,就怕惊醒查理,来上两句闲话,说她不必太早出门。她打扮消停,走来走去,要不然就站在窗前,瞭望广场。曙光在菜场柱子的空档转动,药房的窗板关着,招牌上的大写字母,衬着黎明的灰白颜色,隐约可辨。

钟针指到七点一刻,她去了"金狮",阿尔代蜜丝打着呵欠,过来给她开门。炭埋在灰烬里头,阿尔代蜜丝为她剔红了。爱玛一个人待在厅房。她不时走到院子。伊外尔不慌不忙套车,勒福朗斯瓦太太戴着睡帽,探出小窗口,交代任务,絮絮叨叨,对他解说过来解说过去,换了别人,早不耐烦了,可是伊外尔一边套车,还一边在听。爱玛的靴跟打着院子石头地响。

他用过他的早点,披上他的粗毛斗篷,点起他的烟斗,拿起他的鞭子,终于安闲无事,坐到他的座位。

"燕子"悠悠走去,第一古里有四分之三,随地停留,等旅客上车。有的站在路旁,院子栅栏门前,守候它来;有的头一天约好了,由着车等;有的甚至于还在家里床上;伊外尔连喊带叫,骂过不算,还走下车来,拚命砸门。冷风吹进车窗的裂缝。

四条长凳不空，车走快了，苹果树一棵接连一棵，一闪而过；两道长沟，盛满黄水，夹着大路；大路越靠近天边，越显得窄小。

爱玛对这条路，拐弯抹角，没有一个地方不熟，知道过了一家牧场，就有一根桩子，再下去又是一棵榆树、一座谷仓，或者一间路工小屋；有时候，她甚至于闭上眼睛，过一会儿再睁开了，奇怪到了什么地方，但是还有多少道路要走，她再清楚不过。

砖房终于到了眼边，地在车轮底下起了响声，"燕子"穿过两旁花园，人在开口的地方望到几座雕像、一座葡萄台①、几棵剪齐了的罗汉松和一架秋千。紧跟着一眨眼工夫，城出现了。

城像圆剧场，一步比一步低，雾气笼罩，直到过了桥，才乱纷纷展开。再过去又是旷野，形象单调，越远越高，最后碰上灰天的模糊的基线。全部风景，这样从高望去，平平静静，像煞一幅画。停锚的船只，堆在一个角落；河顺着绿岭弯来弯去；长方形的岛屿，如同几条大黑鱼，停在水面，一动不动。工厂的烟筒冒出大团棕色的烟，随风飘散。教堂的顶尖突破浓雾，清越的钟声有冶铸厂的轰隆轰隆的响声伴奏。马路的枯树，站在房屋中间，好像成堆的紫色荆棘一样。雨洗过的屋顶，由于市区有高有低，光色参差不齐。有时候，吹来一阵劲风，浮云漂向圣·卡特琳岭，仿佛空气凝成波涛，冲击岸边绝崖，先是气势汹汹，转瞬就又销声匿迹了。

想到这些群居生活，她就头昏眼花，心也膨胀胀的，仿佛

---

① 诺曼底的富裕农民，喜欢在花园堆一座高土台，再在上面搭葡萄架。

活在这里的十二万人,照她揣想起来,个个热情澎湃,同时都在冒汽。空间扩大她的爱情,市声一片模糊,拿喧闹装了进去,她又朝广场、林阴道、街头把喧闹倒了出来。诺曼底的这座古城,在她看来,成了一座其大无比的京城,一座等她进去的巴比伦。两只手靠住车窗,她吸着吹来的微风。三匹马奔驰,泥里的石头嘎吱在响,车在摇晃,伊外尔老远就喊路上小货车闪开,同时在居由默树林过夜的资产者,乘着家里的小马车,安安详详下岭。

车在城门跟前停住;爱玛脱下木头套鞋,换过手套,理好披肩,在二十步开外,走下"燕子"。

全城正苏醒过来①。有些伙计戴着希腊小帽,擦亮店面;有些妇女,屁股顶着篮子,隔一会儿,在街角吆喝一声。她贴墙走,眼睛望地,黑面网拉下来,喜孜孜的,笑容满面。

她怕人看见,平时不走最近的路。她钻进不见阳光的小巷,浑身是汗,从国家街的街口,喷泉附近出来。这里是剧场、咖啡馆和妓院地区。常常一辆大车,载着晃晃悠悠的布景,从她旁边走过。有些系围裙的伙计,在盆树中间,往石地撒沙子。她闻见洋艾酒、雪茄和牡蛎的气味。

她转过一条街,看见一个人,帽子底下露出一圈一圈头发,认出了他。

赖昂在人行道上继续行走。她一直跟到旅馆;他走上楼,开开门,进去……热烈地吻抱!

吻过以后,话像激流一样,滔滔不绝。他们互相倾诉一星期来的愁闷、忧虑和盼信的焦灼;但是如今,统统烟消云散

---

① H.L. 在《法兰西文学史杂志》1910 年 4 月号指出:"燕子"早晨将近八时离开永镇,要走三小时才到鲁昂,不可能"全城正苏醒过来"。

了,他们面对面望着,开心笑着,恩恩爱爱叫着。

床是一张船形桃花心木大床。天花板挂着素红缎幔帐,低低下垂,兜着敞口床头;——世上没有比这再美的了:红颜色衬着她的棕色头发、她的白色皮肤,同时她羞答答的,缩拢两条光胳膊,脸藏在手心。

房间暖和,地毯没有声息,陈设轻狎,光线柔和,似乎一切专为颠鸾倒凤而设。太阳进来,箭头帐竿、铜床钩、火箆的大球,马上发出亮光。两只玫瑰红大蚌壳,放在壁炉上两支蜡烛当中,举到耳边,可以听见海啸。

他们多爱这间亲密的卧室!装潢虽然有一点过时,但是充满欢愉。他们过一个星期再来,发现木器照样待在原来的地方,有时候,她上星期四忘记的头发针又在钟座底下看到。他们围着一张独腿紫檀小圆桌,在炉边用午饭。爱玛把肉切成薄片,给他放在盘子,一边千娇百媚,卖弄风骚。香槟酒倒进精致的玻璃杯,沫子溅上她的戒指,她笑了起来,清脆动听,浑无拘束。他们两下色授魂与,如胶似漆,错把旅馆当作家园,要在这里活到老死,宛如一对神仙夫妇,永远少艾。他们说起"我们的房间"、"我们的地毯"、"我们的扶手椅";她甚至于说起"我的拖鞋",——这是赖昂的礼物,天鹅毛沿口。她坐在他的膝盖上,她的腿太短,悬在半空,于是没有后跟的玲珑拖鞋,就只套在她的光脚的脚趾。

女性生活的不可言传的美妙,他有生以来,还是头一回玩味。他从来没有经见过这种雅致的语言、这种考究的服装、这种睡鸽似的姿态。他钦佩她的灵魂的高深和裙子的花边。再说,她不正是一位社交之花、一位有夫之妇!总而言之,一位真正的情妇!

由于性情多变,一时幽邃,一时快活,一时絮叨,一时缄默,一时激愤,一时冷淡,她激逗出来的欲望,在他也是无穷的,不唤起本能,就唤起回忆。她是所有传奇小说里的情人、一切剧本里的女主人公、任何诗集泛指的她。他在她的肩头又看见了《土耳其嫔妃入浴图》的琥珀颜色;她有封建时代女庄主的细长腰肢;她也很像《巴塞罗纳的面色苍白的妇人》,但是首先她是天使①!

他常常一边看她,一边觉得他的灵魂离开自己,变成波浪,顺着她的脑壳往下流,不由自主,流进她的白净的胸脯。

他坐在她前面的地上,一对胳膊肘搭在膝盖上,仰起脸来,笑眯眯打量她。

她朝他弯下身子,仿佛神魂颠倒,话也说不出来了,唧唧哝哝道:

"别动!别说话!看着我!你的眼睛像有什么东西出来,那样甜,那样让我好受!"

她叫他"孩子":

"孩子,你爱我吗?"

她简直听不见他的答话,因为他的嘴唇很快就上来封住了她的嘴。

钟上有一个居比东② 小铜像,一脸媚相,弯起两只胳膊,托住一个镀金花环。他们笑他笑了许多次。但是临到非分手不可,他们觉得样样严肃了。

---

① 浪漫主义时期艺术作品的影响。土耳其嫔妃(odalisque)本意是宫女。巴塞罗纳是西班牙的商港。法国画家安格尔(Ingres;1780—1867)有一幅《土耳其嫔妃入浴图》。《巴塞罗那的面色苍白的妇人》指西班牙画家缪利姚(Murillo;1617—1682)的《喂奶的民妇》一画而言。当时诗歌好拿"天使"这种字眼歌颂妇女。

② 居比东(Cupidon)是罗马神话里的爱神(童子)。

两个人面对面,一动不动,再三重复:

"下星期四见!……下星期四见……"

她伸出两只手,猛然搂住他的头,骤风急雨一般吻着他的前额,喊一声"再会!"奔下楼梯。

她走到剧场街,在一家理发馆整理头发。天黑了;铺子点亮煤气灯。

她听见剧场摇铃,召集演员上戏;她看见对面走过白脸的男子和装束过时的女子,从后台门进去①。

这间小屋本来太低,加以假发和生发油之间,生着熊熊的炉火,显得特别暖和。她闻着铁的气味,还有那双给她梳理头发的油手,很快就昏昏沉沉,披着她的梳头衣服,蒙眬了一小会儿。伙计常常一边给她梳头,一边问她要不要化妆舞会的门票。

她终于走开了!穿街越巷,来到"红十字",早晨她把木头套鞋藏在长凳底下,现在又取出来穿上,挨着不耐烦的乘客,坐到她的座位。有的乘客在岭下就下了车,只她一个人留在车上。

每拐一次弯,遥望城里灯火,也就一次比一次多,仿佛一大片通明的水汽,浮在杂乱的房屋上空。爱玛跪在垫子上,茫然望着这照花了眼的景象。她呜咽了,叫着赖昂,朝他送去一些情意绵绵的话和随风而逝的吻。

有一个乞丐,拄着拐杖,不顾山路崎岖,在驿车中间奔走。肩膀蒙着一堆破布。一只旧獭皮帽,没有顶子,圆圆的仿佛一个脸盆,扣住他的脸,可是他一摘掉,就见眼皮地方,来

---

① H.I.又指出,"燕子"下午六时回到永镇,离开鲁昂的时间,不可能迟到天黑、点灯、上戏。

了两个血窟窿。肉裂成一道一道红条条,毒水下来流到鼻子,一路凝成绿痧。黑鼻孔痉挛似的往里吸气。说话先要仰起头来傻笑;——于是他的淡蓝瞳仁,不住朝太阳穴滚过去,一直滚到脓疮外沿。

他跟在车辆后面,唱着一首小歌:

> 小姑娘到了热天,
> 想情郎想得心酸。

下边唱到飞鸟、太阳和绿叶。

有时候,他光着头,冷不防来到爱玛背后。她叫一声,就往后退。伊外尔寻他开心,叫他赶圣·罗曼集摆一个摊子,要不然就笑嘻嘻问他,他的情人一向可好。

常常车正在走,就见他的帽子突然塞进车窗,另一只胳膊抓住脚凳,车轮泥水再溅,他也揪牢不放。他的声音先是哀婉,如同婴儿啼哭一般,慢慢变尖了,在夜晚拖长,好像一个人说不出来为什么伤心,抽抽噎噎,听不真切哭些什么,可是透过铃铛的响声、树木的吹动和空车的轰隆,隐隐传来什么力量,扰乱爱玛的心情,好像一阵旋风进了深渊一样,沉入她的灵魂深处,又把她带到无边无涯的忧郁世界。不过伊外尔觉出一边偏重来了,抡起鞭子,使劲抽打瞎子。鞭梢抽到他的烂疮,他摔在泥里,疼得扯嗓子乱叫。

"燕子"的乘客终于睡着了,有人张开嘴,有人低下头,不是靠住邻人的肩膀,就是胳膊穿进车上的皮带,随着马车的颠动,摇来晃去。灯在车外摆来摆去,照着辕马的屁股,透过巧克力颜色的布帘,撒下一片红血似的影子,笼罩着这些安静的男女。爱玛一阵紧似一阵凄凉,穿着衣服,直打寒噤,越来越觉得脚冷,心像死了一样。

查理在家等她回来;"燕子"星期四总是姗姗来迟。太太终于回来了!她勉强吻抱了一下小女孩子。晚饭没有预备好,没有关系!她原谅女厨子。现在似乎全尽这丫头做。

丈夫看出她面色苍白来了,常常问她:她觉不觉得难过。爱玛说:

"不难过。"

他反驳道:

"可是你不觉得你今天晚上怪气?"

"哎呀!没有什么!没有什么!"

甚至于有些天,她一到家,就先上楼,去了卧室。玉斯旦凑巧也在,潜着脚步,奔走伺候,比一个精明的宫女还要得心应手。他理齐火柴、蜡烛盘和一本书,放好她的睡衣,摊开被窝。她说:

"好,行啦,去吧!"

因为他站在一旁,两手垂直,眼睛睁开,就像忽然绮梦来到,千丝万缕,把他缠在里头一样。

第二天阴沉可怕,以后几天,还要难熬,因为爱玛急于重温她的幸福,大有刻不容缓之势,——而且正因为熟门熟道,一点就着,越发贪得无厌,所以她熬到第七天,见到赖昂,就尽情缱绻。他的热情表现首先是惊奇和感激。爱玛享受这种爱情,出以审慎和集中方式,体贴入微,想出种种花样支持,唯恐有一天闪下了她,不翼而飞。她常常声音柔和,悒悒寡欢,对他道:

"啊!你呀,你要把我丢了的!……你要结婚的!……你要和别人一样的。"

他问道:

"哪些别人?"

她回答道:

"还不都是男人。"

然后她做出娇嗔的手势,推开他道:

"你们全是负心的货!"

他们有一天,心平气和,漫谈人事无常,她随便说起(为了试验他的妒忌,或者也许由于一种过分强烈的吐露心情的要求)往日,她在他之前,爱过一个男子,"并不像你!"她赶快补上一句,还用女儿的终身赌咒,说:"没有发生关系。"

年轻人信以为真,问起他的职业。

"我的朋友,他是一位船长。"

这不免去任何追究,同时不也抬高她的身分?——因为一个男人,天性好斗,听惯恭维,居然受她支配,无形之中,也就说明她的魅力。

可是练习生听了这话,很嫌自己卑微。他羡慕肩章、勋章、官衔。她一定喜欢这类东西,从她爱挥霍的习惯上就看出来了。

其实爱玛有许多异想天开的事,还没有说出口来,例如她来鲁昂,希望能乘一辆蓝色提耳玻里,驾一匹英吉利马,有一个穿翻口长靴的马僮驭马。勾起她这种怪想法的是玉斯旦,他求她收他当一名跟班来的。短少这辆马车,并不减轻她每次赴幽会的快感,然而增加回去的酸辛,也是真的。

他们一道谈起巴黎,她临了总嘀咕道:

"啊!我们住在那边,要有多好!"

年轻人摸着她的头发,柔声柔气问道:

"难道我们不快活?"

她道:

"是啊,的确快活,我把话说得没有边儿啦:亲亲我!"

她待丈夫也可爱多了:给他做"阿月浑子"奶酪,晚饭后弹回旋舞曲。他把自己看成最走运的人,爱玛日子也过得无忧无虑的,可是有一天黄昏,他冷不防问道:

"教你弹琴的,是不是朗玻乐小姐?"

"是她。"

查理接下去道:

"好!我方才在索耶雅尔太太家里看见了她。我同她谈起你来,她说她不认识。"

她像遭了雷殛一样,不过还装出一副无事人的模样,回答道:

"啊!想必是她忘记我的名姓啦!"

医生道:

"不过鲁昂也许有几位朗玻乐小姐教钢琴吧?"

"很有可能。"

然后连忙道:

"可是我有她的收据,可不!你看。"

她走到书桌跟前,翻遍抽屉,搅乱纸张,临了头昏脑胀,还是不见踪影,查理再三劝她住手,犯不上为了这些无聊收据,自讨苦吃。她道:

"嘻!我会找到的。"

果不其然,到了下星期五,他在存放他的衣服的黑小间换靴子,发现在一只靴子的皮和袜子之间,有一张纸,他取出来读道:

  兹收到三个月教琴费及杂费共六十五法郎。音乐教师费莉西·朗玻乐。

"家伙！这怎么会在我的靴子里头？"

她回答道：

"想必是从放账单的旧纸盒里掉出去的。纸盒放在架子的边边上。"

从这时起，她的生活只是一连串谎话，好像面网一样，用来包藏她的爱情。

这变成一种需要、一种癖好、一种快感，糟到这步田地，她要是说她昨天在一条街道的右侧行走的话，必须听成她在左侧行走。

有一天早晨，她像平时一样，衣着相当单薄，去了鲁昂，可是才一动身，天空忽然飘起雪来了；查理正在窗口看雪，望见布尔尼贤先生坐了杜法赦先生的包克到鲁昂去。他于是跑下楼梯，拿了一条厚披肩，拜托教士，一到"红十字"，就递给太太。布尔尼贤前脚才进客店，就打听永镇医生太太在什么地方。女店家回答：她很少来过。临到黄昏，堂长在"燕子"里遇见包法利夫人，对她说起他的窘迫，不过似乎也并不怎么看重，因为他马上改口恭维一位布道师，在礼拜堂讲演，效果很好，阔太太全争先恐后来听。

他不追根究底，难保将来别人不管闲事。她这样一想，觉得每次还是在"红十字"下车的好，本村正经的男女上下楼梯看见她，也就不起疑心了。

但是有一天，勒乐先生遇见她走出布劳涅旅馆，挎着赖昂的胳膊。她怕起来了，以为他会张扬出去的。他不那样蠢。

可是三天之后，他走进她的房间，把门关好，说：

"我等钱用。"

她说她付不出。勒乐唉声叹气了一大阵，提起他过去待她的种种好处。

　　查理签的两张借据，的确，爱玛直到如今，只付过一张。至于第二张，她请商人换成两张，付款日期还放得老远老远的。他说起这话，从衣袋取出一张欠付的货单，例如窗帘、地毯、沙发料、几件衣服和一些梳洗用的零星东西，一共约摸有两千法郎。

　　她低下了头。他接下去道：

　　"你没有现钱，可是你有房产呀。"

　　他说起欧马耳附近一所破烂房屋，根本收不到什么进益，坐落在巴恩镇，从前属于老包法利卖掉的一所小田庄。因为勒乐了如指掌，就连公顷数目、邻居姓名，也都知道。他说：

　　"我要是你呀，还清债，还有多余。"

　　她说找不到受主；他说有希望找到。她问怎么样她才能作主出卖。他回答道：

　　"难道你没有代理人权力？"

　　她听到这话，就像一阵清风吹来一样。爱玛道：

　　"你把账单留给我。"

　　勒乐回答说：

　　"哎呀！操这份心干什么！"

　　下星期他又来了，自称自赞，说他干辛万苦，终于发现了一个人，叫朗格罗瓦的，许久以来，就在觊觎那所房产，不过没有说出买价来。她喊道：

　　"什么价钱也成！"

　　正相反，必须等候，试探试探这家伙。为了这事，值得走一趟，她既然去不了，他愿意代劳，当面和朗格罗瓦讲定。他一回来，就讲：买主出到四千法郎。

　　爱玛听见这消息，眉飞色舞。他接下去道：

"老实讲，出价够高的啦。"

她立刻收到一半议价。商人看见她要付账，又向她道：

"这样一笔大款；你一下子用光，天地良心，我看了可真难过。"

于是她望着钞票，想着这两千法郎作成不计其数的幽会，不由就期期艾艾道：

"怎么！怎么！"

他装出一副老好人的模样，笑道：

"哎呀！随便什么，全好记账的。家里的事，我有什么不知道的。"

他一边盯着她看，一边捏住两张长纸，在指甲中间滑来滑去。他最后打开皮夹，掏出四张期票，每张票面一千法郎，放在桌上。他说：

"你签一个字，钱就留着用吧。"

她觉得太不像话，叫起来了。勒乐先生厚着脸皮回答道：

"我把多出来的差额给你，你也好说不是成全你？"

于是拿起一管笔，就在货单底下写了一句："兹收到包法利夫人四千法郎。"

"你卖破房子的尾数，半年可以收进，我再把末一张期票的日期挪到付清之后，你有什么不放心的？"

爱玛计算来，计算去，绕在里头，有一点绕不出来了，耳边听见叮叮当当，就像金币撑破口袋，在花地板上围住她响个不停一样。勒乐最后解释：他有一位朋友，叫万萨的，在鲁昂开了一家银行，可以照这四张期票的数字，先行代付，等他那边付过了，扣去实际欠款，他会亲自把多余的差额给太太送过来的。

但是他送来的不是两千法郎，而是一千八百法郎，因为朋友万萨(按照规矩),作为佣金和回扣,扣下了两百法郎。接着他就漫不经心的样子,要一张收据。

"你明白……交易上……有时候……写上日期,费心写上日期。"

梦想可以实现了,爱玛眼前展开一片好景。不过她也相当小心,留下一千艾居不用,按期付清头三张期票;可是第四张偏巧在星期四送来,查理凄凄惶惶,耐下心来,等太太回家解释。

她先前没有告诉他这张期票的来历,只是怕他操劳家事;她坐在他的膝盖上,疼他,哄他,一桩又一桩,列举欠了账也非买不可的东西。

"其实你也看得出来,买了这么多东西,要价不算太高。"

查理无路可走,想来想去,只得再求勒乐帮忙。他对天赌咒,说他一定息事宁人,只要老爷另立两张期票就成。一张是七百法郎,三个月付清。他预作绸缪之计,给母亲写了一封求告的家书。她不写回信,亲自来了;爱玛问他有没有从她那方面挤出钱来,他回答道:

"钱有。不过她先要看账。"

第二天,天才破晓,爱玛就跑到勒乐先生那边,求他另写一份账,不要超出一千法郎;因为她拿出四千法郎的账单来,就得说出她已经付过四分之三,那样一来,势必非承认变卖房产不可。交易是商人从中拉成的,直到后来,人才知道。

买的东西虽然件件便宜,老太太还嫌浪费。

"你不好不用地毯?为什么要换椅套?我那时候,家里只有一张扶手椅,还是为老年人预备的,——至少我母亲是这样来的,她可是一位正经女人,我告诉你。——世上人不见其个个有钱!再有钱,也经不起乱花!我要是像你这样贪舒服,就要脸红的!可是我上了年纪,倒正需要将息……看啊!看啊,修改衣服!摆阔!怎么!绸夹里,两法郎一公尺!……其实纱布就挺好,才半法郎一公尺,还有八个苏一公尺的!"

爱玛仰靠在长椅上,尽最大可能,平心静气回答道:

"哎呀!老太太,够啦!够啦!……"

老太太偏不住嘴,继续教训她,预先断定他们会流落到救济院的。说来说去,都是包法利不该。幸而他答应取消那张代理书……

"怎么?"

老太太回答道:

"啊!他赌了咒的。"

爱玛打开窗户,喊查理来。三面对证,可怜人只好承认是母亲逼的。

爱玛跑开了,很快就又回来,气焰十足,拿一张厚纸递给她。老太太道:

"我谢谢你。"

她一丢就把代理书丢到火里去了。

爱玛笑了起来,笑声又尖,又响,又长:她又精神失常了。查理喊道:

"啊!我的上帝!哎呀!妈,你也不对!你来了就跟她吵……"

母亲耸耸肩膀,硬说:"这全是假招子。"

可是查理第一次反抗,找话护卫太太,老太太听不下去,不肯待了。她第二天就走,他试着留她,她站在门口回答道:

"不必,不必啦!你爱她,胜过爱我,你对,这是天性。反正,好不了!你等着看吧!……当心身子!……因为我不会冒冒失失,再像你说的,来跟她吵的。"

查理得罪了母亲,可是在爱玛面前,照样十分尴尬。他不信任她,她决不隐藏她的怨恨。他左求右求,求到后来,她才勉强同意收回代理人权力。他亲自陪她到居由曼先生的事务所,另立一份代理书,和先前的一份完全一样。公证人道:

"我明白。一位科学工作者,分不出心,照管琐碎的实际生活。"

查理听了这句奉承话,觉得心下一宽:经过恭维,他的弱点改头换面,像另有崇高的任务在身上了。

下星期四,她来到旅馆他们的房间,和赖昂在一起,是怎样的热情奔放!又是笑,又是哭,又是唱,又是舞,要冰镇柠檬水喝,要香烟吸,他嫌她放肆,可是又觉得她娇娆动人,出尘绝世。

他不知道她的内心起了什么反应,越来越使她追逐人生的享乐。她变得好生气,爱吃嘴,喜刺激。她和他在街上散步,扬起头来,她说,不怕出事。不过有时候,她猛然想到遇见罗道耳弗,却也畏缩起来了;因为他们虽然永远分手,她觉得她还没有完全摆脱他的影响。

有一天黄昏,她不回永镇来。查理急得走投无路,小白尔特没有妈妈,不肯睡觉,抽抽噎噎,心也要哭出来了。玉斯旦赶到大路张望。郝麦先生走出了药房。

最后,等到十一点钟,查理不见她回来,再也耐不下去了,驾起他的包克,跳上去,抽打牲口,早晨两点钟左右,到了"红十字"。她不在。他心想练习生也许见到她,不过他住在什么地方?查理幸而记起他的上司的地址。他奔去了。

天才破晓。他在一家门首,看见几个牌子,就去打门。没有人开门,他问的话,有人喊着回答,还直骂那些夜晚搅扰别人的人。

练习生住的房子没有门铃,没有门环,也没有门房。查理握起拳头,拚命砸窗版。过来一位巡警;查理心虚了,只好走开。他自言自语道:

"我真叫傻;毫无疑问,劳尔冒先生留她用晚饭来的。"

劳尔冒一家人已经离开鲁昂了。

"她大概是待下来看护都柏洛意太太。哎呀!都柏洛意太太死了有十个月了!……她到底在什么地方?"

他灵机一动,走进一家咖啡馆,要《年鉴》看,很快就找到朗玻乐小姐的名字,她住在皮缰街七十四号。

他走进这条街,爱玛本人正好从另一头出来;他不是吻抱,而是扑到她身上,一边喊道:

"昨天谁留住你啦?"

"我生病来着。"

"什么病?……住在什么地方?……怎么会的?……"

她摸了摸额头,回答道:

"在郎玻乐小姐家。"

"我晓得是她家!我正要去。"

爱玛道:

"不必去,她方才出的门;不过以后再有这类事,你放心好了。我回来晚一点点,你就急成这样,你明白,我就心不安,不敢出门走动啦。"

话说在前头,以后再赴幽会,她可以毫无顾虑,为所欲为。所以她也就由着性子,加以充分利用。只要心血来潮,想看赖昂,马上她就随便找一个借口,去了鲁昂。他想不到她来,这一天没有在旅馆等她,她到他的事务所找他。

开头几回,欢乐异常。但是没有多久,他说出了实情,就是他的上司极不赞成有人打搅。她道：

"算啦，走吧！"

于是他溜出来了。

她要他穿一身黑，下巴留一撮尖胡须，模仿路易十三的肖像。她想认识他的住处，看过以后，嫌它贫气；他一听这话，臊红了脸，她满不在乎。随后她劝他买些和她家里一样的窗帘，他嫌浪费，她笑道：

"哈！哈！你舍不得你的宝贝钱啊！"

赖昂必须回回向她报告：从上次幽会起，他这期间，都做了些什么。她问他要诗，一首为她写出来的诗，一首献给她的情诗；第二行韵脚，他搜遍枯肠，也配对不出，结局就从纪念册上抄一首十四行诗交卷。

他这样做，不是由于虚荣，而是由于讨她的欢心。他不辩驳她的见解；他接受她的一切爱好；与其说她是他的情妇，倒不如说，他变成她的情妇。她有温存的语言和销魂的吻。这种恶趣，表面上看不出什么，实际上出神入化，到了无形迹可求的地步，奇怪，她从什么地方学来的？

6

赖昂下乡看她，常在药剂师家用晚饭，觉得应当还请才对。郝麦先生回答他道：

"愿意之至！再说，我老待在这里，快要长锈了，也该活动活动。我们去看看戏，吃吃馆子，玩它一个痛快！"

郝麦太太一听他有意去冒那些无名的危险，心惊胆战，情之所至，低声阻拦道：

"啊！好人！"

"好,还有什么?你以为我经年待在药房,一天到晚闻气味,就不糟蹋我的身子啦?可不,这就是妇女们的特征:她们妒忌科学,然后就反对最正当的娱乐。没有关系,我一定来,我说不定哪一天就来鲁昂,我们一道把洋钱用光算数。"

这样的话,药剂师先前并不出口;然而他如今看中快活的巴黎派头,认为最得风气之先,所以也像他的邻居包法利夫人一样,向练习生再三打听京城风俗,甚至于话里搀上切口,来唬……资产者,说"窝"、"摊"、"时样"、"摩登"、"柏奈达路",还有,不说"我去了",而说"我颠儿了"①。

所以有一天星期四,爱玛意想不到,会在"金狮"的厨房遇见郝麦先生,穿着旅行衣服,就是说,披一件谁也没有见过的旧斗篷,同时一只手提了一只小箱,另一只手提了一只药房的脚炉。他唯恐公众见他不在,大惊小怪,所以没有同任何人讲起他的计划。重游旧地的想法,毫无疑问,使他意兴盎然,因为他一路上就话不绝口。他不等车停,连忙跳下,寻找赖昂;练习生推托不去,经不起郝麦先生强拉,还是把他拉到诺曼底咖啡馆去了。药剂师大摇大摆,走进咖啡馆,帽子不摘,以为在公共场所露出光头,十分土气。

爱玛等赖昂等了三刻钟,不见他来,跑到事务所找他,照样无影无踪,猜来猜去,莫名莫妙。她骂他无情,怨自己心软,额头贴住玻璃,气闷了一下午。

已经两点钟了,他们面对面,坐在桌子前。大厅空空落

---

① 柏奈达路(Bréda street)应当是柏奈达街(rue Bréde),用英文,不用本国文,表示时髦。街在巴黎歌剧院区(第九区),1822年开辟,土地属于私人柏奈达,曾经是谈情说爱的一个时髦地点,现在改名亨利·莫尼耶(Henri-Monnier)街。

"我颠儿了",借用北京土话。

落;炉管是棕榈树模样,枝叶镀金,在白天花板上散成绚烂一片;靠近他们,玻璃窗外,太阳地里,有一个小喷泉,淙淙琤琤,流在大理石水池:池里有水芹和石刁柏,当中爬着三条龙虾,昏昏沉沉,躺在一堆侧卧的鹌鹑旁边。

郝麦开怀畅谈,乐哉陶陶,可是使他有了醉意的,与其说是美酒盛馔,不如说是豪华气派。不过喝到波马尔葡萄酒①,他却有一点飘飘然了,甘蔗酒煎鸡蛋端来的时候,他正在发挥关于妇女的有伤风化的理论。最打动他的就是入时。他醉心于服装优雅和家具高贵的房间。至于形体,他并不讨厌矮个子。

赖昂望着挂钟,中心如捣。药剂师喝着,吃着,说着,无限快活。他忽然道:

"你在鲁昂,一定很感寂寞。其实你的对象住得也并不远。"

看见对方脸红,他问下去道:

"好,坦白吧!你能否认你在永镇……?"

年轻人期期艾艾,不知所云。

"你在包法利太太家,不是追……"

"追谁?"

"丫头!"

他不说笑;但在赖昂,虚荣心压倒了一切谨慎,冒冒失失,就绝口否认了。再说,他只爱棕色头发女人。药剂师道:

"我同意;她们比较淫荡。"

他于是俯在朋友耳边,列举辨别女人淫荡的标志。他甚至于掉转话锋,大谈人种学:德意志女人悒郁,法兰西女人轻佻,意大利女人热烈。练习生问道:

---

① 波马尔(Pomard)在第戎之南,红葡萄酒非常名贵。

"黑种女人呢?"

郝麦道:

"这是艺术家的雅好。伙计!两小杯咖啡!"

赖昂不耐烦了,终于说道:

"我们走吧?"

"Yes.①"

不过他走以前,要见见老板,夸奖两句酒菜。年轻人一听这话,就说有事,希望借机溜掉。郝麦道:

"好啊,我护送你走!"

他一边陪他在街上行走,一边同他说起他的太太、他的子女、他们的未来和他的药房,讲它先前如何不景气,经他历年整顿,达到了完善的地步。

走到布劳涅旅馆前面,赖昂出其不意,丢下了他,跑上楼梯,发现他的情妇焦灼惶惑,百无聊赖。

不提药剂师还好,提起他来,她就冒火。然而错不在他,他举出种种理由解说:难道他不认识郝麦先生?难道她会相信他喜欢和他在一起?但是她不理他,转开了身子;他拉她回来,跪在地上,搂住她的腰,一副撒娇的可怜相,充满色情和哀求。

她站直了,眼睛冒火,睁大了望他,模样不但严肃,简直有些可怕了。接着她就泪眼模糊,红眼皮搭拉下来,把两只手给了他。赖昂正在吻手,就见进来一个茶房,回禀先生:有人找他。她说:

"你还回来?"

"对。"

---

① 英文,意即"是的"。

"什么时候?"

"这就回来。"

药剂师一见赖昂就道:

"我用的是计。我想你不高兴看人,还是帮你打断了的好。我们到柏里都那边喝一杯嘉吕斯① 去。"

赖昂引天作证,他非回事务所不可。药剂师听见这话,就打趣公文、诉讼手续道:

"去他妈的居雅斯和巴尔陶耳② 吧!谁拦着你?大丈夫,说走就走!去柏里都!看看他的狗:有趣极了!"

他看练习生总是执意不肯,就改口道:

"我也到你的事务所去。我看报等你,要不然就翻翻法典也好。"

爱玛的愤怒,郝麦先生的絮叨,或许还有午饭的饱胀,把赖昂已经折腾得迷迷糊糊了,现在经他这样一来,简直失了主张。他像受了蛊惑一样,听见药剂师重复:

"去柏里都!马耳巴吕街,也就是两步路。"

自己又有懦弱、愚蠢和推动我们去做自己最不要做的事的那种难以形容的心情,三面夹攻之下,到底还是让他拉到柏里都去了。他们在他的小院看见他,监督三个伙计,喘着气,转动一架酿造塞测水的机器的大轮子。郝麦帮他们出主意,吻抱柏里都,要嘉吕斯喝。赖昂一连二十次想走;可是另一位揪住他的胳膊,对他讲:

"一会儿工夫!我这就走。我们到《鲁昂烽火》,看看报社

---

① 嘉吕斯(garus)是一种开胃的饮料,嘉吕斯是发明者的姓。
② 居雅斯(Cujas;1522—1590)是法国法学家。巴尔陶耳(Bartole;1313—1357)是意大利法学家。

的人。我介绍你认识陶玛散。"

他总算甩掉了他,一口气跑到旅馆。爱玛已经不在了。

她怒火冲天,方才离开。她如今恨他。在她看来,爽约是一种侮辱。她想多找一些借口,索性摆脱掉他:他没有英雄气概,软弱,庸俗,不及女人有力,而且吝啬,又胆小如鼠。

接着她就心平气和,下了最后结论:毫无疑问,她冤枉了他。不过揶揄我们心爱的人,总要或多或少,形成彼此之间的隔阂。偶像是碰不得的:一碰之后,就有金粉留在手上。

他们的谈话越来越和爱情无关。爱玛给他写信,离不开花、诗、月亮、星星,——热情衰退之后的自然资源。一个人借重种种外援,试想弄旺了它。下次幽会,她一眼望去,尽是无边风月;事后她也承认,毫无惊人之处。爱玛觉得扫兴,可是一种新的希望又很快起而代之,回到他身旁,分外心热,分外情急。她脱衣服,说脱就脱,揪开束腰的细带,细带兜着她的屁股,窸窸窣窣,像一条蛇,溜来溜去。她光着脚,踮起脚尖,走到门边,再看一回关好了没有;一看关好了,她一下子把衣服脱得一丝不挂,然后,——脸色灰白,不言不语,神情严肃,贴住他的胸脯,浑身打颤,久久不已。

但是在这冷汗涔涔的额头上,在这期期艾艾的嘴唇上,在这一双心神不属的瞳仁里,在这两只胳膊搂抱之中,赖昂觉得像有什么东西不顾死活,迷离惝恍,凄惨悲切,神不知鬼不觉,轻悠悠来到他们中间,要把他们分开一样。

他不敢盘问她;不过他见她经验丰富,总想她过去一定经过各色苦乐的考验。一样风情,从前倾倒,现在他有一点害怕了。而且他反抗她的一天大似一天的统治,这种持久的胜利使他怨恨爱玛。他甚至于企图停止爱她;可是她的小靴一咯噔,他觉得自己把持不住,就像醉鬼见到了烈酒一样。

的确,她对他的关心从菜肴的精美,直到服装的俏丽和视线的缠绵,无所不包,无微不至。她从永镇来,怀里揣着玫瑰,见了他,朝他脸上一丢。她担心他的健康,指点他的行为。她要他一心和她相好,希望得到上天协助,往他的脖子挂了一个圣母像牌。她仿佛一位圣母,问起他的朋友。她对他道:

"别见他们,别出去,就想着我们自己;爱我!"

她希望自己能监视他的生活,又想派人到街上尾随他。旅馆附近,总有一个流氓似的人招呼旅客,他不会不肯的……不过她的自尊心不许她这样做。

"嘻,活该!他骗我呀,由他去!难道我在乎?"

有一天,他们散得早,她独自在马路溜达,望见她的修道院的墙壁;她坐在榆树影子里一条长凳上。当年有多安静!那些不能言喻的恋爱心情,她试着照书本虚构出来的心情,她如今又多向往!

她的新婚期间、她骑马在森林的漫游、跳回旋舞的子爵和歌唱的拉嘉尔狄……都又在她的眼前出现。赖昂犹如别人,她忽然觉得同样遥远。她向自己道:

"可是我在爱着他啊!"

有什么关系!反正她不快乐,也从来没有快乐过。何以人生总不如意?何以她信赖的事物,时刻腐朽?……可是假如有一个强壮、美丽的男子的话,天生英武,慷慨激昂而又细致入微,天使的形象而又诗人的心,抱着七弦琴,演奏哀婉的喜歌,响彻九霄,何以她就不会凑巧遇到?哦!永远扑空!再说,也不值得追寻;处处是谎!声声微笑隐伏着因腻烦而起的呵欠,回回喜悦隐伏着诅咒,任何欢乐免不了餍足。最香的吻,在你唇上留下来的,也只是一种实现不了而又向往更甜蜜的销魂境界的热望。

空中荡漾着铿锵的响声,修道院的钟敲了四下。四点钟,她觉得自己好像有生以来,就一直坐在这条长凳似的。不过一分钟能容纳千变万化的热情,正如小小地点能容纳群众一样。爱玛一心一意活在她的热情里,仿佛一位大公爵夫人,不拿银钱搁在心上。

但是有一回,家里来了一个红脸、秃顶的男子,举止猥贱,说是鲁昂的万萨先生差来的。他穿一件绿长大衣,别针别住旁边的衣袋;他取下别针,插在袖子上,恭恭敬敬,递来一张纸。

这是她立的一张七百法郎的借据,勒乐嘴上说得好听,结局还是给了万萨。

她打发女佣人去看他。他不能来。

来人一直站着,左张张,右望望,金黄颜色的粗眉毛遮住他好奇的视线,看见女佣人徒劳往返,就一副天真的模样问道:

"我拿什么话回万萨先生?"

爱玛回答道:

"好吧!告诉他……我没有钱……下星期才有……他等着好了……是的,下星期。"

来人不发一言,提脚就走。

但是第二天正午,她收到一份拒付通知书,上面贴着印花,还有满纸大字的"哈朗律师、比实承发吏"字样。她看见这张公文,害怕极了,慌慌张张,急忙奔往布商家里。

她在他的商店找到他,他正在捆扎一个小包。他道:

"好啊,有事见教?"

勒乐并不因为她来,就打断工作。一个十三岁上下的女孩子在旁相帮;她有一点驼背,又是伙计,又是厨子。

然后他在前走,大头套鞋呱嗒呱嗒,蹬着地板,把包法利夫人带到二楼,请进一间窄窄的小屋,里头有一张大松木书桌,桌面放着几本账簿,横里压着一根上了锁的细铁棍。靠墙堆着一些零头印花布,底下隐隐约约露出一只保险箱,但是容积不小,似乎盛的不止是票据、银钱。原来勒乐先生兼营当铺生意,里面放的有包法利夫人的金表链和泰里耶老爹的耳环。可怜人走投无路,临了拍卖家什,又到甘冈普瓦盘了一家空无所有的小杂货铺,害黏膜炎死掉,脸比四周的蜡烛还黄。勒乐坐到他的大藤扶手椅上,一边道:

"你有什么事?"

"看啊。"

她拿公文给他看。

"好!我有什么办法?"

她一听这话,愤愤不平,提醒他不转让她的期票的约言。他承认说过这话:

"不过我也是走投无路、叫人逼的。"

她道:

"那,以后呢?"

"唉呀!很简单嘛:法院的裁判,再来一个扣押……完事大吉!"

爱玛恨不得打他一顿。她忍下这口气,和颜悦色问他:"有没有方法疏通疏通万萨先生?"

"好啊!疏通万萨;你不晓得这个人;他比什么人也心狠。"

不过勒乐先生必须在中间尽尽力。

"你听我讲,我觉得,截到现在为止,我对你够客气的啦!"

他打开一本账簿道:

"看!"

然后,手指朝上指:

"看……看……八月三日,两百法郎……六月十七日,一百五十法郎……三月二十三日,四十六法郎……四月……"

他住了口,好像怕说错了话一样。

"我还不提起你的丈夫立的期票,一张七百法郎,一张三百法郎!还有你那些零星账,连本带利,算也算不清,根本就是一篇糊涂账。我可再也不上这个当啦!"

她哭,甚至于喊他"好勒乐先生"。可是他统统推到"万萨这个狗东西"身上。而且他一个小钱也没有,现在就没有人还账,可把他坑苦了,像他这样一个可怜的开铺子的,就没有力量放账。

爱玛无话可说;勒乐先生在咬笔毛,见她默不作声,不用说,心不安了,因为他接下去道:

"起码也得有一天,只要我多少有一点进项……我才可以……"

她道:

"其实,巴恩镇的尾数一到……"

"怎么?……"

听说朗格鲁瓦还没有付清买房子的钱,他似乎很吃一惊,然后声音甜甜地道:

"你说,条件是……?"

"唉!条件随你!"

他于是闭住眼睛想了想,写了几个数字,一边说他很不合算,这是蚀本生意,他在赌性命,一边写了四张期票,每张二百五十法郎，各自相隔一个月到期。

"但愿万萨答应！其实，决定的事，我不反悔！我这人顶诚恳不过。"

他接着就手指了几件新货给她看，不过依他看来，不会有一件合太太意的。

"这件衣料，我说七个苏一公尺，保不褪色，好啊！大家抢着买！你明白，我才不拿真话告诉他们！"

说出欺哄别人，他想，她就一定相信他为人正直了。接着他又喊她回来，让她看一幅三公尺多长的花边，他最近拍卖来的。勒乐道：

"多好看！现在用的人才多，搭在沙发背上，非常时兴。"

他拿蓝纸卷起花边。放在爱玛手心，比变戏法还快。

"你倒是告诉我……"

他接下去道：

"啊！过后再说吧。"

转回身子往里去了。

当天黄昏，她就催促包法利给母亲写信，要她把继承的钱财的全部尾数，尽快给他们汇来。婆婆回信说，钱没有了，清算已经结束，他们除掉巴恩镇房产之外，每年还有六百法郎进项，到时她会汇来的。

包法利夫人一看婆婆那方面没有指望，就给两三家病人送账单，收诊费，看见这个法子有效，不久就大用起来。她在账单后头，总当心加上一句："拙夫性傲，万勿向其道及……尚祈原宥……"有人写信抱怨；她劫去来信。

她为了弄钱，卖掉她的旧手套、旧帽子、废铜烂铁，无所不卖，讲起价来，锱铢必较，——她的农民的血使她连蝇头小利也在所必争。城里遇见便宜货，心想别人不收，勒乐先生一定会收,她就买下来。她还买鸵鸟羽毛、中国瓷器和木箱。她向全福、"红十字"女店家勒福朗丝瓦太太借钱,不管张三李四,见人就借。最后,她收到巴恩镇的钱,付清两张期票,另外一千五百法郎又到日子了。她再续下去,永远续下去!

有时候她的确也试着计算来的,可是她发现数字庞大无边,连自己也信不过,于是她再计算,很快就糊涂了,只好丢在一旁,再也不去理睬。

家里如今才叫凄凉!供应商人,走出大门,个个脸上带怒。手绢拖在灶头;小白尔特穿着破袜子,郝麦太太觉得太不像话。万一查理陪小心,偶尔说上一言两语,她就蛮不讲理,回答一句:不是她错!

为什么这样大发脾气?他认为全是她的神经旧病的缘故;他怪自己自私,不该拿病看成过失,心里抱歉,直想跑过去吻她。他向自己道:

"不必了,我会惹她讨厌的!"

他于是待下来了。

他用过晚饭,独自在花园散步;他把小白尔特放在膝盖上,打开他的医学杂志,试着教她认字。小孩子从来没有经过文字教育,没有多久,就愁眉苦脸,睁大眼睛,啼哭起来。他只好又来哄她,倒出喷壶的水,在沙地开河,或者掰断小女贞树的枝子,当作树栽在花圃;花园到处是青草,所以并不特别难看。赖斯地布都瓦的工钱,他们有许多天没有付!随后小孩子冷了,要她的母亲,查理道:

"叫姨姨好了。你知道,乖乖,妈妈不要人吵她。"

转眼入秋,落叶又已纷纷,——同她两年前生病,一般光景!——到底什么时候才好得起来啊?……两只手搭在背后,他继续行走。

太太待在房间。没有人上去。她整天待在卧室,昏昏沉沉,衣服几乎不穿,有时候还点起她在鲁昂一家阿尔及利亚商店买来的宫香。丈夫夜晚就知道挺尸,她不要他睡在一旁,装模作样,最后硬把他贬到三楼。她看些荒诞不经的小说,里头不是穷奢极欲,就是流血杀人,一看就看到天亮,常常心惊肉颤,大声喊叫。查理跑进屋来看她。她说:

"啊!走开!"

别的时候,她想起奸情,欲火烧身,又是气喘,又是心跳,无可奈何,过去打开窗户,吸冷空气,迎风抖散她的过于沉重的头发,仰观星星,希望会有贵人相爱。她思念他,思念赖昂。她这时候恨不得捐弃一切,换取一次幽会,得到满足。

幽会成了她的节日。她要排场!他一个人应付不了开销,她就大大方方来补足:几乎回回如此。他试着要她明白:换一个地方,一个比较便宜的旅馆,他们一样会快活的,可是她举出理由反对。

有一天,她从提包取出六把镀金小银匙(卢欧老爹送她的婚礼),求他为她立刻送到当铺。赖昂害怕连累名声,不高兴去,不过还是去了。

事后他细想一过,觉得他的情妇行为乖异,就此分手,也许不见其就错。

的确也有人给他的母亲写了一封匿名长信,警告她:他"与一有夫之妇相好,前途堪忧"。老太太影影绰绰,就见眼前站了一个败家精,就是说,那个隐在爱情深处的怪物、妖妇、叫不出名目的害人精,她马上通知他的上司都包卡吉律师。律师办这种事,再精明不过,找他谈了三刻钟话,希望他看清是非,悬崖勒马。这种暧昧行为将来要给他的事业带来损害的。他求他断绝关系,万一不为自己着想,至少也该为他着想,为都包卡吉着想!

赖昂最后发誓,不再去看爱玛;他没有做到,——一想这个女人可能给他招惹麻烦和教训,还不算同事早晨围着炉子的打趣,他就责备自己,不该没有做到。再说,他就要升为第一练习生:是严肃的时候了。所以他放弃旧习惯、激昂的情绪和想象:——因为个个资产者,年轻时候,血气方刚,就算是一天、一小时也罢,都自以为抱有海阔天空的热情,会干出轰轰烈烈的事业来。最庸俗的登徒子念念不忘于东方皇后;个个公证人心里全有诗人的残膏剩馥。

如今一见爱玛贴住他的胸脯,忽然呜咽上来,他就厌烦;他的心好像那些只能忍受某种音乐的人们一样,已经辨别不出爱情的妙趣,听见一片嘈杂,只是淡然置之,昏昏思睡而已。

他们太相熟了,颠鸾倒凤,并不又惊又喜,欢好百倍。她腻味他,正如他厌倦她。爱玛又在通奸中间发现婚姻的平淡无奇了。

可是怎么样才能把他甩掉?这种幸福她虽然觉得鄙不足道,不过习惯成自然,或者习恶成性,她不唯安之若素,而且一天比一天迷恋,也正因为竭泽而渔,幸福反倒成为无水之池了。希望落空,她怪罪赖昂,好像他欺骗了她一样;她甚至于希望祸起萧墙,造成他们的分离,因为她没有勇气作分离的决定。

她并不因而就中止给他写情书,因为她认为一个女人应当永远给她的情人写信。

但是她在写信中间,见到的恍惚另是一个男子、一个她最热烈的回忆、最美好的读物和最殷切的愿望所形成的幻影。他在最后变得十分真实、靠近,但是她自己目夺神移,描写不出他的确切形象:他仿佛一尊天神,众相纷纷,隐去真身。他住在天色淡蓝的国度,月明花香,丝梯悬在阳台上,摆来摆去。她觉得他近在身旁,凌空下来,一个热吻就会把她活活带走,紧跟着她又跌到地面,心身交瘁;因为这些爱情的遐想,比起淫欲无度,还要使她疲倦。

爱玛如今即使一无所为,也时刻感到劳累。她经常收到传票、贴印花的公文,正眼看也不看。她还真想不活了,要不然就睡过去,再也不醒过来。

四旬斋狂欢节①,她不回永镇,黄昏去了化妆跳舞会。她穿一条丝绒长裤和一双红袜子,梳一条打结辫子,一顶小三角帽戴在一只耳朵上。她跟着双管喇叭的疯狂的响声跳了整整一夜。大家拿她作中心,围了一个圈子。早晨她在剧场回廊,发现自己和五六个扮成卸船女人和水手的男子待在一起;他们是赖昂的同事,说要去用宵夜。

附近咖啡馆,人山人海。他们在码头望见一家顶不像样的小饭馆,主人把他们带到五楼一间小屋。

男子聚在一个角落嘀咕,毫无疑问,是在磋商开销。他们是一个练习生、两个医学生和一个商店伙计:这就是她的伴侣!至于妇女,爱玛一听她们的声调,马上看出她们十九属于末流社会。她胆战心惊了,抽开椅子,低下眼睛。

别人都在用饭。她吃不下去,额头滚烫,眼皮酸痛,皮肤冰凉。她觉得舞厅地板,随着千百只脚的有节奏的起伏,还在她的脑子里跳动。五味酒的气味,加上雪茄的烟雾,熏得她晕头转向。她晕过去了;大家把她抱到窗口。

曙光正在上升,圣·卡特琳方向,灰白天空有一个大红点子,还在往大里放。铅色河水,随风荡漾;桥上没有人;街灯

---

① 四旬斋第三周星期四。

熄了。

　　她终于清醒过来，想起白尔特在女佣人下房睡觉。但是过来一辆满载长铁条的大车，顺墙传来铁条颤动的响声，要把耳震聋了。

　　她急忙溜开，脱去服装，告诉赖昂：她有事先要回去。她终于一个人待在布劳涅旅馆。连自己在内，她什么也忍受不了。她巴不得变成一只鸟，返老还童，飞到什么遥远的仙境。

　　她离开旅馆，穿过马路、苟广场和关厢，快步行走，来到一条两边全是花园的大路。空气新鲜，她安静下来了；群众的面孔、假面具、对舞、蜡烛架、宵夜和那些妇女，好像雾去云开一样，全都逐渐消失了。她来到"红十字"，走进三楼有《奈耳塔》版画的小屋，和身躺在床上。下午四点钟，伊外尔喊醒她。

　　回到家来，全福指着钟后一张灰纸给她看，上面写着：

　　　　兹经判决执行……

　　判决什么？不错，昨天送来一张公文，她没有看懂，所以读到今天这一张，看见这样的字句，她活像遭了雷殛一样："遵奉圣谕，依照法令，包法利夫人必须……"她跳过几行，就见上面写着："限期二十四小时，不得拖延"。——什么意思？"清偿全部八千法郎"。再往下去，她还读到："过期不付，当即依法执行，扣押其家具与衣物"。

　　怎么办？……限定二十四小时；就是明天！她寻思道：毫无疑问，勒乐又想吓唬她了；因为她一下子看穿了他的种种策略、他的殷勤的目标。所以看见数字庞大惊人，她倒放心了。

　　但是她一味买，一味欠，一味借，一味出票据，续票据，每次到期又往上滚,结局就是:她给勒乐先生准备好了一笔资金,他急不能待,直盼用在他的投机买卖上。

她装出一副没有事的模样去看他。

"你知道我出了什么事吗?不用说,是开玩笑!"

"不是。"

"怎么会的?"

他慢条斯理转过身子,交叉胳膊,向她道:

"我的小太太,你以为我单为行好,供货供钱,真就白白供你供到世纪末日?放出去的账,我应该收回来,我们要公道!"

她说她欠也欠不了这许多。

"啊!多也是它!法院承认!有判决书!有通知书!再说,不是我要这样做,是万萨要这样做的。"

"你能不能……?"

"嘻,无法可想。"

"可是……不过……再想想看。"

她放下正文不谈,只谈她事先一无所知……出乎意外……勒乐揶揄似的鞠躬道:

"怪谁?我像黑人一样吃苦卖力气,你这期间,寻欢作乐。"

"啊!用不着教训!"

他反驳道:

"这永远没有害处。"

她胆怯,她央求,甚至于拿她又白又长的玉手放在商人的膝盖上。

"请吧!人家会以为你有心勾引我呢!"

她喊道:

"你这个无赖!"

他笑道:

"哈!哈!你倒冒起火儿来啦!"

"我要叫人知道你是什么样人。我要告诉我丈夫……"

"好吧!我呀,也有东西给你丈夫看!"

勒乐从他的保险箱取出一张一千八百法郎的收据:万萨预支现金的时候,她写给他的。他接下去道:

"你以为这可怜的好人,真就不明白你的小偷行为吗?"

她比挨了一棍还厉害,整个瘫痪下来了。他在窗户和书桌之间走来走去,三番四次说着:

"啊!我要给他看的……我要给他看的……"

随后走到她跟前,柔声道:

"我知道,这不好玩;不过话说回来,也没有人为这死掉。既然这是唯一使你归还我的钱的办法……"

爱玛揉搓手道:

"可是我到哪儿去弄钱啊?"

"得啦,你有朋友,还在乎什么?"

他盯住她看,眼睛又亮,又怕人,她连里连外打起哆嗦来了。她道:

"我答应你一定归还,我签字……"

"你签的字,我有的是!"

"我再卖……"

他耸肩膀道:

"算了吧,你卖不出什么东西来!"

他对准接连铺面的小洞喊道:

"阿奈特!别忘记十四号的三块零头布。"

爱玛看见女佣人露面,明白是撵她走的意思,就问:"停止诉讼,要多少钱。"

"太迟了!"

"可是我带几千法郎,四分之一、三分之一、大半还你,又怎么样?"

"哎呀!用不着,没有用!"

他轻轻朝楼梯口推她。

"我求你了,勒乐先生,再宽限几天!"

她呜咽了。

"嘿!眼泪也使出来啦!"

"你是朝死路逼我!"

他关了门道:

"管我屁事!"

7

第二天,承发吏哈朗律师带了两位见证人,来到她家,她硬着头皮,由他记录扣押的物品。

他们先从包法利的诊室看起,骨相学人头作为"开业工具",不在登记之列;但是厨房的盘子、锅子、椅子、蜡烛台、她的卧室的摆设架的种种摆设,他们一一点过。他们检查她的衣服、床单和桌布一类东西,还有梳洗间;她的生活仿佛一具进行剖验的尸首,连最秘密的角落也露到外面,尽这三个人上上下下饱看。

哈朗律师穿一件薄青燕尾服,挽一条白领带,鞋底下的带子绑得死紧,不时重复道:

"可以看吗,太太?可以看吗?"

他一来就叫唤道:

"真好！……漂亮极了！"

然后他拿笔蘸蘸左手的犄角墨水瓶，又写下去。

他们记完起居房间，走上阁楼。

她这里有一张书几，里头锁着罗道耳弗的书信。他们一定要她开。哈朗律师意有所会，微笑道：

"啊！来往信件！不过，对不住！抽屉里有没有别的东西，我得看看仔细。"

他于是轻轻举起信纸，斜着一抖，好像会有金币抖出来一样。她看见这只大手，红手指柔柔的活像蛞蝓一样，捏住这些曾经让她心跳的信纸，止不住心头火起。

他们终于走了！她怕包法利撞上，打发全福到外头守望，准备拿话骗开。全福看见他们走了，也就进来。留下来的看管人，她们赶快让他藏在房顶底下的小屋；他答应不出来走动。

一整黄昏，她觉得查理愁眉不展。爱玛焦灼不安，偷眼看他：脸上的皱纹活生生就像一张诉状。她的眼睛落在有中国屏风的壁炉上、大窗帘上、扶手椅上，总而言之，样样曾经帮她消磨岁月的什物上，她起了疚心，或者不如说是起了巨大的遗憾，——不但不消灭热情，反而激起热情。查理把脚搁在火笼上，安详无事，拨弄炉火。

看管人待在躲藏的地方，不用说，有一时待腻了，出了一点响声。查理问道：

"上头有人走动？"

她回答道：

"没有，有一扇天窗没有关，风刮动了。"

第二天是星期日，她去鲁昂，访问她知道名姓的个个银行家。他们不是下乡，就是旅行去了。她不灰心，凡是她能见到的银行家，她就开口借钱，说她到了非借不可的地步，保证归还。有的当面笑她；个个不借。

下午两点钟，她跑到赖昂住的地方。她叩门，门不开。他最后露面了。

"你有什么事？"

"我打搅你啦？"

"没有……没有……"

他说房东不喜欢房客招待女人。她回答道：

"我有话和你讲。"

他掏钥匙，她拦住他。

"不必！到那边我们住的地方去。"

他们于是去了布劳涅旅馆。她一走进房间，就喝了一大杯水。她脸上没有一丝血色。她向他道：

"赖昂，我要你帮忙。"

于是捏紧他的手，摇他道：

"听我讲，我需要八千法郎！"

"你疯啦！"

"还没有！"

她立刻说起扣押和她的窘境；因为查理完全不知道；她的婆婆恨她，卢欧老爹又无济于事；可是这笔钱少了又不行，他，赖昂，帮她奔走奔走看……

"你怎么指望……"

她喊道：

"你可真没有种！"

他听了这话，蠢头蠢脑道：

"事情不像你说的那样严重。也许有一千艾居，对方就不闹了。"

正是这个缘故，更该设法；决不至于找不到一千艾居。再说，她做不了担保,赖昂可以做。

"去吧！试试看！非钱不可！快！……哎呀！试试看！我会更爱你的！"

他去了一小时回来，显出一副正经其事的脸相道：

"我找了三个人……没有用！"

他们面对面，坐在壁炉两角，不言不语，一动不动。爱玛又是顿脚，又是耸肩，他听见她唧哝道：

"我要是你呀，一样找得到！"

"到哪儿去？"

"你的事务所！"

她看着他。

她的火热的瞳孔显出一种魔鬼似的胆量，眯缝着眼，模样又淫荡，又挑唆；这勾引他犯罪的女人的意志，顽强无比，虽然暗哑无声，也有力量鼓动年轻人。他害怕了，防止她细说下去，打着额头，喊道：

"毛赖耳今天夜晚回来！我想，他不会不借的（他是他的一个朋友，一个大富商的儿子），我明天给你送来。"

他说这话，心想她听了会喜出望外的，可是爱玛的神色，并不热烈欢迎。难道她猜出了他是扯谎吗？他臊红了脸，继续道：

"不过你要是下午三点钟还不见我来的话，心肝，就别等我了。对不住，我该走了。再见！"

他握她的手，觉得毫无生气。爱玛已经没有气力感受了。

钟打四点；她站起来，想回永镇，机器人一样，服从习惯的动力。

天气晴朗；这是三月的明亮而又寒冽的好天，白茫茫的天空，只有太阳照耀。有些鲁昂居民，穿了节日服装，潇洒自如，漫步街头。她走到礼拜堂广场。晚祷方过,群众挨挨挤挤,涌出三座拱门,好像一条河流过三个桥洞一样,守卫站在当中,一动不动,赛过一块石头。

她不由想起那一天,她又是焦急,又是满怀希望,走进高大的教堂:当时一眼望去,正殿还不及她的爱情深长。她继续行走,一溜歪斜,眼泪在面网底下直淌,头昏脑胀,眼看就要软瘫下来。一辆马车的车门正好开开,里头有人喊道:

"当心!"

她收住脚步,让过一辆提耳玻里,当辕一匹黑马,一位貂皮绅士赶车。这人是谁?她认识他……马车向前驰去,转眼不见了。

这人就是他,子爵!她转回身子;街空空的。她又难过,又伤心,靠住一堵墙,免得跌倒。

她再一想,她看错了。其实,她就不清楚。里外东西统统把她抛掉不管。她像在幽险的深渊里乱滚,眼看就要毁灭,所以来到"红十字",望见那位善心的郝麦先生,简直喜不自胜了。

他看着一大箱药品装上"燕子",手里拿着一条绸手绢,里头是给太太买的六块干粮。郝麦太太很喜欢这些包头巾似的又小又重的面包,抹上咸牛油,在四旬斋吃:这是哥特人传到今天的吃食,也许是十字军时代的发明,从前放在桌子上,两旁是桂皮酒坛子和大块猪肉,照着火把的黄光,雄壮的诺曼人以为看见的是伊斯兰教教徒的头颅,狼吞虎咽,大吃一顿。药剂师太太的牙齿很坏,不过也是一派英雄作风,像他们一样啃着。所以郝麦先生每次进城,总要到屠杀街大面包房买些,给她带回去。他看见爱玛,搀她上车道:

"看见你,我很高兴!"

接着他拿干粮挂在网条上,光着头坐好了,交叉胳膊,摆出一副拿破仑似的思维的姿态。

但是临到瞎子像平常一样,又在岭下露面,他就嚷嚷道:

"这种生活方式,罪无可逭,我不明白,政府怎么还会容忍到现在!应当把这些坏蛋关起来,强迫劳动才是!说实话,进步走的是蜗牛步子!我们活在野蛮时代!"

瞎子伸出他的帽子,在车门旁边摇来摇去,如同一只离开钉子的布袋。药剂师道:

"他害的是瘰疬!"

他见过这可怜虫,不过他装出第一回看到的模样,低声说着角膜、不透明角膜、巩膜、面孔这些字眼,然后用严父口吻问他道:

"朋友,这可怕的毛病,你害了有多久啦?别净在酒馆喝酒啦,顶好还是节制节制饮食吧。"

他劝他喝上等葡萄酒、上等啤酒,吃上等烤肉。瞎子一直在唱歌,而且那副神气,简直就像白痴。郝麦先生最后打开他的钱包道:

"好,这里是一个苏,找我两个里阿①。我的建议别忘了,会把你的病治好的。"

伊外尔不管三七二十一,公开怀疑这些办法有效验。可是药剂师担保用他配的一种消炎膏治好他。他把地址也给了可怜虫:

"郝麦先生,挨近菜场,一问就晓得。"

伊外尔道:

"得啦!不顶事,你也就是给我们作戏看。"

---

① 里阿(liard)是一种旧铜币,值四分之一苏。

瞎子往下一蹲，头朝上仰，转动他的淡绿眼睛，吐出舌头，两只手摸搓胸脯，好像一只饿狗一样，发出一种低沉的嗥叫。爱玛好不讨厌，背转脸，拿一枚五法郎的辅币朝他丢了过去。这是她的全部财产。她觉得这样扔了倒也痛快。

车又走动了，就见郝麦先生忽然探出窗外喊道：

"不要吃淀粉质、乳质一类东西！拿羊毛贴身穿，拿杜松子的烟熏有病的地方！"

爱玛熟悉眼前景物。它们一个连一个，渐渐转移她的痛苦。她疲倦到了极点，回到家来，心灰意懒，呆呆瞪瞪，快要睡着了。她自言自语道：

"要来的就来吧！"

而且谁知道？时刻都有出现奇迹的可能，凭什么不？勒乐就许死掉。

早晨九点钟，广场那边，人声嘈杂，吵醒了她。一大群人围住菜场，读着柱子上张贴的大告示。她望见玉斯旦登上界石撕它。可是就在这时，猎警抓住了他的肩膀。郝麦先生走出药房；勒福朗丝瓦太太站在人群中，模样像在讲说什么。全福边喊，边进来道：

"太太！太太！太可恨啦！"

可怜的姑娘，慌里慌张，递给她一张才在门口撕下来的黄纸看。爱玛一眼就看清上面写着：出卖她的全部动产。

她们于是不声不响，你看着我，我看着你。她们主仆之间没有相瞒的事情。全福最后叹气道：

"我要是你的话，太太，我会找居由曼先生的。"

"你看行？"

这句问话的意思是："你和听差好，清楚底细，莫非主人有时候说起我来的？"

"行,去吧,有好处的。"

她穿上她的黑袍子,戴上她有黑星星的帽子;她怕人看见(广场总有许多人),绕到村外,走河边小径。

她气喘吁吁,来到公证人栅栏门前;天色沉沉,飘着一星半点的雪。

代奥道听见铃响,穿着红背心,来到台阶上,一看是她,上前开门,好像迎接一位熟人一样,并不问长问短,就请进饭厅去了。

壁龛里搁着一棵仙人掌,底下有一个大瓷炉,哔哔剥剥在响,墙纸是栎树枝叶,上面挂着黑木框子,里头是斯特本的《艾斯麦拉耳妲》和邵班的《波提乏》[①]。早饭开好了,两只银火锅、水晶门球、花地板和家具,样样透亮,一尘不染,干干净净,好像英国人的房间一样。窗户四角镶的是花玻璃。爱玛心想:这才叫做饭厅,我要的正是这样一间饭厅。

公证人进来,左胳膊压住他的棕榈树叶图案便服,右手摘下他的栗子颜色丝绒小帽,又迅速戴好。小帽偏右,高高在上,底下露出三根金黄头发,从后脑向前盘,兜住他的秃脑壳,绕了一匝。

他先请她就座,然后一面坐下用早饭,一面连声道歉,说他失礼。她道:

"先生,我求你……"

"夫人有事见教?我在听着……"

---

① 斯特本(Steuben;1788—1856)是德国画家,1839年,根据雨果的《巴黎圣母院》,画成《艾丝麦拉耳妲和瓜席莫道》。

邵班(H.F.Schopin;1804—1880)是法国画家。波提乏是一个埃及妇人,见于《旧约·创世纪》。

她对他说起她的情形。她即使不说,居由曼律师也知道,因为他和布商私下有勾当,遇到有人拿东西押款的时候,布庄总有资金供他用。

所以他比她还清楚这些票据的悠久历史:起先微不足道,用不同的名姓签订,期限延长,到期又不断续下去,挨到最后一天,商人把拒付的票据聚在一道,委托他的朋友万萨出面,追索欠款,因为自己不希望当地居民把他看成豺狼。

她叙说中,免不了咒骂勒乐几句,公证人听见她骂,不时来一句无关痛痒的话支应。他吃他的排骨肉,喝他的茶,下巴缩进他的天蓝领带。一条小金链子连起两个金刚石别针,别住他的领带。他显出一种古怪的微笑,样子又甜,又模棱两可。他看见她的鞋湿,就道:

"靠近炉子……脚再高些……登到瓷上头好了。"

她怕把瓷弄脏了。公证人用一种交际口吻道:

"东西好看,无往而不相宜。"

她听了这话,就试着拿话打动他,可是说着说着,自己动了感情,什么家庭贫困喽、艰难喽、需要喽。他明白这个:像她这样一位上流女子!他并不中止用饭,可是身子完全转向她,膝盖蹭着她的小靴,小靴底朝炉子弯着,一边还在冒汽。

但是临到她问他借一千艾居,他先是闭紧嘴唇,接着就讲:他从前没有帮她料理财产,非常遗憾,因为即使是一位女流,也有种种方法拿钱发财。格吕木尼泥炭矿也好,哈弗地皮也好,都是绝好的投机机会,百无一失。她想到自己一定会大发其财,心里很气闷。他接下去道:

"你先前为什么不来舍下呀?"

她道:

"我也不晓得是怎么一回事。"

"为什么，嗯？难道我就那么让你害怕？正相反，应当诉苦的是我！我们几乎连认识都说不上！可是我非常关心你；我希望，你不会再不相信了吧？"

他伸出手，握住她的手，饿狼般吻着，然后留在膝盖上，意兴盎然，玩弄她的手指，一面对她说着种种媚言媚语。

他的平板的声音，嗫嗫嚅嚅，好像一条小河在流一样；他的瞳仁射出一个亮点子，透过他的闪烁的镜片；他的手伸到爱玛的袖筒，抚摸她的胳膊。她觉得一股粗气吹她的脸。这人讨厌到了极点。她跳起脚来向他道：

"先生，我在等着！"

公证人的脸，突然之间，一点血色也没有了。他问道：

"等什么？"

"那笔钱。"

"不过……"

可是禁不住欲火如焚，只好认账道：

"好吧，有！……"

他不管便衣会不会脏，朝她跪着走了过来。

"求求你，待下来！我爱你！"

他搂她的腰。

爱玛立刻脸红了。她一面神情可怕，往后倒退，一面嚷道：

"先生，你丧尽天良，欺负我这落难的人！我可怜，但是并不出卖自己！"

她出去了。

公证人一惊之下，楞楞瞪瞪，眼睛死盯着他的漂亮的绣花拖鞋，——这是情妇送他的礼物。绣花拖鞋最后安慰住了他。再说，他怕这事闹下去，不可收拾。

她健步如飞,逃到大路山杨底下,自言自语道:

"多浑账!多下流!……多无耻!"

借不到钱的失望,更加强了贞节受了侮辱的气愤。她想到上天一意同她为难,反而骄傲起来了:她从来没有这样高看自己过,也从来没有这样小看别人过。她起了战斗的心思。她还真想打男人们一顿,唾他们的脸,踏成粉碎。她快步朝前走去,脸色苍白,浑身哆嗦,怒不可遏,泪眼望着空空落落的天边,好像陶醉于满腹的憎恨一样。

她望见她的住宅,觉得一阵麻木上来,再也走不过去,但是又非过去不可;而且往哪儿逃?

全福在门口等她回来。

"怎么样?"

爱玛道:

"借不到!"

两个人说起永镇上可能救她的各色人等,说了足足一刻钟。但是全福每说一个人名,爱玛就驳道:

"不行!他们不肯的!"

"可是老爷就要回来!"

"我知道……你先让我一个人待一会儿。"

她全试过了。现在她只有束手待毙;等查理回来,她只好对他讲:

"走开。你脚踩的这条地毯已经不是我们的了。家里一件家具、一个别针、一根草,都不是你的。可怜人,害你破产的就是我!"

他听了这话,呜咽一大阵,眼泪再流一大堆,最后惊惶已过,他会饶恕的。她咬住牙,咕哝道:

"是啊,他会饶恕我的,可是他有一百万献给我,我也不原谅他认识我……决不！不！"

包法利比她强，想到这上头，她就怒火冲天。其实她说出来也罢，不说出来也罢，迟早今明，他不会不知道的。这样看来，她非等待这可怕的场面不可，非忍受他的宽洪大量不可。她想再去求求勒乐，不过有什么用？写信给她父亲：太晚了；也许她现在后悔没有依顺公证人。她听见小巷马蹄走动。是他；他在开栅栏门，脸色比石墙还白。她一步跳下楼梯，连忙逃往广场。村长太太正在教堂前面和赖斯地布都瓦闲谈，看见她走进税务员的住宅。

她跑去告诉卡隆太太。两位夫人走上阁楼，躲在晾的衣服后头，位置恰好望见毕耐屋里。

他独自待在房顶底下的小屋，正在拿木头仿制一个奇形怪状的象牙摆设：由月牙和一个套一个的空球组织成功，方尖碑似的竖直了，没有丝毫用处；他如今做到末一环节，眼看就要告成！金黄木屑从他的工具飞出，在制作室的光影之间，好像快马疾驰，蹄铁底下爆出来的火星一样。两只轮子呜隆呜隆在转。毕耐一脸微笑，下巴朝下，鼻孔张开，似乎终于沉醉在美满的幸福里了。这类活儿，表面困难，娱乐娱乐心灵，完成了，人也就心满意足，不再想它了。毕耐的幸福，毫无疑问，只是这类平庸的活儿的产物。

杜法赦太太道：

"啊！那不是她！"

但是旋床太响，她们听不见她说什么。

最后，两位夫人仿佛听到法郎两个字，杜法赦太太耳语道：

"她付不出捐税，求他许她缓付。"

另一位太太道：

"像是!"

她们望见她走来走去,看看墙边的饭巾环、蜡烛台、栏杆柱头的圆球,同时毕耐心满意足,摩弄胡须。杜法赦太太道:

"她来是不是要他定做什么东西?"

她的女邻居反驳道:

"他什么也不卖!"

税务员的样子仿佛在听,可是睁大眼睛,又像听不明白一样。她讲话的姿态又动人,又可怜。她走近了,胸脯忽上忽下。他们不言语了。杜法赦太太道:

"她是不是在勾搭他?"

毕耐连耳梢也红了。她抓住他的手。

"啊!太不像话!"

毫无疑问,她作出非礼的建议,因为税务员——可是人家勇敢,在保陈和吕陈打过仗①,为法兰西而战,还列在"请奖名单"之中,——忽然退得老远,好像看见一条蛇一样,喊道:

"夫人!你真这样想?……"

杜法赦太太道:

"这种女人就欠鞭子抽!"

卡隆太太问道:

"她哪儿去啦?"

因为她们说话中间,她已经不见了;她们后来望见她贴大街走,好像要去公墓一样,又朝右转,彼此乱猜一阵,也猜不出一个所以然来。

---

① 保陈(Bautzen)和吕陈(Lutzen)金在德国东南。1813年,拿破仑在这里击退俄罗斯和普鲁士联军。

她走到奶妈家,就道:
"罗莱嫂子,我出不来气!帮我解解带子①。"
她躺在床上只是哭。罗莱嫂子给她盖上一条围裙,站在一旁,等她说话。老实女人见她始终不回答,走开了,坐在纺车跟前纺麻。她以为是毕耐的旋床响,唧哝道:
"嗐!停了吧!"
奶妈纳闷道:
"谁得罪她啦?她来这儿做什么?"
她跑到这里,活像家里出了煞神,把她吓跑了一样。
她仰天躺着,动也不动,眼睛直瞪瞪的,好像白痴一样,死看东西,可是看到的,只是一片模糊。她望着墙上的剥蚀、头对头冒烟的两块劈柴、一个在头上梁缝走动的长蜘蛛。她终于集中思想,记起……有一天,和赖昂……唉!许久以前……太阳照耀河面,铁线莲香气扑鼻……于是回忆如同湍流一样,很快就把她带到昨天。她问道:
"几点钟?"
罗莱嫂子走出房间,朝天色最亮的方向,举起右手手指,慢慢腾腾回来道:
"快三点了。"
"啊!谢谢!谢谢!"
因为他就要来了。一定会来的!他会弄到钱的。不过他想不到她在这里,也许去了那边;她吩咐奶妈跑到家去,把他带过来。
"快呀!"
"我的好太太,我去!我去!"

---

① 十九世纪前半,"束腰"带子一般都在后背打结,必须别人帮忙解开。

她现在奇怪她开头会没有想到他；昨天他赌了咒：不会爽约的。她看见自己像是已经到了勒乐那边，掏出三张支票，往他的书桌一丢，事后还得捏造一篇鬼话，向包法利解释。什么鬼话？

奶妈去了许久，不见回来。可是草屋里没有钟，爱玛心想，也许是自己把时间扯长了。她放慢脚步，围着园子走动；她沿着篱笆，走进小径，又连忙走回，希望老实女人走别的路回来。最后，她等累了，起了疑心，又不相信，恍恍惚惚，不晓得自己在这里待了一世纪，还是一分钟，坐在一个角落，闭住眼睛，堵住耳朵。栅栏门嘎吱在响；她一跃而起，可是罗莱嫂子不等她开口，先对她道：

"你们家没有人！"

"怎么？"

"哎呀！没有人！老爷在哭。他在喊你。他们在找你。"

爱玛一言不发，喘着气，眼睛向四下张望，同时庄稼女人，怕看她的脸相，心想她疯了，出乎本能，直往后退。她猛打自己的额头，叫了起来，因为她想到了罗道耳弗：这像一道大亮光，闪过沉沉的夜晚一样。他那样好，那样体贴，那样慷慨！再说，即使他一时不想帮她这个忙，她也有法子逼他这么做的，她只要眼睛一瞟，他们的爱情就活过来了。这样一想，她就去了徐赦特。她看不出同样的事，方才她在公证人家，怒不可遏，现在她却跑着送上门去，根本没有理会这是卖淫。

8

她边走，边问自己："我说什么？我先说什么？"她一路走下去，望见灌木、树木、岭上的黄刺条、远处的庄园，仿佛旧友重逢,又有了她的初恋心情。她的可怜的心,也枯木逢春一般,欣欣向荣。暖风吹拂她的脸,雪在融化,一滴一滴,从树芽落在草上。

她像先前一样,走进草坪的小门,来到正院。边沿两排繁茂的菩提树,窸窸窣窣,长枝摇来摇去。狗在狗舍吠成一片,响声震天,不见有人出来。

她走上有木栏杆的又直又宽的楼梯,来到有灰尘的石板地过道,好像修道院或者旅馆一样,并排开着几座屋门。他的房间在最后紧里左手。她拿手指搁到门扶手上,忽然感到软弱无力。她怕他不在里头,简直希望他不在,然而这又是她唯一的指望、最后的机会。她停一分钟定了定神,想着时间紧迫,只好一鼓作气而入。

他坐在壁炉前面,两只脚放在框子上,噙着烟斗吸烟。他一看是她,连忙跳起来道:

"嘻!是你!"

"是呀,是我!……我想,罗道耳弗,请教一个主意。"

她用尽气力,可是再也说不下去。

"你没有变,还是那样可爱!"

她伤心道:

"唉!不可爱,我的朋友,因为你就没有搁在心上。"

他听了这话,找话解释他的行为,不过一时编不出适当的借口,就拿泛泛的话来道歉。

他的语言,尤其是他的声音和他的形体,打动了她,她听到后来,装出相信——或者也许真就相信:他们破裂的原因是一个秘密,关系第三者的名誉,甚至于生命也成了问题。她伤心地望着他道:

"不管怎么样,反正我受够了苦!"

他用一种达观的口吻回答道：
"人生就是这样！"
爱玛接下去道：
"自从你我分手以来，人生待你总还好吧？"
"啊！不好……也不坏。"
"你我永不分手，也许好多了。"
"是啊……也许！"
她凑到跟前道：
"你相信？"
她叹气道：
"哎呀！罗道耳弗！你不知道……我多爱你！"
于是她握住他的手，他们也就手指交揉，待了一时，——仿佛第一天，在农业展览会上！自尊心不要他心软，他正在自相挣扎，就见她倒进他的胸怀，对他道：
"没有你，你怎么指望我活得下去？享惯了福，不享就不成！我可真叫伤心啦！我以为我会死的！改一天，我再一五一十讲给你听。可是你呀，躲着我……"
因为三年以来，他由于男性特有的天赋的懦怯，小心在意避她。爱玛拿头一动一动，做出娇憨的模样，比一只动情的母猫还要妖媚，继续道：
"你实说了吧，你爱看别的女人；哎！我懂，好啦！我原谅她们。你勾引她们，就像你从前勾引我一样。你是男子，你！有种种条件得女人欢心。不过我们再好下去，对不对？我们会相爱的！看，我笑了，我快活！……你倒是说话呀！"
她娇滴滴的，确实惹人心疼，眼里盈盈一颗泪珠，颤颤索索，好像花萼含了一滴雨水一样。
他把她抱到膝盖上，拿手背抚摸她光溜溜的头发。一线最

后的阳光照到他的头发,映着黄昏的亮光,仿佛一支金箭闪耀。他弯下头去;他临了用嘴唇尖,轻而又轻,吻着她的眼皮。他问道:

"可是你哭来着!为什么?"

她反而呜咽起来了。罗道耳弗以为她的爱情爆发了;他见她不作声,错把沉默当作害羞的最后表示,嚷嚷道:

"啊!饶恕我!我只喜欢你一个人。我是又恶又蠢!我爱你,我永远爱你!你怎么啦?你倒是说出来呀!"

他跪下来了。

"好吧!……我破产啦,罗道耳弗!你借我三千法郎!"

他一点一点站起来,同时脸上显出一种严重的表情道:

"不过……不过……"

她急速讲下去道:

"你知道,我丈夫把他的财产统统交给公证人经管;他卷逃了。我们借钱;病人不付诊费。其实,清算没有结束;我们往后还会有钱的。不过今天缺三千法郎,人家就要扣押我们的动产;就在如今,就在眼前。我信得过你的友谊,所以就来了。"

罗道耳弗脸色变得十分苍白,寻思道:啊!她来是为了这个!

他最后显出非常安详的神气道:

"亲爱的夫人,我没有钱。"

他不是说谎。他要是有钱的话,不用说,他会给的,虽然急人之难,一般说来,并不愉快:摧残爱情的方式很多,不过连根拔起的狂风暴雨,却是借钱。

她先是往他望了几分钟。

"你没有钱!"

她重复了好几次,

"你没有钱!……早知道这样的话,我也不来受这场最后的羞辱了。你从来没有爱过我!你比别人好不了多少!"

她出卖自己,把话扯远了。

罗道耳弗打断她的话,说他本人也正"短钱"。爱玛道:

"啊!我可怜你!是啊,一百二十分可怜你!……"

于是眼睛望定兵器上一管发亮的银线短铳道。

"可是人要是穷呀,铳把子不会镶银!"

她指着布耳时计①,继续道:

"也不会买镶介壳的钟!也不会给马鞭来一串镀金的银叫子!"

她摸着这些银叫子。

"也不会给他表上来一串小玩艺链子!嘻!他什么也不缺!屋里还有一顶酒橱;因为你爱你自己,你过舒服日子,你有一所庄园、几家田庄、几座树林;你骑马打猎,你远游巴黎……单单就是这个……"

她抓起壁炉上的袖口纽扣,喊道:

"这顶小的小玩艺儿,就能变出钱来!……嘻!我不要你的!留着好了。"

她拿两个纽扣丢得老远,小金链碰在墙上,断了。

"可是我呀,为了博得你一声微笑、一个青睐,听你说一句'谢谢',我什么也会给你,什么也会卖掉,做苦工,沿路乞讨!而你安安详详坐在你的扶手椅,好像你先前还没有让我受够罪?没有你,你明白,我会快快活活过日子的!你为什么

---

① 布耳(Boulle,1642—1732)是法国的木器制造商,供应宫廷,闻名一时。

要这样做？难道跟谁打赌来着？可是你从前爱我，你从前这样讲……方才还这样讲……啊！还不如把我撵走的好！你亲我的手，手现在还是热烘烘的。你就在这地方，在这地毯上，跪在我面前，发誓爱我一辈子。我相信你：整整两年，你带我做着最香甜、最绮丽的梦！……嗯？我们的旅行计划，你记得不？啊！你的信，你的信，撕碎了我的心！如今我看他来了，投他来了，他又有钱，又快活，又自由！求他搭救一把，随便什么人也会帮忙，苦苦央求，把恩情统统献给他，他推开我，因为这要破费他三千法郎！"

罗道耳弗口气充分镇静，——这种镇静就像盾牌一样，掩护抑制下去的愤怒，回答道：

"我没有钱！"

她出来了。墙在摇晃，天花板往下压她。她又走进悠长的林阴道，绊在随风散开的枯叶堆上。她终于走到栅栏门前的濠沟；她急着开门，在门闩上碰断了指甲。然后百步开外，她气喘吁吁，眼看就要跌倒，只得站住。她于是扭转身子，又瞥了一眼无动于衷的庄园：草坪、花园、三座院子和正面的全部窗户。

她呆呆瞪瞪站了许久，觉不出自己是在活着，只有脉跳她听出来了，仿佛震聋了耳朵的音乐，在田野响成一片。脚底下的土比水还软；犁沟在她看来，成了掀天的棕色大浪。回忆、观念，大大小小，同时涌出，活跃在她的脑内，好像一道烟火放出无数的火花一样。她看见她的父亲、勒乐的小屋、他们的旅馆房间、一种不同的风景。她觉得自己要疯。她一害怕，努力收敛，但是情形混乱，也是真的；因为她不记得她落到这般地步的原因了，就是说：金钱问题。她感到痛苦的，只是她的爱情，觉得她的灵魂通过这种回忆抛弃了她，就像受伤的人临死觉得生命从流血的伤口走掉一样。

天黑了,乌鸦在飞。

她恍惚看见天空,突然有了火球出现,好像闪亮的子弹一样,在下降中间炸开,旋滚向前,融在树枝之间的雪里。个个火球当中,都有罗道耳弗的脸。火球越来越多,越来越近,钻进她的身子,全不见了。她认出点点灯火,远远在雾里闪耀。

于是她的遭遇,仿佛一座深渊,来到眼边。她喘不过气来,胸脯活像要裂开了一样。她的心头接着涌起舍身的念头,她几乎喜不自胜了,跑下岭来,穿过牛走的便桥、小径、小巷、菜场,来到药房前面。

没有人。她打算进去:但是门铃一响,会有人来的。她于是溜过栅栏门,屏住气,摸着墙,一直走到厨房门口。炉台上点着一支蜡烛。玉斯旦穿一件衬衫,端走一盘菜。

"啊!他们在吃晚饭。等等再说。"

他回来了。她敲玻璃窗。他出来了。

"钥匙!上头那把,放……"

"什么?"

他看着她,奇怪她的脸会没有一丝血色,衬着夜晚黑黝黝的底子,分外显得白。他觉得她异常美丽,幽灵一样庄严。他不明白她的意思,预先感到有什么祸事要来。

但是她放低声音,声音又温柔,又有融化的力量,连忙道:

"我有用!给我。"

板壁薄薄的,饭厅传来叉子和盘子的响声。

她假说老鼠吵她睡觉,要药弄死老鼠。

"我得回禀一声老爷。"

"不必!别走!"

然后神情淡漠,又道:

"哎!你犯不着去,我这就告诉他。来,给我照亮!"

她走进通实验室的过道。墙上挂着一把钥匙,标明"堆置间"。

药剂师等急了,喊道:

"玉斯旦!"

"上楼!"

他跟着她。

钥匙在锁眼转动;她一直走向第三橱架,她记得明明白白,抓起蓝罐,拔掉塞头,伸进手去,捏了满满一把白粉,立时一口吞下。

他扑过去拦她,喊道:

"别吃!"

"别吵!当心人来……"

他难过得不得了,打算叫唤。

"不要说出去。小心连累你的主人!"

她走开了,忽然心平气和,差不多就像完成了任务那样恬适自在。

查理听见扣押的消息,心慌意乱,赶回家来,爱玛正好出门。他喊,他哭,他晕了过去,但是她不回来。她有什么地方好去?他差全福四处寻找,郝麦那边、杜法赦先生那边、勒乐那边、"金狮"那边,不见踪影;他一阵一阵心焦,看见自己名誉扫地,财产荡尽,白尔特前程黯淡!什么缘故?……一句话也没有!他一直等到下午六点钟。他最后再也等不下去了,以为她去了鲁昂,来到大路上,走了半古里,不见一个人,又等了一会儿,这才回来。

她先回来了。

"是怎么一回事?……为什么?……说给我听?……"

她坐在她的书桌前面写信,慢条斯理封口,添补日期和时间,然后以一种庄严的口吻道:

"你明天再看;从现在起,我求你一句话也不要问我!……是的,一句话也不要问!"

"可是……"

"哎呀!走开!"

她和身睡到她的床上。

她觉得嘴里有一股辛辣味道,醒过来了,她影影忽忽望见查理,又闭上眼睛。

她带着好奇的心思,看自己会不会难受。是啊!还没有动静。她听见钟走、火响、查理立在床旁呼吸。她寻思道:"啊!死真算不了一回事!我睡过去,就全完了!"她喝了一口水,朝墙翻转身子。

那种可怕的墨水气味一直有。她呻吟道:

"我渴!……哎呀!我好渴呀!"

查理端水给她,问道:

"你到底怎么啦?"

"没有什么!……打开窗户……我出不来气!"

她忽然觉得恶心,几乎来不及到枕头底下掏手绢,就吐出来了。她赶快道:

"拿开!扔掉!"

他问她话;她不回答。她躺平了,不敢移动;单怕一动,就又呕吐。但是她觉得从脚到心像冰一样寒冷。她唧哝道:

"啊!现在开始啦!"

"你说什么?"

她拿头轻轻摇来摇去,充满痛苦,上下牙床一直张开,好像有什么很重的东西压住她的舌头一样。临到八点钟,她又呕吐起来了。

查理注意到脸盆底里,有白粒似的东西,贴住瓷面。他重复道:

"怪事!奇怪!"

但是她以一种坚定的声音道:

"不,你弄错啦!"

他于是轻轻拿手放在她的胃上,差不多是抚摸着。她尖声一叫,把他吓得直往后退。

接着她就哼唧,起初声音低微。她的肩膀直抖,脸比床单还白,痉挛的手指抠着床单。她的脉搏不匀,现在几乎细到听也听不出来了。

脸是淡蓝颜色,好像在金属水汽当中凝成的一样,汗水直往外渗。牙齿乱响;眼睛睁大,迷迷茫茫,向四下望。任凭问她什么话,只是摇头,甚至于微笑了两三次,哼唧的声音越来越响。她不要叫唤,可是不由自己,还是低声叫起来了。她认为自己好多了,马上就会起来的。但是她浑身抽搐;她喊道:

"啊!难受死人,我的上帝!"

他跪到床前道:

"说呀,你吃了什么?看在上天的份上,回答我!"

他看着她,一往情深,她先前像没有见过。她以一种微弱的声音道:

"好,那……那边!……"

他跳到书桌跟前,打开信封,大声念道:"什么人也不要怪罪……"他停住不念,拿手揩揩眼睛,再念下去。

"什么!救命!来人呀!"

他能重复的只有这两个字:"服毒!服毒!"

全福跑去找郝麦;郝麦在广场嚷得家家听见,勒福朗丝瓦太太在"金狮"都听见了;有人起来说给邻居知道:全村活活闹了一整夜。

查理在屋里打转,心慌意乱,期期艾艾,几乎站立不住,撞家具,抓头发,药剂师做梦也想不到会看见这种恐怖场面。

他回家给卡尼外先生和拉里维耶尔博士写信。他头昏脑胀,一连起了十五次草稿,还写不好。伊玻立特去了新堡;玉斯旦拚命踢包法利的马,踢到后来,马跑不动,只有一口气了,只好丢在居由默树林岭。

查理想翻医学辞典,字句跳动,看不清楚。药剂师道:

"心放静!只要服上一些猛烈的解毒药就成。是什么毒药?"

查理给他看信。原来是砒霜。郝麦又道:

"好!应该化验一下才是!"

因为他知道,遇到中毒事件,必须化验;查理不懂他的意思,回答道:

"啊!对!对!救救她……"

他说过这话,回到她一旁,倒在地毯上,头靠住床沿呜咽。她向他道:

"别哭!用不了多久,我就不再折磨你啦!"

"你为什么服毒?你凭什么非服毒不可?"

她回答道:

"我的朋友,应该这样。"

"难道你不快活?难道是我不好?可是我尽我的力来着!"

"是……对……你是好人,你!"

她慢慢拿手放在他的头发上。这种甜蜜的感觉加重他的忧愁;就在她比从前显得更爱他的时候,他却反而非丧失她不可,想到这上头,他就肝肠寸断,觉得全部生命都在崩溃。他想不出办法挽救;他不知道怎么着手,也不敢着手,因为单只立刻作出决定的迫切需要,就十足使他不知所措。

她想,一切欺诈、卑鄙和折磨她的无数欲望,都和她不相干了。现在,她什么人也不恨了。她的思想陷入迷离境地;人世的喧嚣,爱玛听见的,只有这可怜人的间歇的啼哭,柔和,模糊,好像隐隐约约的交响乐的最后回声一样。她支起胳膊肘道:

"把孩子给我带来。"

查理问道:

"你不觉得更难过,是不是?"

"是的!是的!"

女佣人把孩子抱来。她穿着长睡衣,露出两只光脚,神情严肃,差不多还在做梦。她满脸惊奇,望着凌乱的房间。桌上点着蜡烛,照花她的眼睛,不住眨动。不用说,蜡烛让她记起新年或者四旬斋狂欢节的早晨,也是点着蜡烛,老早就喊醒她,抱到母亲床头,接受礼物,因为她说:

"妈妈,东西在哪儿?"

她见大家不作声,又说:

"我看不见我的小鞋①!"

全福朝床抱她,她却一直望着壁炉那边。她问道:

"是奶妈拿走啦?"

包法利夫人听见奶妈两个字,想起她的奸情和她的灾殃,

---

① 她以为是圣诞节,四下寻找礼物:通常"小鞋"里面放圣诞礼物,搁在壁炉旁。

不由转开了头,似乎另有一种毒药,比嘴里的毒药还猛,惹她恶心。白尔特站在床上。

"啊!妈妈,你的眼睛多大啊!脸多白啊!看你净出汗啦……"

母亲望着她。小孩子后退道:
"我怕!"

爱玛握住她的小手吻;她挣扎不肯。查理在床后呜咽,喊道:

"够啦!把她抱走吧。"

随后病势缓和一时,看上去,她也不像先前那样难过。他听见她每说一句不关重要的话,每出一口比较匀静的气,就以为有了希望。最后,他看见卡尼外进来,扑到他的胸怀,哭道:

"啊!是你!谢谢!你真好!现在好一点了,来,看看她……"

同行的看法完全两样,像他自己说的,不必兜圈子,他干脆就开呕吐剂,把胃打扫干净。

她很快就吐起血来了。舌头也更紧了。四肢抽搐,一身棕色点子,捺捺她的脉搏,滑溜溜的,仿佛一根绷紧了的线,又仿佛一条将断未断的琴弦。

接着她就发疯一般喊叫连天。她诅咒毒药,谩骂毒药,哀求毒药尽快发作;查理比她还痛苦,一劝她喝药,她就伸出僵硬的胳膊推开。他站直了,手绢掩住嘴唇,喉咙呼呼在响,眼泪直流,哽不出声,连脚后跟也在耸动。全福在屋里乱跑;郝麦一动不动,只是大声叹气;卡尼外先生虽然照样刚强,也开始心乱了。

"活见鬼!……可是……她也用过清除剂了。病源一消灭……"

郝麦道：

"后果就该消灭；理所当然。"

包法利喊道：

"救救她！"

药剂师还在提供假定："也许这是一种有利的发作"，卡尼外不理他，正要使用鸦片解毒剂，就见传来一阵马鞭的响声。玻璃窗全在摇晃。一辆柏林式驿车①，驾了三匹马，浑身是泥，直到耳朵，飞也似的，从菜场拐角，冲了过来。原来是拉里维耶尔博士到了。

天神出现也不见其会引起更大的骚动。包法利举起两手；卡尼外赶快住手；郝麦不等医生进来，先就摘下他的希腊小帽。

他属于毕莎② 建立的伟大外科学派、目前已经不存在的哲学家兼手术家的一代，爱护自己的医道，如同一位热狂的教徒，行起医来，又热情，又明敏！他一发怒，整个医院发抖。学生尊敬他到了这步田地，牌子才一挂起，就尽力学他，这样一来，人在附近城镇，又看见他的棉里"麦里漏斯"长斗篷、他的宽大的青燕尾服。硬袖解开，下来盖住一点他的胖弹弹的手——一双非常美丽的手，从来不戴手套，好像为了加快救治病人一样。他看不起奖章、头衔和科学院，又仁慈，又慷慨，周济穷人，不相信道德，却又力行道德，简直可以看成一位圣者了，如果不是头脑细致，别人怕他就像怕魔鬼一样了。他的

---

① 一种四轮马车，轿式，玻璃窗，前后有座。
② 毕莎（Bichat；1771—1802）是法国解剖学者，对近代医学发展，很有贡献。

目光比他的手术刀还要锋利,一直射到你的灵魂深处,不管是托词也好,害羞也好,藏在底下的谎话统统分解出来。他这样活在人民当中,充满和易可亲的庄严气概——一种觉得自己饶有才能与财富的意识和四十年勤劳、无可非议的生涯形成的庄严气概。

他一进门,望见爱玛张开口,仰天躺在床上,脸像死人一样,就皱眉头。随后他一边好像听卡尼外解释,一边拿食指放在鼻孔底下,重复道:

"好,好。"

但是他的肩膀慢慢上耸。包法利注意到了。两个人你望我,我望你;这个人虽然看惯了痛苦,也忍不住流下一滴眼泪,落在他的胸饰上。

他想把卡尼外带到外间。查理跟着他。

"很严重,是不是?贴芥子膏怎么样?我不晓得怎么才好!想想办法,你救过那么多人!"

查理拿两只胳膊围住他的身子,眼睛望他,样子又凄惶,又哀求,简直要在他的胸前昏倒。

"好,我的可怜孩子,拿出勇气来!没有法子救。"

拉里维耶尔博士走开了。

"你这就走?"

"我还回来。"

他像有话吩咐车夫,卡尼外也走出来了,一样不高兴看爱玛死在自己手上。

药剂师在广场追上他们。他天性离不开名人。所以他恳求拉里维耶尔先生赏光,到他家里用饭。

他马上叫人到"金狮"去取鸽子,到肉庄去取所有的小排骨肉,到杜法赦家去取奶酪,到赖斯地布都瓦家去取鸡蛋。药剂师亲自帮着预备；郝麦太太一边系牢罩衫带子，一边道：

"先生，你得原谅才是；因为在我们这小地方，头一天不先关照一声……"

郝麦细声细气道：

"高脚玻璃杯！"

"在城里的话，我们起码可以弄到带馅儿的猪蹄子。"

"少废话！……博士，请。"

用过几口以后，他觉得应该提供一些详细情况：

"起初我们发现她咽喉呈干燥状态，后来腹部上半剧痛，呕吐不止，呈昏睡状态。"

"她怎么会服毒的？"

"我不知道，博士，我简直不晓得她从什么地方得到这种砒霜。"

玉斯旦这时正好端了一摞盘子，听见这话，不由哆嗦起来。药剂师问道：

"你怎么啦？"

年轻人一听问话，稀里哗啦，把东西全摔到地上。郝麦喊道：

"蠢猪！笨牛！傻瓜！死驴！"

但是他猛然克制自己，回到原来的话题道：

"博士，我决计化验，首先我小心从事，拿一只细管搁到……"

外科医生道：

"顶好是拿你的手指搁进她的喉咙。"

他的同行默不作声，因为方才已经为了他的呕吐剂，私下饱受训斥，所以这位好好先生卡尼外，治跷脚时，说话滔滔不绝，气焰不可一世，今天极其谦虚，一副称赞的模样，不断微笑。

郝麦做了东道,自尊心有了满足,心花怒放,包法利的悲痛促成他的幸福,在他心上,模模糊糊,激起一片快感。而且他有博士在座,特别兴奋。他卖弄渊博,东拉西扯,说起芫青、于巴斯树①、芒色尼耶树、蝰……

"我甚至于读到,有些香肠,熏过了头,人吃了就会中毒,博士,好像中电一样!我们有一位大师、著名的卡代·德·嘉西古尔②、我们药剂学方面的重镇,曾经写过一篇了不起的报告,就提到来着!"

郝麦太太又出来了,端着一个燃烧酒精的摇摇晃晃的机器;因为郝麦讲究在饭桌上熬咖啡,而且事前经他亲手炒好,磨好,调好。他献糖道:

"Saccharum③,博士。"

他随后把子女全叫到底下,希望听听外科医生对他们的体格的意见。

最后,拉里维耶尔先生准备走了,郝麦太太请他检查检查她丈夫。他的血变稠了,每天用过晚饭,他就打盹。

"嗐!妨碍他的不是血④。"

这句双关语,没有人理会,医生笑微微的,开开了门。可是药房挤满了人,他就没有方法摆脱杜法赦先生,担心太太害肺炎,因为她好对灰烬唾痰;还有毕耐先生,一来就饿;还有

---

① 芫青有发泡作用。于巴斯树(upas)是一种有毒汁的树,产在爪哇一带。
② 卡代·德·嘉西古尔(Cadet de Gassicourt;1731—1799)是法国药学家,留有笔记多种。
③ 拉丁文,意即"沙糖"。
④ "血"(sang)与"感觉"、"意义"或者"官能"(sens)在法文同音。拉里维耶尔用了一个同音双关语,取笑郝麦。

卡隆太太，皮肤有针扎的感觉；还有勒乐，常常头晕；还有赖斯地布都瓦，害风湿症；还有勒福朗丝瓦太太，闹胃气病。最后，三匹马出发了，人人嫌他不够和气。

布尔尼贤先生捧着圣油，走过菜场，引起公众的注意。

郝麦根据他的原则，把教士比作死人气味招引来的乌鸦。他一看见教士，就心身不畅，因为道袍让他想到寿衣，他憎恨前者，有一点由于畏惧后者。

不过他面对他的所谓使命，并不退却，所以就又陪卡尼外回到包法利那边，——拉里维耶尔先生走前，再三嘱咐卡尼外这样做来着。不是太太反对，他会连两个儿子也带过去，经历大事，将来留在脑海，也好成为一种教训、一个榜样、一副严肃的图画。

他们走进房间，里面充满悲惨的仪式。女红桌子蒙了一条白饭巾，上面一只银盘，里头有五六个小棉花球，旁边是一个大十字架，一边点着一支蜡烛。爱玛的下巴靠住胸脯，眼睛睁得老大，两只可怜的手搭在床单上，姿势又难看，又柔和，好像快死的人，直盼早拿尸布盖好自己一样。查理停住哭泣，脸色仿佛石像那样白，眼睛好像炭火一样红，面对着她，站在床尾，同时教士一条腿跪在地上，咿咿唔唔祷告。

她慢悠悠转过脸来，一眼望见教士身上的紫飘带，忽然有了笑容，不用说，她在无牵无挂之中，又体会到了早年的神秘感受，看到了正在开始的天国形象。

教士站起来取十字架；她好像一个人渴了一样，伸长颈项，嘴唇贴牢基督的身体，使出就要断气的全部气力，亲着她从来没有亲过的最大的爱情的吻。接着他就诵"愿主慈悲"和"降恩"，右手拇指蘸蘸油，开始涂抹：先是眼睛，曾经贪恋人世种种浮华；其次是鼻孔，喜好温和的微风与动情的香味；再次是嘴,曾经张开了说谎,由于骄傲而呻吟,在淫欲之中喊叫;再次是手,爱接触滑润东西;最后是脚底,从前为了满足欲望,跑起来那样快,如今行走不动了。

堂长揩揩手指,拿蘸油的棉花球扔到火里,过来坐在病床旁边,告诉她:现在她应当把她的痛苦和基督的痛苦打成一片,等候上天怜悯。

劝告完了,他试着拿一支祝福过的蜡烛,放在她的手心:这象征天上的光辉,她眼看就要包在里头了。爱玛太软弱无力了,手指拢不过来,不是布尔尼贤先生,蜡烛就掉在地上了。

但是她显出一种平静的表情,脸色不如先前那样白,好像仪式治好了她一样。

教士看出这种现象,说给包法利听,甚至于对他解释:主有时候认为有利于人,就延长寿命。查理记得她有一天领受圣体,也像这样快要死了。他寻思道:"也许还有指望。"

说实话,她看看四周,慢条斯理,好像一个人做梦才醒一样,然后声音清清楚楚的,要她的镜子。她照镜子照了许久,直到后来,流出许多眼泪,这才不照。她于是仰起头来,叹了一口气,又倒在枕头上。

她的胸脯立刻迅速起伏。舌头完全伸到嘴外;眼睛转动着,仿佛一对玻璃灯在逐渐发暗,终于熄灭了。不是肋骨拚命抽动,她已经可以说是死了。全福跪在十字架前;就连药剂师也曲了曲膝盖;卡尼外漫无目标,望着广场。布尔尼贤又在祈祷,脸靠床沿,黑长道袍拖在背后地上。查理跪在对面,胳膊伸向爱玛。他握她的手,握得紧紧的,她一心跳,他就哆嗦,好像一所破房子在倒坍,把他震哆嗦了一样。喘吼越来越急,教士的祷告也越来越快,和包法利的哽咽打成一片,有时候又像全不响了,只有拉丁字母喑喑哑哑,咿咿唔唔,好像哀祷的钟声一样。

人行道上忽然传来笨重的木头套鞋和手杖戳戳点点的响声。一个声音起来了，一个沙哑的声音开始在歌唱：

> 小姑娘到了热天，
> 想情郎想得心酸。

爱玛坐了起来，好像一具尸首中了电一样，头发披散，瞳仁睁大，呆瞪瞪的。

> 地里麦子结了穗，
> 忙呀忙呀大镰刀，
> 拾呀拾呀不嫌累，
> 我的小南弯下腰。

她喊道：
"瞎子！"
于是爱玛笑了起来，笑着一种疯狂的、绝望的狞笑，相信自己看见乞丐的丑脸，站在永恒的黑暗里面吓唬她。

> 这一天起了大风，
> 她的短裙失了踪。

一阵痉挛，她又倒在床褥上。大家走到跟前。她已经咽气了。

9

说死就死，快得什么似的，不说相信，单是领会，活着的人就很难一下子做到，所以看见人死，先来的总是目瞪口呆。可是查理不同了，一见她断气，就扑到她身上喊道：

"再见！再见！"

郝麦和卡尼外把他拉到卧室外。

"要节哀才是！"

他挣扎道：

"是，我懂事，我不会闹出事来的。不过，放开我！我要看看她！她是我的太太！"

他哭着，药剂师道：

"哭吧，顺其自然，你就舒坦啦。"

查理变得比一个小孩子还软弱，由他们拉到底下厅房。郝麦先生跟着也就回家去了。

他在广场遇见瞎子。瞎子希望弄到消炎膏，逢人打听药剂师的住处，一直摸索到永镇。

"去你一边的吧！倒像我手上没有别的事一样！啊！活该，过后再来吧！"

他急急忙忙进了药房。

他要写两封信，给包法利配一副安神药水，捏造一套隐瞒服毒的谎话，写成文章，送给《烽火》登出来，还不提永镇的男男女女，等他出来问消息：原来是她做"华尼拉"奶酪，错把砒霜当糖用了。郝麦假话说完，又回到包法利家。

他发现只他一个人（卡尼外先生才走），坐在扶手椅里，靠近窗户，白痴似的，盯着厅房的石板地看。药剂师道：

"现在你该规定一下举行仪式的时间。"
"做什么?什么仪式?"
然后,声音畏缩,结结巴巴道:
"哎!不必,是不是?不必,我要留着她。"
郝麦一看话不对头,拿起摆设架上的水瓶,去浇天竹葵。查理道:
"啊!谢谢。你是好人!"
药剂师的举动引起满头满脑的回忆,他一难过,不再说下去了。

郝麦心想谈谈园艺,可以分散分散他的悲伤,就说:植物需要湿润。查理低下头来,表示赞成。
"其实,春暖花开的日子,眼看也就到了。"
包法利道:
"啊!"
药剂师无计可施,轻轻掀开玻璃窗的小帘。
"看,杜法赦先生过来啦。"
查理活像一架机器,重复他的话道:
"杜法赦先生过来啦。"
郝麦不敢同他再谈丧葬事宜;最后还是教士劝他,起了效验。

他把自己关在诊室,拿起笔来,呜咽了半晌,这才写道:

> 我希望她入殓时,身穿她的新嫁衣,脚着白鞋,头戴花冠。头发披在两肩。一棺两椁:一个用栎木,一个用桃花心木,一个用铅。我不要人和我谈话;我会硬挣起来的。拿一大幅绿丝绒盖在她身上。这是我的希望。就这样做吧。

包法利的浪漫观点，两位先生看了，非常惊讶。药剂师马上就去劝他道：

"这幅丝绒，我看未免多余。再说，开销……"

查理喊道：

"管你什么事？走开！你不爱她！出去！"

教士挽起他的胳膊，兜着花园散步。他谈起人间东西无补于事。上帝极其伟大，极其仁慈；我们就该平心静气，服从他的意旨，简直就该感谢才是。查理谩骂起来：

"你的上帝呀，我恨透了！"

教士叹息道：

"你还有反抗的心情。"

包法利走远了。他迈开大步，靠近墙边果树行走，咬牙切齿，朝天投出诅咒的视线，但是没有一个树叶摇动。

细雨蒙蒙，查理光着胸脯，临了也打冷战了，走进厨房坐下。

赶到六点钟，广场传来铁器的哐当声："燕子"到了。额头贴着玻璃，他看乘客一个接连一个下来。全福在客厅地上给他铺了一条褥子，他往上一躺，睡过去了。

郝麦先生虽然达观，却也尊重死人。所以他不和可怜的查理记仇，黄昏又守尸来了，带着三本书，还有一个活叶册子，写笔记用。

布尔尼贤先生也在。床已经挪到外头，床头点着两支大蜡。

药剂师嫌空气沉静，没有多久，就编了两句悼念的话，哀怜这"不幸的少妇"。教士回答，如今只有帮她祷告，才是正经。郝麦接下去道：

"不过,二者必有其一:或者她是蒙主召归(如教会那种说法),那她根本就用不着我们祷告;或者她是至死不悟(我相信这是教士的词令),那……"

布尔尼贤打断他的话,粗声粗气驳他,说不管怎么样,都应该祷告。

药剂师反对道:

"不过上帝既然知道我们的一切需要,祷告又有什么用?"

教士道:

"什么!祷告!难道你不是基督徒?"

郝麦道:

"对不住!我佩服基督教!首先,解放奴隶,在社会树立起来一种道德理论……"

"不仅这个!所有经文……"

"嘻!嘻!说到经文,看看历史吧;人人知道,耶稣会教士窜改经文来的①。"

查理进来,走到床前,慢慢腾腾,掀开幔帐。

爱玛的头歪靠右肩膀。嘴张开了,脸的下部就像开了一个黑洞一样。两个拇指还弯在手心。眼睫毛上仿佛撒了一层白粉。眼睛开始消失,像是蜘蛛在上面结网来的,盖着一种细布似的黏黏的白东西。尸布先在胸脯和膝盖之间凹下去,再在脚指尖头臌了起来,查理觉得像有无限的体积、绝大的重量压在她身上一样。

教堂的钟正打两点。他们听见河水潺潺,从望台一旁流入

---

① 并非事实。耶稣会教派创立于 1534 年,《圣经》早已流传于世。法国王室复辟,该会教士接踵而至,设立学校,发展组织,扩大反动阵营的势力。以进步分子自命的郝麦当然时时加以攻击。

黑暗。布尔尼贤先生不时大声擤鼻涕；郝麦的笔在纸上吃吃直响。他道：

"好啦，我的好朋友，对景伤情，你还是走开吧。"

查理一走，药剂师和堂长又辩论起来了。一位说："读伏尔泰！读霍尔巴赫！读《百科全书》！"

另一位说：

"读《葡萄牙犹太人的书信》！读前任文官尼考拉写的《基督教辨》①！"

两个人争执不下，面红耳赤，同时说话，谁也不听谁说话。布尔尼贤想不到对方会这样狂妄；郝麦奇怪对方会这样愚蠢。两个人就要破口对骂了，忽然看见查理又出现了。有什么东西不断吸引他上楼。

为了看她看得清楚，他待在对面，凝神观看。也正由于凝神观看，他已经不觉得痛苦了。

他想起关于感应的故事、关于催眠术的奇迹；他向自己说：精诚所至，就许能起死回生。有一次，他甚至于朝她弯过身子，低头呼唤："爱玛！爱玛！"声急气粗，蜡烛的火焰也被吹到墙上摇晃。

天蒙蒙亮，包法利老太太就来了；查理吻抱她，悲由衷而来，又哭了一场。她像药剂师一样，试着劝他撙节丧葬费用。他不但不听劝，反而大生其气，她也就只好罢休。他甚至于要她立刻进城去买必需的东西。

查理独自待了一下午；白尔特交给郝麦太太照管；全福和

---

① 《葡萄牙犹太人的书信》(Lettres de quelques juifs portugais) 是法国教士盖奈 (Guénée；1717—1803) 的作品 (1769)，反驳伏尔泰对《圣经》的攻击。尼考拉 (Nicolas；1807—1888) 是法国天主教作家。

勒福朗丝瓦太太在楼上房间守灵。

当天黄昏,他接见吊客。他站起来,握着你的手,说不出话,随后大家挨挨挤挤坐下,在壁炉前围成一个大半圆圈,低下头,交叠着腿。他们一边摇腿,一边不时大声叹息。人人无聊到了极点,可是谁也不肯先走。

郝麦在九点钟又来了(两天以来,大家净在广场看见他了),带来一堆樟脑、安息香和香草。他还带来一瓶含氯的药水①,消除秽气。女佣人、勒福朗丝瓦太太和包法利老太太兜着爱玛,转来转去,这时正好给她换完衣服;她们拉下又长又硬的面网,一直盖到她的缎鞋。全福呜咽道:

"啊!我可怜的太太,我可怜的太太!"

女店家叹息道:

"看呀,她还是那样好看!谁不说,她这就要坐起来呀。"

她们接着就弯下身子,给她戴花冠。

头非举高一点不可,但是头一举高,就见嘴里流出一股黑水,好像又在呕吐一样。勒福朗丝瓦太太叫喊道:

"啊!我的上帝!袍子,当心!"

她转向药剂师道:

"帮帮我们的忙!怎么!你还害怕!"

他耸肩膀驳她道:

"我,害怕?有你说的!我念药剂学的时候,我在市立医院看到的死人,那才叫多!我们在解剖教室配五味酒!死人吓不倒哲学家;我常常说起,我简直有意思把我的身体送给医院,供科学研究用。"

神甫一到,就问起包法利的情形;听完药剂师的回答,他

---

① "含氯的药水"应当是次氯酸纳,即漂白水。

讲：

"你明白，刺激还太近！"

郝麦一听这话，就恭喜他不像别人，有丧失娇妻的危险。他这话引起一场关于教士独身的争论。药剂师说：

"因为男子不要女人，就不合乎自然！有人犯罪……"

教士喊道：

"不过，老天爷！一个人结了婚，你倒说说看，怎么可以保守忏悔的秘密啊？"

郝麦攻击忏悔。布尔尼贤加以辩护，说它有恢复本性的效果，举出盗贼忽然变好的种种逸事作证明。有些军人走进忏悔间，觉得眼睛上有鳞掉下来①。夫立堡有一位教士②……

他的同伴睡着了。房间的空气太浊，他觉得有一点气闷，过去打开窗户，惊醒了药剂师。他对他道：

"来，闻闻鼻烟！吸吸吧，人就清醒了。"

老远什么地方，狗不断在吠。药剂师道：

"你听见狗叫唤了吗？"

教士回答道：

"据说，它们闻得到死人的气味。好像蜜蜂一样，闻到死人气味就会离开蜂窝。"

郝麦没有驳斥这些偏见，因为他又睡着了。布尔尼贤先生比较壮实，呢呢喃喃，嘴唇继续动了一些时，不知不觉，下巴一搭拉，丢开他的大黑书，也就呼噜呼噜打起鼾来了。

两个人相对而坐，肚子朡出，脸皮浮肿，眉头皱紧，纷呶

---

① 典故出于《新约·使徒行传》第九章第十八节："扫罗的眼睛上，好像有鳞立刻掉下来，他就能看见，于是起来受了洗。"意即看见了真理。

② 夫立堡（Fribourg）在瑞士，是天主教的一个重要据点。

不已，终于在人类同一弱点之中携手了：尸首的模样像在睡觉一样，他们一动不动也比尸首强不了多少。

查理进来，没有惊动他们。这是末一回。他对她告别来了。

香草还在燃烧，浅蓝的氤氲漂到窗口，和进来的雾混合起来。天上有几颗星宿，夜很柔和。

大滴蜡烛油落在床单上，好像眼泪一样。查理望着蜡烛燃烧，可是望久了黄焰的亮光，眼睛疲倦了。

缎袍如同月光一样白，波纹似的闪闪烁烁。她穿在里头，就像人没有了一样。他觉得她离开身体，迷迷蒙蒙，化入四周的什物，和寂静、黑夜、过往的风、升起的润泽的香气成为一体。

他忽然看见她在道特的花园，坐在荆棘篱笆前面的长凳上；过了一时，又在鲁昂的街上，又在他们的门口，又在拜尔斗的院落。他还听见男孩子们，快快活活，在苹果树底下，连笑带舞。房间充满她的头发的香味，她的袍子在他的胳膊底下，缂缂缭缭，发出火花一样的响声。这件袍子还是那件袍子！

他用了不少时间，这样回忆过去的种种欢乐，她的体态、她的手势、她的声调。他一阵一阵难过，无终无了，源源不绝，仿佛潮水上涨，垒涌一片。

他起了可怕的好奇心：他一边心跳，一边慢慢腾腾，拿手指尖掀起她的面网。但是他不看犹可，一看吓得叫了起来，惊醒另外两位。他们把他拉到底下厅房。

全福随后上来，说他要一把头发。药剂师道：

"剪好了！"

她不敢剪；他拿起剪子，亲自去剪。他直打哆嗦，两鬓扎了好几个伤口。最后,郝麦硬起头皮,乱剪了两三剪刀,给她的美丽的黑头发添了几块空白。

药剂师和堂长继续进行工作,中间免不了睡一时,但是每回醒来,就你怪我,我怪你,谁也不放过谁去。于是布尔尼贤在房间洒圣水,郝麦拿一点含氯的药水倒在地板上。

全福事前在五斗柜上,给他们摆好一瓶白酒、一块干酪、一大块点心。所以临到早晨四点钟左右,药剂师熬不住了,叹气道:

"说真的,我想加加养料!"

教士勿需乎他求,出去做完弥撒回来,他们就又吃,又碰杯喝起来了,不知道为什么,还咯咯笑着:人在某些忧愁阶段之后,不由兴起一种泛泛的快活感觉,所以教士喝到末一小杯,拍着药剂师的肩膀道:

"我们会有一天互相了解的!"

他们在底下门道遇见工人进来。于是足足两小时之久,查理不得不忍受铁锤敲打木板的响声。他们把她放进她的栎木棺材,再装在另外两副棺材里头,但是外椁太宽,又得拿一条褥子的毛绒塞满空档。最后三副棺盖刨平了,钉牢了,焊好了,就把灵柩放在大门前面。大门开直了,永镇的男女开始集合。

卢欧老爹来了。他望见黑布①,在广场晕倒了。

10

他在出事三十六小时之后,收到药剂师的信。郝麦先生照顾他的情绪,信上含糊其辞,他看不明白到底是什么意思。

---

① 丧事的标志。

老头子看完信,先像中风一样,倒了下去。后来他明白她没有死,但是又可能死……他最后穿上工人服,戴上帽子,给鞋套上刺马距,飞也似的出发了。卢欧老爹一路焦灼万状,气喘吁吁。有一回,他什么也看不见,只好下马;他听见周围全是声音,觉得自己快要疯了。

天破晓了。他望三只黑母鸡在一颗树上睡觉;这是凶兆,他吓哆嗦了。于是他向圣母许愿,送教堂三件祭披,从拜尔斗公墓,光脚走到法松镇的圣堂。

他一进马洛默,就喊店家,一肩膀顶下店门,跑到荞麦口袋跟前,拿一瓶新苹果酒倒进酒槽,然后喂饱了马,又跨上他的小马。马拚命跑,四个铁掌冒出火星来了。

他向自己道:不用说,会把她救活过来的;医生一定有法子救她。他想起先前听人说起的种种治病的奇迹。

接着他觉得她又像死了一样。她仰天躺在前面大路当中。他拉住缰绳,幻影不见了。

他来到甘冈普瓦,一连喝了三杯咖啡壮气。

他心想信上写错了名姓。他摸索衣袋,信摸索到了,可是不敢打开看。

他最后揣想,这也许是一个玩笑,——有人报他的仇,淘气小子寻他的开心。再说,她要是真死了的话,他会没有一点感觉?然而的确没有!田野和平日没有什么两样:天是蓝的,树在摇摆;走过一群羊。他望见村镇。大家就见他伏在马背,风驰电掣,拚命打马,肚带有血在滴。

他醒过来,倒入包法利的胸怀,哭道:

"我的女儿!爱玛!我的孩子!是怎么一回事,说给我听……"

另一位也抽抽噎噎回答道:

"我不知道,我不知道!反正是祸事就是了!"

药剂师分开他们:

"这些可怕的细情,听了也没有用。我回头告诉先生好了。看,人越来越多了。放,放稳重!想开些!"

可怜的包法利表示镇静,重复了几次:

"是……要勇敢。"

老头子喊道:

"好!老天在上,我一定勇敢,我送她一直送到头。"

钟响了。一切齐备。应当出发了。

他们并肩坐在唱经堂周围一个小间里,看三位唱经队队员,不停脚步,在前面走来走去,唱赞美诗。蛇形风管呜嘟呜嘟在响。布尔尼贤先生全身披挂,尖声歌唱,膜拜圣龛,举高两只手,伸出一双胳膊。赖斯地布都瓦拿着他的鲸骨杖,在教堂转来转去。灵柩靠近经桌,停在四排蜡烛中间。查理直想站起来,吹灭蜡烛。

不过他也努力激起笃信的心情,希望将来有一天再见到她。他想象她许久以来,就到远处旅行。但是他再一回想,她就在棺材里面,不但休想活转,而且就要下葬,心头立刻涌起一种绝望、悲惨、冷酷的愤怒。有时候他以为自己失了感觉。他一面责备自己没有心肝,一面欣赏他的痛苦减轻。

大家听见一根包铁棍子,一板一眼,顿石板地响,声音从里发出,在教堂一侧停住。一个穿一件宽大棕色上装的男子,好不容易跪了下来。原来是"金狮"的伙计伊玻立特。他换上他的新假腿。

一个唱经队队员,兜着正殿,请求布施。铜钱一个又一个,在银盘里面响动。包法利带怒丢了他一枚五法郎辅币,喊道:

"快!我难过!我!"

队员深深一躬谢他。

歌唱、跪拜、起立,简直没完没了!他记得初来期间,他们有一回,一同参加弥撒,坐在右边靠墙一面……钟又响了。椅子乱动。杠夫在灵柩底下放过三根杠子。大家走出教堂。

玉斯旦这时在药房门口出现,不过面无人色,步履蹒跚,忽然就又进去了。

人站在窗口看出殡。查理领头先走,挺直了腰。他装出一副勇敢模样,看见有人从小巷或者大门出来,加入行列,就点头示意。六个杠夫,一边三个,迈开小步,微微气喘。教士、唱经队队员和两个唱经的小孩子,吟诵"我从深处"①,声音抑扬高低,散在田野。有时候他们走进小路拐弯,看不见了,不过大银十字架总在树木之间举着。

妇女跟在后头,披着风帽朝下翻的黑斗篷,拿着一支点亮的大蜡烛。查理听见祷告重来复去,看见蜡烛络绎不绝,闻见蜡油和道袍的恶心气味,觉得自己软绵绵没有气力。一阵清风吹来。裸麦和油菜发绿;露珠在道旁荆棘篱笆上颤抖。天边是一片欢乐的声音:一辆大车在车辙走动,远远传来鞭子噼啪的响声;一只公鸡啼个不住,要不然就见一匹马驹,跳跳蹦蹦,逃到苹果树底下。晴空飘着几点玫瑰色红云;淡蓝浮光笼罩着蝴蝶花盖住的茅屋;查理走过,认出一所一所院落。他记得有些早晨如同今天一样,他看完病人,走出院落,回去看她。

黑布棺罩绣了好些眼泪似的白点子,不时被风吹开,露出灵柩。杠夫走累了,放慢脚步。灵柩忽高忽低,仿佛一条小

---

① "我从深处"(De Profundis)见于《旧约·诗篇》一百三十。基督教用来为死人祷告。

船,一个浪头打来,上下摆动。

公墓到了。

男子继续行走,一直走到草地有坟穴的地方站住,围成一个圆圈,听教士讲话。红土抛在坟穴四周,又悄悄顺着四角,不断流了下去。

随后四条绳子放好,杠夫把灵柩推到上头。他看着它往下坠。总在下坠。

最后听见一声撞响,绳子就呲呲喳喳又拉上来。于是布尔尼贤拿起赖斯地布都瓦递给他的铁铲,一面右手洒圣水,一面左手使劲推下一大堆土去;石子碰着棺木,发出可怕的响声,听起来好像永恒的回声一样。

教士把圣水洒壶递给他旁边的郝麦先生。他一副庄重的模样摇了摇,又递给查理。他连腿跪在土里,掬起满把土往里扔,一面喊着:"再会!"一面送过吻去;他爬到坟穴跟前,要和她埋在一道。

大家把他拉开了。他没有多久,也就安静下来。他也许跟别人一样,模模糊糊,感到结束的满足。

出殡回来,卢欧老爹像无事人一样,吸着烟斗;郝麦看在眼里,心下觉得很不应该。他还注意到毕耐没有露面,杜法赦听完弥撒,就"溜之大吉",公证人的听差代奥道穿一件蓝燕尾服,"倒像找不到一件青燕尾服,可是话说回来,这是风俗!"他从这一群人走到另一群人,说起他的观察心得。大家谈到爱玛,同声惋惜,特别是勒乐。他自然也送殡来了。

"可怜的小太太!她丈夫要多难过!"

药剂师接下去道:

"不是我,你知道,他会结果了自己的性命的!"

"那样善良的一位太太!上星期六,我还在我的铺子见到她，你说说看！"

郝麦道："我没有时间，不然的话，我会准备几句话，到她的坟上演说的。"

查理回到家，脱掉衣服。卢欧老爹换上他的蓝工人服。这是新做的，他一路常拿袖子揩眼睛，脸上也有了颜色。一脸的土，眼泪流过，留下一道一道印子。

包法利老太太和他们在一起。三个人全不言语。老头子最后叹息道：

"你记不记得，我的朋友，我有一回到道特，正赶上你丢掉你的头一位太太。当时我直安慰你！我有话讲；可是现在……"

接着他就朘起胸脯，长叹了一声：

"啊！你明白，这下子我完啦，我看见我女人死……后来又是我儿子……今天，又是我女儿！"

他决计马上就回拜尔斗，说他在这房子睡不着觉。他甚至于拒绝看一眼他的外孙女。

"不！不！我受不了。你替我好好吻吻她！再会！……你是一个好孩子！再说，我永远不会忘记这个……"

他打着自己的屁股道：

"别害怕！总有你的火鸡的。"

但是他走到岭上，却又转回身子，如同从前在圣·维克道小路和她分手，转回身子一样。太阳落在草原，光线斜射过来，村庄的窗户仿佛着了火似的。他拿手放在眼前，望见天边有一圈墙，里面的树木，左一堆，右一堆，夹在白石头当中，活像一束一束黑花①。他继续行路，缓缓走去，因为他的小马

---

① 永镇公墓。

跛了。

　　查理和母亲虽然劳累,黄昏守在一起,谈了许久。他们说起先前的日子和将来。她搬到永镇住,料理家务,母子不再离开。儿子的感情,多少年来,溜出她的手心,如今回到身边,心喜可知。她又是机警,又是心疼。半夜到了。村镇和往常一样,静静悄悄,只有钟响。查理醒过来,总在想她。

　　罗道耳弗整天在树林打猎消遣,安安逸逸,睡在他的庄园;赖昂在那边,也睡着了。

　　这时候有一个人却没有睡。

　　松树中间,有一个男孩子,跪在坟头哭泣。他在黑地里,胸脯一起一伏,抽抽搭搭,上气不接下气,难过得什么似的,比月光还柔,比夜色还深。

　　栅栏门忽然嘎吱在响。赖斯地布都瓦方才忘记带走他的铁铲,现在寻找来了。他认出是玉斯旦爬墙:偷他的马铃薯的罪犯,总算有了下落。

11

　　查理第二天接回小孩子。她要她的妈妈。大家回答她:妈妈出门了,会带玩具给她的。白尔特问起好几次,不过时间一久,也就不往这上头想了。包法利看见孩子快活,反而伤心,还有药剂师的慰唁,听了心烦,却又非听不可。

　　银钱事务不久就又开始了,勒乐先生又唆使朋友万萨出面;查理认可惊人的数字,因为属于她的家具,再小他也不答应变卖。母亲气得不得了。他比她的气性还大。他完全变了。她丢下他走了。

　　于是人人来找便宜。朗玻乐小姐索讨半年学费,虽然爱玛一课钢琴也没有上过（别瞧她拿出那张收据给包法利看：原来是她们两个人串通好了的）。租书处索讨三年租费。罗莱嫂子索讨二十来封信的寄费；查理问她细情，她不漏一丝口风：

"啊！我知道什么呀！反正是她寄的。"

查理每付一次债，总以为这是最后一次。但是一次又一次，就没完没了。

他讨取拖延未付的诊费，人家拿他太太的信给他看，他只好连声道歉。

全福如今穿太太的衣服，不是全穿，因为他留下几件，放在她的梳洗间，他进去观看，就把自己锁在里头。全福差不多和她一样高低，查理望见她的背影，常常神魂颠倒，喊道：

"喂！别走！别走！"

可是代奥道在圣灵降临节把她拐跑了。她离开永镇，偷去留在衣橱的全部东西。

就在同一时期，寡妇都普意夫人送了一份喜帖给他，宣布"她的儿子、伊如斗的公证人、赖昂·都普意先生，和崩德镇的莱奥卡狄·勒玻夫小姐举行婚礼"。查理给他写信道喜，并说："我可怜的太太在世的话，听到你的喜讯，该多快乐呀！"

有一天，他在家里漫步闲走，上到阁楼，觉得鞋底踩到一个细纸小球。他打开读到："拿出勇气来，爱玛！拿出勇气来！我不希望害你一辈子。"原来是罗道耳弗的信，掉在木箱夹缝，一直待在地上，天窗的风新近又把它吹到门口。查理张大了嘴，一动不动，站在从前爱玛站的地方，当时她万念俱灰，直想寻死，脸色比他现在的脸色还要惨白。最后他在第二页底下看到一个小小的"罗"。这是什么意思？他想起罗道耳弗的殷勤、他的忽然不见和以后有两三次遇到，他的枕陧神情。不过书信的尊敬口气引他往好处想。他自言自语道：

"他们也许是闹精神恋爱。"

再说,查理不是那种追根究底的人;他看见证据,反而退缩。他的妒忌若有若无,比起他的浩大痛苦来,也就微不足道了。

在他看来,男子不膜拜她,就不可能。个个男子,毫无疑问,都想要她。他这样一想,越发觉得她美。他对她起了一种持久、疯狂的欲望,欲望无边无涯,加强他的绝望,因为现在失去一切实现的可能。

好像她还活着一样,他讨她的欢心,迁就她的喜好、她的见解;他买了一双漆皮鞋,系白领带,髭上洒香水,学她签发票。想不到她死了以后还败坏他。

他迫不得已,一件一件卖掉银器,接着就又卖掉客厅的家具。间间屋子成了空的,只有卧室、她的房间,丝毫不动,还和先前一样。查理用过晚饭,来到卧室,把圆桌推到壁炉前面,拉近她的扶手椅。他坐在对面。有一支镀金蜡烛台点着蜡烛。白尔特在他旁边,往画儿上涂颜色。

可怜人见她穿得那样破烂,好生难过。靴子没有靴带,罩衫从肩膀底下一直撕到屁股,因为女佣人根本就不管她。但是她长得又温柔,又可爱,小脑袋朝前一歪,温文尔雅,美丽的金黄头发搭在她的粉红脸蛋,他感到无限喜悦,好像酒酿坏了,有松香气味一样,欢乐搀有悲伤。他帮她修理玩具,用硬纸板剪小人,缝补囡囡的破肚皮。他要是见到女红盒、一条拖在外头的缎带或者甚至于一根落在桌缝的针的话,他不由就沉吟起来,模样非常忧郁,连她也变得像他一样忧郁。

如今没有人看望他们了。因为玉斯旦逃到鲁昂,进杂货铺当伙计;药剂师的孩子越来越不理小姑娘,郝麦先生也不在乎友谊延长,他们的社会地位不一样了。

他的消炎膏没有能医好瞎子。瞎子回到居由默树林岭，对旅客讲药剂师徒劳无功，讲到后来，郝麦进城，躲在"燕子"的窗帘后头，不敢见他。他恨透了他；名誉攸关，他千方百计除他，还安装了一座隐蔽的炮位打他：显出他不但足智多谋，而且心术险恶。一连六个月，人在《鲁昂烽火》可以读到这样措词的短论：

> 每一个去毕伽底肥土沃野的人，一定会在居由默树林岭上，看见一个乞丐，脸上长着可怕的烂疮。他纠缠你，迫害你，简直等于征收旅客一次路捐。难道如今还是中世纪野蛮时代，流浪人参加十字军远征，带回来的癞疮和瘰疬，我们也许公开展览？

要不然就是：

> 法律禁止流浪，可是我们的大城市的近郊，依然布满成群结队的乞丐。人还见到踽踽独行的乞丐，他们不见其就最不危险。我们的市府官长在想着什么？

郝麦还捏造了一些耸人耳目的逸闻：

> 昨天，一匹受惊的马，在居由默树林岭……

接下去就讲遇见瞎子，发生了意外事件。

结果是官府把他关起来了。可是官府又把他放了。他又开始，郝麦也又开始。这变成一场角斗。他胜利了；因为他的仇敌被关在一家收容所，受到终身禁闭的处分。

成功增加胆量。从这时候起,县里压死一条狗,烧掉一座谷仓,殴打一个女人,他一知道,就永远根据爱护进步和憎恨教士的心情,立刻公开给大家知道。他比较公立小学和教会小学,指摘后者①。他看见贴补教堂一百法郎,气愤不过,提起圣·巴托罗缪惨案。他揭发弊窦,散布警句:他自己这样讲。郝麦做的是破坏工作;他变成危险分子了。但是新闻天地太小,不足以发挥他的大才,他需要来一部书、一部著作!于是他编了一部《永镇统计一览,附风土调查》。统计学把他带到哲学。他关怀重大问题,例如社会问题、下等阶级的教化、养鱼法、树胶、铁路等等②。他羞于做一个资产者。他摆出艺术家风度,吸起烟来了!他买了两尊彭帕杜尔风格的时髦小雕像,装潢他的客厅。

他不放弃药房;正相反!他晓得最新发明。他注意提倡巧克力的大运动。他头一个把可可和补力多介绍到塞纳河下游

---

① 法国教育事业,以往完全由教会包办,1833 年,国会通过一项法规,规定每乡必须设立一所初级小学,每县必须设立一所高级小学,每州必须设立一所师范学校。教会提出"自由"口号,企图恢复包办,形成绝大的论争。1845 年,王国政府迫于形势,封团耶稣会设立的学校。

② 社会问题主要是工人和农民问题。1845 年到 1847 年,农产物歉收。贫困的小农群趋破产。同时资本家进行残酷的剥削,造成工人阶级普遍贫困的现象。罢工经年不断。空想社会主义者脱离实际,提出广泛的、无所不包的社会改造计划。资产阶级人道主义者,错以为下等社会(穷人)道德败坏,需要加强教化,改善监狱,提高文化程度。

法国一向不注意人工养鱼,当时河、沼极需鱼的繁殖。

树胶和下文提起的巧克力,都是殖民地的产物。大力使用树胶,远在 1840 年以后。

法国从 1827 年起,开始兴建铁路,进行迟缓,巴黎和鲁昂之间的铁路,在 1843 年还需要投资,才有可能完成。一般乡鄙地区,对铁路怀有畏惧的心情。

州。他热烈鼓吹普外马骰的水电链①，自己就戴一条；晚上他脱法兰绒背心，露出金螺旋线，裹得又密又严，赛过一个西徐亚人，金碧辉煌，如同一位东方王爷②，人在里头也张望不见，可是郝麦太太看在眼里，目瞪口呆，觉得自己加倍崇拜他了。

他对爱玛的墓碑有奇妙的见解。他最先建议，立一根半截石柱，外加一件飘洒的衣服；后来他又建议，立一座金字塔；最后又是一座圆亭式样的维斯塔神庙……要不然就是"一堆荒景"。他把垂柳看成忧郁的唯一无二的标志③，所以计划尽管改来改去，但是关于垂柳这一点，他决不让步。

查理和他一同到鲁昂一家石厂，挑选墓碑，——还有一位画家作伴。他是柏里都的朋友，姓渥夫里拉尔，一路净说双关语。查理看了一百多种图样，又估计了一番价钱，最后，二次去鲁昂，决计采用皇陵式样，主要两面全雕了"一位司命神，拿着一根灭了的火把"。

至于碑铭，郝麦觉得就数"行人止步"漂亮；他想不出别的；他搜索枯肠，不断重复"行人止步"……最后忽然想到"勿践贤妻"④，查理采用了。

---

① 水电链是普外马骰（Pulvermacher）利用电池做出来的平流电链，供医疗使用。水电链出现于1852年，宣传能治百病，轰动一时，还得到巴黎医学学会的赞扬。

② "东方王爷"（mage）就是上卷第二章说起的三王节的"王"。耶稣降生，他们从东方来朝拜，见于《新约》。

③ 垂柳是浪漫主义观念，诗人缪塞（Musset）在《吕西》（Lucy）一诗说："我亲爱的朋友，我死的时候，在坟地给我栽一棵柳树。"

④ "行人止步"和"勿践贤妻"的拉丁原文是（Sta, viator amabilem conjugen calcas，完全抄袭德国十七世纪初叶麦尔席（Francois Merct）将军的碑铭："行人止步，勿践英雄"（Sta viator heroom calcas）。

奇怪的就是,包法利一边不停想念爱玛,一边却在忘记她。他想尽方法来保留她的形象,可是他觉得这形象照样溜出了他的记忆。他为这事直恨自己。其实他夜夜梦到她;梦也永远一样:他走到她跟前,然而就在搂抱的时候,她在他的胳膊中间变成了尘土。

大家看见他天天黄昏去教堂,去了一星期不去了。布尔尼贤先生甚至于看望过他两三回,后来也就随他去了。而且郝麦说,老头子心地越来越褊狭,越疯狂。他大骂时代精神,每半个月,临到讲道,必定提起伏伏泰临死的情形,大家知道,他是吞自己的粪死的①。

包法利虽然省吃节用,离还清旧债,却还远得很。勒乐拒绝改期。扣押就在眼前了。事到如今,他只好写信给母亲求救。母亲答应拿她的财产作抵押,不过信上狠狠数说了爱玛一顿;她要一条全福没有偷去的披肩,酬谢她的牺牲。查理不肯给她。他们失和了。

她首先提出和解,向他建议接小女孩子过去,陪她作伴。查理同意了。但是临到动身,他又舍不得她走。这一回,母子决裂到底,挽救不来了。

亲戚关系越淡,他的心也就越集中爱女儿了。偏偏她又让他不放心,因为她有时候咳嗽,脸蛋有红印子。

对面是药剂师的家庭,又兴旺,又快活,事事如意。拿破仑帮他进行实验;阿达莉给他绣了一顶希腊小帽;伊尔玛剪圆纸片,盖蜜钱罐;富兰克林一口气背完九九表。他是最快乐的父亲、最走运的人。

---

① 并非事实。伏尔泰死前十天,已经不用食物。教会争取他忏悔,没有做到,怨恨之余,当时就有教士捏造他临死吃粪,耸人听闻。

错啦!有一种野心私下折磨他:郝麦热中十字勋章。他不缺乏资格:

第一,霍乱流行时期,曾经奋不顾身,热心服务;第二,自费刊印种种造福公众的著述,例如……(他提起他的报告,题目是《论苹果酒及其酿造与效用》;还有关于密毛木虱的研究,送到法兰西学院;他的"统计",甚至于他做药剂师的考试论文);还不提"我是好几个学会的会员(他只是一个学会的会员)"。他打一个转身,喊道:

"单说踊跃救火,我也该得!"

于是郝麦逢迎当道。州长先生竞选①,他私下大帮其忙。他最后卖身求荣,无所不至。他甚至于给国王写了一封请愿书,求他"主持公道";他称呼他"我的好国王",把他比成亨利四世。

每天早晨,药剂师接过报纸,急忙打开,在任命栏寻找他的名字,只是任命不见下来。他最后等不及了,拿花园草地修成勋章的宝星式样,上头来两个小条,也是草做的,代表缎带。他交叉胳膊,围着这块草地散步,默念政府无能,世人负义。

爱玛常用的一张乌木书桌,查理由于尊重起见,或者由于从缓查看的一种快感,就没有打开她本人的抽屉看过。最后有一天,他坐在书桌前面,转动钥匙,推开锁簧。赖昂的书信全在里头。这一回,没有疑问了!他一直看到末一封信,搜索个个角落、件件家具、只只抽屉、张张画后,又是呜咽,又是噑叫,心烦意乱,如癫如狂。他发现一只匣子,一脚踢破。情书

---

① 政府官员当时兼作国会议员。1847年,反对党要求王国政府停止州长参加竞选,政府拒绝接受。

散了一地，当中有一张罗道耳弗的画像，凝目相望。

大家奇怪他为什么那样情绪低落。他不出门，不见客，甚至于拒绝去看他的病人。大家讲他："关在家里喝酒。"

有时候，好事者耸起身子，从花园篱笆上头往里张望，大吃一惊，就见这位先生，胡须老长，衣服齷齪，容貌狰狞，边走，边号啕大哭。

夏季黄昏，他带领小女儿，来到公墓，直到黑夜才回，除去毕耐的天窗，广场没有亮光。

不过他的痛苦的感受并不完整，因为旁边没有人和他在一起分担。他看望勒福朗丝瓦太太，为了能谈谈她。但是女店家只有一只耳朵听：她像他一样，也有苦恼，因为勒乐先生的"利商车行"，最近终于开办了。伊外尔在办货方面，卓有声誉，要求加薪，还威胁她，要加入"对方"。

有一天，他到阿尔格意市场，去卖他的马，——他的最后的财路，——遇见罗道耳弗。

狭路相逢，两个人全脸白了。爱玛出殡的时候，罗道耳弗仅仅送去他的名片，所以一见之下，就期期艾艾先表歉意，随后有了胆量，居然请他（正当八月，天气炎热）到酒馆去喝一瓶啤酒。

他靠住桌子，边说，边嚼他的雪茄；查理坐在她爱过的这张脸形的对面，出神遐想。他觉得像又见到她的什么东西一样。实在意想不到。他真想做罗道耳弗。

另一位继续闲谈庄稼、牲畜、肥料，看见话有了空档，唯恐对方提起隐情，赶紧就找无聊的话来堵塞。查理并不在听；罗道耳弗也觉出来了，单从他的脸色的变动，就看出了回忆正在来往。查理渐渐脸红了，鼻孔抖动，嘴唇哆嗦，甚至于有阵，气愤填胸，死盯罗道耳弗看。罗道耳弗似乎感到恐怖，话

也中断了。但是没有多久,脸上又显出原先那种凄惨的无精打采的神情。他说:

"我不生你的气。"

罗道耳弗默不作声。查理两只手抱住头,好像无限的痛苦全都倒咽下去了一样,奄奄一息,低声道:

"是啊,我不再生你的气啦!"

他甚至于添上一句伟大的话,有生以来他说过的唯一的伟大的话:

"错的是命!"

罗道耳弗觉得一个人在他这种地位,说这种话,未免忠厚,简直好笑,有一点下贱。

第二天,查理坐到花棚底下的长凳上。阳光从空格进来;葡萄叶的影子映在沙地;素馨花芬芳扑鼻;天是蓝的;芫青环绕开花的百合嗡嗡在飞。查理觉得气闷,仿佛一个年轻人,心里迷迷茫茫,涨满了爱情的潮汐。

小白尔特一下午没有见到他。七点钟找他去用晚饭。

他闭住眼睛,张大了嘴,手里拿着一股又黑又长的头发,头仰靠着墙。她道:

"爸爸,你倒是来呀!"

她以为他在逗她玩耍,轻轻推了他一下。他倒在地上。原来是死了。

三十六小时以后,由于药剂师的要求,卡尼外先生跑来加以解剖,但是什么也检验不出。

全部什物出卖,只有十二法郎七十五生丁多下来,留给包法利小姐投奔祖母一路使用。老太太当年去世;卢欧老爹瘫了,一个远房姨母把她收养下来。姨母家道贫寒,为了谋生,如今把她送进一家纱厂①。

自从包法利死了以来,一连有三个医生在永镇开业,但是经不起郝麦拚命排挤,没有一个站住了脚。他的主顾多得不得了。当道宽容他,舆论保护他。

他新近得到十字勋章。

---

① 由于童工工资非常低廉,当时资本家喜欢雇用童工。
动词一直是过去时,从这一句起,直到末一句,作者改用现在时。白尔特进工厂做童工,该有八九岁了。

附 录

福楼拜生平及创作年表

谭立德编

1821 年

12月13日居斯塔夫·福楼拜生于鲁昂一个医生世家。父亲阿希叶－克莱奥法斯·福楼拜是外科主任医生，1818年起任鲁昂市立医院院长。母亲加萝琳·福勒瑞奥，是诺曼底地区一位医生的女儿。

1832 年

2月进入鲁昂中学。

1833 年

到巴黎、枫丹白露等地游玩。

1834 年

在中学编辑手写报纸《艺术和进步》。暑假，到特鲁维尔度假。返校后，撰写短篇小说《玛格丽特·勒艮第之死》。

1835 年

《艺术和进步》报上刊登短篇小说《地狱之游》。

1836 年

撰写短篇小说《伸向王冠的两只手》、《扑鼻的芬芳》、《谨慎的菲利普的秘密》、《上流社会的女子》《佛罗伦萨的瘟疫》、《藏书癖》、《疯狂与无能》、《十世纪诺曼底编年史》。

开始自传体小说《狂人回忆》的创作。

1837 年

撰写短篇小说《地狱之梦》、《铁手》。

在鲁昂一家小报上首次发表写实文章《一堂自然史课:雇员类》。

1838 年

完成五幕剧《路易十一》。撰写短篇小说《临终》、《怀疑思想》、《死者的舞蹈》、《陶醉与死亡》。

开始创作短篇小说《斯马尔》。完成《狂人回忆》。

10 月,进入修辞班,即法国旧时中学最高班。

1839 年

完成短篇小说《斯马尔》、《艺术和商业》、《马蒂兰医生的葬礼》、《拉伯雷》、《拉舍尔小姐》、《罗马和凯撒们》。

10 月,进入哲学班。

写作剧本《伙计》。

1840 年

8 月,通过中学会考。到比利牛斯山区和科西嘉岛旅游。

1841 年

到巴黎大学注册学习法律。但几乎全年居住在鲁昂和特鲁维尔。

1842 年

正在学医的布耶辅助福楼拜的父亲工作。

到巴黎参加考试。

开始撰写小说《十一月》(又译《秋之韵》)。

1843 年

初遇维克多·雨果。

撰写小说《情感教育》的第一个文本。

考试没有通过。

1844 年

首次发作神经系统疾病。决定放弃法律学习。

5月，父亲买下鲁昂近郊克罗瓦塞的房子。经修缮，全家于夏季入住。

1845 年

3月，妹妹加萝琳·福楼拜结婚。全家人同新婚夫妇一起到巴黎、诺让地区、普罗旺斯、热那亚、米兰、日内瓦旅游。

7月，好友杜冈来到克罗瓦塞度假，住了三星期。

完成《情感教育》第一个文本。

1846 年

1月15日，父亲去世。

2月，妹妹因产后热去世。从此一直同母亲居住在克罗瓦塞。

5月，开始撰写小说《圣安东尼受试探》（又译《圣安东尼的诱惑》）。

夏季，结识了路易丝·高莱。开始长达八年的恋情。

1847 年

5月1日，同杜冈一起到布列塔尼和诺曼底游览。

1848 年

2月，爆发二月革命。2月23日，同布耶一起从鲁昂到巴黎了解情况。

1849 年

9月，完成《圣安东尼受试探》。

11月初，与杜冈一起动身取道马赛，去马耳他、亚历山大港、开罗等地。

1850 年

2月,离开开罗到埃及。在埃及、希腊、巴勒斯坦、黎巴嫩、土耳其等地游览。

1851年

3月,到达意大利。在那波里、罗马、佛罗伦萨游览。

6月,回到克罗瓦塞。

9月,开始长篇小说《包法利夫人》的创作。

1854年

与路易丝·高莱中止恋情。福楼拜终身未婚。

1856年

4月,完成《包法利夫人》。

重新写作《圣安东尼受试探》。

构思短篇小说《修道士圣朱利安的传奇》。

10月1日,《包法利夫人》经大量删改开始在《巴黎评论》连载,引起极大轰动。

12月到翌年1月,《艺术家》登载《圣安东尼受试探》的片段。

1857年

米歇尔·莱维购得《包法利夫人》版权,4月底出版此书,引起空前反响。

《圣安东尼受试探》第二稿完成。

准备撰写小说《萨朗波》,当时题名为《迦太基》。

7月,收到《恶之花》,并得知波德莱尔将发表有关《包法利夫人》的文章。

1858年

头几个月在巴黎。

4月,去君士坦丁堡、突尼斯、迦太基等地。

6月,回到巴黎。

1859 年

继续撰写《萨朗波》。

母亲患病,使福楼拜放弃中国之行的计划。

1862 年

《萨朗波》完稿,并于 11 月面世。

1863 年

撰写长篇小说《情感教育》第二个文本的纲要。

1866 年

撰写《情感教育》。

8 月,获骑士级荣誉勋章。

1869 年

5 月 6 日,完成《情感教育》。

7 月,好友布耶故世。

10 月 13 日,圣勃夫去世。

11 月,《情感教育》问世。

1871 年

4 月,重新撰写《圣安东尼受试探》。

1872 年

4 月,福楼拜的母亲去世。

7 月,完成《圣安东尼受试探》。构思长篇小说《布瓦尔和佩居榭》。

1873 年

6 月,出版商夏庞蒂埃到克罗瓦塞购买《包法利夫人》和《萨朗波》的版权。

11 月,完成剧本《候选人》。

1874 年

《圣安东尼受试探》由夏庞蒂埃出版社出版。

3月,《候选人》在滑稽歌舞剧剧场首次演出。

8月,开始撰写《布瓦尔和佩居榭》。

1875年

继续《布瓦尔和佩居榭》的写作。

9月,开始创作《修道士圣朱利安的传奇》。

1876年

3月,路易丝·高莱去世。

完成《修道士圣朱利安的传奇》后,于4月开始撰写短篇小说《一颗简单的心》,并构思小说《希罗迪亚》。

7月,乔治·桑故世。

8月,完成《一颗简单的心》。

1877年

1月,《希罗迪亚》完稿。

4月,《一颗简单的心》、《圣朱利安的传奇》和《希罗迪亚》结集为《三故事》,由夏庞蒂埃出版社出版。

1880年

5月8日,逝世于克罗瓦塞。

1881年

未完成遗著《布瓦尔和佩居榭》经删节先在《新评论》杂志上连续发表(1880年12月15日,1881年3月1日)。全文于3月由勒梅尔出版社出版。

图书在版编目(CIP)数据

福楼拜精选集/(法)福楼拜(Flaubert,G.)著;谭立德编选.—济南:山东文艺出版社,1999.9(2003.5重印)

(外国文学名家精选书系/柳鸣九主编)

ISBN 7-5329-1596-4

Ⅰ.福… Ⅱ.①福… ②谭… Ⅲ.小说-作品集-法国-近代 Ⅳ.I565.44

中国版本图书馆 CIP 数据核字(2003)第 009761 号

山东出版集团
www.sdpress.com.cn
山东文艺出版社出版
e-mail sdwy@sdpress.com.cn
(济南经九路胜利大街)
山东省新华书店发行
山东新华印刷厂临沂厂印刷
*
850×1168毫米 32开本 25印张 2插页 568千字
1999年9月第1版 2003年5月第3次印刷
定价 31.30 元